375 recettes sensationnelles

Splenda®

de Marlene Koch

Autres ouvrages de Marlene Koch

*50 Splenda® Recipes : Favorites from Fantastic Foods with Splenda
and Unbelievable Desserts wih Splenda*

*Fantastic Foods with Splenda : 160 Great Recipes for Meals Low in Sugar,
Carbohydrates, Fat and Calories*

Low-Carb Cocktails : All the Fun and Taste without the Carbs (with Chuck Koch)

Unbelievable Desserts with Splenda : Sweet Treats Low in Sugar, Fat and Calories

375 recettes sensationnelles
Splenda®
de Marlene Koch

Plus de 375 recettes faibles en sucre,
en gras et en calories

MARLENE KOCH

Illustrations par Christopher Dollbaum

MODUS VIVENDI

© 2008 Marlene Koch
Première parution 2006 M. Evans

Le livre *375 recettes sensationnelles Splenda*® de Marlene Koch est une parution originale
de M. Evans publiée en accord avec l'auteure.

Paru sous le titre original : *375 Sensational Splenda Recipes*

LES PUBLICATIONS MODUS VIVENDI INC.
55, rue Jean-Talon Ouest, 2ᵉ étage
Montréal (Québec)
H2R 2W8

Traduction : Ghislaine René de Cotret/Meyer
Révision : Nicole Blanchette

ISBN 13 : 978-2-89523-504-0

Dépôt légal - Bibliothèque et Archives nationales du Québec 2008
Dépôt légal - Bibliothèque et Archives Canada 2008

Ce livre propose des aliments et des boissons qui devraient faire partie d'un régime alimentaire sain
et ne constitue en aucune façon une diète alimentaire. Les personnes ayant des problèmes de
santé doivent consulter un professionnel de la santé, notamment un omnipraticien ou un diététiste
qualifié, afin d'obtenir un régime alimentaire personnalisé. La Food and Drug Administration (FDA),
aux États-Unis, a établi que la consommation de sucralose était sécuritaire. En revanche, les gens
qui utilisent Splenda® le font à leurs propres risques. L'auteure et l'éditeur ne sont aucunement
responsables des effets du produit et n'ont aucun lien avec le fabricant, McNeil Specialty Products.

Splenda® est une marque de commerce déposée de McNeil Specialty Products Company, une
division de McNeil-PPC Inc.

Weight Watchers et Winning Points sont des marques de commerce déposées de Weight Watchers
International Inc. Les points de comparaison de Weight Watchers ont été calculés selon la méthode
de Weight Watchers International Inc. et excluent toute commandite ou mention spéciale relative
aux équivalences proposées.

Nous reconnaissons l'aide financière du gouvernement du Canada par l'entremise du Programme
d'aide au développement de l'industrie de l'édition (PADIÉ) pour nos activités d'édition.

Gouvernement du Québec - Programme de crédit d'impôt pour l'édition de livres - Gestion SODEC

Imprimé au Canada.

La vie est belle ! Profitez-en...

Table des matières

Remerciements

Pour produire un livre de recettes sensationnelles, j'ai eu besoin d'une aide sensationnelle. Je tiens à exprimer toute ma reconnaissance envers ceux et celles qui ont contribué à la préparation de ce livre. En premier lieu, je veux remercier mes fils Stephen et James, qui me comblent de leur amour inconditionnel tous les jours. Ils ont appris (malgré les inconvénients) à partager leur mère avec l'épicerie, la cuisine et l'ordinateur. À mon époux, Chuck, qui s'est retrouvé avec une auteure couche-tard – un merci sincère pour ton soutien et ton encouragement.

Je veux également témoigner ma gratitude à mes deux adjointes culinaires, Lynn Kennedy et Stephanie Kay. Toutes deux ont passé d'innombrables heures dans ma cuisine à faire des essais, à améliorer mes recettes ou à les développer. Leur contribution a été inestimable. Je dois aussi remercier les très nombreuses et talentueuses créatrices de recettes : Gena Bell, qui a présenté ses plats sucrés avec un grand sens de l'humour ; Lynn Styles, pâtissière, pour sa grande créativité ; Susan Chessor, chef, pour son merveilleux sens de l'agencement des saveurs ; Karletta Moniz, chef, pour son grand professionnalisme. Enfin, j'offre mes remerciements sincères à ma chère Fran Lavolta, de www.lavoltapress.com, qui a généreusement partagé toutes ses bonnes recettes Splenda ®.

Une fois de plus, je suis redevable à mon éditrice, PJ Dempsey, pour son soutien constant, le temps qu'elle a consacré à mon projet, son professionnalisme et son amitié inestimables. Cet ouvrage n'aurait pas vu le jour sans ses idées et son appui... merci, PJ. Je remercie toute l'équipe chez M. Evans pour son aide de tous les instants ; surtout Diane Stafford, pour sa révision impeccable et ses talents inégalés d'organisatrice, et davantage encore pour son attitude positive, son enthousiasme et son dévouement.

Je remercie du fond du cœur Nicole Gessel, qui a permis à la vie de continuer sans heurts pendant que j'œuvrais à la rédaction de cet ouvrage. Nicole, vous avez dépassé mes attentes et je suis certaine que votre travail de qualité vous mènera loin. Une fois de plus, Chris Sardo m'a fait le plaisir de se joindre à l'équipe malgré son horaire personnel chargé. Merci à Janice Robinson pour son grand soutien et son amitié. Et puis à ma meilleure amie, Nancie Crosby : merci de faire partie de ma vie.

Enfin, je souhaite remercier les membres de ma famille, en particulier mes parents, pour leur présence et leur soutien constants. Par-dessus tout, je remercie mon frère Christophe Dollbaum qui a su agrémenter cet ouvrage avec ses remarquables illustrations.

Introduction

Il y a quatre ans, j'écrivais le premier livre de recettes mettant en vedette un produit pratiquement inconnu appelé Splenda®. Depuis ce temps, les ventes de l'édulcorant avec sucralose Splenda® ont grimpé en flèche. Splenda® est vite devenu le substitut au sucre préféré de la plupart des gens. On le trouve partout – dans les restaurants et les cafés, à l'épicerie près du sucre ainsi que dans des milliers d'aliments. De plus, dans sa quête du meilleur goût, Splenda® s'est hissé parmi les « géants » de l'industrie des boissons gazeuses, soit Coca-Cola et Pepsi.

Cela ne m'étonne pas. La première phrase de l'introduction de mon premier livre indiquait que Splenda® est un merveilleux substitut du sucre, et c'est ce qu'il est. À vrai dire, quatre ans et trois livres sur le produit Splenda® plus tard, je suis encore émerveillée par tous les plats savoureux, bons pour la santé et faibles en sucre que je peux confectionner avec l'édulcorant Splenda®.

Certaines des recettes sensationnelles que vous trouverez dans ce livre proviennent de mon best-seller sur les desserts, d'autres de mon deuxième livre, *Fantastic Foods with Splenda® – 160 Great Recipes for Meals Low in Sugar, Carbohydrates, Fat and Calories*. Même si vous possédez déjà l'un de ces livres, vous ferez de véritables découvertes dans ce nouvel ouvrage, car en plus d'inclure 125 nouvelles recettes savoureuses, j'ai révisé et mis à jour toutes les recettes. J'ai simplifié et amélioré beaucoup de recettes, j'ai ajouté des ingrédients et des présentations et j'ai inclus de nombreuses nouvelles astuces culinaires. En outre, pour chaque recette, la valeur en points Weight Watchers a été recalculée en fonction des données les plus récentes.

Je suis particulièrement fière de dire que ce livre de recettes vous propose encore davantage. Avec plus de 375 recettes sensationnelles, vous trouverez sans peine de délicieuses recettes faibles en sucre, en gras et en calories, et ce, pour tous les plats imaginables. Depuis le chocolat chaud décadent jusqu'aux multiples délices santé du petit déjeuner comme les crêpes-biscuits à l'avoine ou les savoureux blinis au fromage nappés de myrtilles (bleuets), vos papilles gustatives entreront dans un monde de saveur. Outre les boissons et les petits déjeuners, vous aurez l'occasion de goûter plus de deux douzaines de salades sensationnelles, des plats d'accompagnement alléchants et de nombreux repas dont raffolera votre famille, comme ma propre recette de pâtes marinara.

Le dessert reste bien sûr la « pièce de résistance » de tout repas, et ce livre contient encore plus de recettes de desserts. Les flans onctueux, les mousses au chocolat, les petits gâteaux « deux bouchées » et les gâteaux au fromage divins ne sont que quelques-unes des merveilles que vous découvrirez. En outre, l'ouvrage présente de toutes nouvelles recettes inspirées et créées précisément pour le *Sugar Blend for Baking Splenda®* (un mélange moitié sucre, moitié sucralose, vendu seulement aux États-Unis à l'heure actuelle). Ce produit m'a fourni ce qui me manquait pour créer des recettes classiques des États-Unis, notamment la tarte au citron meringuée et les brownies au chocolat. Enfin, pour terminer sur une note joyeuse, j'ai inclus une section sur la préparation de vos cocktails préférés sans sucre, de la classique margarita au populaire mojito, en plus d'une liqueur au café maison (oui, toujours sans sucre). Voilà une bonne raison de lever votre verre et de célébrer.

Plus sérieusement, j'espère en toute sincérité que ce livre de recettes deviendra une ressource utile dans votre quête d'une alimentation aussi bonne au goût que pour la santé. Je suis convaincue que si vous surveillez le sucre, le gras ou les calories de votre alimentation, ou les trois, vous serez enchantés de pouvoir déguster grâce à ce livre vos mets préférés sans culpabilité. Je peux l'affirmer en toute confiance et je remercie par ailleurs les lecteurs qui m'ont écrit pour me raconter comment ils ont réussi à améliorer leur santé, à perdre du poids, à contrôler leur glycémie et à faire baisser leur taux de cholestérol, et ce, grâce à mes recettes. Je remercie en particulier tous ceux d'entre vous qui ont partagé mes recettes (et mes livres) avec leurs amis et leurs proches. J'en suis profondément touchée.

À propos de Splenda®

Comme la plupart d'entre vous, je ne recherche pas seulement des aliments qui ont bon goût, mais des aliments qui sont bons pour ma santé. C'est pourquoi ma première réaction, quand j'ai entendu parler de l'édulcorant sans calorie Splenda®, a été de me renseigner sur ce produit, comme tout clinicien d'expérience l'aurait fait. Cela dit, j'utilise Splenda® parce que je considère qu'il s'agit du succédané du sucre le plus sécuritaire, le plus polyvalent et le meilleur au goût actuellement sur le marché. Je ne travaille pas pour son fabricant et je ne reçois aucune ristourne sur les ventes du produit. En revanche, grâce à mon expertise en nutrition et à mes livres de recettes, je suis devenue « l'experte en sucralose » pour bon nombre de personnes. Dans ces quelques pages, je fournis des réponses aux questions d'ordre nutritionnel qu'on me pose le plus souvent à propos de Splenda®.

Qu'est-ce que Splenda®?

Splenda® est le nom de marque de l'édulcorant sans calorie qui tire son goût sucré du sucralose. Le sucralose est fait à partir du sucre (sucrose) grâce à un processus en plusieurs étapes qui remplace de façon sélective les trois groupes hydrogène-oxygène de la molécule de sucre par trois atomes de chlore. Il en résulte un édulcorant exceptionnellement stable à la chaleur avec un grand pouvoir sucrant, mais sans arrière-goût. Cependant, l'organisme ne peut pas métaboliser le sucralose et en tirer de l'énergie, d'où son caractère hypocalorique. Pour produire le Splenda® en sachets, on ajoute au sucralose un peu de maltodextrine, un agent gonflant naturel. Dans le cas du Splenda® granulé, vendu en sac ou en boîte, qui se verse et se mesure comme du sucre, on incorpore de la maltodextrine afin d'obtenir un pouvoir sucrant équivalent à celui du sucre selon un rapport de 1:1.

Qu'est-ce que le Sugar Blend for Baking Splenda®?

Le *Sugar Blend for Baking Splenda®* est une préparation bol 50 % de sucre et 50 % de sucralose. (À l'heure actuelle, ce produit n'est offert qu'aux États-Unis.) Avec cette préparation, vous utilisez seulement la moitié du sucre que vous emploieriez normalement, car 125 mL (1/2 tasse) de préparation ont le pouvoir sucrant de 250 mL (1 tasse) de sucre. Par conséquent, vous réduisez les glucides et les calories de vos recettes de 50 %. La préparation a été conçue expressément pour la confection de pâtisseries, car le sucre a de nombreuses propriétés favorables à la cuisson au four (brunissement, fonte, accroissement de volume) que Splenda® granulé n'offre pas. En revanche, Splenda® granulé réduit de 90 % les calories et les glucides provenant du sucre dans une recette.

Combien de calories (et de glucides) y a-t-il dans Splenda® ?

Tout dépend du produit que vous employez. Un sachet de Splenda® ou 5 mL (1 c. à thé) de Splenda® granulé ne contiennent aucune calorie. À mesure que la quantité augmente, la maltodextrine ajoute quelques calories au Splenda® granulé. La préparation *Sugar Blend for Baking Splenda®* en contient davantage. Voir la grille de comparaison à la page 23.

Spenda® agit-il sur le glucose sanguin ou fait-il augmenter le taux d'insuline ?

Ici encore, tout est relatif. L'organisme ne métabolise pas l'édulcorant Splenda® sans calorie (en sachets ou granulé), car il ne reconnaît pas le sucralose. Par conséquent et contrairement aux autres « oses » comme le sucrose, le lactose ou même le fructose, le sucralose à lui seul ne fait pas augmenter les taux de glucose sanguin et d'insuline (sans compter qu'il ne provoque pas la hausse du taux de triglycérides). Par ailleurs, la préparation *Sugar Blend for Baking Splenda®*, du fait qu'elle contient 50 % de sucre, a une influence sur les taux de glucose sanguin et d'insuline (toutefois moindre à celle du sucre uniquement). Rappelez-vous que bon nombre de facteurs, y compris la quantité totale de glucides consommés, détermineront vos taux de glucose sanguin et d'insuline.

Splenda® m'aidera-t-il à perdre du poids ?

Oui. Des études ont montré que l'utilisation de succédanés de sucre pendant un régime minceur peut favoriser la persévérance des gens, ce qui permet à ces derniers de perdre davantage de poids. Vous découvrirez que toutes les recettes de cet ouvrage sont non seulement réduites en sucre, mais qu'elles sont aussi faibles en gras et en calories – la combinaison parfaite pour la perte de poids ou le maintien du poids santé – mais ne vous donnent jamais l'impression que vous vous privez !

Splenda® est-il sécuritaire ?

Oui. Plus d'une centaine d'études sur la sécurité du produit réalisées ces 20 dernières années le confirment. **Splenda® n'a aucun effet secondaire (comme des troubles gastro-intestinaux)**. Il est en fait le seul édulcorant sans calorie approuvé pour tous par la Food and Drug Administration (FDA) américaine, y compris pour les femmes enceintes et les enfants, et dont l'emballage ne mentionne aucune mise en garde. De nombreux organismes ou professionnels de la santé des États-Unis, dont l'American Diabetic Association, l'American Diabetes Association, des médecins et même des personnes pratiquant des médecines parallèles reconnaissent que Splenda® constitue un substitut sécuritaire du sucre. Splenda® a également reçu l'approbation d'organismes de réglementation de plus de 50 pays.

Tout sur le sucre

Les Américains adorent le sucre, et je dis bien « adorent ». Ils ne devraient pas s'en sentir coupables, car le goût pour le sucré est inné. C'est la façon dont mère nature s'assure que notre organisme obtiendra tous les nutriments essentiels à son fonctionnement. Toutefois, mère nature s'attend que nous puisions le sucre de ses fruits et légumes, et pas du sucrier. Quelle différence y a-t-il? L'ajout d'un peu de sucre à notre alimentation est-il si problématique?

Du sucre partout

En réalité, l'ajout d'un peu de sucre ne représente pas un problème. Selon des études menées par le département de l'Agriculture des États-Unis (USDA) et l'Organisation mondiale de la santé (OMS), une personne qui consomme 2 000 calories par jour peut gérer la consommation 50 mL (10 c. à thé) de sucre. La plupart des associations sur le diabète l'admettent. Pourquoi dans ce cas devons-nous diminuer notre apport en sucre (et pourquoi ai-je rédigé ce livre)? Le fait est que la plupart des Nord-Américains consomment le double des quantités de sucre recommandées pour le maintien de la santé, c'est-à-dire plus de 100 mL (20 c. à thé) de sucre par jour. Certaines études indiquent autant que 150 mL (30 c. à thé). Il est troublant de constater que même les enfants d'âge préscolaire en absorbent entre 70 et 85 mL (14 à 17 c. à thé) par jour et que bon nombre d'adolescents obtiennent près de 25 % de leurs calories du sucre. La population américaine ne représente que 5 % de la population mondiale, mais elle consomme 33 % du sucre. Ouf. Où se trouve donc tout ce sucre? Partout. Les fabricants savent que les Américains ont un penchant pour le sucre et en mettent dans à peu près tout, et beaucoup. Alors, si vous voulez maintenir votre consommation de sucre à un niveau santé de 50 mL (10 c. à thé) par jour, attention. Un banal verre de limonade peut en contenir 8 cuillerées; un gros muffin, 12; une portion de poulet aigre-doux, 10; une pointe de tarte au citron meringuée, 15; un morceau de gâteau aux carottes nappé d'une glace au fromage à la crème, plus de 16!

Le sucre et votre santé

Malheureusement, la consommation de ces si bons aliments sucrés peut avoir des effets négatifs sur votre santé. Premièrement, le sucre cause la carie dentaire. Deuxièmement, il fait augmenter le taux de triglycérides (le gras qui circule dans le sang). Troisièmement, le sucre regorge de calories, mais de calories vides. Ces 100 mL (20 c. à thé) de sucre avalés chaque jour représentent 110 000 calories par an, soit l'équivalent de 14 kg (30 lb). Et ces unités de poids en trop engendrent d'autres problèmes, comme des risques accrus de diabète ou le développement de la résistance à l'insuline. Enfin, chez ceux qui présentent déjà la résistance à l'insuline (parfois appelée prédiabète) ou qui souffrent de diabète, l'excès de sucre peut entraîner une hausse excessive du glucose sanguin, ce qui cause d'autres problèmes.

Le goût du sucre sans les conséquences

Comme vous le verrez dans la rubrique portant sur le diabète, ma belle-fille souffre de diabète. Pour elle et toutes les autres merveilleuses personnes atteintes de diabète que j'ai rencontrées, j'ai voulu reproduire les mets sucrés traditionnels tant aimés tout en évitant les effets négatifs. J'ai réussi grâce à Splenda®. Les mets proposés dans ce livre débordent de saveur et de douceur, mais ils sont faibles en sucre (ainsi qu'en gras et en calories). Que vous surveilliez votre poids, votre cœur, votre taux de glucose ou la santé de votre famille, vous pourrez vous régaler avec vos aliments favoris – et ce, sans culpabilité.

Ma limonade glacée ne contient pas de sucre ajouté, ni mes muffins à l'avoine bons pour la santé. Mon poulet aigre-doux ne contient que 5 mL (1 c. à thé) de sucre, ma tarte au citron meringuée en contient aussi peu que 12 mL (2 1/2 c. à thé) et un morceau de mon tendre gâteau aux carottes, glace au fromage à la crème en contient moins de 2,5 mL (1/2 c. à thé) par portion. Voilà ce que j'appelle une gâterie.

Le gras en détail

De nos jours, on entend parler des bons gras, des mauvais gras, des aliments riches en gras, faibles en gras et même sans gras. Il y a aussi les gras insaturés, les gras saturés et maintenant les gras trans. Comment s'y retrouver?

Quelques faits

Disons d'abord que nous consommons trop de gras (et de mauvais gras). L'être humain a besoin de gras pour absorber les vitamines liposolubles et se procurer des acides gras essentiels, mais quelques cuillerées par jour suffisent. Selon les recommandations des *Dietary Guidelines for Americans* aux États-Unis, du *Guide alimentaire canadien* au Canada, de l'American Heart Association, de l'Association canadienne du diabète et de l'American Diabetes Association, moins de 30 % des calories quotidiennes devraient provenir du gras et moins de 10 % devraient provenir de gras saturés ou de gras trans. Cela représente un apport quotidien de 50 g chez la femme qui consomme 1 600 calories par jour et de 75 g chez les personnes qui consomment 2 000 calories par jour. Malheureusement, la moyenne actuelle dépasse largement les 30 % recommandés (34 % aux États-Unis et 38 % au Canada).

Comme pour le sucre, on peut se questionner sur les aliments que nous aimons manger. Un gros muffin du café-restaurant peut contenir 25 g de gras; une portion « modérée » de salade aux trois haricots, 20 g; une portion de côtes levées de porc à la sauce barbecue, 35 g (surtout des gras saturés); une mousse au chocolat, 40 g; un morceau de gâteau au fromage, peut-être l'équivalent du gras permis pour une journée.

Un second fait est qu'une alimentation riche en gras peut vous faire engraisser. Le gras est riche en calories, et l'excès de calories se transforme en gras – le corps humain est ainsi fait. Récemment, une étude à long terme menée auprès de plus de 3 000 sujets qui avaient perdu beaucoup de poids (plus de 27 kg/60 lb) et ont réussi à maîtriser leur nouveau poids a confirmé que la plupart d'entre eux suivaient un régime faible en gras.

Le gras et la santé

Un troisième fait est que les gras saturés sont mauvais pour la santé. Il faut privilégier les viandes maigres et éviter les grandes quantités de beurre. Les gras saturés qui se trouvent dans les produits laitiers complets et les viandes grasses augmentent non seulement les risques de maladies du cœur, mais aussi les risques de cancers de divers types, en plus de réduire la résistance à l'insuline. Récemment, on a appris que les gras trans, présents en quantités variables dans la margarine, les craquelins et les aliments préemballés bol des gras hydrogénés, sont également nuisibles. C'est pourquoi j'ai choisi ma margarine avec soin (voir la section sur les ingrédients pour plus de détails). Les gras les plus sains sont dits polyinsaturés, qu'on trouve dans les huiles liquides comme les huiles de maïs et de carthame, et les gras mono-insaturés. Parmi les aliments riches en gras mono-insaturés figurent l'huile d'olive, l'huile de canola, les avocats et les noix. J'utilise souvent ces ingrédients dans les recettes de ce livre.

Toute la saveur sans le gras

Toutes les recettes de ce livre sont faibles en gras, mais pourtant très savoureuses. Même si certaines d'entre elles ne contiennent aucun gras, l'élimination du gras n'était pas un de mes buts. J'ai plutôt cherché à créer des recettes remplies de saveur et dont la teneur en gras respecte les normes recommandées pour une alimentation saine. Je crois avoir réussi.

Vous trouverez dans ce livre plus d'une douzaine de merveilleux muffins moelleux ne bol que 5 g de gras ou moins, une salade aux trois haricots excellente pour la santé (6,5 g), un filet de porc barbecue au goût d'Asie (7 g, et 2 g seulement de gras saturés), une mousse voluptueuse au chocolat noir (5,5 g) et mon gâteau au fromage divin, qui ne contient que 8 g de gras. Le gras n'est plus un problème avec mes recettes.

Le diabète

Je reçois souvent des remerciements de la part de personnes diabétiques qui apprécient mes recettes. Cela me touche beaucoup, car c'est cette maladie qui m'a d'abord amenée à créer des recettes faibles en sucre. En effet, ma belle-fille souffre de diabète, de même qu'une de mes tantes et plusieurs de mes collègues. En outre, quand je parle du travail que je fais avec les gens, je m'aperçois qu'à peu près tout le monde connaît au moins une personne qui vit avec le diabète.

L'augmentation alarmante des cas de diabète explique cette situation. En Amérique du Nord, plus de 20 millions de personnes sont diabétiques (18 millions aux États-Unis, 2 millions au Canada). De ce nombre, au moins six millions de personnes ont la maladie sans le savoir.

Pis encore, on estime que 45 millions de personnes souffrent de prédiabète, c'est-à-dire que leur taux de glucose excède la normale sans atteindre le niveau où il est nécessaire d'avoir recours à des médicaments.

Diabète, sucre et glucides

Manger beaucoup de sucre ne cause pas le diabète, mais une fois que vous souffrez de la maladie, l'excès de sucre est mauvais pour vous. Le diabète est une maladie grave à cause de laquelle l'organisme ne parvient pas à utiliser l'insuline ou à en produire en quantité suffisante. L'insuline est l'hormone responsable de faire passer les glucides que vous consommez depuis la circulation sanguine dans les cellules où le sucre est transformé en énergie. En cas d'insuffisance insulinique, le sucre (sous forme de glucose) s'accumule dans le sang, faisant augmenter le taux de glucose sanguin au-delà de la normale. À son tour, un taux élevé de glucose sanguin nuit à l'organisme de nombreuses façons.

Si vous êtes diabétique, devez-vous donc éviter de consommer du sucre et des glucides?

La réponse à cette question n'est pas simple (ni réjouissante). L'organisme et en particulier le cerveau ont besoin de glucides et de sucre. Le secret du contrôle du diabète réside dans une bonne connaissance de la quantité de glucides dont vous avez besoin et des meilleures façons de vous les procurer. Des diététiciens certifiés ou des spécialistes du diabète sont en mesure de vous aider à définir vos limites. Selon la plupart des experts, vous pourriez tirer des glucides complexes, qui font lentement augmenter votre glucose sanguin, de légumes et de produits complets, et des glucides simples, qui font monter rapidement le taux de glucose, comme ceux qu'on trouve dans les fruits et, bien sûr, dans le sucre.

Bien vivre avec son diabète

J'ai indiqué déjà que si vous souffrez de diabète, vous pouvez consommer du sucre mais (et ce mais est important), la quantité de sucre absorbée ne doit pas excéder votre limite et doit permettre une alimentation saine. Bien vivre avec son diabète signifie avant tout prendre soin de vous (en faisant de l'exercice) et bien vous alimenter, c'est-à-dire consommer des fruits et des légumes pour les vitamines et les minéraux, des produits complets pour leur teneur en fibres, des produits laitiers allégés pour leur calcium et des viandes maigres pour leurs protéines. Votre alimentation devrait vous permettre de maintenir ou d'atteindre votre poids santé. Par ailleurs, il faut surveiller votre apport en gras afin de protéger votre cœur.

Quelle place reste-t-il au sucre, avec ses glucides denses et ses calories vides? Une très petite place, j'en ai bien peur. Toutefois, il demeure possible de manger des mets sucrés de toutes sortes confectionnés avec Splenda®. Grâce à ce livre de recettes, vous pourrez savourer vos plats préférés, car chacune de mes recettes est faible en sucre, en gras et en calories, ce qui vous permet de les intégrer à n'importe quel régime. C'est ce que j'appelle bien vivre, comme l'a écrit l'une de mes gentilles lectrices :

« Je prends quelques instants afin de vous dire combien j'apprécie toutes les recettes que vous nous proposez. Enfin, je peux déguster toutes ces bonnes choses que j'avais abandonnées. Je souffre de diabète et j'éprouvais beaucoup de difficulté à maintenir ma glycémie au niveau recommandé jusqu'à ce que je découvre votre livre de recettes. Tout a changé depuis. Quel plaisir! Toutes les recettes que j'ai essayées sont délicieuses et mon époux, même s'il n'est pas diabétique, en raffole. Merci mille fois! »

Information nutritionnelle sur les recettes

L'information nutritionnelle incluse avec chaque recette a comme objectif de vous permettre de faire des choix alimentaires judicieux en regard de votre santé. Les données ont été établies à l'aide d'un logiciel utilisé dans l'industrie alimentaire et des données sur la valeur nutritive fournies par les fabricants. Voici d'autres renseignements utiles.

Portions

Mon but premier est d'indiquer de « véritables » portions… entre les portions géantes des restaurants et les portions minuscules des régimes minceur. Mes portions correspondent à celles que propose tout bon livre de recettes. Une tarte fournit 8 pointes; un gâteau au fromage de 23 cm (9 po) en fournit 12; un moule carré de 20 ou 23 cm (8 ou 9 po) produit 9 ou 16 portions, selon qu'on taille des carrés de 7,5 ou 10 cm (3 ou 4 po) de côté (et non 36 carrés de 2,5 cm/1 po suggérés dans les magazines de cuisine santé si populaires). Bien sûr, certains desserts sont très alléchants. Assurez-vous simplement de multiplier l'information nutritionnelle si vous prenez plus d'une portion.

Valeurs de choix d'aliments pour le diabète

Comme toujours, j'indique dans mes recettes le total des glucides et les valeurs de choix d'aliments pour le diabète. Je me suis basée sur les lignes directrices de l'Association canadienne du diabète et de l'American Diabetes Association. J'espère que vous constaterez les écarts notables entre la teneur en glucides et en gras de mes recettes et celle des versions traditionnelles. Rappelez-vous que ces valeurs de choix s'additionnent quand vous combinez des aliments pour constituer un repas. Pour toute information relative aux allocations alimentaires quotidiennes, je vous suggère de consulter un diététicien certifié ou un spécialiste du diabète. (N'hésitez pas à lui montrer ce livre, qui le ravira certainement.)

Points Weight Watchers (WW)

Weight Watchers et *Winning Points* sont des marques de commerce déposées de Weight Watchers International, Inc. Pour tous les gens qui suivent le programme Weight Watchers, j'ai inclus des points de comparaison fondés sur les données récentes déjà publiées (par exemple, le nombre idéal de fibres à 4 points). J'ai aussi comparé les données de toutes mes anciennes recettes afin de vérifier leur exactitude, car tous les points sont importants. Enfin, si vous calculez de nouveau les points de comparaison disponibles en utilisant des données arrondies qui vous sont fournies (par exemple 1,3 g de fibre inscrit comme 1 g), vous devrez à l'occasion faire un choix entre deux des valeurs citées. J'ai utilisé l'information nutritionnelle la plus précise afin de mieux déterminer les points WW.

Gras

J'indique le nombre de grammes de gras, mais pas le pourcentage des calories provenant du gras (que l'on trouve dans les livres de recettes « santé »). Vous consta-terez qu'il y a généralement peu de gras dans mes recettes, ce qui est bien, mais qu'il ne représente pas toujours moins de 30 % des calories. Dans une salade, par exemple, il y a si peu de calories que l'huile (ou autre gras) de la vinaigrette représente la source de 100 % du gras du mets, même s'il ne s'agit que de quelques grammes. En outre, toutes les calories provenant du sucre qu'on évite donnent une autre signification au pourcentage de gras comparativement aux aliments originaux. Par exemple, si une por-tion d'une recette de ce livre contient 180 calories et 6 g de gras, son pourcentage de gras est de 33 % (9 calories par gramme de gras = 63 et 63 de 180 = 33 %). En revanche, si on rétablit les 60 calories évitées en utilisant Splenda® au lieu du sucre, le pourcentage de gras passe à 25 % (les 63 calories du gras représentent 25 % du nou-veau total de 240 calories). La version traditionnelle fournirait la même quantité de gras et plus de calories, mais le pourcentage de calories provenant du gras semblerait moindre. Rappelez-vous aussi que la quantité de gras consommée peut varier; il est préférable de calculer l'apport en gras pour tout un repas, voire toute une journée.

Autres renseignements

- Pour connaître le nombre total de grammes de glucides, il faut soustraire le nombre de grammes de fibres du nombre de grammes de glucides.

- L'information nutritionnelle ne tient pas compte des ingrédients facultatifs, sauf dans le cas des garnitures de sucre glace qui contiennent moins de 1 g de glucides par portion, mais rehaussent l'apparence d'un mets.

- L'information nutritionnelle s'applique au premier ingrédient mentionné quand des options de remplacement sont proposées. Par exemple, dans le cas de « 60 mL (1/4 tasse) de jus d'orange ou de jus d'orange faible en calories », l'information concerne 60 mL (1/4 tasse) de jus d'orange en version originale.

La cuisson et la confection
de pâtisseries pour une vie en santé

De douces façons de couper le sucre

Dans mes cours de cuisine santé, je recommande à mes étudiants de bien réfléchir aux propriétés qu'un ingrédient confère à une recette avant de l'éliminer ou de le remplacer par un autre. Ce conseil s'applique particulièrement au sucre, car ce dernier fait davantage que d'ajouter son pouvoir sucrant à la cuisson et aux pâtisseries, comme le souligne la Sugar Association des États-Unis. Le sucre et d'autres édulcorants comme le miel, la mélasse, les sirops et même les jus de fruit, jusqu'à un certain point, peuvent changer la texture, la structure, le volume, la couleur, le taux d'humidité ainsi que la tendreté d'un mets, en plus de lui donner son goût sucré. Par ailleurs, le sucralose, principal ingrédient de Splenda®, excelle à donner une douce saveur aux aliments. Il remplace très bien le sucre, car tout comme lui, il est thermostable et n'a pas d'arrière-goût. En revanche, le Splenda® granulé (qu'on retrouve dans la plupart des recettes) n'a pas les propriétés physiques ni chimiques du sucre dans ses autres fonctions.

Utiliser Splenda® au lieu du sucre est simple, que vous prépariez des boissons, des plats du petit déjeuner, des salades, des plats d'accompagnement ou des plats principaux. Dans bien des cas, la rapidité avec laquelle Splenda® granulé ou en sachets se dissout est un avantage.

Pour ce qui est de la confection de pâtisseries, dont la réussite repose sur plusieurs autres propriétés du sucre, il peut être nécessaire d'adapter la recette ou d'inclure une petite quantité de sucre, surtout si vous réduisez la quantité de gras. Chaque recette est différente. J'ai découvert au cours des années que certaines substitutions et astuces fonctionnent de façon systématique – c'est la chimie de la cuisine, si vous voulez – et pourront vous aider à comprendre mes recettes ainsi qu'à créer les vôtres.

Note : le *Sugar Blend for Baking Splenda*® (disponible uniquement aux États-Unis) contient 50 % de sucre et a rarement besoin d'adaptation. En revanche, cette préparation augmente le nombre de glucides et de calories de la recette. J'en réserve donc l'emploi aux recettes pour lesquelles l'utilisation du sucre change le résultat. Le tableau qui suit permet de comparer la valeur nutritive du Splenda® granulé, du *Sugar Blend for Baking* et du sucre. Il facilitera votre choix. Vous pouvez substituer le Splenda® granulé au *Sugar Blend for Baking* dans toutes les recettes de cet ouvrage, mais rappelez-vous de réduire la quantité de moitié et d'ajuster l'information nutritionnelle en conséquence.

Comparaison des produits Splenda® et du sucre

	Splenda® granulé	Sugar Blend for Baking Splenda®	Sucre
PORTION	250 mL (1 tasse ou 16 c. à soupe)	24 g	96
GLUCIDES	125 mL (1/2 tasse) = pouvoir sucrant de 250 mL (1 tasse) de sucre	96 g	384
CALORIES	250 mL (1 tasse ou 50 c. à thé)	192 g	768

Comment réduire le sucre avec les sachets de Splenda® et le Splenda® granulé

• Dans les recettes sans cuisson qui demandent de petites quantités (quelques cuillerées) de Splenda®, je suggère d'utiliser des sachets. Chaque sachet équivaut à 10 mL (2 c. à thé) de sucre ou de Splenda® granulé. Voici une autre règle de conversion utile : 1 c. à soupe = 3 c. à thé.

• Ajoutez un peu de fécule de maïs pour épaissir les sauces, les marinades et les sirops. Vous pouvez aussi utiliser la gomme de xanthame (voir « Les ingrédients de A à Z ») ou l'épaississant sans féculent ThickenThin.

• Les confitures et gelées requièrent de la pectine sans sucre. L'ajout d'un peu de sucre favorise leur clarté.

• Dans le cas des desserts cuits au four dans lesquels le sucre a un rôle essentiellement sucrant (comme les gâteaux au fromage), il est inutile d'ajouter du sucre. Les sucres naturels de la recette et le Splenda® granulé peuvent assurer la réussite de la recette. En revanche, l'ajout de quelques cuillerées de sucre à certaines recettes de biscuits ou de gâteaux peut grandement influer sur le résultat. Dites-vous bien que ce ne sont pas quelques cuillerées de sucre, réparties en plusieurs parts, qui vont faire échouer un régime minceur.

• Un peu de sucre dans la pâte favorise l'étalement des biscuits à la cuisson. Le sucre blanc confère un peu de croquant aux biscuits, tandis que la cassonade et les sucres liquides (comme le sirop de maïs) les rendent plus moelleux. Si vous voulez des biscuits à l'allure traditionnelle, écrasez-les à l'aide d'un verre ou d'une spatule avant de les mettre au four.

• La cassonade ou la mélasse peuvent ajouter de la couleur et aider au brunissement. Toutefois, il se peut que vos pâtisseries soient plus pâles qu'à l'habitude.

• Un peu de sucre glace saupoudré sur vos muffins ou vos gâteaux agrémente leur apparence en n'ajoutant qu'une faible quantité de glucides et de calories. Un soupçon de sucre granulé rend les aliments plus scintillants.

• Il est parfois nécessaire d'ajouter du levain pour aider les muffins ou les gâteaux allégés en sucre à lever. Les fabricants de Splenda® suggèrent d'ajouter 2 mL (1/2 c. à thé) de bicarbonate de sodium à 250 mL (1 tasse) de farine, mais cela ajoute aussi du sodium (salé). Vous pouvez aussi utiliser 5 mL (1 c. à thé) supplémentaires de levure chimique. La quantité de levure chimique varie pour chaque recette.

• Comme le Splenda® granulé se dissout complètement, il ne procure pas autant de volume que le sucre. Par conséquent, vos pâtisseries auront un poids, un volume et un rendement inférieurs aux recettes bol du sucre. Donc, vous devrez peut-être augmenter la quantité des autres ingrédients ou utiliser des moules plus petits (remplacez un moule carré de 22,5 cm (9 po) par un moule de 20 cm (8 po), par exemple). Dans le cas des biscuits et des muffins, il suffit d'ajuster le rendement.

• Les pâtisseries confectionnées avec Splenda® cuiront plus rapidement. Les gâteaux prennent 10 minutes de moins à cuire, les muffins, entre 5 et 8 minutes et les biscuits, entre 3 et 5 minutes. Par ailleurs, il vaut toujours mieux surveiller la cuisson avant même la durée indiquée. C'est le bon sens en cuisine.

• Assurez-vous d'emballer toutes vos pâtisseries afin d'éviter qu'elles sèchent. Le sucre et le gras sont deux ingrédients qui conservent le taux d'humidité plus longtemps. Vous pouvez aussi congeler les biscuits, les muffins, les pains éclair et la plupart des gâteaux. Il suffira de les décongeler ou de les réchauffer au four à micro-ondes pour qu'ils retrouvent leur fraîcheur.

Des façons délicieuses de couper le gras

Je travaillais à créer des recettes de cuisine allégée depuis plusieurs années avant de me mettre à étudier la confection d'aliments sucrés, mais faibles en sucre. (En fait, plusieurs de mes recettes de desserts à faible teneur en gras ont été les premières à devenir des recettes Splenda®.) Plus tard, j'ai enseigné la cuisine santé à des étudiants en cuisine, à des chefs et au grand public dans des écoles de cuisine. J'ai compris une chose : il ne suffisait pas de couper le gras, mais il fallait le faire sans nuire à la qualité des aliments.

C'est un fait établi que le gras rehausse la saveur des aliments. Cela dit, il faut tenir compte de la façon dont il améliore l'humidité, la texture et le goût d'une recette avant de l'éliminer. Heureusement, grâce au grand nombre de délicieux produits allégés maintenant offerts dans le commerce et à une expérience en cuisine santé de plus d'années que je voudrais l'avouer, j'ai découvert de fantastiques façons de réduire le gras dans mes recettes sensationnelles. Je vous fais part ici de mes trucs préférés.

Comment réduire le gras dans des plats sensationnels

• Alors que certains aliments (notamment des condiments) ne requièrent aucun gras, la plupart des recettes donnent un mauvais résultat si on en élimine tout le gras. Visez donc à réduire le gras à une quantité saine (voir « Le gras en détail », à la page 16).

• Le choix du bon gras peut vous aider à en réduire la quantité dans une application précise. Par exemple, si le goût du beurre est essentiel à une recette, utilisez du beurre, mais en quantité moindre, ou encore choisissez sa version allégée (si la recette peut absorber sa teneur en eau). Vous ferez une économie significative de gras. De plus, la pâte à tarte confectionnée avec moins de « shortening » sera plus feuilletée et plus faible en calories que si on utilisait beaucoup d'huile. Dans la confection de pâtisseries, un bon bâtonnet de margarine allégée (voir « Les ingrédients de A à Z ») fait l'affaire dans les recettes qui demandent un gras solide. Enfin, quelques gouttes d'une huile de qualité rehaussent davantage le goût d'un mets qu'une grande quantité d'une huile de qualité inférieure.

• Il va de soi que la teneur en gras augmente rapidement quand on sait que 125 mL (1/2 tasse) d'huile « santé » contiennent 960 calories et 112 g de gras (soit 120 calories et 14 g de gras dans une seule cuillerée) et qu'un bâtonnet de beurre ou 125 mL (1/2 tasse) de mayonnaise fournissent 800 calories et 88 g de gras.

• La mayonnaise et les margarines allégées sont des substituts simples au gras (surtout mêlées à d'autres saveurs). Les bouillons et les jus de légumes ou de fruits sont également utiles.

• Les enduits pour la cuisson en vaporisateur sont géniaux pour réduire l'apport en gras, que vous utilisiez un vaporisateur du commerce ou un vaporisateur réutilisable.

• Sélectionnez des protéines « maigres ». Quand vous achetez de la viande, recherchez les coupes de « longe » ou de « ronde », par exemple du bœuf de ronde ou un filet de porc. Les viandes maigres sont délicieuses et tendres quand on les fait mariner et qu'on les sert avec des condiments savoureux.

• Investissez dans l'achat de bonnes poêles antiadhésives et préchauffez-les bien. La poêle chaude aide à répartir également une petite quantité d'huile, qui empêche la viande de coller.

• Les produits laitiers allégés et faibles en gras peuvent changer les choses. Savoureux (contrairement aux produits sans gras) mais significativement faibles en matières grasses, ils constituent une solution de remplacement intéressante et saine pour la cuisson et la confection de pâtisseries. N'abandonnez pas parce que vous avez déjà goûté un produit que vous n'avez pas aimé. La qualité varie d'une marque à une autre. Essayez un nouveau produit jusqu'à ce que vous trouviez celui qui vous convient.

• Je n'utilise pas de produits sans gras à l'exception de la crème simple sans gras. Non seulement elle remplace à merveille la crème simple originale (et riche), mais elle est fantastique une fois combinée à du lait allégé, car elle lui confère la richesse du lait complet. Le résultat : la texture onctueuse du lait complet pour la cuisson et la confection de pâtisseries, mais seulement une fraction du gras.

• Afin de réduire le gras (gras saturé et cholestérol) des œufs complets, vous pouvez substituer des blancs d'œufs (2 blancs d'œufs = 1 œuf complet) à des œufs dans les recettes où le jaune n'est pas essentiel pour obtenir la couleur ou la texture du mets. Personnellement, je préfère utiliser des blancs supplémentaires plutôt qu'un succédané d'œufs dans la confection de pâtisseries, car ils assurent une meilleure texture. (Voir la rubrique « Les ingrédients de A à Z » pour plus de renseignements sur les œufs.)

• Les purées de fruits remplacent très bien le gras, car elles apportent de l'humidité et de la saveur aux pâtisseries. Vous verrez que j'utilise beaucoup les purées, des purées de pruneaux (savoureuses avec le chocolat) aux purées d'abricots et de pommes. Toutefois, je ne recommande pas de remplacer tous les gras conventionnels par des purées de fruits, car elles donnent parfois des textures trop collantes. Remplacer la moitié du gras est une meilleure approche.

• Enfin, osez les saveurs! Le gras supporte la saveur et le sucre l'intensifie. Il convient donc d'ajouter des épices à vos recettes allégées pour en rehausser le goût, qu'il s'agisse de cuisson ou de confection de pâtisseries. Assurez-vous d'employer des épices fraîches et de bonne qualité (par exemple, de l'essence de vanille véritable).

Les ingrédients de A à Z

Une combinaison précise d'ingrédients est essentielle à la création de recettes faibles en sucre et en gras, mais néanmoins succulentes. Cela dit, il y a des ingrédients qu'on peut remplacer sans problème dans un grand nombre de recettes, comme les épices et les fines herbes, et d'autres qu'on ne peut pas remplacer, par exemple le type de gras, sans nuire à la qualité du mets et à sa valeur nutritive. Les quelques pages qui suivent ont pour but de vous aider à comprendre les ingrédients que j'utilise dans mes recettes. Elles peuvent non seulement vous guider dans vos substitutions, mais également vous inspirer à créer vos propres recettes sensationnelles.

Assaisonnements

L'utilisation d'épices et d'assaisonnements de bonne qualité peut tout changer dans la réussite d'une recette. Choisissez une essence de vanille véritable et assurez-vous que les épices séchées embaument quand vous ouvrez le pot. (Même les épices séchées finissent par s'éventer.)

Babeurre

Le babeurre est un merveilleux ingrédient faible en gras qui rehausse la saveur d'une recette et rend les pâtisseries moelleuses. Le babeurre est du lait allégé ou sans gras qu'on a fait fermenter à l'aide de cultures bactériennes, ce qui lui confère sa texture épaisse. Un bon substitut est le lait sur. Mettez 15 mL (1 c. à soupe) de vinaigre ou de jus de citron dans une tasse à mesurer; versez-y 250 mL (1 tasse) de lait et laissez réagir trois minutes avant l'utilisation.

Cacao

Je préfère le cacao de type alcalinisé. Le procédé de fabrication diminue le taux d'acidité du cacao ainsi que son amertume. Ainsi, le cacao est plus doux et a une riche couleur foncée. J'utilise surtout la marque Hershey® (É.-U.) « style européen » ou « noir ». Il se vend en magasin. Vous pouvez aussi vous le procurer, ainsi que d'autres marques de cacao alcalinisé, à prix raisonnable dans la section gourmet du www.amazon.com.

Compote de pommes

Utilisez toujours de la compote de pommes sans sucre. La teneur en sucre des versions sucrées est élevée et les recettes ne tiennent pas compte des compotes sucrées avec Splenda®.

Crème aigre (sure)

J'utilise la crème aigre (sure) allégée, car c'est un excellent et onctueux substitut au produit original. Je n'ai pas encore trouvé de produits sans gras qui me satisfasse, car je n'aime pas leur texture peu crémeuse (ni les plats qui en contiennent). Rien ne vous empêche toutefois d'opter pour une crème aigre (sure) sans gras.

Crème simple sans gras

La crème simple sans gras fait des miracles! Elle a l'onctuosité de la crème simple originale, sans son contenu en gras. Le seul substitut adéquat est la crème simple originale, qui contient toutefois davantage de gras et de calories. Ne remplacez pas la crème simple sans gras par du lait sans gras.

Enduit pour cuisson antiadhésif

Voici un outil indispensable dans la lutte contre le gras. Dans la confection de pâtisseries, assurez-vous de n'utiliser que des enduits pour cuisson insipides ou à l'huile de canola. Pour la cuisson, les enduits à l'huile d'olive font l'affaire. N'insistez pas trop; une vaporisation de deux à trois secondes suffit.

Farines

Vous constaterez que mes recettes font appel à divers types de farines. Sachez qu'une substitution aura un effet sur le produit final. La farine tout usage convient à la confection de pâtisseries en général, car elle contient la quantité appropriée de protéines assurant le gonflement et la texture des aliments. La farine à gâteaux, pour sa part, fournit moins de protéines et le produit cuit est plus léger et tendre; utilisez-la lorsque la recette le demande. La farine de blé complet est reconnue pour son contenu élevé en fibres, mais aussi pour son gluten et sa saveur; elle donne des produits de pâtisserie plus denses et plus lourds. Voici trois conseils si vous devez remplacer la farine tout usage de mes recettes par de la farine de blé complet : utilisez de la farine à pâtisserie riche en fibres, mais plus légère ; choisissez des recettes de muffins et de pains consistants, comme le pain aux bananes, afin d'obtenir les meilleurs resultats ; enfin, ne remplacez pas plus de la moitié de la farine tout usage. Une astuce consiste à utiliser des flocons de son naturel qui fournissent deux fois plus de fibres que la farine de blé (il ne faut pas remplacer plus du tiers de la farine).

Flocons d'avoine

On trouve des flocons d'avoine dans un grand nombre de recettes. Les flocons d'avoine sont sains et riches en fibres ; en outre, ils ne font pas monter le taux de glucose sanguin comme les céréales et les farines raffinées. Quand je mentionne d'utiliser des flocons d'avoine à l'ancienne, il est tout de même possible d'employer des flocons d'avoine ordinaires ou à cuisson rapide. Personnellement, je préfère les gros flocons d'avoine, surtout pour les garnitures. Évitez toutefois de remplacer les flocons d'avoine à l'ancienne par des flocons d'avoine instantanés.

Fromage à la crème

J'utilise le fromage à la crème de marque Philadelphia (É.-U.). Toutes les marques conviennent, mais le goût peut varier (surtout celui des versions allégées). Lorsque je propose l'utilisation de fromage à la crème allégé en bol, vous pouvez employer du neufchâtel, mais sachez que ce dernier contient un peu plus de calories et de gras. J'utilise parfois du fromage à la crème sans gras, mais toujours avec du fromage allégé, ce qui permet de réduire le gras de façon significative tout en profitant de la saveur et de l'onctuosité. Je déconseille d'utiliser du fromage à la crème sans gras dans une recette qui n'en demande pas ou d'employer la version originale si vous vous souciez de votre apport en calories ou en gras.

Fromage blanc (cottage)

Le fromage blanc (cottage) est une petite merveille quand il s'agit de réduire l'apport en calories et en gras, en plus d'ajouter des protéines à vos recettes – surtout une fois mis en crème. La méthode la plus facile pour le mettre en crème est le robot culinaire (mon choix) ou le mélangeur. Travaillez le fromage jusqu'à ce qu'il ne reste plus de grains (il ressemblera à de la crème aigre). J'utilise les versions allégées pour de meilleurs résultats.

Garnitures fouettées

Les garnitures fouettées allégées, qui rehaussent un grand nombre de recettes, ne contiennent qu'une fraction du gras de la crème fouettée. Elles se vendent en bols de plastique dans le rayon des produits surgelés. Assurez-vous toutefois de bien décongeler la garniture avant de l'utiliser. Je préfère le Cool Whip Lite (É.-U.), bien que je ne recommande pas la version sans gras, qui contient plus de sucre et est moins onctueuse.

Huiles

Toutes les huiles liquides contiennent la même quantité de gras. La saveur de l'huile (ou son absence de saveur) détermine donc le type d'huile qui convient à une recette. Je choisis l'huile de canola quand j'ai besoin d'une huile insipide, car elle est riche en gras mono insaturés, mais toutes les huiles sans saveur sont acceptables. Les huiles d'olive vierge ou extra vierge se remplacent l'une l'autre. Par conséquent, si une recette précise d'employer une huile d'olive extra vierge (pour une vinaigrette, par exemple), c'est parce que j'estime que le coût plus élevé et le goût le justifient. L'huile de sésame, qui provient des graines de sésame, a une saveur de noisette prononcée en raison de laquelle on ne l'utilise qu'en petite quantité. Ne pensez pas que vous pouvez l'éliminer de la recette parce que la quantité semble négligeable! Son goût relevé est important et n'a pas d'équivalent.

Jus d'orange

Le jus d'orange hypocalorique est ma toute dernière découverte en matière de produits allégés en sucre. Même s'il s'agit d'un produit naturel, le jus d'orange est une source importante de sucre. Dans les recettes où l'utilisation de jus faible en sucre diminue les glucides de moins de 1 g, j'ai choisi la version originale. Toutefois, quand la quantité peut changer les choses, je propose le jus hypocalorique (bol la moitié des calories et du sucre). Les marques Tropicana Light'n Healthy et Minute Maid Light Orange Juice (É.-U.) sont vendues en boîtes de carton près du lait dans la plupart des épiceries.

Lait

J'utilise du lait allégé (1 %) dont seulement 20 % des calories proviennent du gras, mais dont le goût est plus satisfaisant que celui du lait écrémé. Si on les compare, le lait allégé contient 35 % de gras, alors que le lait complet en contient 50 %.

Margarine et beurre

Vous pouvez utiliser la marque de margarine ou de beurre de votre choix, mais je vous conseille d'éviter la margarine en bol ou le beurre allégé, car la confection de pâtisseries demande du gras solide (plus de 65 % du poids). J'ai fait l'essai de recettes avec des bâtonnets de margarine comprenant 10 g de gras et ne totalisant que 4 g de gras saturés et de gras trans par cuillerée.

Au moment de la rédaction de cet ouvrage, toutes les margarines sur le marché contenaient des gras trans, mais dans des concentrations allant de 1,5 à 5 g. Visez donc une faible teneur en gras. Quant au beurre, il apporte beaucoup de saveur et il ne contient aucun gras trans. En revanche, il cache 8 g de mauvais gras saturés par cuillerée.

Œufs

Les œufs complets ont surmonté la mauvaise réputation qu'on leur a déjà faite. La recherche semble dorénavant montrer que la consommation excessive de gras saturés ou de gras trans cause davantage la hausse du taux de cholestérol que la consommation de cholestérol alimentaire. L'American Heart Association confirme qu'on peut consommer sans danger un œuf par jour.

Toutefois, afin de maintenir le gras total (et le cholestérol) de mes recettes à un niveau sain, j'emploie plus de blancs d'œufs que d'œufs complets dans la mesure du possible (2 blancs d'œufs = 1 œuf complet). Personnellement, je préfère cette façon de faire, surtout pour la confection de pâtisseries. À vous de choisir ! (60 mL ou 1/4 tasse de succédané d'œufs = 1 œuf).

Une autre préoccupation a trait aux intoxications alimentaires (dans le cas de la consommation d'œufs crus). Le risque d'une telle intoxication est très faible. En revanche, vu les effets graves sur les jeunes enfants, les personnes âgées et les personnes dont l'immunité est déficiente, je recommande l'emploi de blancs d'œufs pasteurisés lorsque vous cuisinez pour ces personnes. Voici trois options : les blancs d'œufs en poudre, rangés dans la section des produits de pâtisserie; les blancs d'œufs pasteurisés, placés près des succédanés d'œufs (assurez-vous que l'emballage indique « à fouetter »); les œufs complets pasteurisés et séparés (les blancs mettront plus de temps à monter).

Pâte phyllo

La pâte phyllo (ou filo) est surtout reconnue pour la confection des baklavas. On en trouve au rayon des produits surgelés des supermarchés. Cette pâte croustillante, faible en gras et en glucides, est une option de rechange très intéressante aux pâtes de strudels et aux abaisses de tartes. Vous pouvez l'empêcher de se fendiller en la faisant décongeler lentement au réfrigérateur, recouverte d'un chiffon ou d'une feuille d'essuie-tout humide, et en vaporisant chaque feuille d'un enduit pour cuisson.

Protéines en poudre

Les protéines en poudre augmentent l'apport protéinique des aliments sans ajouter de calories ni de gras. Vous pouvez vous en procurer deux variétés : des protéines en boîte (faites à partir de soja ou de petit-lait), préférables dans les boissons, et des protéines de soja en sachets, qui ont l'apparence d'une farine jaunâtre et qui conviennent mieux à la cuisson. La marque importe peu. Assurez-vous simplement que le produit ne contient pas d'agents de remplissage ou de sucre. Il doit fournir environ 25 g de protéines et moins de 1 g de glucides par 30 mL (2 c. à soupe).

Purée de pruneaux

Dans la plupart de mes recettes, j'indique d'utiliser la purée de pruneaux pour bébé pour son côté pratique. Vous pouvez employer une purée en pot ou la purée aux prunes et aux pommes de marque Gerber (É.-U.). Je ne trouve plus le produit Sunsweet Lighter Bake près de chez moi, mais je sais qu'il est toujours vendu dans le commerce et je vous le recommande fortement. Si vous préférez confectionner votre propre purée de pruneaux, déposez 310 g (1 1/4 tasse) de pruneaux dénoyautés et de 90 à 120 mL (6 à 8 c. à soupe) d'eau bouillante dans un mélangeur. Travaillez jusqu'à l'obtention d'une consistance lisse. La purée se conserve au réfrigérateur dans un bol fermé pendant un ou deux mois.

Splenda ®

Vous trouverez divers produits Splenda® dans votre région, rangés près du sucre dans les épiceries. L'édulcorant sans calorie Splenda® (granulé) que j'utilise dans la plupart de mes recettes est vendu dans une boîte jaune ou dans un grand sachet. La mention « Granulé » apparaît juste au-dessus de l'indication du poids sur l'emballage. Splenda ® granulé se mesure comme le sucre dans un rapport de 1:1.

Les sachets Splenda® sont vendus en boîte. Voici une règle de conversion : un sachet équivaut à 10 mL (2 c. à thé) de sucre (ou de Splenda® granulé).

Enfin, la préparation *Sugar Blend for Baking* se vend dans un sachet orange (elle est plus lourde que le Splenda® granulé). Il s'agit d'une combinaison de 50 % de sucre granulé et de 50 % de sucralose (Splenda®). À noter : réduisez la quantité de moitié si vous remplacez du sucre ou du Splenda® granulé par la préparation *Sugar Blend for Baking*. (Voir la section « À propos de Splenda® » à la page 13 ainsi que la section « De douces façons de couper le sucre » à la page 22 pour plus de renseignements sur les différents produits Splenda®.

Vinaigre de riz

Le vinaigre de riz est souvent utilisé dans les recettes orientales. Son taux d'acidité est plus faible que celui du vinaigre blanc et son goût, plus doux. À l'achat, assurez-vous que l'étiquette porte la mention « naturel ». Évitez les versions assaisonnées ou originales, qui contiennent jusqu'à 5 mL (1 c. à·thé) de sucre par 15 mL (1 c. à soupe).

Yaourt

Vous pouvez utiliser indifféremment du yaourt nature sans gras ou du yaourt nature allégé sur le plan du gras et des calories. En revanche, employez le produit mentionné dans la recette afin d'obtenir de meilleurs résultats. Notamment, n'utilisez pas du yaourt « allégé » ou sucré artificiellement au lieu d'une marque avec sucre si c'est ce que la recette stipule, au risque d'obtenir un résultat de qualité moindre.

Zestes

Beaucoup de recettes demandent le zeste d'un agrume, soit la pelure râpée d'un citron, d'une limette ou d'une orange. Je ne saurais trop insister sur la grande contribution du zeste à un mets. Utilisez le fruit de votre choix. Lavez-le puis râpez son écorce extérieure colorée, sans toucher à la pulpe blanchâtre qui est plutôt amère. Le zeste confère le plus de saveur lorsqu'il est finement râpé. Utilisez une râpe fine ou ciselez les morceaux d'écorce sur une planche à découper avant d'incorporer le zeste à la recette.

Recettes sensationnelles

Boissons glacées, frappées et fouettées

Limonade glacée

Limonade aux fraises

Boisson effervescente à la limette et au citron

Boisson de fruits hawaïens

Eau **al fresca** à la pastèque

Jet d'agrumes

Thé vert au gingembre et au miel

Café glacé velouté

Moka givré

Boisson givrée au chocolat

Smoothie soleil

Smoothie crémeux à l'orange

Smoothie aux baies

Frappé minceur à la vanille et aux pêches

Smoothie à la banane et aux fraises

Smoothie de soja aux fraises et aux amandes

Boisson du petit déjeuner triple vanille

Boisson du petit déjeuner double chocolat

Frappé riche en protéines au chocolat, à la banane et au beurre de cacahuètes (arachides)

Les boissons froides, autrefois de simples accompagnements, constituent dorénavant un secteur de l'industrie alimentaire. Il y a beaucoup plus que les traditionnelles boissons gazeuses et les jus classiques. Depuis les thés aromatisés et les riches cafés veloutés jusqu'aux *smoothies*, des boissons frappées aux fruits, il se trouve une boisson froide et sucrée pour toutes les occasions – et tous les goûts.

Mis à part le goût, ces boissons posent un grand problème. En effet, il est facile d'oublier le fait qu'elles regorgent de sucre et peuvent, par conséquent, faire prendre du poids.

Des études scientifiques ont révélé qu'en plus de faire augmenter le taux de glucose sanguin, les « calories provenant du sucre » des boissons s'additionnent rapidement, mais ne rassasient pas comme les aliments solides. Autrement dit, lorsque vous buvez un thé glacé rafraîchissant de 175 calories, un café de 300 calories au café-restaurant du coin ou un *smoothie* « santé » de 500 calories, vous accumulez de petits extras là où vous les voulez le moins – sur votre pèse-personne.

C'est pourquoi je me réjouis de commencer ce livre avec de nouvelles idées de boissons faibles en sucres et en calories qui satisferont tout de même votre envie de sucre. Dans cette section, vous découvrirez des boissons rafraîchissantes comme la limonade aux fraises ou le thé vert au gingembre et au miel, qui étancheront délicieusement votre soif sans calories ajoutées. Le café glacé velouté, par exemple, peut vous éviter un arrêt au café-restaurant. De même, mes *smoothies* vraiment santé (comme l'alléchant *smoothie* crémeux à l'orange) et mes boissons du petit déjeuner (comme le frappé minceur à la vanille et aux pêches) plairont à votre estomac sans nuire à votre silhouette. Alors, qu'est-ce que je vous sers?

Limonade glacée

1 portion

Rien ne désaltère autant qu'un verre de limonade lors d'une journée chaude. Malheureusement, la grande quantité de sucre nécessaire pour adoucir l'acidité du citron peut suffire à vous faire grimacer. Savourez cette douce version qui ne contient ni sucre ni calories.

INGRÉDIENTS :

80 mL (1/3 tasse) de jus de citron frais (1 gros citron) ou de jus de citron concentré

30 mL (2 c. à soupe) de Splenda® granulé

Glaçons concassés

PRÉPARATION :

1. Verser le jus de citron dans un grand verre de 355 mL (12 oz). Ajouter le Splenda® granulé et mélanger pour le dissoudre.

2. Remplir le verre d'eau glacée et de glaçons. Mélanger.

NOTES :

Les boissons sucrées sont la principale source de sucres ajoutés dans l'alimentation américaine. En remplaçant la limonade originale par cette boisson glacée, vous évitez 25 g de sucre et 100 calories par verre.

PAR PORTION :

Calories : 30   Gras : 0 g
Glucides : 9 g   Fibres : 0 g
Protéines : 0 g   Sodium : 0 mg

Valeur de choix d'aliments pour le diabète = 1/2 choix de fruits
Points WW = 1 point

Limonade aux fraises

4 portions

Ah, la vie en rose ! Dans cette recette, des fraises transforment une simple limonade en une délicieuse limonade rose. J'aime le goût frais de la purée de fraises dans la limonade. Vous pouvez passer la purée au tamis si vous préférez une boisson plus claire. Les deux versions sont aussi savoureuses l'une que l'autre.

INGRÉDIENTS :

375 mL (1 1/2 tasse) de fraises fraîches coupées en deux ou de fraises surgelées, légèrement décongelées

250 mL (1 tasse) de jus de citron frais (environ 4 citrons moyens)

160 mL (2/3 tasse) de Splenda® granulé

750 mL (3 tasses) d'eau froide

10 mL (2 c. à thé) de zeste de citron

PRÉPARATION :

1. Déposer les fraises dans un robot culinaire ou un mélangeur et mettre en purée lisse. Verser dans un grand pichet.

2. Ajouter le jus de citron, le Splenda® granulé et l'eau.

3. Passer les fraises au tamis si vous ne voulez pas de pulpe. Ajouter le zeste de citron.

4. Verser dans des verres de 355 mL (12 oz) remplis de glaçons.

NOTES :

Une gentille lectrice m'a remerciée pour mes recettes qui l'aident à contrôler sa glycémie. Elle propose ceci : verser la limonade rose dans des bacs à glaçons, puis congeler. Un de ces glaçons fait des merveilles dans un thé glacé !

PAR PORTION :

Calories : 50	Gras : 0 g
Glucides : 12 g	Fibres : 2 g
Protéines : 1 g	Sodium : 0 mg

Valeur de choix d'aliments pour le diabète =
1 choix de fruits
Points WW = 1 point

Boisson effervescente à la limette et au citron

6 portions

Avez-vous envie d'autre chose qu'une simple limonade ? Du jus de limette fraîchement pressé et de l'eau gazeuse donnent une boisson rafraîchissante plus que désaltérante. Au moment de servir, déposez quelques tranches de limette et un ou deux brins de menthe fraîche dans le pichet.

INGRÉDIENTS :

250 mL (1 tasse) de jus de limette (environ 6 limettes)

180 mL (3/4 tasse) de Splenda® granulé

5 mL (1 c. à thé) de zeste de limette

Une bouteille d'eau gazeuse de 1,2 L (42 oz)

PRÉPARATION :

1. Combiner le jus de limette, le Splenda® granulé et le zeste de limette dans un grand pichet. Remuer.

2. Ajouter l'eau gazeuse. Remuez légèrement.

3. Servir immédiatement dans de grands verres de 355 mL (12 oz).

PAR PORTION :

Calories : 25	Gras : 0 g
Glucides : 7 g	Fibres : 0 g
Protéines : 0 g	Sodium : 0 mg

Valeur de choix d'aliments pour le diabète =
1/2 choix de fruits
Points WW = 1 point

Boisson de fruits hawaïens

6 portions

Les enfants ainsi que les mères approuvent cette recette. Mes fils aiment le goût vraiment sucré de la boisson, mais pour ma part je suis enchantée qu'elle ne contienne pas de sucre ajouté. Mieux encore, un verre fournit la quantité quotidienne recommandée de vitamine C.

INGRÉDIENTS :

500 mL (2 tasses) de cocktail de canneberges allégé

250 mL (1 tasse) de jus d'orange allégé

125 mL (1/2 tasse) de jus d'ananas

30 mL (2 c. soupe) de Splenda® granulé ou 2 sachets de Splenda®

250 mL (1 tasse) d'eau

PRÉPARATION :

1. Mettre tous les ingrédients dans un grand pichet. Remuer.

2. Servir dans des verres de 237 mL (8 oz) remplis de glaçons.

NOTES :

Les jus d'orange enrichis et faibles en calories sont d'excellentes sources de calcium et de vitamine C, avec 50 % moins de sucre que le jus d'orange en version originale.

PAR PORTION :

Calories : 35	Gras : 0 g
Glucides : 9 g	Fibres : 0 g
Protéines : 0 g	Sodium : 0 mg

Valeur de choix d'aliments pour le diabète =
1/2 choix de fruits
Points WW = 1 point

Eau al fresca à la pastèque

4 portions

Al fresca signifie eau fruitée ; au Mexique, on peut obtenir de grands verres d'eau fruitée rafraîchissante à des kiosques sur la rue. Ces boissons santé sont très faciles à préparer et ne requièrent que peu d'ingrédients. Un conseil : puisque la saveur de cette boisson provient de la pastèque (melon d'eau), choisissez le fruit le plus mûr et le plus sucré.

INGRÉDIENTS :

500 mL (2 tasses) de pastèque (melon d'eau) épépinée et coupée en dés

500 mL (2 tasses) d'eau

Jus de 1 limette

60 mL (1/4 tasse) de Splenda® granulé

PRÉPARATION :

1. Combiner tous les ingrédients dans un robot culinaire et mettre en purée lisse. Passer au tamis.

2. Servir dans des verres de 237 mL (8 oz) remplis de glaçons.

NOTES :

Substituer d'autres melons à la pastèque afin d'obtenir une *agua de melon*; des fraises pour faire une *agua de fresa* et du concombre pour avoir une *agua de pepine*. Ajuster la quantité de Splenda® granulé au goût.

PAR PORTION :

Calories : 35	Gras : 0 g
Glucides : 8 g	Fibres : 0 g
Protéines ; 1 g	Sodium : 5 mg

Valeur de choix d'aliments pour le diabète =
1/2 choix de fruits
Points WW = 1 point

Jet d'agrumes

4 portions

Cette boisson rafraîchissante constitue un excellent petit déjeuner ou une collation en après-midi, surtout si vous employez des jus frais. Plus léger et acidulé que la limonade, le jet d'agrumes convient parfaitement aux jours brûlants de l'été. Essayez-le avec quelques gouttes de jus de limette.

INGRÉDIENTS :

160 mL (2/3 tasse) de jus d'orange allégé

125 mL (1/2 tasse) de jus de limette (environ 3 limettes)

125 mL (1/2 tasse) de jus de citron (environ 2 citrons)

90 mL (6 c. à soupe) de Splenda® granulé ou 9 sachets de Splenda®

580 mL (2 1/3 tasses) d'eau gazéifiée ou d'eau de Seltz (l'eau gazéifiée au parfum de citron ou de limette est aussi délicieuse)

PRÉPARATION :

1. Combiner les jus, le Splenda® et l'eau gazéifiée dans un grand pichet. Remuer.

2. Servir immédiatement dans des verres de 355 mL (12 oz) remplis de glaçons.

NOTES :

Pour une fête, combiner les jus et le Splenda® dans un bol à punch. Ajouter l'eau gazéifiée et les glaçons juste avant de servir. Garnir de tranches de limette, de citron et d'orange.

PAR PORTION :

Calories : 40	Gras : 0 g
Glucides : 10 g	Fibres : 0 g
Protéines : 0 g	Sodium : 0 mg

Valeur de choix d'aliments pour le diabète = 1/2 choix de fruits
Points WW = 1 point

Thé vert au gingembre et au miel

8 portions

Le thé vert est en vogue. Auparavant servi chaud dans les restaurants asiatiques, le thé vert est maintenant commercialisé à grande échelle comme boisson froide « santé ». Même si les thés verts glacés semblent meilleurs pour la santé que les boissons gazeuses, ils contiennent souvent plus de sucre. Voici une recette qui rappelle une marque très populaire, mais j'y remplace le ginseng habituel par du gingembre.

INGRÉDIENTS :

2 L (8 tasses) d'eau

2 sachets de thé vert

30 mL (2 c. à soupe) de miel

160 mL (2/3 tasse) de Splenda® granulé (ou moins, au goût)

60 mL (1/4 tasse) de jus de citron

2,5 mL (1/2 c. à thé) de gingembre râpé

PRÉPARATION :

1. Mettre l'eau dans une casserole moyenne et amener à ébullition. Ajouter les sachets de thé vert et laisser infuser de 1 à 2 heures.

2. Ajouter au thé vert toujours tiède le miel, le Splenda®, le jus de citron et le gingembre.

3. Servir froid.

NOTES :

Le thé vert est un antioxydant naturel favorable à la santé. Les professionnels de la santé croient qu'il peut réduire les risques de certains types de cancer, le taux de cholestérol et la tension artérielle, en plus de stimuler le système immunitaire. On a montré qu'il peut aider à perdre du poids et même protéger vos dents !

PAR PORTION :

Calories : 25	Gras : 0 g
Glucides : 7 g	Fibres : 0 g
Protéines : 0 g	Sodium : 0 mg

Valeur de choix d'aliments pour le diabète = 1/2 choix de glucides
Points WW = 0 point (portion de 237 mL/8 oz ou moins)

Café glacé velouté

1 portion

Les boissons au café connaissent une popularité étonnante. Bon nombre de mes clients en prennent l'après-midi pour se donner de l'énergie. Le seul problème est leur haute teneur en calories et en sucre. En fait, une de ces boissons au café contient souvent plus de sucre qu'un cola. Voici une recette facile et rapide à préparer, avec une fraction des calories (et à une fraction du coût !). Le secret pour obtenir une texture veloutée sans le sucre consiste à utiliser une crème simple allégée au lieu du lait.

INGRÉDIENTS :

125 mL (1/2 tasse) de café extra-fort ou 10 mL (2 c. à thé) de café soluble dissous dans 125 mL (1/2 tasse) d'eau chaude (original ou décaféiné)

60 mL (1/4 tasse) de crème simple allégée

30 mL (2 c. à soupe) de Splenda® granulé (ou 3 sachets de Splenda®)

125 mL (1/2 tasse) de glaçons broyés

PRÉPARATION :

1. Mettre le café, la crème simple et Splenda® dans un mélangeur. Mélanger.

2. Ajouter les glaçons et mélanger un peu (environ 15 secondes) afin de les incorporer. Verser dans des verres de 237 mL (8 oz).

NOTES :

Une bouteille de 296 mL (9,5 oz) de Frappuccino Starbucks (É.-U.) contient 31 g de sucre.

PAR PORTION :

Calories : 48   Gras : 0,5 g (0 g saturés)
Glucides : 8 g   Fibres : 0 g
Protéines : 2 g   Sodium : 60 mg

Valeur de choix d'aliments pour le diabète =
1/2 choix de glucides
Points WW = 1 point

Moka givré

1 portion

Ce moka givré est une variante du café glacé velouté. Outre le chocolat, j'ajoute des glaçons afin d'obtenir une version givrée et allongée à 355 mL (12 oz).

INGRÉDIENTS :

125 mL (1/2 tasse) de café extra-fort ou 10 mL (2 c. à thé) de café soluble dissous dans 125 mL (1/2 tasse) d'eau chaude (original ou décaféiné)

75 mL (1/4 tasse + 1 c. à soupe) de crème simple allégée

45 mL (3 c. à soupe) de Splenda® granulé (ou 4 sachets de Splenda®)

5 mL (1 c. à thé) de cacao

250 mL (1 tasse) de glaçons broyés

PRÉPARATION :

1. Mettre le café, la crème simple, le Splenda® et le cacao dans un mélangeur. Mélanger.

2. Ajouter la moitié des glaçons et mélanger un peu (environ 15 secondes) afin de les incorporer.

3. Ajouter le reste des glaçons et répéter.

4. Verser dans des verres de 355 mL (12 oz).

NOTES :

Attention : un moka givré de café-restaurant peut contenir seulement 3 g de gras. En revanche, il peut contenir jusqu'à 320 calories et plus de 60 g de glucides.

PAR PORTION :

Calories : 61   Gras : 0,5 g (0 g saturés)
Glucides : 10 g   Fibres : 0 g
Protéines : 2 g   Sodium : 67 mg

Valeur de choix d'aliments pour le diabète =
1/2 choix de glucides
Points WW = 1 point

Boisson givrée au chocolat

1 portion

Mon fils Stephen est l'amateur de chocolat de la famille. La recette suivante, qui provient de Fantastic Food with Splenda, est l'une de ses préférées. Selon lui, ma boisson givrée au chocolat est aussi délicieuse que celles des cafés-restaurants, mais vous pouvez la savourer dans le confort de votre foyer.

INGRÉDIENTS :

1 sachet de chocolat chaud soluble avec Splenda ® (de marque Swiss Miss)

125 mL (1/2 tasse) de lait allégé

15 mL (1 c. à soupe) de Splenda ® granulé (ou 2 sachets de Splenda ®)

10 mL (2 c. à thé) de cacao

125 mL (1/2 tasse) de glace à la vanille allégée sans sucre

125 mL (1/2 tasse) de glaçons broyés

PRÉPARATION :

1. Mettre le chocolat chaud soluble, le lait, le Splenda ® et le cacao dans un mélangeur. Mélanger.

2. Ajouter la glace à la vanille et les glaçons. Mélanger jusqu'à l'obtention d'une texture lisse et givrée.

NOTES :

Quand vous choisissez une glace sans sucre, vérifiez la teneur en gras et optez pour un produit faible en gras et en calories – pas seulement sans sucre.

PAR PORTION :

Calories : 200	Gras : 5 g (3 g saturés)
Glucides : 24 g	Fibres : 4 g
Protéines : 13 g	Sodium : 220 mg

Valeur de choix d'aliments pour le diabète =
1/2 choix de lait, 1 choix de féculents
Points WW = 4 points

Smoothie soleil

1 portion

Cette boisson onctueuse qui rappelle les glaces fourrées à la crème de notre enfance accompagne merveilleusement bien le petit déjeuner. Elle fournit la quantité quotidienne recommandée de vitamine C, avec moins de sucre, mais plus de protéines qu'un simple jus d'orange.

INGRÉDIENTS :

125 mL (1/2 tasse) de jus d'orange allégé

60 mL (1/4 tasse) de yaourt nature allégé

125 mL (1/2 tasse) de glaçons broyés ou en cubes

15 mL (1 c. à soupe) de Splenda® granulé (ou 2 sachets de Splenda®)

PRÉPARATION :

1. Mettre tous les ingrédients dans un mélangeur.

2. Mélanger à haute vitesse de 30 à 45 secondes.

NOTES :

Vous pouvez aussi utiliser du jus d'orange fraîchement pressé ou en version originale comme je l'ai fait dans *Unbelievable Desserts*. Ajoutez alors 30 calories, 6,5 g de glucides et 1 point WW.

PAR PORTION :

Calories : 70	Gras : 0 g
Glucides : 13 g	Fibres : 0 g
Protéines : 5 g	Sodium : 145 mg

Valeur de choix d'aliments pour le diabète =
1 choix de fruits, 1/2 choix de lait allégé
Points WW = 1 point

Smoothie crémeux à l'orange

2 portions

Enfant, j'adorais une boisson frappée à l'orange du commerce « Orange Julius ». Je retrouve dans cette recette la délicieuse saveur d'orange et de vanille que j'aimais tant. Le succédané d'œuf donne une consistance mousseuse en plus de fournir des protéines sans s'inquiéter de consommer des œufs crus.

INGRÉDIENTS :

180 mL (3/4 tasse) de jus d'orange

180 mL (3/4 tasse) de lait allégé

**60 mL (1/4 tasse) de Splenda® granulé
(ou 6 sachets de Splenda®)**

**60 mL (1/4 tasse) de succédané d'œuf
(de marque Egg Beaters ou l'équivalent)**

3,7 mL (3/4 c. à thé) d'essence de vanille

**250 mL (1 tasse) de glaçons broyés, ou
5 à 6 cubes**

PRÉPARATION :

1. Mettre tous les ingrédients dans un mélangeur sauf les glaçons. Mélanger.

2. Ajouter les glaçons. Mélanger afin de les incorporer et d'obtenir une consistance mousseuse.

3. Servir immédiatement dans des verres de 237 mL (8 oz).

PAR PORTION :

Calories : 90	Gras : 1 g (0,5 g saturés)
Glucides : 13 g	Fibres : 0 g
Protéines : 8 g	Sodium : 100 mg

Valeur de choix d'aliments pour le diabète =
1/2 choix de lait allégé, 1/2 choix de fruits
Points WW = 2 points

Smoothie aux baies

2 portions

J'ai découvert dans un magazine une recette semblable à la suivante, dont on vantait les propriétés anticancéreuses. En effet, les baies contiennent des substances puissantes qui luttent contre les tumeurs. Mais j'aime surtout le bon goût de cette boisson. Utilisez les baies qui vous plaisent. Il suffit qu'un type de baies ou un autre soit surgelé.

INGRÉDIENTS :

125 mL (1/2 tasse) de lait allégé

250 mL (1 tasse) de yaourt nature sans gras

125 mL (1/2 tasse) de myrtilles (bleuets)

125 mL (1/2 tasse) de fraises surgelées

**60 mL (1/4 tasse) de Splenda® granulé
(ou 6 sachets de Splenda®)**

250 mL (1 tasse) de glaçons broyés ou en cubes

PRÉPARATION :

1. Mettre tous les ingrédients dans un mélangeur sauf les glaçons. Mélanger.

2. Ajouter les glaçons et mélanger à haute vitesse jusqu'à l'obtention d'une texture onctueuse.

NOTES :

Si vous utilisez des produits laitiers plus allégés, vous ajoutez 3 g de protéines et vous éliminez 5 g de gras (4 saturés) ainsi que 20 calories par portion.

PAR PORTION :

Calories : 140	Gras : 1 g (0,5 g saturés)
Glucides : 23 g	Fibres : 2 g
Protéines : 10 g	Sodium : 145 mg

Valeur de choix d'aliments pour le diabète =
1 choix de lait allégé, 1/2 choix de fruits
Points WW = 2 points

Frappé minceur à la vanille et aux pêches

1 portion

Si onctueux, si épatant, si amincissant… ce frappé voluptueux de 475 mL (16 oz) vous rassasiera sans vous faire prendre du poids. Il est riche en protéines, en vitamines A et C, en plus d'être une excellente source de calcium. C'est une façon idéale de commencer votre journée ou de faire le plein d'énergie en après-midi.

INGRÉDIENTS :

180 mL (3/4 tasse) de lait allégé

60 mL (1/4 tasse) de yaourt nature sans gras

180 mL (3/4 tasse) de pêches en tranches surgelées

2,5 mL (1/2 c. à thé) d'essence de vanille

1,2 mL (1/4 c. à thé) d'essence d'amande

30 mL (2 c. à soupe) de Splenda® granulé (ou 3 sachets de Splenda®)

125 mL (1/2 tasse) de glaçons broyés (si vous utilisez des pêches fraîches)

PRÉPARATION :

1. Mettre tous les ingrédients dans un mélangeur. Mélanger jusqu'à l'obtention d'une texture onctueuse.

Servir dans des verres de 475 mL (16 oz).

PAR PORTION :

Calories : 150   Gras : 0,5 g (0 g saturés)
Glucides : 28 g   Fibres : 2 g
Protéines : 11 g   Sodium : 140 mg

Valeur de choix d'aliments pour le diabète =
1 choix de lait allégé
Points WW = 3 points

Smoothie à la banane et aux fraises

2 portions

Vous aimerez cette recette, que vous aimiez vos smoothies riches et onctueux ou frais et givrés. Idéale comme collation ou avec un repas, son goût apaisant en fait une boisson gagnante. C'est l'occasion d'utiliser les bananes trop mûres ; retirez la pelure, déposez-les dans un sac en plastique et congelez-les. Les bananes congelées se conservent environ un mois.

INGRÉDIENTS :

250 mL (1 tasse) de lait allégé

250 mL (1 tasse) de yaourt nature sans gras

250 mL (1 tasse) de fraises en tranches (environ 8 moyennes)

30 mL (2 c. à soupe) de Splenda® granulé (ou 3 sachets de Splenda®)

1/2 grosse banane (congelée)

PRÉPARATION :

Riche et onctueux

1. Verser le lait dans un mélangeur, puis ajouter le yaourt, les fraises et le Splenda®. Mélanger.

2. Ajouter la banane et mélanger jusqu'à l'obtention d'une consistance riche et onctueuse.

Frais et givré

1. Ajouter 15 mL (1 c. à soupe) de Splenda® et 125 mL (1/2 tasse) de glaçons broyés à la préparation riche et onctueuse.

2. Mélanger à haute vitesse 30 secondes de plus afin de bien incorporer les glaçons.

NOTES :

Ajoutez une cuillerée de protéines en poudre pour obtenir une boisson riche en protéines ou savourez ce smoothie avec quelques craquelins de blé allégés et 15 mL (1 c. à soupe) de beurre de cacahuètes (arachides). Voilà un mini-repas sain et faible en calories.

PAR PORTION :

Calories : 150	Gras : 2 g (1 g saturés)
Glucides : 24 g	Fibres : 1 g
Protéines : 10 g	Sodium : 65 mg

Valeur de choix d'aliments pour le diabète =
1 choix de lait allégé, 1/2 choix de fruits
Points WW = 3 points

Smoothie de soja aux fraises et aux amandes

2 portions

Reconnaissons-le : le tofu n'a pas la cote côté goût. En revanche, il est excellent pour la santé. Ce smoothie changera votre opinion sur cet aliment. J'ai ajouté des fraises et des amandes afin de rendre la boisson onctueuse et d'en rehausser le goût. (Vous en oublierez même qu'elle est bonne pour vous.)

INGRÉDIENTS :

250 mL (1 tasse) de lait allégé

180 mL (3/4 tasse) de fraises fraîches coupées en quatre (ou surgelées, légèrement décongelées)

80 mL (1/3 tasse) de tofu soyeux ferme

60 mL (1/4 tasse) de Splenda® granulé (ou 6 sachets de Splenda®)

1,2 mL (1/4 c. à thé) d'essence d'amande

125 mL (1/2 tasse) de glaçons

PRÉPARATION :

1. Mettre tous les ingrédients dans un mélangeur, sauf les glaçons. Mélanger.

2. Ajouter les glaçons et mélanger jusqu'à l'obtention d'une texture riche et onctueuse.

3. Servir immédiatement dans des verres de 237 mL (8 oz).

NOTES :

Le soja est une remarquable source de protéines et fait partie d'une alimentation saine. Il contribue à réduire le taux de cholestérol et les risques d'ostéoporose, de maladies du cœur et de certains cancers.

PAR PORTION :

Calories : 110	Gras : 3 g (1 g saturés)
Glucides : 14 g	Fibres : 1 g
Protéines : 7 g	Sodium : 65 mg

Valeur de choix d'aliments pour le diabète =
1 choix de lait allégé, 1/2 choix de fruits
Points WW = 2 points

Boisson du petit déjeuner triple vanille

9 portions

Les boissons substituts de repas gagnent en popularité ces derniers temps, mais les petits déjeuners en poudre de Carnation (É.-U.) existent depuis aussi longtemps que je me rappelle. Non seulement j'en ai consommé quand j'étais enfant, je les ai aussi recommandés à des personnes qui avaient besoin d'un apport nutritif supplémentaire durant une convalescence. Cette version peu coûteuse, riche en protéines, en vitamine C et en calcium, a le bon goût de la santé.

INGRÉDIENTS :

1 boîte de 84 g (3 oz) de préparation pour pudding à la vanille sans sucre (É.-U.)

180 mL (3/4 de tasse) de protéines en poudre parfumées à la vanille (sans glucides)

750 mL (3 tasses) de lait allégé

125 mL (1/2 tasse) de Splenda® granulé

22,5 mL (4 1/2 c. à thé) d'essence de vanille

PRÉPARATION :

1. Mettre tous les ingrédients sauf l'essence de vanille dans un grand bol en plastique avec un couvercle. Agiter vigoureusement afin de bien mélanger.

2. Pour une portion, mettre 125 mL (1/2 tasse) de ce mélange, 2 mL (1/2 c. à thé) d'essence de vanille, 250 mL (1 tasse) d'eau et 250 mL (1 tasse) de glaçons dans un mélangeur. Mélanger jusqu'à l'obtention d'une texture riche et onctueuse.

NOTES :

Les substituts de repas en boîte, même s'ils contiennent trop de sucre, proposent toutes sortes de parfums. Laissez-vous aller et changez l'essence et le parfum du pudding sans sucre. Ou encore, ajoutez des fruits frais (j'aime ajouter un morceau de banane congelée).

PAR PORTION :

Calories : 170   Gras : 0,5 g (0 g saturés)
Glucides : 17 g   Fibres : 0 g
Protéines : 24 g   Sodium : 450 mg

Valeur de choix d'aliments pour le diabète =
1 choix de lait allégé, 1/2 choix de glucides
Points WW = 3 points

Boisson du petit déjeuner double chocolat

10 portions

La seule recette supérieure à ma boisson du petit déjeuner triple vanille est cette variante au double chocolat, onctueuse, riche et chocolatée. Elle comblera l'envie de chocolat de vos enfants au petit déjeuner (ou la vôtre).

INGRÉDIENTS :

1 boîte de 84 g (3 oz) de préparation pour pudding au chocolat sans sucre (É.-U.)

180 mL (3/4 tasse) de protéines en poudre (type sans glucides)

750 mL (3 tasses) de lait en poudre sans gras

250 mL (1 tasse) de Splenda® granulé

125 mL (1/2 tasse) de cacao, alcalinisé ou classique

PRÉPARATION :

1. Mettre tous les ingrédients dans un grand bol en plastique avec un couvercle. Agiter vigoureusement pour bien mélanger.

2. Pour une portion, mettre 125 mL (1/2 tasse) de ce mélange, 180 mL (3/4 tasse) d'eau et 250 mL (1 tasse) de glaçons dans un mélangeur. Mélanger jusqu'à l'obtention d'une texture riche et onctueuse.

NOTES :

Après l'école, mes garçons adorent que je leur prépare cette boisson avec en plus une boule de glace à la vanille. Ils ont leur frappé au chocolat; j'ai ma solution rapide pour une collation saine.

PAR PORTION :

Calories : 160	Gras : 1 g (0,5 g saturés)
Glucides : 17 g	Fibres : 1 g
Protéines : 21 g	Sodium : 390 mg

Valeur de choix d'aliments pour le diabète =
1 choix de lait allégé, 1/2 choix de glucides
Points WW = 3 points

Frappé riche en protéines au chocolat, à la banane et au beurre de cacahuètes (arachides)

2 portions

Le nom de cette boisson dit bien tout ce qu'elle est : riche, épaisse, onctueuse et rassasiante. Prenez-la seule en guise de petit repas ou accompagnez-la d'une rôtie de blé complet afin d'avoir un petit déjeuner très nutritif.

INGRÉDIENTS :

1 banane pelée, coupée en deux et congelée

250 mL (1 tasse) de lait allégé froid

30 mL (2 c. à soupe) de beurre de cacahuètes (arachides)

45 mL (3 c. à soupe) de Splenda® granulé (ou 4 sachets de Splenda®)

10 mL (2 c. à thé) de cacao

30 mL (2 c. à soupe) de protéines en poudre

125 mL (1/2 tasse) de glaçons broyés

PRÉPARATION :

1. Mettre tous les ingrédients dans un mélangeur. Mélanger.

2. Servir dans des verres de 237 mL (8 oz).

NOTES :

Vive le beurre de cacahuètes (arachides) ! Même s'il est riche en calories et en gras, il s'agit de gras mono insaturé, c'est-à-dire bon pour vous. Alors bon appétit, mais pas d'excès.

PAR PORTION :

Calories : 250	Gras : 9 g (3 g saturés)
Glucides : 26 g	Fibres : 3 g
Protéines : 17 g	Sodium : 200 mg

Valeur de choix d'aliments pour le diabète = 1/2 choix de lait allégé, 1 choix de fruits, 2 choix de viandes mi-maigres
Points WW = 5 points

Boissons chaudes invitantes et préparations maison

Rien ne réchauffe ou ne réconforte comme une boisson fumante. J'aime tellement les boissons chaudes que je leur consacre tout un chapitre.

Je dois avouer que ces recettes font partie de celles que j'ai le plus aimé créer. Pourquoi ? En fait, je me suis rendu compte que de siroter une boisson chaude au milieu d'une journée agitée me détend et me revigore. Même mes enfants ont adopté ce rituel. Ils ont découvert qu'une bonne tasse de café moka rend l'heure des devoirs plus agréable et qu'un réconfort à la vanille les aide à s'endormir.

C'est donc avec fierté que je vous présente mes versions adaptées des succès de cafés-restaurants, comme le café moka et le thé indien chaï. Dans mes recettes toutefois, la teneur en sucre est réduite sans atténuer la saveur. Mes chocolats chauds, comme le chocolat chaud décadent, sont savoureux, mais sans gras ; de même, mon lait de poule à l'ancienne, une tradition des fêtes de fin d'année, plaît au palais, sans fournir de calories.

Pour le plaisir, lisez – ou même faites – ma recette de limonade chaude outrageusement savoureuse. Je me réjouis également d'inclure plusieurs recettes de préparations maison. Rien ne vous empêchera plus de préparer vos boissons chaudes sans sucre à tout moment, par exemple avec la préparation maison pour chocolat chaud ou pour café à la vanille française. De plus, vous éviterez de payer ces produits plutôt dispendieux. Alors, détendez-vous et choyez-vous sans culpabilité avec ces boissons savoureuses.

Café moka

1 portion

Dans mon premier livre, j'ai créé une recette de chocolat chaud pour mon fils Stephen, qui n'avait que huit ans à l'époque. Maintenant, à 12 ans, il a pris goût aux « mokas » d'une chaîne de cafés-restaurants bien connue. Je me suis donc inspirée de son chocolat chaud préféré et en ai fait une version moka. (Ah ! l'instinct maternel !)

INGRÉDIENTS :

15 mL (1 c. à soupe) de cacao alcalinisé sans sucre

25 mL (1 c. à soupe + 2 c. à thé) de Splenda® granulé (ou 3 sachets de Splenda®)

125 mL (1/2 tasse) de lait allégé

180 mL (3/4 tasse) de café extra-fort (original ou décaféiné)

PRÉPARATION :

1. Déposer le cacao et le Splenda® dans une grosse tasse allant au four à micro-ondes. Ajouter le lait et fouetter jusqu'à l'obtention d'une consistance lisse.

2. Faire chauffer au four à micro-ondes pendant 90 secondes ou jusqu'à ce que le liquide soit chaud. Ne pas porter à l'ébullition.

3. Retirer du four micro-ondes et ajouter le café. Remuer.

PAR PORTION :

Calories : 80   Gras : 2 g (1 g saturés)
Glucides : 11 g   Fibres : 2 g
Protéines : 5 g   Sodium : 65 mg

Valeur de choix d'aliments pour le diabète =
1 choix de lait allégé
Points WW = 1 point

Café à l'orange

4 portions

Les cafés parfumés ne m'attirent pas particulièrement ; d'ailleurs, je ne sucre pas mon café. En revanche, j'aime le zeste d'orange. Dans cette recette sans pareille, je mêle le zeste d'orange et le Splenda ® au café moulu avant de procéder à l'infusion. Le résultat crée presque une dépendance. Ce café accompagne à merveille le dessert, ou même peut constituer un dessert en soi. Ajoutez au goût un succédané de lait, du lait chaud ou une garniture fouettée allégée.

INGRÉDIENTS :

90 mL (6 c. à soupe) de café moulu (note : les mesures de café représentent souvent 30 mL/2 c. à soupe)

1 petite orange

45 mL (3 c. à soupe) de Splenda® granulé (ou 4 sachets de Splenda®)

10 mL (2 c. à thé) de miel (facultatif)

1 L (4 tasses) d'eau

PRÉPARATION :

1. Déposer le café dans le filtre et râper le zeste d'orange sur le café.

2. Déposer le Splenda® et le miel dans la cafetière. Infuser selon le mode d'emploi de l'appareil.

3. Ajouter du lait ou de la crème au café chaud, au goût.

NOTES :

À la fin d'un repas, vous pouvez transformer ce café en un café à l'orange et au brandy. Ajoutez 45 mL (1 1/2 oz) de votre brandy favori dans chaque tasse. Décorez de garniture fouettée allégée et d'un zeste d'orange.

PAR PORTION :

Calories : 20	Gras : 0 g
Glucides : 5 g	Fibres : 0 g
Protéines : 0 g	Sodium : 0 mg

Valeur de choix d'aliments pour le diabète =
1 choix d'aliments bonis
Points WW = 0 point

Réconfort à la vanille

1 portion

Mon fils cadet préfère la vanille au chocolat. J'ai donc créé cette boisson pour lui. Elle est étonnamment délicieuse et merveilleusement apaisante. C'est la boisson idéale avant de se mettre au lit.

INGRÉDIENTS :

220 mL (1 tasse moins 2 c. à soupe) de lait allégé

30 mL (2 c. à soupe) de crème simple sans gras

15 mL (1 c. à soupe) de Splenda® granulé (ou 2 sachets de Splenda®)

2,5 mL (1/2 c. à thé) d'essence de vanille

PRÉPARATION :

1. Verser le lait et la crème simple dans une tasse de 237 mL (8 oz) allant au four à micro-ondes.

2. Ajouter le Splenda® et remuer.

3. Faire chauffer au four à micro-ondes pendant 90 secondes, sans porter à ébullition.

4. Retirer du four à micro-ondes et incorporer la vanille.

NOTES :

La crème simple sans gras est ce qui confère de l'onctuosité à cette boisson. Pour vous faire plaisir, garnissez de crème fouettée légère.

PAR PORTION :

Calories : 120	Gras : 2 g (1 g saturés)
Glucides : 16 g	Fibres : 1 g
Protéines : 8 g	Sodium : 80 mg

Valeur de choix d'aliments pour le diabète = 1 choix de lait allégé

Points WW = 3 points (2 points si vous utilisez du lait allégé; ajoutez une cuillerée de crème simple sans gras)

Chocolat chaud noir

1 portion

J'ai créé cette recette lorsque mon fils avait huit ans. Il l'a surnommée « la recette spéciale de maman ». Il ne voulait boire aucun autre chocolat chaud. Il existe un grand nombre de préparations sèches sans sucre, mais je n'en connais aucune qui élimine les frissons avec autant de saveur que ma recette. (Vous pouvez aussi servir cette boisson en version froide.)

INGRÉDIENTS :

15 mL (1 c. à soupe) de cacao alcalinisé

25 mL (1 c. à soupe + 2 c. à thé) de Splenda® granulé (ou 3 sachets de Splenda®)

30 mL (2 c. à soupe) d'eau chaude

250 mL (1 tasse) de lait allégé

PRÉPARATION :

1. Déposer le cacao et le Splenda® dans une grosse tasse allant au four à micro-ondes.

2. Ajouter l'eau chaude et mélanger jusqu'à consistance lisse.

3. Ajouter le lait et remuer.

4. Chauffer au four à micro-ondes pendant 90 secondes ou jusqu'à ce que la boisson soit chaude. Ne pas porter à ébullition.

NOTES :

Saviez-vous qu'un sachet de préparation de chocolat chaud peut contenir jusqu'à 25 mL (5 c. à thé) de sucre?

PAR PORTION :

Calories : 120

Gras : 3 g (2 g saturés)

Glucides : 16 g

Fibres : 1 g

Protéines : 9 g

Sodium : 124 mg

Valeur de choix d'aliments pour le diabète = 1 choix de lait allégé

Chocolat chaud décadent

1 portions

Encore plus chocolatée que le chocolat chaud noir (page 62), cette boisson est des plus réconfortantes. Si vous adorez le chocolat (comme la plupart d'entre nous), une tasse de ce voluptueux élixir chocolaté saura vous satisfaire. Pour encore plus de décadence, garnissez de votre crème fouettée allégée préférée.

INGRÉDIENTS :

25 mL (1 c. à soupe + 2 c. à thé) de cacao sans sucre

30 mL (2 c. à soupe) de Splenda ® granulé

3,7 mL (3/4 c. à thé) de fécule de maïs

180 mL (3/4 tasse) de lait

2,5 mL (1/2 c. à thé) d'essence de vanille

PRÉPARATION :

1. Dans une petite casserole, fouetter le cacao, le Splenda®, la fécule de maïs et 60 mL (1/4 tasse) du lait. Bien mélanger. Ajouter le lait restant et mélanger au fouet.

2. Faire cuire à feu moyen jusqu'à faible ébullition, en remuant jusqu'à ce que le mélange épaississe.

3. Retirer du feu, ajouter l'essence de vanille et servir.

NOTES :

L'excellente boisson Chantico Drinking Chocolate de 180 mL (6 oz) de Starbucks contient toutefois 390 calories, 21 g de gras et 51 g de glucides. (Cela représente 10 points WW, soit près de 1 point par cuillerée.)

PAR PORTION :

Calories : 130

Glucides : 18 g

Protéines : 8 g

Gras : 3 g (1,5 g saturés)

Fibres : 3 g

Sodium : 95 mg

Valeur de choix d'aliments pour le diabète =
1 choix de lait allégé, 1/2 choix de glucides
Points WW = 2 points

Chocolat chaud mexicain

1 portion

Il vous faut utiliser du chocolat solide pour confectionner un véritable chocolat chaud mexicain. Il se vend du chocolat dit « mexicain » sur le marché, mais j'ai concocté une recette qui en reproduit le goût avec moins de gras et de sucre. En outre, vous avez la possibilité d'ajuster l'assaisonnement. La mousse qui flotte sur la boisson est ce qui rehausse ce chocolat chaud. Pour l'obtenir, placez un fouet dans la tasse et faites tourner rapidement la poignée entre vos mains, avec un mouvement de va-et-vient.

INGRÉDIENTS :

180 mL (3/4 tasse) de lait allégé

14 g (1/2 oz) de chocolat mi-sucré, haché*

22 mL (1 1/2 c. à soupe) de Splenda® granulé

5 mL (1 c. à thé) de cacao

0,7 mL (1/8 c. à thé) de cannelle

Pincée de piment rouge moulu

5 mL (1 c. à thé) d'essence de vanille

* J'utilise 16 pépites de chocolat double de Ghirardelli.

PRÉPARATION :

1. Verser le lait dans une grosse tasse allant au four à micro-ondes. Chauffer à haute vitesse pendant 1 minute.

2. Ajouter le chocolat, le Splenda®, le cacao, la cannelle et le piment rouge. Remuer pour bien mélanger.

3. Chauffer de nouveau au four à micro-ondes à haute vitesse pendant 1 minute. Ajouter l'essence de vanille. Fouetter jusqu'à l'obtention d'une mousse.

4. Verser dans une tasse à café de 177 mL (6 oz).

NOTES :

C'est l'empereur du Mexique Montezuma qui a présenté le chocolat chaud mexicain ou *chocolatl* aux explorateurs espagnols. Montezuma aimait boire son chocolat à la vanille et aux épices dans un gobelet en or.

PAR PORTION :

Calories : 160	Gras : 7 g (4 g saturés)
Glucides : 21 g	Fibres : 1 g
Protéines : 8 g	Sodium : 95 mg

Valeur de choix d'aliments pour le diabète =
1 choix de lait allégé, 1/2 choix de glucides,
1 choix de gras
Points WW = 3 points

Thé indien chaï

3 portions

Une légende prétend qu'un chef indien a créé ce thé pour le roi. Le chef voulait confectionner un thé aromatisé d'un parfum luxueux. Il a utilisé des clous de girofle, de la cardamome et de la muscade. De nos jours, ce thé à la fois doux et relevé est servi dans les pavillons de thé ou les cafés. Vous pouvez aussi le préparer à la maison. Ma recette a le même bon goût, mais ne contient qu'une fraction du sucre et des calories.

INGRÉDIENTS :

500 mL (2 tasses) d'eau

1,2 mL (1/4 c. à thé) de cannelle

1,2 mL (1/4 c. à thé) de clou de girofle

1,2 mL (1/4 c. à thé) de gingembre moulu

1,2 mL (1/4 c. à thé) de cardamome moulue

0,7 mL (1/8 c. à thé) de muscade moulue

3 sachets de thé Darjeeling ou de thé noir

2,5 mL (1/2 c. à thé) d'essence de vanille

60 mL (1/4 tasse) de Splenda ® granulé

15 mL (1 c. à soupe) de miel

250 mL (1 tasse) de lait allégé

PRÉPARATION :

1. Amener l'eau et les épices à ébullition dans une petite casserole.

2. Y déposer les sachets de thé et laisser infuser pendant 2 ou 3 minutes.

3. Retirer les sachets de thé et incorporer l'essence de vanille, le Splenda® et le miel. Filtrer.

4. Pour servir, verser 160 mL (2/3 tasse) de la préparation de thé et 80 mL (1/3 tasse) de lait dans une grosse tasse allant au four à micro-ondes et chauffer pendant 1 minute. On peut aussi chauffer le thé et le lait dans une petite casserole, puis verser le mélange dans une tasse.

NOTES :

Adaptez la recette à votre goût. Le thé est plutôt sucré, comme les versions populaires du commerce. Si vous préférez un goût moins sucré, réduisez la quantité de miel ou de Splenda®. Pendant la période des fêtes, j'ajoute un peu de muscade; l'été, je sers le thé sur des glaçons.

PAR PORTION :

Calories : 60	Gras : 1 g (0,5 g saturés)
Glucides : 12 g	Fibres : 0 g
Protéines 3 g	Sodium : 40 mg

Valeur de choix d'aliments pour le diabète =
1 choix de glucides
Points WW = 1 point

Limonade chaude outrageusement savoureuse

8 portions

Une célèbre Martha m'a inspiré cette recette. J'avais entendu dire que la première chose que cette personne faisait en rentrant d'un long séjour était de boire une limonade chaude. Maintenant que j'ai adapté sa recette dorénavant connue, je dois reconnaître que cette boisson met un rayon de soleil dans une longue journée grise d'hiver.

INGRÉDIENTS :

250 mL (1 tasse) de jus d'orange allégé

250 mL (1 tasse) de jus de citron fraîchement pressé

375 mL (1 1/2 tasse) de Splenda® granulé

10 mL (2 c. à thé) d'essence de vanille

À peine 1,2 mL (1/4 c. à thé) de clou de girofle

PRÉPARATION :

1. Combiner tous les ingrédients dans un petit pichet. Remuer.

2. Pour faire 250 mL (1 tasse) de limonade chaude, verser dans une tasse 60 mL (1/4 tasse) de jus de citron et 180 mL (3/4 tasse) d'eau bouillante. Servir chaud.

NOTES :

Un mal de gorge vous indispose ? Ajoutez 5 mL (1 c. à thé) de miel et une mesure de whisky à votre tasse de limonade. Ce remède de grand-mère vous fera vous sentir mieux en un rien de temps.

PAR PORTION :

Calories : 35	Gras : 0 g
Glucides : 9 g	Fibres : 0 g
Protéines : 1 g	Sodium : 0 mg

Valeur de choix d'aliments pour le diabète = 1/2 choix de fruits

Points WW = 1 point

Thé parfumé de Krista

4 portions

Une amie et collègue nutritionniste est également spécialiste du diabète. Elle m'a offert une recette de thé qu'elle et ses clients apprécient grandement. Ce thé sans sucre me rappelle le cidre chaud, mais il contient moins de calories. Vous aimerez le thé parfumé de Krista, mais encore plus avec un bon scone chaud.

INGRÉDIENTS :

750 mL (3 tasses) d'eau bouillante

3 sachets de thé parfumé à la cannelle

125 mL (1/2 tasse) de jus d'orange allégé

5 mL (1 c. à thé) de jus de citron

80 mL (1/3 tasse) de Splenda® granulé

PRÉPARATION :

1. Faire infuser le thé dans l'eau pendant 5 minutes. Retirer les sachets et jeter.

2. Ajouter le jus d'orange, le jus de citron et le Splenda®.

3. Remuer et servir.

NOTES :

L'odeur de ce thé enchante. Durant la période des fêtes, doublez ou triplez la recette et conservez-la dans une casserole ou une mijoteuse afin de garder le thé chaud. Ajoutez-y un bâton de cannelle frais et quelques zestes d'orange.

PAR PORTION :

Calories : 15   Gras : 0 g
Glucides : 4 g   Fibres : 0 g
Protéines : 0 g   Sodium : 0 mg

Valeur de choix d'aliments pour le diabète =
1 choix d'aliments libres
Points WW = 0 point

Thé épicé aux pommes

4 portions

Il y a quelques années, je donnais un cours de cuisine appelé « Apple Time » chez Williams-Sonoma. Mes étudiants aimaient bien siroter ce délicieux thé épicé durant les cours. Les sachets de thé parfumé aux pommes rehaussent le goût de pomme tout en réduisant de façon significative le contenu en sucre de ce succès d'hiver.

INGRÉDIENTS :

750 mL (3 tasses) d'eau bouillante

3 sachets de thé aux pommes (ou aux pommes et à la cannelle)

250 mL (1 tasse) de cidre de pomme

5 mL (1 c. à thé) de jus de citron

80 mL (1/3 tasse) de Splenda® granulé

1,2 mL (1/4 c. à thé) de quatre-épices

2 bâtons de cannelle

2 tranches d'orange coupées en deux

PRÉPARATION :

1. Mettre l'eau dans une petite casserole et amener à ébullition. Éteindre le feu et y déposer les sachets de thé. Laisser infuser pendant 3 minutes, puis jeter les sachets.

2. Ajouter les jus, le Splenda®, le quatre-épices, les bâtons de cannelle et les tranches d'orange.

3. Rallumer le feu pour faire mijoter (ne pas porter à ébullition). Servir dans des tasses de 237 mL (8 oz).

NOTES :

Le cidre de pomme épicé additionné de sucre peut facilement compter 40 g ou plus de sucre dans 237 mL (8 oz).

PAR PORTION :

Calories : 35	Gras : 0 g
Glucides : 9 g	Fibres : 0 g
Protéines : 0 g	Sodium : 0 mg

Valeur de choix d'aliments pour le diabète = 1/2 choix de fruits
Points WW = 1 point

Lait de poule à l'ancienne

8 portions

Cette recette est un grand succès de la période des fêtes de fin d'année. Tout le monde l'aime ! Il y a du lait de poule allégé dans le commerce, mais je n'en ai pas encore trouvé qui soit faible en sucre. Au fait, les versions allégées semblent contenir plus de sucre que le lait de poule original. Ma recette se conserve au réfrigérateur jusqu'à une semaine.

INGRÉDIENTS :

750 mL (3 tasses) de lait allégé, séparées

375 mL (1 1/2 tasse) de crème simple sans gras

20 mL (1 c. à soupe + 1 c. à thé) de fécule de maïs

3 gros œufs, bien battus

160 mL (2/3 tasse) de Splenda® granulé

10 mL (2 c. à thé) d'essence de vanille

2,5 mL (1/2 c. à thé) de muscade

PRÉPARATION :

1. Dans une grande casserole, fouettez 250 mL (1 tasse) de lait et les 4 ingrédients qui suivent (crème simple, fécule de maïs, œufs et Splenda®).

2. Mettre sur le feu et chauffer à feu doux en remuant constamment jusqu'à ce que le mélange épaississe et enrobe le dos d'une cuillère. Retirer du feu.

3. Ajouter l'essence de vanille et la muscade. Incorporer le reste du lait et laisser refroidir.

4. Garder au réfrigérateur jusqu'au moment de servir.

Variante : Pour une version alcoolisée, remplacer entre 125 et 250 mL (1/2 et 1 tasse) de lait par du brandy ou du rhum.

NOTES :

Au régime? Méfiez-vous du lait de poule du commerce, qui peut contenir jusqu'à 30 g de gras et 30 g de sucre dans à peine 125 mL (1/2 tasse).

PAR PORTION :

Calories : 100	Gras : 3 g (1,5 g saturés)
Glucides : 11 g	Fibres : 1 g
Protéines : 6 g	Sodium : 80 mg

Valeur de choix d'aliments pour le diabète =
1 choix de lait allégé
Points WW = 2 points

Lait de poule riche et rapide pour une personne

1 portion

Voici un délicieux substitut de repas à la fois rapide et facile à préparer. Ce lait de poule pour une personne est riche, nourrissant et bourré de protéines et d'éléments nutritifs. Il vous permet d'échapper au sucre, au gras et au coût élevé de plusieurs substituts de repas du commerce. Buvez-en une tasse bien chaude au petit déjeuner.

INGRÉDIENTS :

1 gros œuf

250 mL (1 tasse) de lait allégé

30 mL (2 c. à soupe) de Splenda® granulé (ou 3 sachets de Splenda®)

1,2 mL (1/4 c. à thé) de muscade

5 mL (1 c. à thé) d'essence de vanille

PRÉPARATION :

1. Casser l'œuf dans une grosse tasse et bien battre.

2. Ajouter le lait, le Splenda® et la muscade. Fouetter pour bien incorporer l'œuf.

3. Chauffer au four à micro-ondes pendant 1 minute. Remuer. Chauffer 30 secondes de plus ou jusqu'à ce que la boisson soit chaude et épaisse. Ne pas mener à ébullition.

4. Retirer du four à micro-ondes, incorporer l'essence de vanille et savourer.

NOTES :

Comme l'œuf cuit complètement, il n'est pas nécessaire d'utiliser des œufs pasteurisés. Cependant, vous pouvez remplacer les œufs complets par 60 mL (1/4 tasse) de succédané d'œufs.

PAR PORTION :

Calories : 180   Gras : 7 g (3 g saturés)
Glucides : 13 g   Fibres : 0 g
Protéines : 15 g   Sodium : 80 mg

Valeur de choix d'aliments pour le diabète =
1 choix de lait allégé,1 choix de viandes
mi-maigres
Points WW = 4 points

Préparation maison pour chocolat chaud

14 portions

Je recommande souvent ce chocolat chaud faible en calories aux amateurs de chocolat qui comptent les calories. Il est délicieux et constitue une option de remplacement peu coûteuse aux préparations en sachets individuels.

INGRÉDIENTS :

250 mL (1 tasse) de lait en poudre sans gras

125 mL (1/2 tasse) de colorant à café non laitier en poudre

160 mL (2/3 tasse) de cacao alcalinisé

160 mL (2/3 tasse) de Splenda® granulé

PRÉPARATION :

1. Bien mélanger tous les ingrédients ensemble. Ranger dans un bol hermétique.

2. Pour servir, faire dissoudre 45 mL (3 c. à soupe) de la préparation dans 177 mL (6 oz) d'eau très chaude.

NOTES :

Ajoutez un peu de bonbons à la menthe poivrée écrasés à la préparation afin de créer votre propre chocolat chaud à la menthe.

PAR PORTION :

Calories : 50	Gras : 1,5 g (1 g saturés)
Glucides : 8 g	Fibres : 1 g
Protéines : 3 g	Sodium : 30 mg

Valeur de choix d'aliments pour le diabète = 1/2 choix de glucides
Points WW = 1 point

Préparation de thé chaï aux épices

12 portions

Les préparations de thé chaï s'ajoutent aux nombreuses boissons parfumées du commerce. Malheureusement, elles regorgent de sucre. Ma recette résout ce problème. Ma préparation de thé chaï aux épices est facile à préparer, elle est économique et fait un merveilleux cadeau maison.

INGRÉDIENTS :

180 mL (3/4 tasse) de préparation pour thé glacé sans sucre

180 mL (3/4 tasse) de Splenda® granulé

125 mL (1/2 tasse) de lait en poudre sans gras

125 mL (1/2 tasse) de colorant à café non laitier en poudre

7,5 mL (1 1/2 c. à thé) de cannelle

7,5 mL (1 1/2 c. à thé) de gingembre moulu

5 mL (1 c. à thé) de clou de girofle moulu

3,7 mL (3/4 c. à thé) de muscade

3,7 mL (3/4 c. à thé) de cardamome moulue

PRÉPARATION :

1. Déposer tous les ingrédients dans un mélangeur. Mélanger pendant 1 minute.

2. Ranger dans un bol hermétique.

3. Pour servir, faire dissoudre 22,5 mL (1 1/2 c. à soupe) de la préparation dans 177 mL (6 oz) d'eau très chaude.

NOTES :

Passer les ingrédients secs au mélangeur permet de mieux distribuer les épices et concentre la préparation pour un entreposage plus facile. Il se peut toutefois qu'un peu d'épices se dépose au fond de la tasse. Remuer le thé dans la tasse de temps à autre permet de garder les ingrédients secs en suspension.

PAR PORTION :

Calories : 35	Gras : 1 g (1 g saturés)
Glucides : 6 g	Fibres : 0 g
Protéines : 1 g	Sodium : 15 mg

Valeur de choix d'aliments pour le diabète = 1/2 choix de glucides

Points WW = 1 point

Préparation maison pour café moka

14 portions

Le café moka est sans doute le café aromatisé le plus populaire. Vous verrez que ma préparation répondra à vos attentes. Pas trop sucrée, elle offre un goût de café riche et exquis, une touche de chocolat et un soupçon de cannelle. Gardez-la à la portée de la main pour en préparer dès que vous en aurez envie.

INGRÉDIENTS :

160 mL (2/3 tasse) de café soluble (original ou décaféiné)

160 mL (2/3 tasse) de Splenda® granulé

125 mL (1/2 tasse) de lait en poudre sans gras

125 mL (1/2 tasse) de colorant à café non laitier en poudre

80 mL (1/3 tasse) de cacao alcalinisé

1,2 mL (1/4 c. à thé) de cannelle

PRÉPARATION :

1. Déposer tous les ingrédients dans un mélangeur. Mélanger pendant 1 minute.

2. Ranger dans un bol hermétique.

3. Pour servir, faire dissoudre 30 mL (2 c. à soupe) de la préparation dans 177 mL (6 oz) d'eau très chaude.

NOTES :

Le cacao contient tous les antioxydants bons pour le cœur sans le gras ajouté du chocolat.

PAR PORTION DE 30 ML (2 C. À SOUPE) :

Calories : 45
Glucides : 7 g
Protéines : 2 g

Gras : 1 g (0 g saturés)
Fibres : 1 g
Sodium : 15 mg

Valeur de choix d'aliments pour le diabète =
1/2 choix de glucides
Points WW = 1 point

Préparation maison pour café à la vanille française

16 portions

De nos jours, les tablettes des supermarchés semblent regorger de cafés parfumés coûteux. Une de mes meilleures amies a créé une version à la fois onctueuse et économique de l'un des cafés les plus populaires. Pour un parfum de vanille plus prononcé, déposez une gousse de vanille dans la préparation au moins cinq jours avant de l'utiliser.

INGRÉDIENTS :

125 mL (1/2 tasse) de café soluble (original ou décaféiné)

250 mL (1 tasse) de lait en poudre sans gras

125 mL (1/2 tasse) de colorant à café non laitier en poudre

125 mL (1/2 tasse) de Splenda® granulé

1 boîte de 28 g (1 oz) de préparation pour pudding à la vanille sans gras et sans sucre

PRÉPARATION :

1. Déposer tous les ingrédients dans un mélangeur. Mélanger pendant 1 minute.

2. Ranger dans un bol hermétique.

3. Pour servir, faire dissoudre 15 mL (1 c. à soupe) de préparation dans 177 mL (6 oz) d'eau très chaude.

NOTES :

Vous pouvez mesurer tous les ingrédients dans un bol et les remuer avec une cuillère. Dans ce cas, utilisez 45 mL (3 c. à soupe) de préparation par portion.

PAR PORTION :

Calories : 45   Gras : 1 g (0 g saturés)
Glucides : 7 g   Fibres : 0 g
Protéines : 2 g   Sodium : 105 mg

Valeur de choix d'aliments pour le diabète = 1/2 choix de glucides
Points WW = 1 point

Bon matin – petit déjeuner et brunch

Peut-être avez-vous appris à l'école que le mot déjeuner signifie littéralement « briser le jeûne ». En effet, ce premier repas de la journée permet à votre organisme de faire le plein de carburant en vue de vos activités quotidiennes. Votre mère avait raison de dire qu'il était mauvais de sauter le petit déjeuner.

Des études révèlent que les personnes qui prennent un petit déjeuner sont plus alertes, du moins le matin. Elles sont aussi plus sveltes, perdent davantage de poids et maintiennent plus facilement leur poids que celles qui sautent ce très important premier repas de la journée.

Pour ma part, j'ai d'autres excellentes raisons de prendre le petit déjeuner, c'est-à-dire des sensations gustatives douces et merveilleuses qui invitent à sortir du lit. Parmi mes nouvelles recettes de plats du petit déjeuner, mentionnons les crêpes-biscuits aux flocons d'avoine, les gaufres croustillantes à la farine de maïs ainsi que les délicieuses crêpes fourrées sans farine. Tous ces plats contiennent des céréales complètes qui procurent un apport graduel et constant de carburant pour l'organisme en plus d'être une excellente source de fibres. Mieux encore, je sais bien que le matin est une course pour bon nombre d'entre nous. C'est pourquoi j'ai créé la préparation de flocons d'avoine à la cannelle prête en un rien de temps ainsi que les biscuits décadents du petit déjeuner à l'avoine que vous pouvez emporter avec vous pour le petit déjeuner ou comme collation. Si vous disposez d'un peu de temps le matin, pourquoi ne pas rassembler la famille autour d'un pain perdu à la cannelle ou de quelques brioches à la cannelle express? Et ces matins où on peut flâner, profitez-en pour savourer ma crêpe-soufflé aux pommes et à la cannelle ou les blinis au fromage nappés de myrtilles (bleuets). Voulez-vous toujours sauter le petit déjeuner?

Céréales granolas incomparables

18 portions

Les céréales granolas sont un aliment « santé » pas si sain qu'on le croit. Selon la méthode de fabrication, elles peuvent être riches en gras et en sucre. Dans ce cas, elles deviennent une source dense de calories et de glucides. Voici une version allégée en sucre et en gras, mais très savoureuse. Les céréales granolas peuvent ajouter du croquant au yaourt ou aux fruits.

INGRÉDIENTS :

750 mL (3 tasses) de flocons d'avoine à l'ancienne

375 mL (1 1/2 tasse) de céréales de blé soufflé

125 mL (1/2 tasse) de germe de blé

125 mL (1/2 tasse) de noix de coco non sucrée

125 mL (1/2 tasse) d'amandes tranchées

10 mL (2 c. à thé) de cannelle

1,2 mL (1/4 c. à thé) de sel

90 mL (6 c. à soupe) de sirop d'érable sans sucre

250 mL (1 tasse) de Splenda® granulé

30 mL (2 c. à soupe) d'huile de canola

10 mL (2 c. à thé) de mélasse

10 mL (2 c. à thé) d'essence de vanille

2 blancs d'œufs

80 mL (1/3 tasse) de canneberges séchées ou de raisins secs

PRÉPARATION :

1. Préchauffer le four à 120 °C (250 °F).

2. Déposer les flocons d'avoine, les céréales, le germe de blé, la noix de coco, les amandes, la cannelle et le sel dans un grand bol. Remuer.

3. Dans un petit bol, fouetter le sirop, le Splenda®, l'huile, la mélasse, l'essence de vanille et les blancs d'œufs. Verser le mélange liquide sur les ingrédients secs et bien mêler.

4. Étaler le mélange sur une plaque à cuisson et cuire au four pendant 30 minutes. Remuer, puis remettre au four et faire cuire encore 30 minutes.

5. Retirer du four et incorporer les canneberges séchées.

NOTES :

Si vous surveillez votre poids, attention aux céréales granolas. Saupoudrez des granolas croustillantes sur un bol rempli aux 3/4 d'une céréale faible en calories, mais riche en fibres, comme des flocons de son.

PAR PORTION DE 80 mL (1/3 TASSE) :

Calories : 125	Gras : 5 g (1 g saturés)
Glucides : 16 g	Fibres : 3 g
Protéines : 4 g	Sodium : 40 mg

Valeur de choix d'aliments pour le diabète =
1 choix de glucides, 1 choix de gras
Points WW = 2 points

Flocons d'avoine au four

8 portions

Voici les meilleurs flocons d'avoine que je connaisse. L'avoine gonfle durant la cuisson au four à la manière d'un soufflé et prend une texture onctueuse. Cette recette me rappelle un pudding à l'avoine, si doux et si savoureux qu'il n'est pas nécessaire d'y ajouter beurre ou sucre – peut-être voudrez-vous arroser chaque portion d'une larme de lait.

INGRÉDIENTS :

AVOINE

500 mL (2 tasses) de flocons d'avoine à l'ancienne

125 mL (1/2 tasse) de Splenda® granulé

125 mL (1/2 tasse) de canneberges séchées*

2,5 mL (1/2 c. à thé) de cannelle

2,5 mL (1/2 c. à thé) de sel

500 mL (2 tasses) de lait allégé

125 mL (1/2 tasse) de crème simple sans gras

125 mL (1/2 tasse) de sirop d'érable sans sucre

4 gros blancs d'œufs, légèrement battus

30 mL (2 c. à soupe) de margarine fondue

10 mL (2 c. à thé) d'essence de vanille

2,5 mL (1/2 c. à thé) de zeste d'orange (facultatif)

GARNITURE

15 mL (1 c. à soupe) de cassonade

15 mL (1 c. à soupe) de Splenda® granulé

2,5 mL (1/2 c. à thé) de cannelle

PRÉPARATION :

1. Préchauffer le four à 175 °C (350 °F). Vaporiser un plat à soufflé de 1,5 L (1 1/2 pinte) d'un enduit pour cuisson.

2. Dans un grand bol, déposer les flocons d'avoine, le Splenda®, les canneberges séchées, la cannelle et le sel. Bien mélanger.

3. Dans un bol moyen, combiner le lait et les autres ingrédients liquides. Verser le liquide sur les ingrédients secs ainsi que le zeste d'orange. Remuer. Verser dans le plat à soufflé.

4. Faire cuire au four pendant 30 minutes.

5. Entre-temps, préparer la garniture : combiner la cassonade, le Splenda® et la cannelle. Saupoudrer sur les flocons d'avoine, puis remettre au four de 15 à 20 minutes ou jusqu'à ce que le centre gonfle légèrement et soit ferme au toucher.

* Vous pouvez remplacer les canneberges séchées par des raisins secs ou les éliminer et ainsi épargner 7 g de glucides et 30 calories par portion.

NOTES :

L'avoine est une excellente source de fibres solubles qui aident à maîtriser l'action de l'insuline et à réduire l'indice glycémique de cette céréale santé.

PAR PORTION :

Calories : 190	Gras : 4,5 g (1 g saturés)
Glucides : 24 g	Fibres : 2 g
Protéines : 8 g	Sodium : 350 mg

Valeur de choix d'aliments pour le diabète =
1 choix de glucides, 1 choix de gras, 1/2 choix de lait allégé
Points WW = 4 points (3 sans les canneberges séchées)

Préparation de flocons d'avoine à la cannelle prête en un rien de temps

12 portions

Les sachets de flocons d'avoine rapides peuvent nous sauver certains matins très occupés. Il suffit d'y ajouter de l'eau bouillante et le tour est joué. Cette commodité a toutefois un prix, à la fois pour votre tour de taille et votre porte-monnaie. J'ai découvert qu'il est simple et rapide de préparer vos propres sachets de flocons d'avoine en éliminant le sucre, mais en conservant cette saveur que vous aimez.

INGRÉDIENTS :

750 mL (3 tasses) de flocons d'avoine instantanés

Pincée de sel

375 mL (1 1/2 tasse) de Splenda® granulé

15 mL (3 c. à thé) de cannelle

12 petits sacs en plastique avec fermoir

Eau

Essence de vanille

PRÉPARATION :

1. Dans chaque sac, déposer 80 mL (1/3 tasse) de flocons d'avoine instantanés, une pincée de sel, 30 mL (2 c. à soupe) de Splenda® granulé et 1,2 mL (1/4 c. à thé) de cannelle.

2. Pour préparer, combiner le contenu d'un sachet à 125 mL (1/2 tasse) d'eau bouillante et à 2,5 mL (1/2 c. à thé) d'essence de vanille. Remuer et laisser épaissir 1 minute.

PAR PORTION :

Calories : 105   Gras : 1,5 g (0 g saturés)
Glucides : 20 g   Fibres : 3 g
Protéines : 3 g   Sodium : 150 mg

Valeur de choix d'aliments pour le diabète =
1 1/2 choix de glucides
Points WW = 2 points

Brioche à la cannelle express

10 portions

Il sera facile d'attirer tous les membres de votre famille à la table du petit déjeuner avec ces brioches à la cannelle au parfum si agréable. Elles sont vite prêtes puisque vous utilisez une pâte du commerce.

INGRÉDIENTS :

1 boîte de 311 g (11 oz) de pain français préparé (de marque Pillsbury®, É.-U.), réfrigéré

10 mL (2 c. à thé) de farine

80 mL (1/3 tasse) de Splenda® granulé

30 mL (2 c. à soupe) de cassonade

10 mL (2 c. à thé) de cannelle

45 mL (3 c. à soupe) de margarine ramollie

10 mL (2 c. à thé) de sucre glace

PRÉPARATION :

1. Préchauffer le four à 190 °C (375 °F). Vaporiser un moule de 23 cm (9 po) d'un enduit pour cuisson.

2. Ouvrir la boîte de pâte réfrigérée et déposer la pâte sur une surface de travail légèrement enfarinée. L'étaler en l'ouvrant délicatement, puis la façonner en un rectangle de 38 sur 25 cm (15 sur 10 po).

3. Dans un petit bol, combiner le Splenda®, la cassonade et la cannelle.

4. Étaler la margarine sur la pâte et recouvrir uniformément du mélange de sucre et de cannelle.

5. Avec les mains, faites adhérer le mélange sec à la margarine. Rouler comme un gâteau roulé à la gelée depuis le côté le plus court, de 25 cm (10 po). Mouiller l'autre extrémité de pâte avec de l'eau pour bien sceller, puis placer le joint vers le bas. Tailler 10 tranches de 2,5 cm (1 po) à l'aide d'un couteau coupant.

6. Faire cuire au four de 18 à 20 minutes ou jusqu'à doré.

7. Saupoudrer les brioches de sucre glace et servir. (Elles sont délicieuses chaudes – réchauffer les brioches restantes au four à micro-ondes.)

NOTES :

Devez-vous limiter votre apport en sucre ? Évitez les brioches à la cannelle de chez Cinammon Shop, qui contiennent plus de 100 g de glucides et de 50 à 60 mL (10 à 12 c. à thé) de sucre.

PAR PORTION :

Calories : 110	Gras : 3 g (1 g saturés)
Glucides : 18 g	Fibres : 0 g
Protéines : 3 g	Sodium : 260 mg

Valeur de choix d'aliments pour le diabète =
1 choix de glucides, 1/2 choix de gras
Points WW = 2 points

Biscuits décadents du petit déjeuner à l'avoine

13 portions

Des biscuits pour le petit déjeuner ? Pourquoi pas ! Récemment, j'ai acheté une barre du petit déjeuner du type « petit déjeuner à la course ». En lisant les ingrédients, je me suis dit qu'il fallait vraiment s'adonner à la course si on voulait dépenser les calories de la barre, l'équivalent de quatre portions de céréales ou de quatre grands verres de lait. L'emballage indiquait même que le produit convenait à quatre personnes. Je remplace cette barre par mes biscuits – oh ! – si décadents pour un mini-repas nourrissant, même au petit déjeuner.

INGRÉDIENTS :

250 mL (1 tasse) de farine tout usage

250 mL (1 tasse) de farine à pâtisserie de blé complet

375 mL (1 1/2 tasse) de flocons d'avoine à l'ancienne

250 mL (1 tasse) de Splenda® granulé

45 mL (3 c. à soupe) de cassonade

7,5 mL (1 1/2 c. à thé) de bicarbonate de sodium

5 mL (1 c. à thé) de levure chimique

7,5 mL (1 1/2 c. à thé) de cannelle

60 mL (1/4 tasse) d'abricots séchés hachés

60 mL (1/4 tasse) de pacanes hachées

1 pot de 75 mL (2 1/2 oz) de purée de pruneaux pour bébé ou 60 mL (1/4 de tasse) de purée de pruneaux

45 mL (3 c. à soupe) d'huile de canola

45 mL (3 c. à soupe) d'eau

3 gros blancs d'œufs

15 mL (1 c. à soupe) de mélasse

10 mL (2 c. à thé) d'essence de vanille

PRÉPARATION :

1. Préchauffer le four à 175 °C (350 °F). Vaporiser légèrement une plaque à cuisson antiadhésive d'un enduit pour cuisson.

2. Dans un très grand bol, combiner les 10 premiers ingrédients (de la farine aux pacanes). Mettre de côté.

3. Dans un bol moyen, fouetter ensemble les 6 ingrédients restants (de la purée de pruneaux à l'essence de vanille). Verser le mélange liquide sur les ingrédients secs. Mélanger à la cuillère jusqu'à l'obtention d'une pâte ferme.

4. Déposer la pâte par cuillerée de 60 mL (1/4 tasse) sur une plaque à cuisson (utiliser une tasse graduée ou une cuillère à glace). Aplatir et former des cercles de 8 à 10 cm (3 1/2 à 4 po).

5. Faire cuire au four de 12 à 15 minutes ou jusqu'à ce que la base des biscuits soit sèche. Retirer de la plaque, déposer sur une grille et laisser refroidir. (Astuce : emballer les biscuits individuellement et les congeler.)

NOTES :

Pour changer, variez les fruits et les noix. Combinaisons possibles : canneberges séchées ou cerises et amandes ; raisins secs et noix de Grenoble.

PAR PORTION :

Calories : 180	Gras : 4,5 g (0 g saturés)
Glucides : 30 g	Fibres : 3 g
Protéines : 5 g	Sodium : 190 mg

Valeur de choix d'aliments pour le diabète =
2 choix de glucides, 1 choix de gras
Points WW = 3 points

Barres du petit déjeuner aux flocons d'avoine et au beurre de cacahuètes (arachides)

18 portions

Des barres du petit déjeuner emballées et prêtes à emporter sont toujours pratiques et bien appréciées. Cette recette est à la fois saine et facile à préparer. Une barre fait un petit déjeuner rapide avec un verre de lait et convient tout autant comme collation d'après-midi.

INGRÉDIENTS :

500 mL (2 tasses) de flocons d'avoine à l'ancienne

375 mL (1 1/2 tasse) de céréales de riz soufflé (type Rice Krispies, É.-U.)

125 mL (1/2 tasse) de farine de blé complet

80 mL (1/3 tasse) de raisins secs hachés

5 mL (1 c. à thé) de cannelle

1,2 mL (1/4 c. à thé) de sel

80 mL (1/3 tasse) de beurre de cacahuètes (arachides)

45 mL (3 c. à soupe) de margarine fondue

45 mL (3 c. à soupe) de miel

10 mL (2 c. à thé) de mélasse

250 mL (1 tasse) de Splenda® granulé

4 gros blancs d'œufs

5 mL (1 c. à thé) d'essence de vanille

PRÉPARATION :

1. Préchauffer le four à 175 °C (350 °F). Vaporiser légèrement un moule de 23 sur 33 cm (9 sur 13 po) d'un enduit pour cuisson.

2. Dans un grand bol, combiner les 6 premiers ingrédients (de l'avoine au sel). Réserver.

3. Dans un bol moyen, mélanger les ingrédients restants. Verser le mélange liquide sur les ingrédients secs. Bien mélanger.

4. Déposer la préparation dans le moule préparé et faire cuire au four pendant 15 minutes. Laisser refroidir avant de tailler. Donne 18 barres.

NOTES :

Barre du petit déjeuner ou friandise ? Dans certaines barres du commerce, 33 % des calories proviennent du sucre (32 g) et 50 % proviennent du gras (2 g). Elles fournissent très peu de fibres et de protéines. Elles sont rapides, mais elles ne sont vraiment pas saines.

PAR PORTION :

Calories : 125	Gras : 4 g (1 g saturés)
Glucides : 18 g	Fibres : 2 g
Protéines : 4 g	Sodium : 110 mg

Valeur de choix d'aliments pour le diabète =
1 choix de glucides, 1 choix de gras
Points WW = 2 points

Crêpes-biscuits aux flocons d'avoine

6 portions

Ces crêpes épaisses ne contiennent aucune farine raffinée, mais de nombreux essais ont confirmé qu'elles n'ont rien en commun avec les crêpes à l'avoine habituelles, souvent collantes. Mon mari les adore au petit déjeuner avec du sirop sans sucre. Pour obtenir des crêpes-biscuits bien gonflées, laissez la pâte reposer cinq minutes avant de commencer la cuisson.

INGRÉDIENTS :

375 mL (1 1/2 tasse) de flocons d'avoine à l'ancienne

530 mL (2 tasses + 2 c. à soupe) de babeurre allégé

180 mL (3/4 tasse) de farine à pâtisserie de blé complet

80 mL (1/3 tasse) de Splenda® granulé

5 mL (1 c. à thé) de bicarbonate de sodium

2,5 mL (1/2 c. à thé) de levure chimique

1 gros œuf

15 mL (3 c. à thé) de cannelle

2,5 mL (1/2 c. à thé) d'essence de vanille

1,2 mL (1/4 c. à thé) de muscade moulue

PRÉPARATION :

1. Dans un bol moyen, combiner l'avoine et le babeurre. Incorporer la farine, le Splenda®, le bicarbonate de sodium et la levure chimique.

2. Ajouter l'œuf et bien mélanger. Incorporer la cannelle, l'essence de vanille et la muscade. Laisser reposer 5 minutes.

3. Vaporiser une poêle antiadhésive d'un enduit pour cuisson et chauffer à feu moyen.

4. Pour une crêpe-biscuit, utiliser 80 mL (1/3 tasse) de pâte. Verser la pâte dans la poêle chaude. Retourner la crêpe-biscuit quand la base est dorée et que des bulles se forment sur le dessus. Faire cuire le deuxième côté de 3 à 4 minutes. Attention ! Ces crêpes-biscuits ont besoin d'une cuisson plus lente et plus longue que les crêpes conventionnelles.

5. Déposer les crêpes-biscuits cuites sur un plat de service et les servir immédiatement avec du sirop sans sucre, au goût.

NOTES :

Quelques tranches de banane (1/2 banane) accompagnent bien ce mets. Avec du bacon de dos et un petit verre de lait allégé, vous obtenez un petit déjeuner complet d'environ 400 calories.

PAR PORTION DE 2 CRÊPES-BISCUITS :

Calories : 170	Gras : 3 g (1 g saturés)
Glucides : 28 g	Fibres : 4 g
Protéines : 9 g	Sodium : 350 mg

Valeur de choix d'aliments pour le diabète =
1 1/2 choix de glucides, 1/2 choix de lait allégé
Points WW = 3 points

Crêpes à la cannelle riches en protéines

4 portions

Je dois avouer que j'avais des doutes quant à l'utilisation de protéines en poudre en remplacement de la farine. Toutefois, lorsqu'une auteure que j'admire a utilisé ces protéines dans ses crêpes, j'ai décidé d'en faire autant. À ma grande surprise, j'ai obtenu de belles crêpes légères. J'ai encore plus apprécié leur valeur nutritive. Deux crêpes fournissent 15 g de protéines et 50 % moins de glucides que les crêpes classiques. Merveilleux ! Mangez-les avec du sirop au beurre et au cidre de pomme (page 432).

INGRÉDIENTS :

155 mL (1/2 tasse + 2 c. à soupe) de farine tout usage

125 mL (1/2 tasse) de protéines en poudre

60 mL (1/4 tasse) de Splenda® granulé

5 mL (1 c. à thé) de levure chimique

5 mL (1 c. à thé) de cannelle

375 mL (1 1/2 tasse) de babeurre

15 mL (1 c. à soupe) de margarine ou de beurre fondu

2 œufs légèrement battus

PRÉPARATION :

1. Dans un bol moyen, combiner les ingrédients secs.

2. Dans un bol plus petit, amalgamer le babeurre, la margarine fondue et les œufs. Incorporer aux ingrédients secs à l'aide d'une cuillère ou d'une spatule en caoutchouc jusqu'à ce que la farine soit bien humide. Ne pas trop mélanger.

3. Chauffer une plaque ou une poêle vaporisée d'un enduit pour cuisson à feu moyen.

4. Verser 60 mL (1/4 tasse) de pâte sur la plaque et former un cercle d'environ 10 cm (4 po). Faire cuire de 3 à 4 minutes du premier côté jusqu'à ce que la base soit dorée. Retourner la crêpe et faire cuire de 2 à 3 minutes.

5. Servir les crêpes chaudes avec du sirop au goût.

NOTES :

À mon avis, les protéines de soja en poudre vendues en vrac ou en sachets remplacent mieux la farine que les préparations commerciales en boîte, idéales pour les boissons. J'ai utilisé la marque Bob's Red Mill.

PAR PORTION DE 2 CRÊPES DE 10 CM (4 PO) :

Calories : 170	Gras : 5 g (1,5 g saturés)
Glucides : 18 g	Fibres : 1 g
Protéines : 15 g	Sodium : 400 mg

Valeur de choix d'aliments pour le diabète =
2 choix de viandes maigres, 1 choix de glucides
Points WW = 4 points

Crêpes au fromage blanc (cottage) et au citron

3 portions

Nul besoin d'ajouter du sirop ou du beurre sur ces crêpes savoureuses parfumées au citron qui contiennent moins de farine que les crêpes conventionnelles. En revanche, quelques framboises fraîches donnent un résultat très agréable. Le fromage fournit des protéines et donne aux crêpes une douce texture de pudding.

P.-S. Merci à Joe, qui me dit que ces crêpes sont dorénavant un incontournable le dimanche matin.

INGRÉDIENTS :

2 gros œufs

180 mL (3/4 tasse) de fromage blanc (cottage) allégé

125 mL (1/2 tasse) de farine

80 mL (1/3 tasse) de Splenda® granulé

30 mL (2 c. à soupe) de margarine fondue

15 mL (1 c. à soupe) de jus de citron

Zeste de 1 citron

2,5 mL (1/2 c. à thé) d'essence de vanille

15 mL (3 c. à thé) de sucre glace (facultatif)

PRÉPARATION :

1. Dans un grand bol, battre les œufs. Ajouter le reste des ingrédients (sauf le sucre glace) et mélanger jusqu'à consistance lisse.

2. Chauffer une plaque chauffante ou une poêle vaporisée d'un enduit pour cuisson. Pour une crêpe, déposer environ 45 mL (3 c. à soupe) de pâte et former un cercle de 7,5 cm (3 po). Cuire de 1 à 2 minutes jusqu'à ce que la base soit dorée. Retourner la crêpe et laisser dorer. (Pour des crêpes plus fermes, les écraser légèrement après les avoir retournées.)

3. Servir 3 crêpes par portion et saupoudrer de 5 mL (1 c. à thé) de sucre glace. Servir nature ou avec des baies.

NOTES :

Comparez :

3 crêpes surgelées de 10 cm (4 po) avec une noisette de beurre et 15 mL (1 c. à soupe) de sirop chacune représentent 550 calories, 19 g de gras et 630 mg de sodium, seulement 6 g de protéines et autant que 93 g de glucides.

PAR PORTION DE 3 CRÊPES :

Calories : 250	Gras : 10 g (2,5 g saturés)
Glucides : 21 g	Fibres : 0 g
Protéines : 14 g	Sodium : 340 mg

Valeur de choix d'aliments pour le diabète =
1 1/2 choix de glucides, 2 choix de gras
Points WW = 6 points

Crêpe-soufflé aux pommes et à la cannelle

3 portions

Cette crêpe semblable à un soufflé goûte la cannelle et est si sucrée qu'il suffit de la saupoudrer d'un peu de sucre glace. Je la sers avec du jambon maigre ou de la saucisse et quelques tranches d'orange pour un petit déjeuner hors de l'ordinaire.

INGRÉDIENTS :

10 mL (2 c. à thé) de beurre

10 mL (2 c. à thé) de cassonade

1 petite pomme pelée, évidée et coupée en dés

160 mL (2/3 tasse) de lait allégé

2 gros œufs + 1 blanc d'œuf

125 mL (1/2 tasse) de farine

60 mL (1/4 tasse) de Splenda® granulé

3,7 mL (3/4 c. à thé) de cannelle

2,5 mL (1/2 c. à thé) d'essence de vanille

5 mL (1 c. à thé) de sucre glace (facultatif)

PRÉPARATION :

1. Préchauffer le four à 220 °C (425 °F). Faire fondre le beurre dans une poêle allant au four de 25 cm (10 po) de diamètre.

2. Ajouter la cassonade et les morceaux de pomme. Faire sauter de 3 à 4 minutes pour attendrir la pomme.

3. Dans un bol moyen, fouetter le lait, les œufs, la farine, le Splenda®, la cannelle et l'essence de vanille jusqu'à consistance lisse.

4. Verser sur les pommes dans la poêle chaude et mettre au four immédiatement.

5. Faire cuire 15 minutes à 218 °C (425 °F), puis réduire la température à 190 °C (375 °F). Faire cuire 10 à 15 minutes de plus ou jusqu'à ce que la crêpe-soufflé ait gonflé et que les rebords soient frisés et dorés.

6. Saupoudrer de sucre glace au goût et servir.

NOTES :

À peine 30 mL (2 c. à soupe) de sirop contiennent autant de glucides qu'une portion de cette crêpe savoureuse et sucrée.

PAR PORTION :

Calories : 210   Gras : 7 g (2,5 g saturés)
Glucides : 26 g   Fibres : 2 g
Protéines : 9 g   Sodium : 120 mg

Valeur de choix d'aliments pour le diabète =
1 1/2 choix de glucides, 1 choix de gras
Points WW = 4 points

Gaufres croustillantes à la farine de maïs

6 portions

La farine de maïs et le blanc d'œuf battu en neige confèrent une texture croustillante et légère à ces gaufres. Pour des gaufres croustillantes, assurez-vous de les laisser assez longtemps dans le gaufrier. Le temps de cuisson peut dépasser celui prévu par l'appareil (pour les appareils avec un voyant indicateur).

INGRÉDIENTS :

60 mL (1/4 tasse) de farine tout usage

125 mL (1/2 tasse) de farine de maïs

60 mL (1/4 tasse) de fécule de maïs

1,2 mL (1/4 c. à thé) de sel

2,5 mL (1/2 c. à thé) de levure chimique

1,2 mL (1/4 c. à thé) de bicarbonate de sodium

30 mL (2 c. à soupe) de Splenda® granulé (ou 3 sachets de Splenda®)

250 mL (1 tasse) de babeurre allégé

45 mL (3 c. à soupe) d'huile de canola

1 gros œuf, séparé

2,5 mL (1/2 c. à thé) d'essence de vanille

PRÉPARATION :

1. Chauffer le gaufrier.

2. Dans un bol moyen, mélanger la farine, la farine de maïs, la fécule de maïs, le sel, la levure chimique et le bicarbonate de sodium. Passer le fouet.

3. Dans un autre bol, combiner le babeurre, l'huile de canola, le jaune d'œuf et l'essence de vanille. Fouetter.

4. Dans un petit bol, battre le blanc d'œuf en neige pas trop sèche.

5. Verser le mélange de babeurre sur les ingrédients secs et remuer. Plier le blanc d'œuf en neige dans l'appareil.

6. Verser environ 80 mL (1/3 tasse) de pâte sur la plaque du gaufrier préchauffé. Faire cuire jusqu'à ce que la gaufre soit dorée des deux côtés et que la vapeur ait cessé de s'échapper de l'appareil.

NOTES :

Vous découvrirez des garnitures fantastiques dans la partie « Délices sucrés ». J'aime accompagner ces gaufres d'une garniture aux cerises ou d'une sauce aux myrtilles (bleuets), même si elles sont délicieuses nature.

PAR PORTION DE 1 GAUFRE DE 10 CM (4 PO) :

Calories : 170	Gras : 8 g (1 g saturés)
Glucides : 19 g	Fibres : 1 g
Protéines : 4 g	Sodium : 220 mg

Valeur de choix d'aliments pour le diabète =
1 choix de glucides, 2 choix de gras
Points WW = 4 points

Pain perdu fourré

8 portions

Le pain perdu rehausse tout petit déjeuner une fois fourré de fromage à la crème et de fraises. Cette recette hautement savoureuse qu'on fait dorer au four sert 8 personnes. Elle convient parfaitement aux grands jours. Servez-la avec du jambon maigre et des fraises fraîches à l'occasion d'un magnifique brunch.

INGRÉDIENTS :

GARNITURE

226 g (8 oz) de fromage à la crème (en bol)

60 mL (1/4 tasse) de Splenda® granulé

30 mL (2 c. à soupe) de fraises (ou d'autres fruits) en conserve faibles en sucre

MÉLANGE D'ŒUFS

2 gros œufs + 2 blancs d'œufs

125 mL (1/2 tasse) de crème simple sans gras

125 mL (1/2 tasse) de lait allégé

60 mL (1/4 tasse) de Splenda® granulé

30 mL (2 c. à soupe) de farine

10 mL (2 c. à thé) de levure chimique

5 mL (1 c. à thé) d'essence de vanille

PAIN PERDU

16 tranches de pain français ou italien (575 g ou 1 1/2 lb)

15 mL (1 c. à soupe) de sucre glace (facultatif)

PRÉPARATION :

1. Préchauffer le four à 200 °C (400 °F). Vaporiser une plaque à pâtisserie d'un enduit pour cuisson antiadhésif. Chauffer à feu moyen une plaque chauffante ou une grande poêle vaporisée d'un enduit pour cuisson.

2. Garniture : Dans un petit bol, amalgamer le fromage à la crème, le Splenda® et les fraises. Réserver.

3. Mélange d'œufs : Dans un bol moyen, fouetter les œufs, la crème simple, le lait, le Splenda®, la farine, la levure chimique et l'essence de vanille. Réserver.

4. Étaler 30 mL (2 c. à soupe) du mélange de fromage à la crème sur la moitié des tranches de pain. Couvrir chacune de ces tranches d'une tranche de pain nature et presser. Tremper chaque « sandwich » ainsi formé dans le mélange d'œufs liquide de façon à mouiller le pain sans lui faire perdre sa forme. Le déposer dans la poêle chaude et cuire jusqu'à ce que la base soit dorée. Retourner et cuire jusqu'à doré. Placer tous les sandwichs sur une plaque à pâtisserie.

5. Faire cuire au four jusqu'à ce que le pain gonfle et dore davantage, soit environ 5 minutes. Saupoudrer de sucre glace au goût et servir immédiatement.

PAR PORTION :

Calories : 270	Gras : 7 g (3 g saturés)
Glucides : 39 g	Fibres : 2 g
Protéines : 12 g	Sodium : 600 mg

Valeur de choix d'aliments pour le diabète = 2 1/2 choix de glucides, 1 1/2 choix de viandes maigres
Points WW = 5 points

Pain perdu au four

12 portions

Je remercie Louise Huskins pour cette recette – une fois de plus. Elle a eu l'idée de créer cette merveille après avoir mangé un mets semblable chez une amie le matin de Noël. Louise a peaufiné sa recette grâce aux nombreuses astuces trouvées dans mon premier livre de recettes Splenda®. Les résultats l'ont tellement emballée qu'elle me l'a fait parvenir par courriel un matin de Noël. Quel délicieux présent!

INGRÉDIENTS :

113 g (4 oz) de fromage à la crème allégé (en bol)

113 g (4 oz) de fromage à la crème sans gras (en bol)

180 mL (3/4 tasse) de Splenda® granulé

45 mL (3 c. à soupe) de margarine ramollie

10 mL (2 c. à thé) d'essence de vanille

7,5 mL (1 1/2 c. à thé) de cannelle

250 mL (1 tasse) de succédané d'œufs (Egg Beaters, É.-U.)

2 gros œufs

750 mL (3 tasses) de lait allégé

450 g (1 lb) de pain aux raisins à la cannelle, français ou de blé complet en tranches de 2,5 cm (1 po)

10 mL (2 c. à thé) de sucre glace (facultatif)

PRÉPARATION :

1. Vaporiser un plat allant au four de 23 sur 33 cm (9 sur 13 po) ou deux moules carrés de 23 cm (9 po) d'un enduit pour cuisson antiadhésif.

2. Dans un grand bol, battre les fromages à la crème, le Splenda®, la margarine, l'essence de vanille et la cannelle jusqu'à consistance lisse. Incorporer le succédané d'œufs 60 mL (1/4 tasse) à la fois, puis les œufs.

3. Ajouter le lait et bien mélanger. Tremper les tranches de pain dans le mélange d'œufs et déposer dans le plat préparé. Verser le reste du mélange liquide sur le pain. Couvrir et réfrigérer au moins 1 heure ou toute la nuit.

4. Préchauffer le four à 175 °C (350 °F). Faire cuire de 40 à 45 minutes jusqu'à ce que le pain gonfle au centre et qu'il commence à dorer.

5. Retirer du four et saupoudrer de sucre glace au goût.

NOTES :

Lors de mon dernier brunch de Noël, j'ai servi ce plat arrosé d'un sirop aux mûres de Boysen (page 431) et garni de baies fraîches, avec des œufs brouillés, du bacon de dos et un café à l'orange (page 60).

PAR PORTION :

Calories : 210	Gras : 7 g (0 g saturés)
Glucides : 24 g	Fibres : 2 g
Protéines : 11 g	Sodium : 320 mg

Valeur de choix d'aliments pour le diabète =
1 choix de glucides, 1/2 choix de lait allégé,
1 choix de viandes mi-maigres
Points WW = 4 points

Pain perdu à la cannelle

4 portions

Le pain perdu conventionnel contient souvent de la crème et du beurre. Ma version réduit le gras et les calories, mais conserve toute la saveur. Vous pouvez le servir avec l'un des nouveaux sirops sans sucre de Splenda® ou l'une de vos confitures préférées.

INGRÉDIENTS :

1 gros œuf + 2 blancs d'œufs

250 mL (1 tasse) de lait allégé

30 mL (2 c. à soupe) de Splenda® granulé

3,7 mL (3/4 c. à thé) d'essence de vanille

5 mL (1 c. à thé) de cannelle

8 tranches de pain à la cannelle (Pepperidge Farm, É.-U.)

PRÉPARATION :

1. Vaporiser une plaque chauffante ou une grande poêle d'un enduit pour cuisson antiadhésive et chauffer à feu moyen.

2. Dans un bol peu profond, mêler au fouet tous les ingrédients sauf le pain. Tremper chaque tranche de pain dans le mélange d'œufs jusqu'à saturation, mais sans briser les tranches.

3. Déposer le pain imbibé dans la poêle chaude et faire cuire jusqu'à ce qu'il soit doré d'un côté, puis tourner et faire dorer l'autre côté. Servir immédiatement.

NOTES :

Ce pain perdu préparé avec de la crème contient 30 g de gras – 15 g de gras saturés.

PAR PORTION :

Calories : 220   Gras : 7 g (2 g saturés)
Glucides : 32 g   Fibres : 4 g
Protéines : 11 g   Sodium : 300 mg

Valeur de choix d'aliments pour le diabète =
2 choix de glucides, 1 choix de gras
Points WW = 4 points

Blinis au fromage nappés de myrtilles (bleuets)

8 portions

Voici les cousins juifs des crêpes françaises. Une fois les blinis fourrés, on replie les extrémités libres de façon à former de petits paquets bien renflés et savoureux. Comme les chefs de restaurants juifs, j'utilise une garniture de fromage blanc (cottage), puis je nappe les blinis de fruits.

INGRÉDIENTS :

1 recette de sauce aux myrtilles (bleuets) (page 426)

310 mL (1 1/4 tasse) de fromage blanc (cottage) allégé

45 mL (3 c. à soupe) de fromage à la crème allégé

1 gros œuf

22 mL (1 1/2 c. soupe) de Splenda® granulé (ou 2 sachets de Splenda®)

1,2 mL (1/4 c. à thé) d'essence de vanille

2,5 mL (1/2 c. à thé) de zeste de citron

Recette de pâte à crêpes (page 278)

NOTES :

Les garnitures peuvent varier à l'infini. La section « Délices sucrés » (page 419) propose des idées comme la garniture aux cerises et la compote de fraises. Essayez aussi le sirop aux mûres de Boysen ou ma garniture préférée, la sauce chaude au citron.

PAR PORTION :

Calories : 155	Gras : 6 g (2 g saturés)
Glucides : 16 g	Fibres : 1 g
Protéines : 9 g	Sodium : 240 mg

Valeur de choix d'aliments pour le diabète = 1 choix de viandes maigres, 1/2 choix de glucides, 1/2 choix de fruits, 1/2 choix de gras
Points WW = 3 points

PRÉPARATION :

1. Préparer la sauce aux myrtilles (bleuets) selon la recette. Ne pas passer au tamis ; réserver.

2. Égoutter le fromage blanc (cottage) s'il est trop liquide. Le mettre dans une passoire et presser les grains afin d'éliminer l'excès de liquide. Déposer le fromage dans un bol moyen et le battre au batteur électrique afin de briser les morceaux.

3. Ajouter le fromage à la crème, l'œuf, le Splenda®, l'essence de vanille et le zeste de citron. Continuer de battre jusqu'à consistance lisse et crémeuse. (Le mélangeur peut convenir, mais il faut éviter de trop mélanger, car le mélange sera trop liquide.) Réfrigérer.

4. Préparer les crêpes selon la recette. Pour assembler, déposer 45 mL (3 c. à soupe) du mélange de fromage au centre de la crêpe, laissant près de 2 cm (3/4 po) libres à chaque extrémité. Plier la crêpe par-dessus la garniture, puis replier les extrémités. Plier le côté restant par-dessus la garniture afin d'obtenir un paquet. Fourrer 8 blinis.

5. Déposer les blinis dans un plat allant au four de 23 sur 33 cm (9 sur 13 po) vaporisé d'un enduit pour cuisson. À ce stade, on peut couvrir le plat et le réfrigérer.

6. Préchauffer le four à 200 °C (400 °F). Enduire les blinis de beurre fondu à l'aide d'un pinceau et mettre au four.

7. Chauffer 10 minutes si les blinis sont à la température de la pièce et de 15 à 18 minutes s'ils sont froids.

8. Napper chaque blini de 45 mL (3 c. à soupe) de sauce aux myrtilles (bleuets) chaude et servir.

Délicieuses crêpes fourrées sans farine

2 portions

Une crêpe sans farine ? Cette recette est le résultat d'un matin où ma pâte à crêpes était un peu trop liquide. Ces crêpes fourrées remplacent avantageusement les crêpes confectionnées avec de la farine blanchie. Elles sont plus difficiles à retourner, mais vous pouvez faire cuire de plus grandes crêpes dans une poêle antiadhésive de 25 cm (10 po) en doublant la quantité de pâte prévue pour chaque crêpe.

INGRÉDIENTS :

CRÊPES

125 mL (1/2 tasse) de flocons d'avoine

60 mL (1/4 tasse) de fromage blanc (cottage) allégé

1 gros œuf

60 mL (1/4 tasse) d'eau

15 mL (1 c. à soupe) de Splenda® granulé (ou 2 sachets de Splenda®)

2,5 mL (1/2 c. à thé) de cannelle

10 mL (2 c. à thé) de beurre fondu

Une pincée de muscade

Une pincée de sel

GARNITURE

180 mL (3/4 tasse) de fromage blanc (cottage) allégé

15 mL (1 c. à soupe) de Splenda® granulé (ou 2 sachets de Splenda®)

125 mL (1/2 tasse) de framboises fraîches

10 mL (2 c. à thé) de sucre glace

PRÉPARATION :

1. Crêpes : Combiner les ingrédients dans un mélangeur et mélanger jusqu'à consistance lisse.

2. Chauffer une poêle antiadhésive de 15 cm (6 po) à feu moyen.

3. Déposer 45 mL (3 c. à soupe) de pâte dans la poêle chaude. Tourner le poêlon rapidement pour que la crêpe recouvre entièrement le fond. Faire cuire environ 1 minute ou jusqu'à ce que des bulles se forment sur le dessus. Tourner délicatement et faire cuire 30 secondes de l'autre côté. Déposer dans une assiette.

4. Garniture : Dans un petit bol, combiner le fromage blanc (cottage) et le Splenda®.

5. Déposer 45 mL (3 c. à soupe) de ce mélange au centre de la crêpe ainsi que le quart des framboises. Replier doucement la crêpe. Confectionner ainsi 4 crêpes. Répartir dans deux assiettes et saupoudrer de sucre glace.

NOTES :

Variante : garnissez les crêpes de votre yaourt allégé favori ou de fromage ricotta faible en gras sucré avec Splenda® et de vos fruits préférés.

PAR PORTION :

Calories : 240	Gras : 7 g (3 g saturés)
Glucides : 24 g	Fibres : 4 g
Protéines : 21 g	Sodium : 460 mg

Valeur de choix d'aliments pour le diabète =
1 choix de glucides, 3 choix de viandes très maigres, 1/2 choix de fruit, 1 choix de gras
Points WW = 5 points

Muffins merveilleux et scones délicieux

Muffins au son d'avoine et aux abricots

Muffins à l'avoine

Meilleurs muffins au son

Muffins au son et aux bananes

Muffins aux myrtilles (bleuets)

Muffins aux myrtilles (bleuets) à la farine de maïs

Muffins aux carottes

Muffins au chocolat et aux cerises

Muffins au chocolat, à la crème aigre (sure) et aux pépites de chocolat

Muffins épicés à la citrouille

Muffins à la cannelle fourrés de fraises

Muffins-danoises au fromage et au citron

Muffins aux canneberges et à l'orange

Muffins Streusel à l'avoine et aux pommes

Muffins rapides aux pépites de chocolat

Scones aux myrtilles (bleuets) fraîches

Scones à la citrouille

Scones au gingembre et à l'orange

Scones à l'avoine et à l'érable

Scones au citron et aux framboises fraîches

Les muffins sont extraordinaires et les scones, délicieux. Ces pâtisseries sont faciles à préparer, cuisent rapidement, se transportent facilement et se mangent sans ustensiles. Pas étonnant qu'ils soient si populaires.

Toutefois, en gagnant en popularité, ils ont aussi gagné en grosseur, en gras, en sucre et en calories. Les muffins vendus dans les épiceries ou les cafés contiennent plus de 500 calories et jusqu'à 30 g de gras et 75 g de glucides!

Grâce à Splenda® et à quelques astuces pour réduire le gras, il est dorénavant possible de confectionner des muffins et des scones savoureux d'une grosseur convenant bien aux collations ou au petit déjeuner, et ce, avec une fraction du sucre et du gras habituels. Si vous les aimez géants, il n'en tient qu'à vous de remplir de gros moules à muffins aux deux tiers ou de déposer le double de pâte à scones sur la plaque de pâtisserie. Il suffit de les faire cuire de cinq à huit minutes de plus. (Dans ce cas, comptez le double de calories.)

Voici quelques trucs pratiques pour la confection de ces « pains éclair » qui garantiront leur bon goût.

- Ne brassez pas trop le mélange, car cela donne une pâte dure. Incorporez délicatement les ingrédients liquides dans les ingrédients secs à l'aide d'une grosse cuillère ou d'une spatule de façon à humecter la farine. Il est normal qu'il reste de petits grumeaux dans la pâte.

- Évitez de trop pétrir la pâte à scones. Déposez la pâte à peine formée sur une surface dure et repliez-la sur elle-même. Cessez de pétrir dès que la pâte se tient suffisamment pour que vous la découpiez ou l'abaissiez.

- Attention de faire cuire les muffins et les scones trop longtemps. La cuisson avec Splenda® est plus rapide et les pâtes faibles en gras peuvent être sèches si elles cuisent trop longtemps.

- Laissez refroidir les muffins et les scones dans leur moule ou sur la plaque pendant quelques minutes avant de les retirer.

- Les muffins et des scones sont meilleurs la journée même de leur confection. Emballez bien les restes ou rangez-les dans des bols hermétiques. Vous pouvez aussi les congeler. Réchauffez-les brièvement au four à micro-ondes.

Muffins au son d'avoine et aux abricots

12 portions

Le son d'avoine est une merveilleuse source de fibres solubles, soit le type de fibres qui font baisser le taux de cholestérol et aident à contrôler le taux de glucose sanguin. Dans cette recette, je combine le son d'avoine à la farine de blé complet et j'obtiens un muffin très moelleux, mais faible en gras, agrémenté de morceaux d'abricots séchés et de pacanes croustillantes.

INGRÉDIENTS :

180 mL (3/4 tasse) de lait allégé

125 mL (1/2 tasse) de jus d'orange allégé

30 mL (2 c. à soupe) d'huile de canola

1 pot de 100 g (3 1/2 oz) d'abricots en purée pour bébé

1 gros œuf + 1 blanc d'œuf

375 mL (1 1/2 tasse) de son d'avoine naturel

250 mL (1 tasse) de farine de blé complet

125 mL (1/2 tasse) de Splenda® granulé

15 mL (1 c. à soupe) de levure chimique

2,5 mL (1/2 c. à thé) de bicarbonate de sodium

7,5 mL (1 1/2 c. à thé) de cannelle

60 mL (1/4 tasse) d'abricots séchés, hachés

60 mL (1/4 tasse) de pacanes, hachées

PRÉPARATION :

1. Préchauffer le four à 220 °C (425 °F). Vaporiser 12 alvéoles d'un moule à muffins d'enduit pour cuisson.

2. Dans un petit bol, fouetter le lait, le jus d'orange, l'huile de canola, la purée pour bébé et les œufs. Réserver.

3. Dans un grand bol, combiner les ingrédients secs. Remuer. Incorporer les abricots et les pacanes. Former un puits dans les ingrédients et y verser le mélange liquide. Brasser à l'aide d'une grande cuillère ou d'une spatule, juste assez pour mouiller les ingrédients. Laisser reposer 3 minutes.

4. Déposer la pâte par cuillerées dans le moule à muffins.

5. Faire cuire de 16 à 18 minutes ou jusqu'à ce que les muffins reprennent leur forme après une légère pression du doigt. Laisser refroidir 5 minutes avant de démouler et déposer sur une grille.

NOTES :

Il y a en général deux types de muffins au son d'avoine dans le commerce : délicieux, mais faibles en sucre et riches en gras, ou bien remplis de son d'avoine nourrissant, mais peu savoureux. Cette recette vous donne le meilleur de deux mondes : le bon goût et la qualité nutritive.

PAR PORTION :

Calories : 125
Glucides : 20 g
Protéines : 5 g

Gras : 5 g (1 g saturés)
Fibres : 3 g
Sodium : 135 mg

Valeur de choix d'aliments pour le diabète =
1 choix de glucides, 1 choix de gras
Points WW = 2 points

Muffins à l'avoine

10 portions

Le son d'avoine et le blé complet sont bons pour vous, mais tendent à alourdir les muffins. J'ai modifié cette recette en incluant une technique qui donne plus de légèreté aux muffins. En revanche, j'ai préservé la saveur exquise d'avoine et la garniture que tout le monde aime.

INGRÉDIENTS :

MUFFIN

45 mL (3 c. à soupe) de margarine à la température de la pièce

15 mL (1 c. à soupe) de cassonade

160 mL (2/3 tasse) de Splenda® granulé

1 œuf + 1 blanc d'œuf

250 mL (1 tasse) de flocons d'avoine à l'ancienne (éviter les flocons à cuisson rapide)

180 mL (3/4 tasse) de farine tout usage

125 mL (1/2 tasse) de farine à pâtisserie de blé complet

60 mL (1/4 tasse) de lait en poudre sans gras

5 mL (1 c. à thé) de levure chimique

3,7 mL (3/4 c. à thé) de bicarbonate de sodium

7,5 mL (1 1/2 c. à thé) de cannelle

180 mL (3/4 tasse) de lait allégé

GARNITURE

15 mL (1 c. à soupe) de cassonade

15 mL (1 c. à soupe) de Splenda® granulé

2,5 mL (1/2 c. à thé) de cannelle

PAR PORTION :

Calories : 140	Gras : 4 g (1 g saturés)
Glucides : 21 g	Fibres : 2 g
Protéines : 5 g	Sodium : 180 mg

Valeur de choix d'aliments pour le diabète =
1 1/2 choix de glucides, 1 choix de gras
Points WW = 3 points

PRÉPARATION :

1. Préchauffer le four à 175 °C (350 °F). Vaporiser 12 alvéoles d'un moule à muffins d'un enduit pour cuisson.

2. Pâte : dans un grand bol, mettre en crème la margarine et la cassonade à l'aide d'un batteur électrique. Incorporer le Splenda®, l'œuf puis le blanc d'œuf. Réserver.

3. Dans un bol moyen, combiner les flocons d'avoine, les deux farines, le lait en poudre, la levure chimique, le bicarbonate de sodium et la cannelle. À l'aide d'une grande cuillère ou d'une spatule, incorporer la moitié des ingrédients secs au liquide, sans trop brasser. Ajouter la moitié du lait allégé, puis répéter avec le reste des ingrédients. Ne pas trop mélanger.

4. Déposer la pâte par cuillerées dans le moule à muffins préparé.

5. Garniture : combiner la cassonade, le Splenda® et la cannelle. Saupoudrer sur les muffins. Faire cuire au four 20 minutes ou jusqu'à ce que les muffins reprennent leur forme après une pression du doigt. Laisser refroidir 5 minutes avant de démouler et déposer sur une grille. (Ces muffins sont meilleurs le jour de leur confection.)

NOTES :

Les flocons d'avoine sont une excellente source de fibres solubles. Leur consommation régulière peut contribuer à réduire le taux de cholestérol.

Meilleurs muffins au son

8 portions

Alors que tout le monde pense que les muffins au son sont bons pour la santé, ils sont souvent bourrés de sucre et de gras. Voici des muffins au son savoureux, moelleux et d'une riche couleur. Ils contiennent 5 g de fibres ainsi que de la vitamine C et du fer, et ne cachent pas d'ingrédients indésirables. Comme la plupart des muffins, ils sont meilleurs consommés frais, mais vous pouvez préparer la pâte à l'avance.

INGRÉDIENTS :

2 gros blancs d'œufs

250 mL (1 tasse) de babeurre allégé

375 mL (1 1/2 tasse) de céréales de son (pas des flocons)

45 mL (3 c. à soupe) de mélasse

30 mL (2 c. à soupe) d'huile de canola

5 mL (1 c. à thé) de zeste d'orange

125 mL (1/2 tasse) de farine tout usage

125 mL (1/2 tasse) de farine de blé complet

125 mL (1/2 tasse) de Splenda® granulé

5 mL (1 c. à thé) de bicarbonate de sodium

7,5 mL (1 1/2 c. à thé) de levure chimique

2,5 mL (1/2 c. à thé) de crème de tartre

60 mL (1/4 tasse) de canneberges séchées, de raisins secs ou de noix, hachés

PRÉPARATION :

1. Préchauffer le four à 190 °C (375 °F). Vaporiser 8 alvéoles d'un moule à muffins d'un enduit pour cuisson.

2. Dans un bol moyen, fouetter les blancs d'œufs et le babeurre jusqu'à ce qu'ils soient légers. Ajouter les céréales de son, la mélasse, l'huile, le zeste d'orange, puis les canneberges, les raisins secs et les noix, au goût. Laisser reposer 5 minutes.

3. Dans un grand bol, combiner les farines, le Splenda®, le bicarbonate de sodium, la levure chimique et la crème de tartre. Remuer. Faire un puits au centre des ingrédients secs et y verser le mélange liquide. Brasser à l'aide d'une grosse cuillère ou d'une spatule, juste assez pour mouiller les ingrédients.

4. Remplir aux 3/4 les alvéoles du moule à muffins.

5. Faire cuire 18 minutes ou jusqu'à ce que les muffins reprennent leur forme après une légère pression du doigt. Laisser refroidir 5 minutes avant de démouler et déposer sur une grille. Conserver dans un récipient hermétique.

NOTES :

Les aliments riches en fibres stabilisent le taux de glucose sanguin. On recommande aux adultes de consommer 28 g de fibres par jour pour un apport quotidien de 2 000 calories.

PAR PORTION :

Calories : 160	Gras : 4,5 g (0,5 g saturés)
Glucides : 29 g	Fibres : 5 g
Protéines : 5 g	Sodium : 325 mg

Valeur de choix d'aliments pour le diabète =
1 1/2 choix de pains, 1/2 choix de gras
Points WW = 3 points

* Ajoutez 3 g de glucides et 12 calories par portion si vous utilisez des fruits séchés. Pour les noix, ajoutez 0,5 g de glucides, 2 g de gras et 24 calories par portion.

Muffins au son et aux bananes

12 portions

Ces muffins sont tellement moelleux, légers et gorgés de bananes fraîches qu'on n'ose croire qu'ils sont si faibles en gras et si riches en fibres.

INGRÉDIENTS :

250 mL (1 tasse) de bananes écrasées (environ 2 bananes)

250 mL (1 tasse) de céréales de son sans sucre en filaments (All-Bran, É.-U)

60 mL (1/4 tasse) de babeurre

2 gros blancs d'œufs

30 mL (2 c. à soupe) d'huile de canola

10 mL (2 c. à thé) de mélasse

5 mL (1 c. à thé) d'essence de vanille

250 mL (1 tasse) de farine tout usage

60 mL (1/4 tasse) de Splenda® granulé

5 mL (1 c. à thé) de bicarbonate de sodium

5 mL (1 c. à thé) de levure chimique

2,5 mL (1/2 c. à thé) de crème de tartre

PRÉPARATION :

1. Préchauffer le four à 200 °C (400 °F). Vaporiser 12 alvéoles d'un moule à muffins d'un enduit pour cuisson.

2. Dans un bol moyen, déposer et remuer les sept premiers ingrédients, soit des bananes à l'essence de vanille. Laisser reposer au moins 5 minutes pour que le son ramollisse.

3. Dans un grand bol, combiner la farine, le Splenda®, le bicarbonate de sodium, la levure chimique et la crème de tartre. Mélanger. Faire un puits au centre des ingrédients secs et y verser le mélange liquide. Brasser à l'aide d'une cuillère ou d'une spatule, juste assez pour mouiller les ingrédients.

4. Déposer la pâte par cuillerées dans le moule à muffins.

5. Faire cuire 15 minutes ou jusqu'à ce que les muffins reprennent leur forme après une légère pression du doigt. Laisser refroidir 5 minutes avant de démouler et déposer sur une grille.

NOTES :

Assurez-vous d'utiliser des céréales de son en filaments et non des flocons de son ou du son naturel.

PAR PORTION :

Calories : 110	Gras : 3 g (0 g saturés)
Glucides : 19 g	Fibres : 3 g
Protéines : 3 g	Sodium : 220 mg

Valeur de choix d'aliments pour le diabète =
1 choix de glucides, 1/2 choix de gras
Points WW = 2 points

Muffins aux myrtilles (bleuets)

12 portions

Quels muffins sont les plus populaires ? Les muffins aux myrtilles (bleuets), bien sûr. Ces muffins tendres et faibles en gras sont faciles à préparer et agréables à déguster. Vous pouvez utiliser des baies surgelées, mais rien n'égale les baies fraîches. Le yaourt au citron confère à la fois tendreté et saveur.

Ingrédients :

1 gros œuf

45 mL (3 c. à soupe) d'huile de canola

125 mL (1/2 tasse) de Splenda® granulé

1 bol de 226 g (8 oz) de yaourt parfumé au citron faible en gras

90 mL (6 c. à soupe) de lait allégé

7,5 mL (1 1/2 c. à thé) d'essence de vanille

500 mL (2 tasses) de farine tout usage

15 mL (1 c. à soupe) de levure chimique

2,5 mL (1/2 c. à thé) de bicarbonate de sodium

250 mL (1 tasse) de myrtilles (bleuets) (non décongelées si surgelées)

5 mL (1 c. à thé) de zeste de citron

7,5 mL (1 1/2 c. à thé) de sucre (facultatif, à saupoudrer)

Préparation :

1. Préchauffer le four à 190 °C (375 °F). Vaporiser 12 alvéoles d'un moule à muffins d'un enduit pour cuisson.

2. Dans un petit bol, battre les blancs d'œufs en mousse légère. Ajouter l'huile, le Splenda®, le yaourt, le lait et la vanille. Fouetter jusqu'à consistance lisse.

3. Dans un grand bol, combiner la farine, la levure chimique et le bicarbonate de sodium. Remuer. Incorporer les myrtilles et le zeste de citron. Faire un puits au centre des ingrédients secs et y verser le liquide. Brasser à l'aide d'une cuillère ou d'une spatule, juste assez pour mouiller les ingrédients.

4. Remplir aux 2/3 les alvéoles du moule à muffins préparé. Si désiré, saupoudrer d'un peu de sucre.

5. Faire cuire de 18 à 20 minutes ou jusqu'à ce que les muffins reprennent leur forme après une légère pression du doigt. Laisser refroidir 5 minutes avant de démouler et déposer sur une grille.

Notes :

N'utilisez pas du yaourt allégé ou faible en calories dans cette recette. Le sucre du yaourt faible en gras permet à l'extérieur du muffin de brunir. Dites-vous que chaque muffin ne contient qu'un soupçon de yaourt sucré.

Par portion :

Calories : 145	Gras : 4,5 g (0,5 g saturés)
Glucides : 23 g	Fibres : 0,5 g
Protéines : 4 g	Sodium : 200 mg

Valeur de choix d'aliments pour le diabète =
1 1/2 choix de glucides, 1/2 choix de gras
Points WW = 3 points

Muffins aux myrtilles (bleuets) à la farine de maïs

12 portions

Cette nouvelle addition à ma collection de recettes de muffins utilise la préparation Sugar Blend for Baking de Splenda® (É.-U.). Les myrtilles (bleuets) et la farine de maïs en font un vrai régal ! Mieux encore, personne ne se doutera que ces muffins ne contiennent que la moitié du sucre et du gras des muffins du commerce. Servez-les à votre prochain brunch et voyez-les disparaître à vue d'œil.

INGRÉDIENTS :

280 mL (1 tasse + 2 c. à soupe) de babeurre

1 gros œuf

45 mL (3 c. à soupe) de beurre fondu

2,5 mL (1/2 c. à thé) d'essence de vanille

Zeste de 1 orange

375 mL (1 1/2 tasse) de farine

125 mL (1/2 tasse) de farine de maïs

10 mL (2 c. à thé) de levure chimique

2,5 mL (1/2 c. à thé) de bicarbonate de sodium

60 mL (1/4 tasse) de *Sugar Blend for Baking* de Splenda®

250 mL (1 tasse) combles de myrtilles (bleuets)

PRÉPARATION :

1. Préchauffer le four à 220 °C (425 °F). Vaporiser 12 alvéoles d'un moule à muffins d'un enduit pour cuisson.

2. Dans un bol moyen, combiner le babeurre, l'œuf, le beurre fondu, l'essence de vanille et le zeste d'orange. Réserver.

3. Dans un grand bol, combiner la farine, la farine de maïs, la levure chimique, le bicarbonate de sodium et le Splenda®. Incorporer les fruits délicatement. Faire un puits au centre des ingrédients secs et y verser le mélange liquide. Brasser à l'aide d'une cuillère ou d'une spatule, juste assez pour mouiller tous les ingrédients.

4. Déposer la pâte par cuillerées dans le moule à muffins préparé.

5. Faire cuire de 15 à 17 minutes ou jusqu'à ce que les muffins reprennent leur forme après une légère pression du doigt. Laisser refroidir 5 minutes avant de démouler et déposer sur une grille.

PAR PORTION :

Calories : 115	Gras : 3,5 g (2 g saturés)
Glucides : 17 g	Fibres : 1 g
Protéines : 3 g	Sodium : 160 mg

Valeur de choix d'aliments pour le diabète =
1 choix de glucides, 1 choix de gras
Points WW = 2 points

Muffins aux carottes

12 portions

Moelleux, sucrés et épicés, ces muffins sont fantastiques ! J'ai raffiné la recette jusqu'à ce que je retrouve le bon goût des muffins de la pâtisserie de mon quartier. Quand tous ceux qui en ont mangé les ont aimés autant que moi, j'ai su que ma recette était au point.

INGRÉDIENTS :

180 mL (3/4 tasse) de babeurre

45 mL (3 c. à soupe) d'huile de canola

15 mL (1 c. à soupe) de mélasse

Un petit pot de pruneaux pour bébé ou 60 mL (1/4 tasse) de pruneaux en purée

1 gros œuf + 1 blanc d'œuf

250 mL (1 tasse) de carottes râpées

180 mL (3/4 tasse) de farine de blé complet

180 mL (3/4 tasse) de farine tout usage

250 mL (1 tasse) de Splenda® granulé

7,5 mL (1 1/2 c. à thé) de bicarbonate de sodium

5 mL (1 c. à thé) de levure chimique

7,5 mL (1 1/2 c. à thé) de cannelle

2,5 mL (1/2 c. à thé) de quatre-épices

1,2 mL (1/4 c. à thé) de clou de girofle moulu

80 mL (1/3 tasse) de raisins secs hachés

PRÉPARATION :

1. Préchauffer le four à 190 °C (375 °F). Vaporiser 12 alvéoles d'un moule à muffins d'un enduit pour cuisson.

2. Dans un bol moyen, mélanger les 7 premiers ingrédients, du babeurre aux carottes. Réserver.

3. Dans un grand bol, combiner les farines, le Splenda®, le bicarbonate de sodium, la levure chimique, les épices et les raisins secs. Mélanger. Faire un puits au centre des ingrédients secs et y verser le mélange liquide. Brasser à l'aide d'une cuillère ou d'une spatule, juste assez pour mouiller les ingrédients.

4. Déposer la pâte par cuillerées dans le moule à muffins préparé.

5. Faire cuire 20 minutes ou jusqu'à ce que les muffins reprennent leur forme après une légère pression du doigt. Laisser refroidir 5 minutes avant de démouler et déposer sur une grille.

Variante : remplacer les raisins secs par des noix hachées (ajoutez 2 g de gras et 10 calories, mais soustrayez 3 g de glucides).

NOTES :

Suggestion pour servir : accompagnez ces muffins de fromage à la crème à l'orange (page 434) ou d'une marmelade faible en sucre au lieu du beurre riche en calories.

PAR PORTION :

Calories : 130	Gras : 4 g (0 g saturés)
Glucides : 20 g	Fibres : 3 g
Protéines : 4 g	Sodium : 180 mg

Valeur de choix d'aliments pour le diabète =
1 choix de glucides, 1 choix de légumes,
1 choix de gras
Points WW = 2 points

Muffins au chocolat et aux cerises

12 portions

Pour ces muffins, je me suis inspirée du célèbre gâteau de la Forêt-Noire. Le résultat : des muffins très chocolatés remplis de cerises et décadents au point de les servir comme petits gâteaux.

INGRÉDIENTS :

375 mL (1 1/2 tasse) de cerises noires surgelées sans sucre, partiellement décongelées et coupées en deux

280 mL (1 tasse + 2 c. à soupe) de Splenda® granulé

3,7 mL (3/4 c. à thé) d'essence d'amande

180 mL (3/4 tasse) de lait allégé

125 mL (1/2 tasse) de compote de pommes sans sucre

45 mL (3 c. à soupe) d'huile de canola

45 mL (3 c. à soupe) de cassonade

2 blancs d'œufs

5 mL (1 c. à thé) d'essence de vanille

375 mL (1 1/2 tasse) de farine tout usage

80 mL (1/3 tasse) de cacao alcalinisé

7,5 mL (1 1/2 c. à thé) de levure chimique

2,5 mL (1/2 c. à thé) de bicarbonate de sodium

10 mL (2 c. à thé) de sucre glace

PRÉPARATION :

1. Préchauffer le four à 190 °C (375 °F). Vaporiser 12 alvéoles d'un moule à muffins d'un enduit pour cuisson.

2. Dans un petit bol, combiner les cerises, 30 mL (2 c. à soupe) de Splenda® et l'essence d'amande. Réserver.

3. Dans un bol moyen, fouetter les 6 ingrédients qui suivent (du lait à l'essence de vanille). Réserver.

4. Dans un grand bol, combiner la farine, 250 mL (1 tasse) de Splenda®, le cacao, la levure chimique et le bicarbonate de sodium. Remuer. Faire un puits au centre des ingrédients secs et y verser le mélange liquide. Brasser à l'aide d'une cuillère ou d'une spatule, juste assez pour mouiller tous les ingrédients. Incorporer délicatement les cerises, sans trop mélanger.

5. Déposer la pâte par cuillerées dans le moule à muffins préparé.

6. Faire cuire de 18 à 20 minutes ou jusqu'à ce que les muffins reprennent leur forme après une légère pression du doigt. Laisser refroidir 5 minutes avant de démouler et déposer sur une grille. Saupoudrer de sucre glace à l'aide d'un tamis.

PAR PORTION :

Calories : 145	Gras : 5 g (0 g saturés)
Glucides : 22 g	Fibres : 1 g
Protéines : 3 g	Sodium : 220 mg

Valeur de choix d'aliments pour le diabète = 1 1/2 choix de glucides, 1 choix de gras
Points WW = 3 points

NOTES :

Le cacao alcalinisé, comme le Hershey « européen » ou « noir » (É.-U.), est moins acide et donc moins amer que le cacao conventionnel, avec une couleur plus riche.

Muffins au chocolat, à la crème aigre (sure) et aux pépites de chocolat

12 portions

J'avoue que voir deux fois le mot « chocolat » dans le titre de cette recette a de quoi attirer l'attention. Ce muffin est un dessert au petit déjeuner. Ces muffins légers ont un goût de chocolat si riche que mon fils m'a demandé de les confectionner pour célébrer un anniversaire en classe. Servez-les avec un verre de lait bien froid.

INGRÉDIENTS :

375 mL (1 1/2 tasse) de farine tout usage

80 mL (1/3 tasse) de cacao alcalinisé

7,5 mL (1 1/2 c. à thé) de levure chimique

2,5 mL (1/2 c. à thé) de bicarbonate de sodium

80 mL (1/3 tasse) de petites pépites de chocolat mi-sucré

45 mL (3 c. à soupe) de cassonade

2 blancs d'œufs

45 mL (3 c. à soupe) d'huile de canola

125 mL (1/2 tasse) de compote de pommes sans sucre

160 mL (2/3 tasse) de lait allégé ou sans gras

60 mL (1/4 tasse) de crème aigre (sure) allégée ou sans gras

250 mL (1 tasse) de Splenda® granulé

5 mL (1 c. à thé) d'essence de vanille

10 mL (2 c. à thé) de sucre glace

PRÉPARATION :

1. Préchauffer le four à 190 °C (375 °F). Vaporiser 12 alvéoles d'un moule à muffins d'un enduit pour cuisson.

2. Tamiser ensemble la farine, le cacao, la levure chimique et le bicarbonate de sodium dans un grand bol. Incorporer les pépites de chocolat, puis la cassonade. Réserver.

3. Dans un bol moyen, fouetter les blancs d'œufs en mousse légère, puis incorporer les 6 ingrédients suivants (de l'huile à l'essence de vanille). Faire un puits au centre des ingrédients secs et y verser le mélange liquide. Brasser à l'aide d'une cuillère ou d'une spatule, juste assez pour mouiller tous les ingrédients.

4. Déposer la pâte par cuillerées dans le moule à muffins préparé. Faire cuire de 15 à 18 minutes ou jusqu'à ce que les muffins reprennent leur forme après une légère pression du doigt. Laisser refroidir 5 minutes avant de démouler et déposer sur une grille.

5. Saupoudrer de sucre glace à l'aide d'un tamis. (Le sucre représente moins de 0,5 g de glucides par muffin.)

PAR PORTION :

Calories : 155   Gras : 6 g (1,5 g saturés)
Glucides : 24 g   Fibres : 2 g
Protéines : 4 g   Sodium : 135 mg

Valeur de choix d'aliments pour le diabète =
1 1/2 choix de glucides, 1 choix de gras
Points WW = 3 points

NOTES :

Le cacao et les pépites de chocolat sont deux délicieuses façons d'obtenir le bon goût du chocolat dans vos recettes faibles en gras. Ils se dispersent facilement, donc vous en utilisez moins.

Muffins épicés à la citrouille

10 portions

L'une des recettes les plus populaires de mon livre de recettes Unbelievable Desserts with Splenda *est un pain à la citrouille et aux pacanes. On m'a souvent demandé s'il était possible de faire cuire la pâte de ce pain dans des moules à muffins. Eh bien, oui. J'ai néanmoins révisé la recette originale afin d'obtenir des muffins plus foncés et au goût plus relevé, qu'on peut aussi faire cuire comme un pain éclair. Si vous cherchez un mets à servir durant le congé des fêtes de fin d'année, ces muffins à la citrouille font parfaitement l'affaire.*

INGRÉDIENTS :

180 mL (3/4 tasse) de citrouille en purée

250 mL (1 tasse) de Splenda® granulé

90 mL (6 c. à soupe) de babeurre

45 mL (3 c. à soupe) d'huile de canola

45 mL (3 c. à soupe) de mélasse

1 gros œuf + 1 gros blanc d'œuf

375 mL (1 1/2 tasse) de farine tout usage

10 mL (2 c. à thé) de levure chimique

2,5 mL (1/2 c. à thé) de bicarbonate de sodium

7,5 mL (1 1/2 c. à thé) de cannelle

5 mL (1 c. à thé) de gingembre

2,5 mL (1/2 c. à thé) de quatre-épices

1,2 mL (1/4 c. à thé) de clou de girofle

1,2 mL (1/4 c. à thé) de sel

PRÉPARATION :

1. Préchauffer le four à 190 °C (375 °F). Vaporiser 10 alvéoles d'un moule à muffins d'un enduit pour cuisson.

2. Dans un bol moyen, combiner les 7 premiers ingrédients (de la citrouille aux œufs). Réserver.

3. Dans un grand bol, combiner la farine, la levure chimique, le bicarbonate de sodium, les épices et le sel. Remuer. Faire un puits au centre des ingrédients secs et y verser le mélange de citrouille. Brasser à l'aide d'une cuillère ou d'une spatule, juste assez pour mouiller tous les ingrédients.

4. Déposer la pâte par cuillerées dans le moule à muffins préparé.

5. Faire cuire 20 minutes ou jusqu'à ce que les muffins reprennent leur forme après une légère pression du doigt. Refroidir 5 minutes avant de démouler et déposer sur une grille.

PAR PORTION :

Calories : 150   Gras : 5 g (0 g saturés)
Glucides : 22 g   Fibres : 1 g
Protéines : 4 g   Sodium : 180 mg

Valeur de choix d'aliments pour le diabète =
1 1/2 choix de glucides, 1 choix de gras
Points WW = 3 points

Muffins à la cannelle fourrés de fraises

10 portions

Un jour, j'ai trouvé ces savoureux muffins fourrés de confitures sur le site Internet du magazine Cooking Light. Les critiques étaient si bonnes que j'ai voulu en concevoir une version faible en sucre. Il m'a fallu quelques essais, mais mes efforts en ont valu la peine. Un panier de ces merveilleux muffins réjouira vos invités au petit déjeuner.

INGRÉDIENTS :

1 bol de yaourt sans gras à la vanille de 170 g (6 oz), du type Yoplait, non allégé

45 mL (3 c. à soupe) de beurre fondu

1 gros œuf

125 mL (1/2 tasse) de lait allégé

430 mL (1 3/4 tasse) de farine tout usage

125 mL (1/2 tasse) de Splenda ® granulé

15 mL (1 c. à soupe) de levure chimique

7,5 mL (1 1/2 c. à thé) de cannelle

0,5 mL (1/8 c. à thé) de sel

50 mL (10 c. à thé) de confiture aux fraises faible en sucre

7,5 mL (1 1/2 c. à thé) de sucre

2,5 mL (1/2 c. à thé) de cannelle

PRÉPARATION :

1. Préchauffer le four à 190 °C (375 °F). Vaporiser 10 alvéoles d'un moule à muffins d'un enduit pour cuisson.

2. Dans un bol moyen, fouetter le yaourt, le beurre fondu, l'œuf et le lait. Réserver.

3. Dans un grand bol, combiner la farine, le Splenda®, la levure chimique, la cannelle et le sel. Remuer. Faire un puits au centre des ingrédients secs et y verser le mélange liquide. Brasser à l'aide d'une cuillère ou d'une spatule, juste assez pour mouiller tous les ingrédients.

4. Déposer 15 mL (1 c. à soupe) combles de pâte dans chaque alvéole. Mettre 5 mL (1 c. à thé) de confiture au centre de chaque muffin, puis couvrir d'une autre grosse cuillerée de pâte. Fermer les bords.

5. Dans un très petit bol, mélanger 7,5 mL (1 1/2 c. à thé) de sucre et 2,5 mL (1/2 c. à thé) de cannelle. Saupoudrer sur les muffins.

6. Faire cuire de 13 à 15 minutes ou jusqu'à ce que les muffins reprennent leur forme après une légère pression du doigt. Laisser refroidir 5 minutes avant de démouler et déposer sur une grille.

NOTES :

Je prépare ces muffins avant l'arrivée ou le réveil de mes invités. Je les mets au four juste avant de les servir. Ainsi, tous peuvent profiter du merveilleux arôme de la cannelle sucrée.

PAR PORTION :

Calories : 160	Gras : 4,5 g (2,5 g saturés)
Glucides : 25 g	Fibres : 1 g
Protéines : 4 g	Sodium : 230 mg

Valeur de choix d'aliments pour le diabète =
1 1/2 choix de glucides, 1 choix de gras
Points WW = 3 points

Muffins-danoises au fromage et au citron

12 portions

Ces délices contiennent tout ce qui nous plaît dans un muffin et dans une pâtisserie danoise. Leur texture est légère et une garniture de fromage à la crème est enfouie au centre. Je les saupoudre d'un peu de sucre glace. Ils agrémentent joliment tout brunch ou petit déjeuner.

INGRÉDIENTS :

GARNITURE

113 g (4 oz) de fromage à la crème allégé (en bol)

45 mL (3 c. à soupe) de Splenda® granulé

10 mL (2 c. à thé) de lait allégé

0,5 mL (1/8 c. à thé) d'essence d'amande

PÂTE

1 gros œuf

45 mL (3 c. à soupe) de margarine fondue

60 mL (1/4 tasse) de lait allégé

2,5 mL (1/2 c. à thé) d'essence de vanille

226 g (8 oz) de yaourt régulier parfumé au citron (éviter le yaourt allégé)

530 mL (2 tasses + 2 c. à soupe) de farine de pâtisserie

180 mL (3/4 tasse) de Splenda® granulé

5 mL (1 c. à thé) de levure chimique

5 mL (1 c. à thé) de bicarbonate de sodium

Zeste de 1 citron, soit 10 mL (2 c. à thé)

10 mL (2 c. à thé) de sucre glace

PAR PORTION :

Calories : 140   Gras : 5 g (2 g saturés)
Glucides : 20 g   Fibres : 0 g
Protéines : 4 g   Sodium : 210 mg

Valeur de choix d'aliments pour le diabète =
1 1/2 choix de glucides, 1 choix de gras
Points WW = 3 points

PRÉPARATION :

1. Préchauffer le four à 200 °C (400 °F). Vaporiser 12 alvéoles d'un moule à muffins d'un enduit pour cuisson.

2. Garniture : dans un petit bol, mettre en crème le fromage à la crème, 45 mL (3 c. à soupe) de Splenda®, le lait et l'essence de vanille. Réserver.

3. Pâte : dans un autre bol, fouetter l'œuf, la margarine, le lait, l'essence de vanille et le yaourt. Réserver.

4. Dans un grand bol, combiner la farine, 180 mL le Splenda®, la levure chimique, le bicarbonate de sodium et le zeste de citron. Remuer. Faire un puits au centre des ingrédients secs et y verser le mélange liquide. Brasser à l'aide d'une cuillère ou d'une spatule, juste assez pour mouiller tous les ingrédients.

5. Déposer une grosse cuillerée de pâte dans les alvéoles du moule à muffins préparé (remplir à moitié). Déposer 10 mL (2 c. à thé) de garniture au centre des muffins, puis couvrir de pâte.

6. Faire cuire de 16 à 18 minutes ou jusqu'à ce que les muffins reprennent leur forme après une légère pression du doigt. Laisser refroidir 5 minutes avant de démouler et déposer sur une grille. Saupoudrer de sucre glace avant de servir.

Muffins aux baies et au citron : remplacer la garniture de fromage par votre confiture aux fruits faible en sucre préférée. Un muffin contiendra 1 g de glucides de plus, mais 3,5 g de gras en moins, et 130 calories en tout.

Muffins aux canneberges et à l'orange

12 portions

La combinaison canneberges et orange dans les muffins est dorénavant un classique. Le jus d'orange procure une saveur sucrée bien présente qui contrebalance l'acidité des canneberges. Ces muffins sont bien sûr délicieux durant la période des fêtes de fin d'année, alors que les canneberges sont en saison, mais vous pouvez les déguster toute l'année si vous congelez des canneberges. En été, vous pouvez remplacer les canneberges par des myrtilles (bleuets).

INGRÉDIENTS :

500 mL (2 tasses) de farine tout usage

10 mL (2 c. à thé) de levure chimique

2,5 mL (1/2 c. à thé) de bicarbonate de sodium

1,2 mL (1/4 c. à thé) de sel

310 mL (1 1/4 tasse) de canneberges fraîches

1 gros œuf

60 mL (1/4 tasse) d'huile de canola

180 mL (3/4 tasse) de jus d'orange allégé

125 mL (1/2 tasse) de lait allégé ou sans gras

280 mL (1 tasse + 2 c. à soupe) de Splenda® granulé

15 mL (1 c. à soupe) de zeste d'orange

15 mL (1 c. à soupe) de marmelade d'orange faible en sucre (facultatif)

PRÉPARATION :

1. Préchauffer le four à 190 °C (375 °F). Vaporiser 12 alvéoles d'un moule à muffins d'un enduit pour cuisson.

2. Dans un grand bol, combiner la farine, la levure chimique, le bicarbonate de sodium, le sel et les canneberges. Réserver.

3. Dans un petit bol, fouetter l'œuf, l'huile, 125 mL (1/2 tasse) de jus d'orange, le lait, 250 mL (1 tasse) de Splenda® et le zeste d'orange. Faire un puits au centre des ingrédients secs et y verser le mélange de lait. Brasser à l'aide d'une cuillère ou d'une spatule, juste assez pour mouiller tous les ingrédients.

4. Déposer la pâte par cuillerées dans le moule à muffins préparé et faire cuire de 18 à 20 minutes ou jusqu'à ce que les muffins reprennent leur forme après une légère pression du doigt.

5. Durant la cuisson des muffins, déposer 60 mL (1/4 tasse) de jus d'orange et 30 mL (2 c. à soupe) de Splenda® (et la marmelade si désiré) dans une petite casserole ou un plat allant au four à micro-ondes. Chauffer doucement et réduire de moitié.

6. Retirer les muffins du four et les enduire de la préparation à l'orange. Laisser refroidir 5 minutes avant de démouler et déposer sur une grille.

PAR PORTION :

Calories : 150   Gras : 5 g (0,5 g saturés)
Glucides : 22 g (3 g sucre)   Fibres : 1 g
Protéines : 3 g   Sodium : 250 mg

Valeur de choix d'aliments pour le diabète =
1 1/2 choix de glucides, 1 choix de gras
Points WW = 3 points

NOTES :

Méfiez-vous des jus de canneberges « sans sucre ajouté ». Ils peuvent contenir du sucre sous forme de jus concentrés non comptabilisés dans les « sucres ajoutés ».

Muffins Streusel à l'avoine et aux pommes

12 portions

Ces muffins sont bons au goût et bons pour vous. Malgré quelques petits changements, la recette contient toujours des pommes fraîches et de la farine de blé complet. On adore la garniture de type Streusel faite de flocons d'avoine et de cassonade. Quelle merveilleuse façon de commencer la journée !

INGRÉDIENTS :

PÂTE

1 gros œuf + 1 blanc d'œuf

250 mL (1 tasse) de babeurre faible en gras

45 mL (3 c. à soupe) d'huile de canola

180 mL (3/4 tasse) de Splenda® granulé

250 mL (1 tasse) de pommes pelées et râpées

375 mL (1 1/2 tasse) de farine tout usage

125 mL (1/2 tasse) de farine à pâtisserie de blé complet

5 mL (1 c. à thé) de levure chimique

5 mL (1 c. à thé) de bicarbonate de sodium

10 mL (2 c. à thé) de cannelle

3,7 mL (3/4 c. à thé) de muscade

GARNITURE DE TYPE STREUSEL

30 mL (2 c. à soupe) de farine tout usage

60 mL (4 c. à soupe) de flocons d'avoine

30 mL (2 c. à soupe) de Splenda® granulé

15 mL (1 c. à soupe) de cassonade

2,5 mL (1/2 c. à thé) de cannelle

15 mL (1 c. à soupe) de beurre

PRÉPARATION :

1. Préchauffer le four à 190 °C (375 °F). Vaporiser 12 alvéoles d'un moule à muffins d'un enduit pour cuisson.

2. Garniture de type Streusel : déposer tous les ingrédients de la garniture dans un petit bol sauf le beurre et bien mélanger. Couper le beurre dans les ingrédients jusqu'à l'obtention d'une texture grumeleuse. Réserver.

3. Pâte : dans un autre bol, battre l'œuf et le blanc d'œuf avec le babeurre en mousse légère. Incorporer en fouettant l'huile, le Splenda® et la pomme râpée. Réserver.

4. Dans un grand bol, combiner la farine, la levure chimique, le bicarbonate de sodium, la cannelle et la muscade. Former un puits au centre des ingrédients secs et y verser le mélange de pommes. Brasser à l'aide d'une grosse cuillère ou d'une spatule, juste assez pour mouiller tous les ingrédients.

5. Déposer par cuillerées dans le moule à muffins préparé. Répartir la garniture également sur les muffins.

6. Faire cuire 15 minutes ou jusqu'à ce qu'un cure-dent inséré dans un muffin en ressorte propre. Démouler et laisser refroidir sur une grille.

PAR PORTION :

Calories : 150	Gras : 5 g (0,5 g saturés)
Glucides : 22 g	Fibres : 1 g
Protéines : 4 g	Sodium : 180 mg

Valeur de choix d'aliments pour le diabète = 1 1/2 choix de glucides, 1 choix de gras
Points WW = 3 points

Muffins rapides aux pépites de chocolat

10 portions

Voici une autre recette facile et rapide que les enfants adorent. J'ai fait ce test auprès de mes propres enfants : j'ai laissé une assiette de ces muffins sur le comptoir de cuisine à leur retour de l'école et j'ai épié leur réaction. Ils en ont tous pris un et en ont tout de suite voulu un autre... cela dit tout !

INGRÉDIENTS :

180 mL (3/4 tasse) de lait allégé

60 mL (1/4 tasse) de compote de pommes

1 œuf

30 mL (2 c. à soupe) d'huile de canola

15 mL (1 c. à soupe) de cassonade

2,5 mL (1/2 c. à thé) d'essence de vanille

375 mL (1 1/2 tasse) de mélange pour pâte tout usage faible en gras (Bisquick, É.-U.)

125 mL (1/2 tasse) de Splenda ® granulé

80 mL (1/3 tasse) de petites pépites de chocolat

60 mL (1/4 tasse) de lait en poudre sans gras

2,5 mL (1/2 c. à thé) de levure chimique

2,5 mL (1/2 c. à thé) de cannelle

PRÉPARATION :

1. Préchauffer le four à 190 °C (375 °F). Vaporiser 10 alvéoles d'un moule à muffins d'un enduit pour cuisson.

2. Dans un petit bol, combiner en fouettant le lait, la compote de pommes, l'œuf, l'huile de canola, la cassonade et l'essence de vanille (bien défaire les grumeaux de cassonade). Réserver.

3. Dans un grand bol, combiner les ingrédients secs restants. Former un puits et y verser le mélange de lait. Brasser à l'aide d'une grosse cuillère ou d'une spatule, juste assez pour mouiller tous les ingrédients.

4. Déposer par cuillerées dans 10 alvéoles du moule à muffins préparé.

5. Faire cuire de 12 à 15 minutes ou jusqu'à ce que les muffins reprennent leur forme après une légère pression du doigt. Laisser refroidir 5 minutes avant de démouler et déposer sur une grille.

NOTES :

Le lait en poudre fournit des protéines et du calcium en plus d'améliorer la texture des muffins. On reconnaît son goût dans la pâte non cuite, mais pas dans les muffins cuits.

PAR PORTION :

Calories : 150	Gras : 6 g (1 g saturés)
Glucides : 20 g	Fibres : 1 g
Protéines : 4 g	Sodium : 250 mg

Valeur de choix d'aliments pour le diabète =
1 1/2 choix de glucides, 1 choix de gras
Points WW = 3 points

Scones aux myrtilles (bleuets) fraîches

13 portions

Les scones sont faits avec une pâte à petits gâteaux secs sucrée, à texture plus ou moins riche. Les scones des pâtisseries ou des cafés sont souvent très riches et très gros, ce qui signifie qu'ils contiennent beaucoup de glucides, de gras et de calories. Les myrtilles (bleuets) fraîches donneront une meilleure apparence aux scones. Les baies surgelées tendent à colorer la pâte en bleu.

INGRÉDIENTS :

500 mL (2 tasses) de farine tout usage

80 mL (1/3 tasse) de Splenda® granulé

10 mL (2 c. à thé) de levure chimique

2,5 mL (1/2 c. à thé) de bicarbonate de sodium

1,2 mL (1/4 c. à thé) de sel

250 mL (1 tasse) de myrtilles (bleuets) fraîches

250 mL (1 tasse) de babeurre

45 mL (3 c. à soupe) de margarine fondue

1 gros œuf

2,5 mL (1/2 c. à thé) d'essence d'amande

10 mL (2 c. à thé) de sucre granulé

PRÉPARATION :

1. Préchauffer le four à 220 °C (425 °F). Vaporiser une plaque à pâtisserie d'un enduit pour cuisson.

2. Dans un grand bol, combiner la farine, le Splenda®, la levure chimique, le bicarbonate de sodium et le sel. Incorporer les myrtilles (bleuets). Réserver.

3. Dans un petit bol, fouetter le babeurre, la margarine, l'œuf et l'essence d'amande. Verser le mélange liquide sur les ingrédients secs et brasser juste assez pour mouiller (ne pas trop mélanger).

4. Déposer par cuillerées d'environ 60 mL (1/4 tasse) sur la plaque préparée de façon à former 13 scones. Saupoudrer les scones de sucre.

5. Faire cuire de 12 à 15 minutes ou jusqu'à légèrement doré. Placer sur une grille et laisser refroidir un peu avant de servir.

NOTES :

Pour de plus gros scones du type pâtisserie, utilisez 125 mL (1/2 tasse) de pâte par scone. Ces scones contiendront 230 calories, 36 g de glucides et 6 g de gras... C'est encore moins que les versions populaires des cafés qui contiennent 550 calories et 28 g de gras.

PAR PORTION :

Calories : 115   Gras : 3 g (0 g saturés)
Glucides : 18 g   Fibres : 1 g
Protéines : 3 g   Sodium : 220 mg

Valeur de choix d'aliments pour le diabète =
1 choix de glucides, 1 choix de gras
Points WW = 2 points

Scones à la citrouille

12 portions

Les scones à la citrouille ne sont plus une gâterie saisonnière. Il s'en vend toute l'année dans les pâtisseries et les cafés. Bien que savoureux, ils fournissent tellement de calories qu'ils correspondent plus à un repas qu'à une collation. Pour combler votre envie de scones à la citrouille, j'ai créé cette version de scones sains et en forme de carrés. Ils accompagnent à merveille un café ou un thé bien chaud.

INGRÉDIENTS :

435 mL (1 3/4 tasse) de farine tout usage

250 mL (1 tasse) de flocons d'avoine à l'ancienne

160 mL (2/3 tasse) de Splenda® granulé

10 mL (2 c. à thé) de levure chimique

5 mL (1 c. à thé) de bicarbonate de sodium

7,5 mL (1 1/2 c. à thé) de cannelle

3,7 mL (3/4 c. à thé) de muscade

1,2 mL (1/4 c. à thé) de clou de girofle

60 mL (4 c. à soupe) de beurre froid

180 mL (3/4 tasse) de citrouille en purée

90 mL (6 c. à soupe) de babeurre allégé

10 mL (2 c. à thé) de mélasse

10 mL (2 c. à thé) de sucre granulé (ou de cassonade tamisée)

PRÉPARATION :

1. Préchauffer le four à 220 °C (425 °F). Vaporiser une plaque à pâtisserie d'un enduit pour cuisson.

2. Dans un grand bol, combiner la farine, les flocons d'avoine, le Splenda®, la levure chimique, le bicarbonate de sodium, la cannelle, la muscade et le clou de girofle. Avec le bout des doigts ou un coupe-pâte, défaire le beurre dans la farine jusqu'à consistance grumeleuse. Réserver.

3. Dans un petit bol, fouetter la citrouille en purée, le babeurre et la mélasse. Verser le mélange liquide sur les ingrédients secs et mélanger juste assez pour mouiller.

4. Avec les mains enfarinées, déposer la pâte humide sur une surface légèrement enfarinée. Pétrir la pâte délicatement afin d'incorporer les ingrédients secs. Former un rectangle d'environ 30 sur 10 cm (12 sur 4 po) puis le couper en deux sur la longueur. Taillez dans chaque moitié 6 scones de 5 sur 5 cm (2 sur 2 po). Déposer sur la plaque à pâtisserie et saupoudrer de sucre ou de cassonade tamisée.

5. Faire cuire de 14 à 16 minutes ou jusqu'à légèrement doré. Placer sur une grille et laisser refroidir un peu avant de servir.

PAR PORTION :

Calories : 140	Gras : 5 g (3 g saturés)
Glucides : 21 g	Fibres : 2 g
Protéines : 3 g	Sodium : 200 mg

Valeur de choix d'aliments pour le diabète =
1 1/2 choix de glucides, 1 choix de gras
Points WW = 3 points

NOTES :

Si vous préférez des scones plus gros, formez un rectangle d'environ 15 sur 20 cm (6 sur 8 po). Coupez-le en deux sur la longueur, puis coupez chaque moitié en quatre. Vous aurez 8 scones bol chacun 210 calories, 2 g de glucides et valant 4 points WW.

Scones au gingembre et à l'orange

10 portions

La combinaison d'orange et de gingembre rehausse non seulement le goût de ces scones, mais leur confère également un arôme agréable. Ces délicieux triangles sont savoureux servis avec une marmelade à l'orange faible en sucre.

INGRÉDIENTS :

500 mL (2 tasses) de farine tout usage

60 mL (1/4 tasse) de Splenda ® granulé

10 mL (2 c. à thé) de levure chimique

2,5 mL (1/2 c. à thé) de bicarbonate de sodium

1,2 mL (1/4 c. à thé) de sel

3,7 mL (3/4 c. à thé) de gingembre

2,5 mL (1/2 c. à thé) de quatre-épices

45 mL (3 c. à soupe) de margarine froide

180 mL (3/4 tasse) de babeurre

1 gros œuf

15 mL (1 c. à soupe) de zeste d'orange

15 mL (1 c. à soupe) de lait allégé

5 mL (1 c. à thé) de sucre granulé

PRÉPARATION :

1. Préchauffer le four à 200 °C (400 °F). Vaporiser une plaque à pâtisserie d'un enduit pour cuisson.

2. Dans un grand bol, combiner la farine, le Splenda®, la levure chimique, le bicarbonate de sodium, le sel, le gingembre et le quatre-épices. Avec le bout des doigts, ou encore à l'aide de deux couteaux ou d'un coupe-pâte, défaire le beurre dans la farine jusqu'à consistance grumeleuse. Réserver.

3. Dans un petit bol, fouetter le babeurre, l'œuf et le zeste. Verser le mélange liquide sur les ingrédients secs et brasser juste assez pour mouiller.

4. Avec les mains enfarinées, déposer la pâte humide sur une surface légèrement enfarinée. Pétrir la pâte délicatement une ou deux fois pour la rendre souple puis l'aplatir en un cercle de 20 cm (8 po). Couper en 10 pointes égales et déposer sur une plaque à pâtisserie.

5. Badigeonner les scones de lait et saupoudrer de sucre. Faire cuire de 12 à 15 minutes ou jusqu'à légèrement doré. Placer sur une grille et laisser refroidir un peu avant de servir.

PAR PORTION :

Calories : 140   Gras : 4 g (1 g saturés)
Glucides : 22 g   Fibres : 1 g
Protéines : 4 g   Sodium : 260 mg

Valeur de choix d'aliments pour le diabète =
1 1/2 choix de glucides, 1 choix de gras
Points WW = 3 points

NOTES :

Les chefs du Sud des États-Unis savent depuis toujours que le babeurre donne des petits gâteaux secs tendres et moelleux. L'acidité du babeurre lui confère ses qualités d'attendrisseur et donne d'aussi bons résultats dans les scones.

Scones à l'avoine et à l'érable

8 portions

Le goût de noisette de l'avoine et un soupçon de sirop d'érable font de ces scones sucrés à la fois sains et nourrissants un excellent mets du petit déjeuner. Dégustez-les chauds avec un peu de beurre allégé ou votre marmelade faible en sucre préférée.

INGRÉDIENTS :

250 mL (1 tasse) de farine tout usage

125 mL (1/2 tasse) de farine à pâtisserie de blé complet

250 mL (1 tasse) de flocons d'avoine

80 mL (1/3 tasse) de Splenda® granulé

10 mL (2 c. à thé) de levure chimique

2,5 mL (1/2 c. à thé) de bicarbonate de sodium

1,2 mL (1/4 c. à thé) de sel

45 mL (3 c. à soupe) de margarine

160 mL (2/3 tasse) de babeurre

1 gros œuf

15 mL (1 c. à soupe) de sirop d'érable sans sucre

15 mL (1 c. à soupe) de lait allégé

10 mL (2 c. à thé) de sucre granulé

PRÉPARATION :

1. Préchauffer le four à 220 °C (425 °F). Vaporiser une plaque à pâtisserie d'un enduit pour cuisson.

2. Dans un grand bol, combiner les farines, les flocons d'avoine, le Splenda®, la levure chimique, le bicarbonate de sodium et le sel. Avec le bout des doigts ou encore à l'aide de deux couteaux ou d'un coupe-pâte, défaire le beurre dans la farine jusqu'à consistance grumeleuse.

3. Dans un petit bol, fouetter le babeurre, l'œuf et le sirop d'érable. Verser le mélange liquide sur les ingrédients secs et brasser juste assez pour mouiller.

4. Avec les mains enfarinées, déposer la pâte humide sur une surface légèrement enfarinée. Pétrir la pâte délicatement une ou deux fois pour la rendre souple et l'aplatir en un cercle de 20 cm (8 po). Couper en 8 pointes égales avec un couteau tranchant et déposer sur une plaque à pâtisserie.

5. Badigeonner les scones de lait et saupoudrer de sucre.

6. Faire cuire de 12 à 14 minutes ou jusqu'à légèrement doré. Placer sur une grille et laisser refroidir un peu avant de servir.

PAR PORTION :

Calories : 165 — Gras : 5 g
Glucides : 25 g — Fibres : 2 g
Protéines : 5 g — Sodium : 90 mg

Valeur de choix d'aliments pour le diabète = 1 1/2 choix de glucides, 1 choix de gras
Points WW = 3 points

NOTES :

Les flocons d'avoine confèrent aux scones une texture plus croustillante. On appelle aussi les scones à l'avoine des « scones écossais ».

Scones au citron et aux framboises fraîches

10 portions

Après avoir goûté à un délicieux scone aux framboises fraîches, j'ai voulu créer ma propre version. J'ai ajouté un peu de zeste de citron et je les saupoudre de sucre glace au lieu de les cacher sous une couche de glace sucrée. Je crois que vous les aimerez autant que moi.

INGRÉDIENTS :

500 mL (2 tasses) de farine tout usage

80 mL (1/3 tasse) de Splenda ® granulé

5 mL (1 c. à thé) de crème de tartre

2,5 mL (1/2 c. à thé) de bicarbonate de sodium

0,5 mL (1/8 c. à thé) de sel

60 mL (4 c. à soupe) de margarine

210 mL (3/4 tasse + 2 c. à soupe) de babeurre

1 gros œuf

7,5 mL (1 1/2 c. à thé) de zeste de citron

250 mL (1 tasse) de framboises fraîches

10 mL (2 c. à thé) de sucre glace

PRÉPARATION :

1. Préchauffer le four à 220 °C (425 °F). Vaporiser une plaque à pâtisserie d'un enduit pour cuisson.

2. Dans un grand bol, combiner la farine, le Splenda®, la crème de tartre, le bicarbonate de sodium et le sel. Avec le bout des doigts ou à l'aide d'un coupe-pâte, défaire le beurre dans la farine jusqu'à consistance grumeleuse. Réserver.

3. Dans un petit bol, fouetter le babeurre, l'œuf et le zeste. Verser le mélange liquide sur les ingrédients secs et brasser juste assez pour mouiller. Incorporer les framboises délicatement.

4. Déposer par grosses cuillerées d'environ 80 mL (1/3 tasse) sur la plaque à pâtisserie préparée de façon à former 10 scones. Faire cuire de 12 à 15 minutes ou jusqu'à légèrement doré. Placer sur une grille et laisser refroidir un peu avant de servir.

5. Juste avant de servir, saupoudrer les scones de sucre glace à l'aide d'un tamis.

PAR PORTION :

Calories : 150
Glucides : 23 g
Protéines : 4 g

Gras : 5 g (2 g saturés)
Fibres : 2 g
Sodium : 170 mg

Valeur de choix d'aliments pour le diabète =
1 choix de glucides, 1/2 choix de fruits, 1 choix de gras
Points WW = 3 points

Pains éclair et gâteaux pour le goûter

Pain aux myrtilles (bleuets) et au citron

Pain à la citrouille et aux pacanes

Pain aux noix de Grenoble et à la courgette

Pain aux bananes santé

Pain aux bananes méditerranéen

Pain du goûter aux canneberges et à l'orange

Pain au chocolat

Pain aux amandes, aux graines de pavot et à la crème aigre (sure)

Pain irlandais au bicarbonate de sodium

Gâteau éclair à la noix de coco et aux amandes

Gâteau aux miettes au babeurre et aux pacanes

Gâteau aux épices

Gâteau aux miettes aux framboises et aux amandes

Gâteau facile à la cannelle

Gâteau aux miettes de type smores

Trésor de myrtilles (bleuets)

Gâteau Streusel à la cannelle

Pour ma toute première confection avec Splenda®, j'ai fait un pain du goûter aux canneberges et à l'orange. Cela a été, comme le dirait Oprah Winfrey (vedette aux É.-U.), mon moment révélateur. J'ai alors su que je pourrais réaliser de délicieuses pâtisseries, notamment des gâteaux du goûter et des pains éclair, pour les gens qui désirent limiter leur apport en sucre tout en continuant de manger ce qu'ils aiment. J'ai également compris que je pourrais revoir les chefs à qui j'ai enseigné et leur transmettre les secrets de la confection de pâtisseries au four sans sucre.

Depuis, j'ai créé de nombreuses recettes de pains éclair et de gâteaux, car c'est un plaisir de les préparer – et de les manger. En général, il suffit d'un bol et d'une cuillère. Le nom « éclair » vient du fait qu'ils lèvent grâce à la levure chimique ou au bicarbonate de sodium, ou les deux, et non à la levure de pâtissier. Mieux encore, ils sont sucrés et moelleux, permettent une grande variété d'ingrédients et ont l'approbation de tous.

Avec toutes les recettes que je propose, je suis certaine que vous trouverez un pain éclair ou un gâteau qui vous plaira. Si le temps presse, faites un pain aux bananes méditerranéen, confectionné avec de l'huile d'olive bonne pour la santé. Ou encore, essayez le gâteau facile à la cannelle. Si vous aimez le chocolat, vous adorerez le riche pain au chocolat. Les enfants de tous âges se régaleront du gâteau aux miettes de type smores, avec sa garniture aux pépites de chocolat miniatures. Enfin, comme je n'omets aucune fête, je vous invite à servir un gâteau aux épices à Noël, un pain à la citrouille et aux pacanes à l'Action de grâces et, pourquoi pas, un pain irlandais au bicarbonate de sodium le jour de la Saint-Patrick. L'une de ces recettes pourrait vous faire vivre votre propre moment révélateur !

Pain aux myrtilles (bleuets) et au citron

12 portions

Ce pain éclair au citron débordant de myrtilles (bleuets) est l'un de mes préférés. Il est facile à préparer, beau à regarder et incroyablement délicieux. Vous verrez qu'il accompagne à merveille un café ou un thé et qu'il est assez riche pour que vous le serviez au dessert, avec une touche de crème fouettée légère.

INGRÉDIENTS :

160 mL (2/3 tasse) de lait allégé

1 gros œuf

5 mL (1 c. à thé) d'essence de vanille

60 mL (4 c. à soupe) de margarine fondue

170 g (6 oz) de yaourt allégé parfumé au citron (Yoplait, É.-U)

Zeste de 1 citron

250 mL (1 tasse) de Splenda® granulé

500 mL (2 tasses) de farine tout usage

10 mL (2 c. à thé) de levure chimique

2,5 mL (1/2 c. à thé) de bicarbonate de sodium

250 mL (1 tasse) de myrtilles (bleuets) fraîches

5 mL (1 c. à thé) de sucre granulé

PRÉPARATION :

1. Préchauffer le four à 175 °C (350 °F). Vaporiser un moule à pain de 23 sur 11,5 cm (9 po sur 5 po) d'un enduit pour cuisson.

2. Dans un bol moyen, fouetter le lait, l'œuf, l'essence de vanille, la margarine, le yaourt, le zeste et le Splenda®. Réserver.

3. Dans un grand bol, combiner la farine, la levure chimique, le bicarbonate de sodium et les myrtilles (bleuets). Mélanger. Faire un puits au centre des ingrédients secs et y verser le mélange liquide. Mélanger délicatement à la cuillère jusqu'à consistance lisse.

4. Déposer la pâte à la cuillère dans le moule préparé. Lisser la surface et saupoudrer de sucre.

5. Faire cuire 45 minutes ou jusqu'à ce qu'un cure-dent inséré au centre en ressorte propre. Laisser refroidir sur une grille de 10 à 15 minutes, puis démouler.

NOTES :

Des scientifiques du Human Nutrition Center on Aging, à Boston (É.-U.), ont classé les myrtilles (bleuets) comme la meilleure source d'antioxydants parmi plus de 40 autres fruits et légumes.

PAR PORTION :

Calories : 150	Gras : 4,5 g (1 g saturés)
Glucides : 23 g	Fibres : 1 g
Protéines : 4 g	Sodium : 190 mg

Valeur de choix d'aliments pour le diabète =
1 1/2 choix de glucides, 1 choix de gras
Points WW = 3 points

Pain à la citrouille et aux pacanes

12 portions

Cette recette choisie des fêtes de fin d'année plaira à vos invités les plus capricieux. Servez ce pain, comme je le fais, avec un fromage à la crème à l'orange (page 434)... un délice assuré.

INGRÉDIENTS :

60 mL (1/4 tasse) d'huile de canola

250 mL (1 tasse) de citrouille en purée

1 gros œuf

1 gros blanc d'œuf

125 mL (1/2 tasse) de babeurre allégé

30 mL (2 c. à soupe) de mélasse

280 mL (1 tasse + 2 c. à soupe) de Splenda® granulé

430 mL (1 3/4 tasse) de farine tout usage

5 mL (1 c. à thé) de levure chimique

2,5 mL (1/2 c. à thé) de bicarbonate de sodium

7,5 mL (1 1/2 c. à thé) de cannelle

2,5 mL (1/2 c. à thé) de gingembre

1,2 mL (1/4 c. à thé) de clou de girofle

80 mL (1/3 tasse) de pacanes hachées

PRÉPARATION :

1. Préchauffer le four à 175 °C (350 °F). Vaporiser un moule à pain de 23 sur 11,5 cm (9 po sur 5 po) d'un enduit pour cuisson.

2. Dans un bol moyen, fouetter l'huile, la citrouille en purée, l'œuf, le blanc d'œuf, le babeurre, la mélasse et le Splenda®.

3. Dans un grand bol, combiner la farine, la levure chimique, le bicarbonate de sodium, les épices et les noix. Mélanger. Faire un puits au centre des ingrédients secs et y verser le mélange de citrouille. Brasser délicatement à l'aide d'une cuillère ou d'une spatule. Ne pas trop brasser.

4. Déposer la pâte à la cuillère dans le moule préparé. Lisser la surface.

5. Faire cuire de 40 à 45 minutes ou jusqu'à ce qu'un cure-dent inséré au centre en ressorte propre. Laisser refroidir sur une grille de 10 à 15 minutes, puis démouler.

NOTES :

Saviez-vous qu'un gros bagel peut contenir autant que 70 g de glucides?

PAR PORTION :

Calories : 165	Gras : 7 g (0,5 g saturés)
Glucides : 21 g	Fibres : 1 g
Protéines : 4 g	Sodium : 170 mg

Valeur de choix d'aliments pour le diabète =
1 1/2 choix de glucides, 1 choix de gras
Points WW = 4 points (3 points si vous omettez
les pacanes)

Pain aux noix de Grenoble et à la courgette

12 portions

Si vous avez déjà cultivé la courgette, vous savez qu'elle produit une récolte abondante. C'est sans doute ce qui a mené à la création du premier pain à la courgette ! Ma recette inclut de l'ananas, qui rend le pain merveilleusement moelleux et fait ressortir le goût des épices et des noix. Et vous pensiez que manger des fruits et des légumes était ennuyant ?

INGRÉDIENTS :

125 mL (1/2 tasse) de lait allégé

1 gros œuf + 1 blanc d'œuf

60 mL (4 c. à soupe) d'huile de canola

250 mL (1 tasse) de courgette non pelée râpée

180 mL (3/4 tasse) d'ananas broyés

10 mL (2 c. à thé) d'essence de vanille

180 mL (3/4 tasse) de farine à pâtisserie de blé complet

180 mL (3/4 tasse) de farine tout usage

180 mL (3/4 tasse) de Splenda® granulé

5 mL (1 c. à thé) de levure chimique

7,5 mL (1 1/2 c. à thé) de bicarbonate de sodium

7,5 mL (1 1/2 c. à thé) de cannelle

2,5 mL (1/2 c. à thé) de muscade

1,2 mL (1/4 c. à thé) de quatre-épices

80 mL (1/3 tasse) de noix de Grenoble hachées

PRÉPARATION :

1. Préchauffer le four à 175 °C (350 °F). Vaporiser un moule à pain de 23 sur 11,5 cm (9 po sur 5 po) d'un enduit pour cuisson.

2. Dans un bol moyen, fouetter le lait, les œufs, l'huile, la courgette, l'ananas et l'essence de vanille.

3. Dans un grand bol combiner les farines, le Splenda®, la levure chimique, le bicarbonate de sodium, les épices et les noix. Mélanger. Faire un puits au centre des ingrédients secs et y verser le mélange liquide. Mélanger délicatement à l'aide d'une grosse cuillère ou d'une spatule.

4. Déposer la pâte à la cuillère dans le moule préparé. Lisser la surface.

5. Faire cuire de 35 à 40 minutes ou jusqu'à ce qu'un cure-dent au centre en ressorte propre. Laisser refroidir sur une grille de 10 à 15 minutes, puis démouler.

NOTES :

J'utilise les deux farines en parts égales afin d'obtenir un pain éclair santé, mais léger. Vous pouvez changer les quantités, mais sachez que la farine de blé complet produit un pain plus dense (et plus riche en fibres), alors que la farine tout usage a l'effet contraire.

PAR PORTION :

Calories : 140	Gras : 7 g (0,5 g saturés)
Glucides : 16 g	Fibres : 2 g
Protéines : 4 g	Sodium : 200 mg

Valeur de choix d'aliments pour le diabète =
1 choix de glucides, 1 choix de gras
Points WW = 3 points

Pain aux bananes santé

12 portions

Ce pain aux bananes est incroyablement sucré, dense et moelleux. Il s'emballe bien et fait un ajout savoureux à toute boîte repas.

INGRÉDIENTS :

330 mL (1 1/3 tasse) de bananes écrasées (environ 3 bananes mûres moyennes)

60 mL (1/4 tasse) de babeurre allégé

250 mL (1 tasse) de farine tout usage

125 mL (1/2 tasse) de farine à pâtisserie de blé complet

5 mL (1 c. à thé) de bicarbonate de sodium

2,5 mL (1/2 c. à thé) de levure chimique

60 mL (4 c. à soupe) de margarine

30 mL (2 c. à soupe) de pruneaux en purée

7,5 mL (1 1/2 c. à thé) d'essence de vanille

180 mL (3/4 tasse) de Splenda® granulé

1 œuf

PRÉPARATION :

1. Préchauffer le four à 175 °C (350 °F). Vaporiser un moule à pain de 23 sur 11,5 cm (9 po sur 5 po) ou deux petits moules de 15 sur 9 cm (6 sur 3 1/2 po) d'un enduit pour cuisson.

2. Écraser les bananes dans un petit bol, à la main ou au batteur électrique. Ajouter le babeurre. Réserver. Dans un bol moyen, tamiser les farines, la levure chimique et le bicarbonate de sodium. Réserver.

3. Dans un grand bol, défaire la margarine en crème au batteur électrique à vitesse moyenne. Ajouter les pruneaux en purée et bien battre. Incorporer l'essence de vanille et le Splenda®, puis l'œuf. À très faible vitesse, ajouter en alternant le mélange de bananes et le mélange de farine, en commençant par la moitié de la farine. Mélanger afin de bien incorporer.

4. Déposer la pâte dans le ou les moules préparés. Lisser la surface.

5. Faire cuire de 25 à 45 minutes pour le grand moule à pain ou de 30 à 35 minutes pour les deux petits moules ou jusqu'à ce qu'un cure-dent inséré au centre en ressorte propre. Laisser refroidir de 10 à 15 minutes sur une grille, puis démouler.

PAR PORTION :

Calories : 130	Gras : 4 g (1 g saturés)
Glucides : 21 g	Fibres : 2 g
Protéines : 3 g	Sodium : 170 mg

Valeur de choix d'aliments pour le diabète =
1 choix de glucides, 1/2 choix de fruits,
1 choix de gras
Points WW = 3 points

NOTES :

Les fruits en purée confèrent de la moiteur aux pains éclair sans gras. En outre, les bananes sont une excellente source de potassium.

Pain aux bananes méditerranéen

12 portions

Étonnamment, ce pain aux bananes est confectionné avec de l'huile d'olive. Soyez sans inquiétude : le goût de l'huile d'olive disparaît à la cuisson, mais ses bienfaits pour la santé, eux, restent. Ce pain est facile à préparer et ne requiert que quelques ingrédients de base en plus de vous débarrasser de vos bananes trop mûres.

INGRÉDIENTS :

375 mL (1 1/2 tasse) de bananes écrasées (environ 4 bananes moyennes ou 3 grosses)

60 mL (1/4 tasse) d'huile d'olive

2 gros œufs

7,5 mL (1 1/2 c. à thé) d'essence de vanille

500 mL (2 tasses) de farine tout usage

250 mL (1 tasse) de Splenda® granulé

7,5 mL (1 1/2 c. à thé) de bicarbonate de sodium

PRÉPARATION :

1. Préchauffer le four à 175 °C (350 °F). Vaporiser un moule à pain de 23 sur 11,5 cm (9 po sur 5 po) d'un enduit pour cuisson.

2. Dans un bol moyen, battre au batteur électrique les bananes et l'huile d'olive. Ajouter les œufs et l'essence de vanille. Bien combiner les ingrédients. Réserver.

3. Dans un grand bol, combiner la farine, le Splenda® et le bicarbonate de sodium. Mélanger et faire un puits. Y verser le mélange de bananes et brasser juste assez pour mouiller.

4. Déposer la pâte dans le moule préparé. Lisser la surface.

5. Faire cuire de 45 à 55 minutes ou jusqu'à ce qu'un cure-dent inséré au centre en ressorte propre. Laisser refroidir sur une grille de 10 à 15 minutes, puis démouler.

> **NOTES :**
>
> L'huile d'olive extra vierge subit peu de traitements et a donc une saveur d'olive prononcée. Les versions régulière et allégée, plus raffinées, ont une saveur et une couleur plus douces. Cependant, toutes les huiles d'olive ont la même valeur nutritive.

PAR PORTION :

Calories : 160	Gras : 6 g (1 g saturés)
Glucides : 24 g	Fibres : 2 g
Protéines : 3 g	Sodium : 170 mg

Valeur de choix d'aliments pour le diabète =
1 choix de glucides, 1/2 choix de fruits,
1 choix de gras
Points WW = 3 points

Pain du goûter aux canneberges et à l'orange

12 portions

La combinaison classique de canneberges et d'orange fait de ce pain un favori des fêtes qu'on aime manger toute l'année. Avec sa glace à l'orange et sa mie orangée piquée du rouge vif des canneberges, on aime le donner et le manger.

INGRÉDIENTS :

PÂTE

125 mL (1/2 tasse) de jus d'orange allégé

80 mL (1/3 tasse) de lait allégé

45 mL (3 c. à soupe) d'huile de canola

1 gros œuf + 1 blanc d'œuf

15 mL (1 c. à soupe) de zeste d'orange (zeste de 1 orange)

5 mL (1 c. à thé) d'essence de vanille

500 mL (2 tasses) de farine tout usage

250 mL (1 tasse) de Splenda® granulé

10 mL (2 c. à thé) de levure chimique

2,5 mL (1/2 c. à thé) de bicarbonate de sodium

1,2 mL (1/4 c. à thé) de sel

330 mL (1 1/3 tasse) de canneberges hachées

GLACE

60 mL (1/4 tasse) de jus d'orange

60 mL (1/4 tasse) de Splenda® granulé

PRÉPARATION :

1. Préchauffer le four à 175 °C (350 °F). Vaporiser un moule à pain de 23 sur 11,5 cm (9 po sur 5 po) d'un enduit pour cuisson.

2. Pâte : dans un bol moyen, mélanger le jus d'orange, le lait, l'huile, les œufs, le zeste et l'essence de vanille. Réserver.

3. Dans un grand bol, combiner la farine, le Splenda®, la levure chimique, le bicarbonate de sodium, le sel et les canneberges. Mélanger. Faire un puits au centre des ingrédients secs puis y verser le mélange liquide. Brasser juste assez pour mouiller.

4. Déposer la pâte à la cuillère dans le moule préparé. Lisser la surface.

5. Faire cuire 50 minutes ou jusqu'à ce qu'une sonde à gâteau ou un cure-dent inséré au centre en ressorte propre.

6. Glace : pendant la cuisson du pain, combiner le Splenda® et le jus d'orange dans une petite casserole. Chauffer à feu moyen et réduire de moitié. Au moyen d'un pinceau à pâtisserie, badigeonner le liquide sur le pain éclair chaud à sa sortie du four. Laisser refroidir sur une grille 15 minutes, puis démouler.

Idée-cadeau : préparer 2 ou 3 pains éclair dans de petits moules remplis aux 2/3. Faire cuire de 30 à 35 minutes.

PAR PORTION :

Calories : 140	Gras : 4 g (0 g saturés)
Glucides : 22 g	Fibres : 1 g
Protéines : 3 g	Sodium : 170 mg

Valeur de choix d'aliments pour le diabète =
1 1/2 choix de glucides, 1 choix de gras
Points WW = 3 points

NOTES :

Les canneberges se congèlent très bien. Achetez-en lors des soldes d'Action de grâces et stockez-les au congélateur. Vous en aurez à la portée de la main pour confectionner ce pain en tout temps.

Pain au chocolat

12 portions

Voici un petit déjeuner/goûter pour les amateurs de chocolat. Une fois refroidi, ce pain éclair se coupe facilement en tranches. Vous pouvez le manger nature ou encore le chauffer et le recouvrir de l'une des garnitures au fromage à la crème de la section « Délices sucrés ». Emballez bien le pain (s'il en reste) pour éviter qu'il sèche.

INGRÉDIENTS :

60 mL (1/4 tasse) de margarine ramollie

60 mL (1/4 tasse) de cassonade

180 mL (3/4 tasse) de Splenda® granulé

1 gros œuf

2 blancs d'œufs

125 mL (1/2 tasse) de compote de pommes

5 mL (1 c. à thé) d'essence de vanille

375 mL (1 1/2 tasse) de farine tout usage

125 mL (1/2 tasse) de cacao alcalinisé

5 mL (1 c. à thé) de levure chimique

3,7 mL (3/4 c. à thé) de bicarbonate de sodium

180 mL (3/4 tasse) de yaourt nature allégé

PRÉPARATION :

1. Préchauffer le four à 175 °C (350 °F). Vaporiser un moule à pain de 23 sur 11,5 cm (9 po sur 5 po) d'un enduit pour cuisson.

2. Dans un grand bol, au batteur électrique, battre la margarine et la cassonade. Ajouter le Splenda® puis les œufs. À faible vitesse, incorporer la compote de pommes et l'essence de vanille.

3. Dans un bol moyen, combiner la farine, le cacao, la levure chimique et le bicarbonate de sodium. À l'aide d'une grosse cuillère ou d'une spatule, incorporer la moitié du yaourt, suivie de la moitié de la farine. Répéter et brasser délicatement. Ne pas trop mélanger.

4. Déposer la pâte à la cuillère dans le moule préparé. Lisser la surface.

5. Faire cuire de 50 à 55 minutes ou jusqu'à ce qu'un cure-dent inséré au centre en ressorte propre. Laisser refroidir sur une grille de 10 à 15 minutes, puis démouler.

PAR PORTION :

Calories : 150
Glucides : 22 g
Protéines : 5 g

Gras : 4,5 g (1 g saturés)
Fibres : 2 g
Sodium : 190 mg

Valeur de choix d'aliments pour le diabète =
1 1/2 choix de glucides, 1 choix de gras
Points WW = 3 points

Pain aux amandes, aux graines de pavot et à la crème aigre (sure)

12 portions

Je ne sais jamais quelle recette émoustillera le plus les papilles gustatives des gens. Celle-ci a fait de l'effet à un bon nombre de personnes. La texture de ce pain rappelle celle d'un gâteau qui fond dans la bouche. Une tranche recouverte de baies fraîches fait d'ailleurs un fabuleux dessert.

INGRÉDIENTS :

60 mL (1/4 tasse) de margarine ramollie

250 mL (1 tasse) de Splenda® granulé

1 gros œuf + 2 blancs d'œufs

80 mL (1/3 tasse) de compote de pommes sans sucre

250 mL (1 tasse) de crème aigre (sure) allégée

30 mL (2 c. à soupe) de graines de pavot

Zeste de 1 citron

5 mL (1 c. à thé) d'essence d'amande

2,5 mL (1/2 c. à thé) d'essence de vanille

500 mL (2 tasses) de farine tout usage

5 mL (1 c. à thé) de levure chimique

5 mL (1 c. à thé) de bicarbonate de sodium

PRÉPARATION :

1. Préchauffer le four à 175 °C (350 °F). Vaporiser un moule à pain de 23 sur 11,5 cm (9 sur 5 po) d'un enduit pour cuisson.

2. Dans un grand bol, battre en crème la margarine et le Splenda® au batteur électrique. Ajouter l'œuf et les blancs d'œufs. À faible vitesse, incorporer la compote de pommes, la crème aigre (sure), les graines de pavot, le zeste de citron et les essences.

3. Dans un bol, combiner la farine, la levure chimique et le bicarbonate de sodium. À l'aide d'une grosse cuillère ou d'une spatule, incorporer le mélange de farine dans le mélange de graines de pavot, sans trop mélanger.

4. Déposer la pâte à la cuillère dans le moule préparé. Lisser la surface.

5. Faire cuire 45 minutes ou jusqu'à ce qu'une sonde à gâteau ou un cure-dent inséré au centre en ressorte propre. Laisser refroidir sur une grille 15 minutes, puis démouler.

NOTES :

Les graines de pavot semblent noires, mais si on regarde de plus près, elles ressemblent à de petits haricots bleu ardoise. Même s'il est difficile de les compter, on dit qu'il en faut 900 000 pour faire 450 g (1 lb).

PAR PORTION :

Calories : 170   Gras : 8 g (2 g saturés)
Glucides : 19 g   Fibres : 1 g
Protéines : 5 g   Sodium : 180 mg

Valeur de choix d'aliments pour le diabète =
1 1/2 choix de glucides, 2 choix de gras
Points WW = 4 points

Pain irlandais au bicarbonate de sodium

12 portions

J'ai commencé à élaborer cette recette une semaine avant la Saint-Patrick, alors que ma belle-mère irlandaise devait nous rendre visite. Une version était trop foncée, une autre, trop sèche. Le matin du grand jour, cependant, j'ai fait un dernier essai et le soir même, ma belle-mère a repris de mon pain en déclarant qu'il était « parfait ».

INGRÉDIENTS :

625 mL (2 1/2 tasses) de farine tout usage

80 mL (1/3 tasse) de Splenda® granulé

7,5 mL (1 1/2 c. à thé) de levure chimique

2,5 mL (1/2 c. à thé) de bicarbonate de sodium

2,5 mL (1/2 c. à thé) de sel

10 mL (2 c. à thé) de graines de carvi broyées

30 mL (2 c. à soupe) de beurre

80 mL (1/3 tasse) de raisins de Corinthe

Près de 250 mL (1 tasse) de babeurre

15 mL (1 c. à soupe) de lait (pour badigeonner)

PRÉPARATION :

1. Préchauffer le four à 190 °C (375 °F). Vaporiser un moule à gâteau rond de 20 cm (8 po) d'un enduit pour cuisson.

2. Dans un bol moyen, combiner la farine, le Splenda®, la levure chimique, le bicarbonate de sodium, le sel et les graines de carvi. Remuer.

3. Couper le beurre dans le mélange sec jusqu'à consistance grumeleuse. Incorporer les raisins secs. Ajouter le babeurre et remuer. La pâte doit former une boule (molle). Avec les mains enfarinées, placer la pâte sur une surface de travail légèrement enfarinée. Pétrir 1 minute. Former une miche ronde à base plate, d'environ 15,5 cm (6 1/4 po).

4. Enfoncer dans la pâte les raisins secs qui font saillie ou les enlever, sinon ils brûleront durant la cuisson. Badigeonner de lait le dessus de la miche. Cela aidera à faire dorer la pâte.

5. Déposer la pâte dans le moule préparé. Tailler un X d'environ 0,5 cm (1/4 po) sur le dessus de la miche, au centre, à l'aide d'un couteau tranchant.

6. Faire cuire de 30 à 35 minutes ou jusqu'à doré, ou jusqu'à ce qu'une sonde à gâteau ou un cure-dent inséré au centre en ressorte propre.

PAR PORTION :

Calories : 135	Gras : 2,5 g (1,5 g saturés)
Glucides : 25 g	Fibres : 1 g
Protéines : 4 g	Sodium : 250 mg

Valeur de choix d'aliments pour le diabète =
1 1/2 choix de glucides, 1/2 choix de gras
Points WW = 3 points

Gâteau éclair à la noix de coco et aux amandes

9 portions

Ce gâteau pour le goûter est très facile à préparer. Léger et moelleux, il est fait à partir d'une préparation faible en gras. On le prépare en un seul bol, puis on le recouvre d'un délicieux mélange de noix de coco et d'amandes avant de le faire cuire. Ajoutez le journal du dimanche et un bon café... et le tour est joué !

INGRÉDIENTS :

375 mL (1 1/2 tasse) de mélange pour pâte tout usage faible en gras (Bisquick, É.-U.)

155 mL (1/2 tasse + 2 c. à soupe) de Splenda® granulé

2,5 mL (1/2 c. à thé) de levure chimique

160 mL (2/3 tasse) de lait allégé

1 gros œuf légèrement battu

15 mL (1 c. à soupe) d'huile de canola

2,5 mL (1/2 c. à thé) d'essence de vanille

90 mL (6 c. à soupe) de noix de coco râpée

15 mL (1 c. à soupe) de cassonade

45 mL (3 c. à soupe) d'amandes effilées

15 mL (1 c. à soupe) de margarine fondue

PRÉPARATION :

1. Préchauffer le four à 175 °C (350 °F). Vaporiser un moule à gâteau carré de 20 cm (8 po) d'un enduit pour cuisson.

2. Dans un grand bol, combiner la préparation pour cuisson, 125 mL (1/2 tasse) de Splenda® et la levure chimique. Incorporer le lait, l'œuf, l'huile et l'essence de vanille. Remuer jusqu'à consistance lisse. Déposer à la cuillère dans le moule préparé.

3. Dans un petit bol, combiner la noix de coco, 30 mL (2 c. à soupe) de Splenda®, la cassonade et les amandes. Incorporer la margarine et mélanger. Étaler ce mélange sur la pâte.

4. Faire cuire 20 minutes ou jusqu'à ce que le gâteau reprenne sa forme après une légère pression du doigt. Laisser refroidir sur une grille.

NOTES :

Le choix d'une préparation pour cuisson faible en gras est une astuce facile pour réduire l'apport en gras.

PAR PORTION :

Calories : 160   Gras : 7 g (2 g saturés)
Glucides : 20 g   Fibres : 1 g
Protéines : 3 g   Sodium : 270 mg

Valeur de choix d'aliments pour le diabète =
1 1/2 choix de glucides, 1 choix de gras
Points WW = 4 points

Gâteau aux miettes au babeurre et aux pacanes

8 portions

Mon époux adore les gâteaux pour le goûter couverts d'une garniture croustillante classique. Il doit toutefois s'en priver à cause de la grande quantité de beurre et de sucre qu'ils contiennent. Heureusement pour lui, mon gâteau aux miettes moelleux à garniture croquante est savoureux, tout en étant faible en gras et en sucre. Il peut donc en manger sans culpabilité.

INGRÉDIENTS :

PÂTE

180 mL (3/4 tasse) de babeurre

1 gros œuf

30 mL (2 c. à soupe) d'huile de canola

160 mL (2/3 tasse) de Splenda® granulé

5 mL (1 c. à thé) de zeste d'orange

2,5 mL (1/2 c. à thé) d'essence de vanille

375 mL (1 1/2 tasse) de farine tout usage

7,5 mL (1 1/2 c. à thé) de levure chimique

2,5 mL (1/2 c. à thé) de bicarbonate de sodium

2,5 mL (1/2 c. à thé) de cannelle

1,2 mL (1/4 c. à thé) de muscade

1,2 mL (1/4 c. à thé) de sel

GARNITURE

60 mL (1/4 tasse) de pacanes

60 mL (1/4 tasse) de farine tout usage

30 mL (2 c. à soupe) de cassonade

30 mL (2 c. à soupe) de Splenda® granulé

15 mL (1 c. à thé) de beurre fondu

2,5 mL (1/2 c. à thé) de cannelle

PRÉPARATION :

1. Préchauffer le four à 175 °C (350 °F). Vaporiser un moule à gâteau rond de 20 cm (8 po) d'un enduit pour cuisson.

2. Pâte : dans un bol moyen, fouetter le babeurre, l'œuf, l'huile, le Splenda®, le zeste d'orange et l'essence de vanille. Réserver.

3. Dans un grand bol, combiner la farine, la levure chimique, le bicarbonate de sodium, les épices et le sel. Mélanger. Faire un puits au centre des ingrédients secs et y verser le mélange de babeurre. Brasser délicatement à la cuillère jusqu'à consistance lisse. Déposer la pâte à la cuillère dans le moule préparé.

4. Garniture : dans un petit bol, remuer les pacanes, la farine, la cassonade, le Splenda®, le beurre et la cannelle. Étaler sur la pâte à gâteau.

5. Faire cuire 25 minutes ou jusqu'à ce que le gâteau reprenne sa forme après une légère pression du doigt. Laisser refroidir sur une grille.

> **NOTES :**
>
> Le gâteau aux miettes classique peut facilement fournir plus de 500 calories et 25 g de gras par portion.

PAR PORTION :

Calories : 195	Gras : 6 g (2 g saturés)
Glucides : 28 g	Fibres : 1 g
Protéines : 5 g	Sodium : 200 mg

Valeur de choix d'aliments pour le diabète =
2 choix de glucides, 1 choix de gras
Points WW = 4 points

Gâteau aux épices

8 portions

Ce gâteau pour le goûter tendre et léger pourrait bien devenir le classique de votre prochain Noël. Il a le bon goût du pain d'épices traditionnel sans être trop sucré. C'est une gâterie agréable après une journée passée à faire les courses de Noël.

INGRÉDIENTS :

250 mL (1 tasse) de farine tout usage tamisée

140 mL (1/2 tasse + 1 c. à soupe) de Splenda® granulé

8.7 mL (1 3/4 c. à thé) de cannelle

3,7 mL (3/4 c. à thé) de muscade

1,2 mL (1/4 c. à thé) de quatre-épices

60 mL (4 c. à soupe) de margarine

3,7 mL (3/4 c. à thé) de levure chimique

2,5 mL (1/2 c. à thé) de bicarbonate de sodium

125 mL (1/2 tasse) de babeurre

25 mL (1 c. à soupe + 2 c. à thé) de mélasse

1 gros œuf légèrement battu

PRÉPARATION :

1. Préchauffer le four à 175 °C (350 °F). Vaporiser un moule à gâteau rond de 20 cm (8 po) d'un enduit pour cuisson.

2. Dans un grand bol, combiner la farine et 125 mL (1/2 tasse) de Splenda®, 3,7 mL (3/4 c. à thé) de cannelle, le gingembre et le quatre-épices. Couper la margarine à l'aide d'un coupe-pâte ou d'une fourchette jusqu'à consistance grumeleuse. Réserver 80 mL (1/3 tasse) du mélange.

3. Au mélange de farine, ajouter la levure chimique, le bicarbonate de sodium, le babeurre, la mélasse et l'œuf. Battre à la cuillère ou au batteur électrique à faible vitesse jusqu'à consistance lisse. Déposer la pâte à la cuillère dans le moule préparé.

4. Incorporer la dernière cuillerée de Splenda® et 5 mL (1 c. à thé) de cannelle au mélange réservé. Étaler cette garniture sur le gâteau. Faire cuire 25 minutes ou jusqu'à ce que le gâteau reprenne sa forme après une légère pression du doigt. Laisser refroidir sur une grille.

NOTES :

Méfiez-vous des brioches à la cannelle du commerce, qui contiennent environ 700 calories, 34 g de gras et plus de 80 g de glucides. Cela équivaut à manger plus de la moitié de ce gâteau aux épices.

PAR PORTION :

Calories : 130	Gras : 6 g (1,5 g saturés)
Glucides : 17 g	Fibres : 0,5 g
Protéines : 3 g	Sodium : 200 mg

Valeur de choix d'aliments pour le diabète = 1 choix de glucides, 1 choix de gras
Points WW = 3 points

Gâteau aux miettes aux framboises et aux amandes

8 portions

Ce gâteau représente la perfection. M'inspirant d'une recette du magazine Cooking Light, j'ai revu ce délicieux gâteau aux miettes aux framboises et au fromage à la crème. Grâce à Splenda®, j'ai diminué la teneur en sucre à 3 g. Faites-le en pleine saison des framboises, quand vous disposez de temps pour l'assemblage. Vous verrez, il en vaut la peine.

INGRÉDIENTS :

250 mL (1 tasse) de farine tout usage tamisée

145 mL (1/2 tasse + 1 c. à soupe + 1 c. à thé) de Splenda® granulé

60 mL (4 c. à soupe) de margarine

30 mL (2 c. à soupe) d'amandes effilées

2 blancs d'œufs

5 mL (1 c. à thé) de levure chimique

3,7 mL (3/4 c. à thé) de bicarbonate de sodium

30 mL (2 c. à soupe) de lait allégé ou sans gras

5 mL (1 c. à thé) d'essence de vanille

2,5 mL (1/2 c. à thé) d'essence d'amande

60 mL (1/4 tasse) de fromage blanc (cottage) allégé

30 mL (2 c. à soupe) de fromage à la crème allégé en bol

60 mL (1/4 tasse) de confiture de framboises faible en sucre

125 mL (1/2 tasse) de framboises fraîches

PRÉPARATION :

1. Préchauffer le four à 175 °C (350 °F). Vaporiser un moule rond ou à charnière de 20 cm (8 po) d'un enduit pour cuisson.

2. Dans un grand bol, combiner la farine et 125 mL (1/2 tasse) de Splenda®. Couper la margarine à l'aide d'un coupe-pâte ou d'une fourchette jusqu'à consistance grumeleuse. Mettre de côté 90 mL (6 c. à soupe) du mélange dans un petit bol. Incorporer les amandes. Réserver.

3. Battre les blancs d'œufs dans un bol jusqu'à la formation de pics mous. Réserver.

4. Ajouter au mélange de farine la levure chimique, le bicarbonate de sodium, le lait et les essences. Mélanger bien à l'aide d'un batteur électrique à basse vitesse. Plier les blancs d'œufs dans l'appareil à l'aide d'une spatule ou d'une grosse cuillère, puis déposer la pâte dans le moule préparé.

5. Mettre le fromage blanc (cottage) en purée lisse dans un robot culinaire. Incorporer le fromage à la crème et le reste du Splenda®. Travailler de nouveau jusqu'à consistance épaisse et onctueuse. Étaler de façon égale sur la pâte. Parsemer le mélange de fromage de cuillerées de confiture et couvrir de framboises.

6. Saupoudrer enfin le mélange d'amandes sur tout le gâteau. Faire cuire 20 minutes ou jusqu'à ce que le gâteau reprenne sa forme après une légère pression du doigt. Laisser refroidir sur une grille.

PAR PORTION :

Calories : 140	Gras : 6 g (1,5 g saturés)
Glucides : 17 g	Fibres : 1 g
Protéines : 4 g	Sodium : 230 mg

Valeur de choix d'aliments pour le diabète = 1 choix de glucides, 1 choix de gras

Points WW = 3 points

NOTES :

Pour monter des blancs d'œufs en neige, il faut utiliser un bol et des batteurs propres et non gras, et il ne doit y avoir aucune trace de jaune dans les blancs. Vous n'avez pas à laver les batteurs avant de travailler la pâte.

Gâteau facile à la cannelle

8 portions

Voici un autre gâteau pour le goûter facile à préparer, même sans batteur. En fait, il ne requiert que 30 minutes, du début de sa préparation à sa sortie du four. Cela vous laisse tout juste le temps de battre quelques œufs, de réchauffer du jambon et de dresser une assiette de fruits... votre petit déjeuner du dimanche est prêt.

INGRÉDIENTS :

375 mL (1 1/2 tasse) de farine tout usage

160 mL (2/3 tasse) de Splenda® granulé

2,5 mL (1/2 c. à thé) de levure chimique

60 mL (4 c. à soupe) de margarine

6,2 mL (1 1/4 c. à thé) de cannelle

160 mL (2/3 tasse) de babeurre

1 gros œuf

3,7 mL (3/4 c. à thé) de bicarbonate de sodium

22,5 mL (1 1/2 c. à soupe) de cassonade

PRÉPARATION :

1. Préchauffer le four à 175 °C (350 °F). Vaporiser un moule à gâteau rond ou carré de 20 cm (8 po) d'un enduit pour cuisson.

2. Dans un grand bol, combiner la farine, le Splenda® et la levure chimique. À l'aide d'un coupe-pâte ou d'une fourchette, couper la margarine jusqu'à consistance grumeleuse. Mettre de côté 45 mL (3 c. à soupe) du mélange dans un petit bol. Réserver.

3. Mettre la farine dans un grand bol et ajouter 2,5 mL (1/2 c. à thé) de cannelle. Mesurer le babeurre dans une grande tasse graduée. Incorporer en fouettant l'œuf et le bicarbonate de sodium. Verser sur les ingrédients secs et remuer à l'aide d'une grosse cuillère, juste assez pour mouiller. Déposer la pâte à la cuillère dans le moule préparé.

4. Combiner 3,7 mL (3/4 c. à thé) de cannelle et la cassonade dans un petit bol. Mélanger et saupoudrer sur la pâte. Faire cuire de 20 à 22 minutes ou jusqu'à ce le gâteau reprenne sa forme après une légère pression du doigt. Laisser refroidir sur une grille.

PAR PORTION :

Calories : 165   Gras : 6 g (1 g saturés)
Glucides : 23 g   Fibres : 0 g
Protéines : 4 g   Sodium : 210 mg

Valeur de choix d'aliments pour le diabète =
1 1/2 choix de glucides, 1 choix de gras
Points WW = 4 points

Gâteau aux miettes de type smores

9 portions

Ce gâteau aux miettes est un régal en après-midi. Mes enfants en raffolent, et beaucoup d'autres personnes également si je me fie aux nombreux courriels que j'ai reçus. La combinaison amusante de biscuits Graham et de pépites de chocolat sur le gâteau fait qu'on en veut toujours un peu plus. (Le terme américain « smore » est une contraction de « some more », qui signifie « un peu plus ».)

INGRÉDIENTS :

PÂTE

45 mL (3 c. à soupe) de margarine fondue

180 mL (3/4 tasse) de babeurre

1 gros œuf

5 mL (1 c. à thé) d'essence de vanille

180 mL (3/4 tasse) de Splenda® granulé

375 mL (1 1/2 tasse) de farine tout usage

7,5 mL (1 1/2 c. à thé) de levure chimique

2,5 mL (1/2 c. à thé) de bicarbonate de sodium

2,5 mL (1/2 c. à thé) de cannelle

GARNITURE

80 mL (1/3 tasse) de chapelure de biscuits Graham

60 mL (1/4 tasse) de Splenda® granulé

60 mL (1/4 tasse) de pépites de chocolat miniatures

10 mL (2 c. à thé) de sucre glace

PRÉPARATION :

1. Préchauffer le four à 175 °C (350 °F). Vaporiser un moule à gâteau carré de 20 cm (8 po) d'un enduit pour cuisson.

2. Pâte : dans un bol moyen, fouetter ensemble la margarine, le babeurre, l'œuf, l'essence de vanille et le Splenda®. Réserver.

3. Dans un grand bol, combiner la farine, la levure chimique, le bicarbonate de sodium et la cannelle. Mélanger. Faire un puits au centre des ingrédients secs et y verser le mélange de babeurre. Mélanger délicatement à l'aide d'une grosse cuillère jusqu'à consistance lisse, puis déposer dans le moule préparé.

4. Garniture : combiner la chapelure de biscuits Graham, le Splenda® et les pépites de chocolat. Saupoudrer sur la pâte.

5. Faire cuire 20 minutes ou jusqu'à ce que le gâteau reprenne sa forme après une légère pression du doigt.

6. Laisser refroidir un peu sur une grille. Saupoudrer de sucre glace.

NOTES :

Les enfants adorent cuisiner, surtout des gâteries comme celle-ci. Faire participer les enfants au choix et à la préparation d'aliments sains leur inculque de bonnes habitudes alimentaires pour la vie.

PAR PORTION :

Calories : 180	Gras : 7 g (2 g saturés)
Glucides : 24 g	Fibres : 1 g
Protéines : 4 g	Sodium : 240 mg

Valeur de choix d'aliments pour le diabète =
1 1/2 choix de glucide, 1 choix de gras
Points WW = 4 points

Trésor de myrtilles (bleuets)

9 portions

Voici un gâteau pour le goûter qui rehaussera votre prochain brunch. Regorgeant de myrtilles (bleuets), il repose sous une garniture Streusel au zeste d'orange qui scintille grâce à un soupçon de sucre. Faites-le au cœur de la saison des baies. Vos invités vous en remercieront.

INGRÉDIENTS :

PÂTE

375 mL (1 1/2 tasse) de farine tout usage tamisée

7,5 mL (1 1/2 c. à thé) de levure chimique

2,5 mL (1/2 c. à thé) de bicarbonate de sodium

125 mL (1/2 tasse) de Splenda ® granulé

250 mL (1 tasse) de myrtilles (bleuets)

30 mL (2 c. à soupe) d'huile de canola

1 gros œuf

180 mL (3/4 tasse) de babeurre

GARNITURE

80 mL (1/3 tasse) de farine tout usage

60 mL (1/4 tasse) de Splenda ® granulé

5 mL (1 c. à thé) de zeste d'orange

45 mL (3 c. à soupe) de beurre froid

10 mL (2 c. à thé) de sucre

PRÉPARATION :

1. Préchauffer le four à 175 °C (350 °F). Vaporiser un moule à gâteau carré de 20 cm (8 po) d'un enduit pour cuisson.

2. Pâte : dans un grand bol, combiner 375 mL (1 1/2 tasse) de farine tout usage, la levure chimique et le bicarbonate de sodium. Remuer. Incorporer 125 mL (1/2 tasse) de Splenda ® et les myrtilles (bleuets).

3. Dans un petit bol, fouetter l'huile, l'œuf et le babeurre. Faire un puits au centre des ingrédients secs et y verser le mélange de babeurre. Brasser juste assez pour mouiller. Déposer la pâte à la cuillère dans le moule préparé.

4. Garniture : dans un autre petit bol, combiner 80 mL (1/3 tasse) de farine, 60 mL (1/4 tasse) de Splenda ® et le zeste d'orange. Y couper le beurre jusqu'à consistance grumeleuse. Saupoudrer la garniture sur la pâte, puis saupoudrer de sucre.

5. Faire cuire de 20 à 23 minutes ou jusqu'à ce que le gâteau reprenne sa forme après une légère pression du doigt. Laisser refroidir sur une grille.

NOTES :

Un peu de sucre ainsi étalé sur le gâteau ajoute beaucoup de saveur, mais seulement 1 g de glucides par portion.

PAR PORTION :

Calories : 160	Gras : 4,5 g (1 g saturés)
Glucides : 26 g	Fibres : 2 g
Protéines : 4 g	Sodium : 190 mg

Valeur de choix d'aliments pour le diabète =
1 1/2 choix de glucides, 1 choix de gras
Points WW = 3 points

Gâteau Streusel à la cannelle

16 portions

Voici le roi des gâteaux pour le goûter. Sa garniture Streusel au centre et sur le dessus en fait un succès, avec raison. La recette originale contient un ou deux bâtonnets de beurre, de la crème aigre (sure), du sucre et des noix. Il est clair que du travail m'attendait. Néanmoins, j'ai réussi à créer le chef-d'œuvre que j'espérais. Enveloppez tout reste pour préserver la moiteur du gâteau. Moins de gras signifie un durcissement plus rapide.

INGRÉDIENTS :

STREUSEL

160 mL (2/3 tasse) de chapelure de biscuits Graham

160 mL (2/3 tasse) de Splenda® granulé

80 mL (1/3 tasse) de noix hachées

30 mL (2 c. à soupe) de cannelle

15 mL (1 c. à soupe) d'huile de canola

15 mL (1 c. à soupe) de cassonade

PÂTE

750 mL (3 tasses) de farine à pâtisserie

15 mL (1 c. à soupe) de levure chimique

3,7 mL (3/4 c. à thé) de bicarbonate de sodium

80 mL (1/3 tasse) de margarine

330 mL (1 1/3 tasse) de Splenda® granulé

1 gros œuf

4 blancs d'œufs

10 mL (2 c. à thé) d'essence de vanille

125 mL (1/2 tasse) de compote de pommes sans sucre

375 mL (1 1/2 tasse) de crème aigre (sure) allégée

PAR PORTION :

Calories : 195   Gras : 8,5 g (3 g saturés)
Glucides : 24 g   Fibres : 1 g
Protéines : 5 g   Sodium : 250 mg

Valeur de choix d'aliments pour le diabète =
1 1/2 choix de glucides, 1 1/2 choix de gras
Points WW = 4 points

PRÉPARATION :

1. Préchauffer le four à 175 °C (350 °F). Vaporiser un moule à cheminée (à gâteau des anges) de 25 cm (10 po) de diamètre d'un enduit pour cuisson.

2. Streusel : dans un bol moyen, combiner tous les ingrédients sauf l'huile et la cassonade. Réserver.

3. Pâte : tamiser dans un bol moyen la farine à pâtisserie, la levure chimique et le bicarbonate de sodium. Réserver.

4. Dans un grand bol, battre la margarine en crème au batteur électrique. Incorporer le Splenda®, puis l'œuf et continuer de battre jusqu'à consistance lisse. Ajouter les blancs d'œufs et l'essence de vanille. Mélanger légèrement pour combiner (la texture sera grumeleuse). Incorporer la compote de pommes, puis le mélange de farine. Battre à basse vitesse jusqu'à consistance lisse. Ajouter la crème aigre (sure) et bien mélanger.

5. Déposer à la cuillère la moitié de la pâte dans le moule préparé. Égaliser la surface avec le dos de la cuillère. Saupoudrer la moitié de la garniture Streusel sur la pâte, puis recouvrir délicatement du reste de la pâte. (Vaporiser le dos de la cuillère d'un enduit pour cuisson pour plus de facilité.)

6. Ajouter l'huile et la cassonade à ce qui reste de garniture. Saupoudrer ce mélange sur le gâteau.

7. Faire cuire de 35 à 40 minutes ou jusqu'à ce qu'un cure-dent inséré au centre en ressorte propre. Laisser refroidir sur une grille.

Salades à couper le souffle
en accompagnement ou en plat principal

Salade de chou aigre-douce

Salade de chou crémeuse

Salade de chou Waldorf

Salade de chou asiatique aux cacahuètes (arachides)

Salade sept étages à l'ancienne

Salade de brocoli fraîche et croquante

Salade crémeuse aux carottes et aux raisins secs

Salade aux trois haricots

Salade du Sud-Ouest au maïs et aux haricots noirs

Salade crémeuse de concombre à l'aneth

Salade de concombre à l'orientale

Salade de cœurs de palmier à la grecque

Salade italienne sucrée à la tomate

Salade de courgettes aigre-douce

Salade de laitue romaine et d'oranges

Salade d'oignons rouges et de betteraves marinées

Gelée étagée à l'orange et à l'ananas

Gelée des fêtes aux canneberges

Taboulé

Salade d'épinards et de mandarines

Salade d'épinards avec vinaigrette chaude au bacon

Plat principal

Salade de bœuf à la thaïlandaise

Salade chinoise au poulet

Salade à l'avocat et au poulet rôti

Nous avons l'impression que les salades sont bonnes pour la santé, mais bon nombre de leurs ingrédients, comme la mayonnaise, l'huile, le fromage, le bacon, les noix, les croûtons et le sucre, bien sûr, nous contredisent. Même si à la base une salade contient de la laitue et quelques légumes, ces derniers sont souvent enterrés sous des ajouts moins santé. En fait, avec les miettes de bacon, les noix, le fromage, les vinaigrettes et autres éléments qu'on y met, une salade peut représenter – eh oui – plus de 1 000 calories.

J'ai voulu faire autrement en recréant ces salades que nous aimons, mais avec moins de gras, de sucre et de calories. Je vous propose deux douzaines de salades qui vous combleront. Vous aurez l'embarras du choix en matière de salades de chou – de la salade de chou aigre-douce à la salade de chou asiatique aux cacahuètes (arachides) –, idéales pour les réceptions. Elles sont particulièrement appréciées avec les grillades des jours d'été, que vous soyez responsable du gril ou de la dégustation.

Vous découvrirez des versions révisées des classiques des épiceries fines, comme la salade de brocoli fraîche et croquante, la salade classique aux trois haricots et la salade crémeuse aux carottes et aux raisins secs, qui vous permettront de les manger à nouveau. De même, j'ai retravaillé certaines salades classiques du dîner, notamment la salade d'épinards avec vinaigrette chaude au bacon, plus savoureuse que jamais, et la salade crémeuse de concombre à l'aneth nappée de crème aigre (sure) onctueuse.

Et si vous souhaitez goûter des gelées à base de Splenda®, vous adorerez ma gelée étagée à l'orange et à l'ananas.

Enfin, pour tous les grands amateurs de salades (dont je fais partie), j'inclus trois salades à servir comme plat principal, dont ma préférée, la salade de bœuf à la thaïlandaise.

Salade de chou aigre-douce

8 portions

Quand je pense pique-nique, je pense salades de chou, ces bonnes salades à base de chou râpé. Pourquoi ? Elles sont faciles à faire (même pour un grand nombre de personnes) et, plus important, elles sont faciles à transporter. Voici l'une de mes favorites – utilisez du chou vert et du chou rouge pour lui donner de la couleur et remuez le tout avec la vinaigrette aigre-douce.

INGRÉDIENTS :

1,5 L (6 tasses) de chou vert râpé (chou de 675 g ou de 1 1/2 livre environ)

500 mL (2 tasses) de chou rouge râpé

250 mL (1 tasse) de carotte râpée (avec une râpe à gros trous)

1/2 oignon doux

60 mL (1/4 tasse) de persil (ou de coriandre) haché

60 mL (1/4 tasse) de vinaigre de cidre

45 mL (3 c. à soupe) de Splenda® granulé (ou 4 sachets de Splenda®)

45 mL (3 c. à soupe) d'huile d'olive vierge

15 mL (1 c. à soupe) de moutarde onctueuse (moutarde de Dijon)

10 mL (2 c. à thé) de graines de céleri

2,5 mL (1/2 c. à thé) d'ail haché fin

2,5 mL (1/2 c. à thé) de sel

Poivre au goût

PRÉPARATION :

1. Déposer le chou et la carotte dans un grand saladier.

2. Couper l'oignon en quartiers, puis en fines tranches afin d'obtenir de minces lamelles. Déposer dans le saladier. Ajouter le persil et remuer.

3. Dans un petit bol, fouetter ensemble les ingrédients restants. Verser sur la salade et remuer. Refroidir avant de servir.

NOTES :

Pour une salade de belle apparence, taillez le chou au couteau plutôt qu'au robot culinaire. Retirez les feuilles extérieures et coupez le chou en deux, puis chaque moitié en deux afin d'obtenir quatre quartiers. À l'aide d'un long couteau tranchant, retirez le cœur du chou. Taillez le chou en juliennes sur une planche à découper.

PAR PORTION DE 250 mL (1 TASSE) :

Calories : 70	Gras : 5 g (0,5 g saturés)
Glucides : 7 g	Fibres : 2 g
Protéines : 1 g	Sodium : 180 mg

Valeur de choix d'aliments pour le diabète =
1 choix de légumes, 1 choix de gras
Points WW = 1 point

Salade de chou crémeuse

8 portions

Cette salade rappelle la salade de chou crémeuse de la chaîne de restaurants PFK (KFC aux É.-U.). La différence se trouve non dans le goût, mais dans le fait que ma recette contient la moitié du gras de celle du colonel.

INGRÉDIENTS :

2 L (8 tasses) de chou râpé

1 carotte moyenne râpée

90 mL (6 c. à soupe) de mayonnaise allégée

90 mL (6 c. à soupe) de crème aigre (sure) allégée

60 mL (1/4 tasse) de lait allégé

60 mL (1/4 tasse) de Splenda® granulé

30 mL (2 c. à soupe) de vinaigre

15 mL (1 c. à soupe) de jus de citron

5 mL (1 c. à thé) de raifort préparé

1,2 mL (1/4 c. à thé) de sel ou plus

PRÉPARATION :

1. Déposer le chou et la carotte dans un grand saladier. Réserver.

2. Dans un petit bol, fouetter ensemble les ingrédients restants et verser sur la salade. Remuer.

3. Faire refroidir au moins 2 heures pour que les saveurs imprègnent le chou.

NOTES :

Cette salade de chou est une excellente source de vitamines A et C.

PAR PORTION DE 180 mL (3/4 TASSE) :

Calories : 80	Gras : 4,5 g (0,5 g saturés)
Glucides : 8 g	Fibres : 2 g
Protéines : 1 g	Sodium : 210 mg

Valeur de choix d'aliments pour le diabète =
1 choix de légumes, 1 choix de gras
Points WW = 2 points

Salade de chou Waldorf

6 portions

La salade Waldorf est une création de l'hôtel Waldorf-Astoria de New York qui remonte à la fin des années 1890. La salade contenait simplement des pommes, du céleri et de la mayonnaise. Je me suis inspirée de cette recette pour mettre au point une version qui comporte beaucoup moins de glucides et de gras. J'aime surtout sa texture croquante ainsi que le coup d'œil produit par la présence de chou rouge.

INGRÉDIENTS :

500 mL (2 tasses) de chou rouge râpé*

250 mL (1 tasse) de pommes pelées en dés

250 mL (1 tasse) de céleri en dés

80 mL (1/3 tasse) de noix de Grenoble hachées

75 mL (5 c. à soupe) de mayonnaise allégée

90 mL (6 c. à soupe) de yaourt nature allégé

15 mL (1 c. à soupe) de Splenda® granulé (ou 2 sachets de Splenda®)

1,2 mL (1/4 c. à thé) de sel

PRÉPARATION :

1. Déposer le chou, les pommes, le céleri et les noix dans un grand saladier.

2. Dans un petit bol, fouetter ensemble les ingrédients restants et verser sur la salade. Réfrigérer avant de servir.

* Voir la page 137 pour des astuces sur la façon de préparer le chou.

NOTES :

Le chou rouge procure plus que de la couleur et du croquant à cette salade. Il apporte des fibres, deux fois plus de vitamine C que le chou vert et des phytochimiques reconnus pour prévenir le cancer.

PAR PORTION DE 180 mL (3/4 TASSE) :

Calories : 100	Gras : 8 g (1 g saturés)
Glucides : 8 g	Fibres : 2 g
Protéines : 2 g	Sodium : 190 mg

Valeur de choix d'aliments pour le diabète =
1 choix de légumes, 1 1/2 choix de gras
Points WW = 2 points

Salade de chou asiatique aux cacahuètes (arachides)

5 portions

Chaque fois que j'apporte cette salade à un pique-nique ou à une soirée, on me demande la recette. Elle n'a rien d'une salade de chou classique, mais elle est incroyablement savoureuse, surtout pour les amateurs de beurre de cacahuètes (arachides). Sa touche orientale en fait un bon accompagnement pour les poissons ou les viandes, y compris les « hamburgers » et les « hot dogs » populaires en Amérique du Nord.

INGRÉDIENTS :

1,25 L (5 tasses) de chou vert râpé* (chou de 450 g ou 1 lb)

80 mL (1/3 tasse) d'oignons verts coupés à la diagonale

1 carotte moyenne pelée et râpée

45 mL (3 c. à soupe) de vinaigre de riz naturel

37,5 mL (2 1/2 c. à soupe) de beurre de cacahuètes (d'arachides)

30 mL (2 c. à soupe) de Splenda® granulé (ou 3 sachets de Splenda®)

15 mL (1 c. à soupe) de cassonade

10 mL (2 c. à thé) de sauce soja légère

10 mL (2 c. à thé) d'huile de sésame

15 mL (1 c. à soupe) d'eau

0,5 mL (1/8 c. à thé) de flocons de piments rouges (ou au goût)

37,5 mL (2 1/2 c. à soupe) de cacahuètes (arachides) non salées comme garniture

Coriandre fraîche (facultatif comme garniture)

* Voir la page 137 pour des astuces sur la façon de préparer le chou.

PRÉPARATION :

1. Déposer le chou, les oignons verts et la carotte dans un grand saladier.

2. Dans un petit bol, fouetter vigoureusement les ingrédients restants jusqu'à consistance lisse.

3. Verser la vinaigrette sur le chou et remuer. (Il est préférable de servir la salade moins d'une heure après avoir ajouté la vinaigrette. Au besoin, apportez la vinaigrette dans un bol séparé et arrosez la salade le moment venu.)

4. Garnissez de cacahuètes (arachides) et de coriandre.

NOTES :

Doublez la recette pour un pique-nique. Déposez la salade garnie de coriandre dans un grand saladier. Les portions prévues sont généreuses, soit 250 mL (1 tasse). La recette doublée fournit de 12 à 16 portions dans un buffet.

PAR PORTION DE 250 mL (1 TASSE) :

Calories : 120	Gras : 8 g (1 g saturés)
Glucides : 11 g	Fibres : 3 g
Protéines : 4 g	Sodium : 120 mg

Valeur de choix d'aliments pour le diabète = 2 choix de légumes, 1 1/2 choix de gras
Points WW = 2 points

Salade sept étages à l'ancienne

6 portions

Un autre classique savoureux retrouvé dans mon classeur, cette salade croustillante et facile à emporter fait toujours plaisir. J'ai omis le fromage râpé et le bacon et j'ai inclus davantage de légumes frais et un soupçon de parmesan.

INGRÉDIENTS :

1 petite laitue pommée (iceberg)

1 gros poivron en dés

3 branches de céleri en dés

4 à 6 oignons verts hachés

250 mL (1 tasse) de pois surgelés

125 mL (1/2 tasse) de crème aigre (sure) allégée

125 mL (1/2 tasse) de mayonnaise allégée (Best Foods, Hellman's, É.-U.)

30 mL (2 c. à soupe) de Splenda® granulé

30 mL (2 c. à soupe) de fromage parmesan râpé

PRÉPARATION :

1. Dans un petit bol, mélanger la crème aigre (sure), la mayonnaise et le Splenda®. Réserver.

2. En commençant par la laitue et en terminant par les pois, étager les 5 premiers ingrédients dans un saladier en s'assurant qu'ils touchent les parois.

3. Verser la vinaigrette sur la salade et saupoudrer de fromage parmesan.

4. Couvrir et réfrigérer au moins 30 minutes ou toute la nuit.

NOTES :

Un saladier en verre clair aux parois droites permet de bien voir les étages de légumes. Une fois le montage terminé, recouvrez la salade d'une pellicule plastique et transportez-la sans problème.

PAR PORTION :

Calories : 140	Gras : 9 g (2,5 g saturés)
Glucides : 10 g	Fibres : 3 g
Protéines : 5 g	Sodium : 135 mg

Valeur de choix d'aliments pour le diabète =
2 choix de légumes, 2 choix de gras
Points WW = 3 points

Salade de brocoli fraîche et croquante

6 portions

Impossible de n'en prendre qu'une bouchée. Si vous avez déjà goûté à une telle salade, vous savez qu'on y devient tout simplement accro. Elle propose une combinaison parfaite de noix croquantes, de raisins secs et de brocoli craquant, le tout nappé d'une vinaigrette onctueuse. Vous manquez de temps ? Certains supermarchés vendent des sachets de fleurons de brocoli précoupés.

INGRÉDIENTS :

1 L (4 tasses) de fleurons de brocoli frais en bouchées

125 mL (1/2 tasse) de céleri haché

125 mL (1/2 tasse) d'oignon rouge en fines lamelles

80 mL (1/3 tasse) de raisins secs bien tassés

45 mL (3 c. à soupe) de vinaigre de cidre

30 mL (2 c. à soupe) de Splenda® granulé

80 mL (1/3 tasse) de mayonnaise allégée

45 mL (3 c. à soupe) de crème aigre (sure) allégée

60 mL (1/4 tasse) de graines de tournesol

30 mL (2 c. à soupe) de miettes de bacon (facultatifs; ajoutent 10 calories et 1 g de gras)

PRÉPARATION :

1. Dans un grand saladier, déposer le brocoli, le céleri, l'oignon rouge et les raisins secs. Remuer.

2. Dans un petit bol, fouetter le vinaigre, le Splenda®, la mayonnaise, la crème aigre (sure) et le bacon (si désiré).

3. Verser la vinaigrette sur le brocoli et les autres ingrédients ; remuer délicatement. Réfrigérer au moins 6 heures ou toute la nuit.

4. Saupoudrer de graines de tournesol avant de servir.

NOTES :

Le brocoli est un des « superaliments » d'aujourd'hui. Pourtant, la recette originale de cette recette n'a rien de super, avec ses 50 g de gras, ses 30 g de glucides (dont 25 provenant du sucre) et plus de 500 calories par portion.

PAR PORTION :

Calories : 130	Gras : 8 g (2 g saturés)
Glucides : 13 g	Fibres : 3 g
Protéines : 4 g	Sodium : 120 mg

Valeur de choix d'aliments pour le diabète =
1 choix de légumes, 1 1/2 choix de gras,
1/2 choix de fruits
Points WW = 3 points

Salade crémeuse aux carottes et aux raisins secs

5 portions

Mon éditrice m'a demandé cette recette. Il semble que ce bon vieux classique des épiceries fines fasse un retour dans sa région. Je suis plutôt d'avis qu'il n'a jamais disparu.

INGRÉDIENTS :

80 mL (1/3 tasse) de raisins secs

500 mL (2 tasses) de carottes pelées et râpées grossièrement (ou un sachet de 283 g (10 oz) de carottes râpées)

60 mL (1/4 tasse) de céleri haché

60 mL (1/4 tasse) de mayonnaise allégée

60 mL (1/4 tasse) de yaourt nature sans gras

45 mL (3 c. à soupe) de Splenda ® granulé (ou 4 sachets de Splenda ®)

30 mL (2 c. à soupe) de jus d'orange

15 mL (1 c. à soupe) de jus de citron

1,2 mL (1/4 c. à thé) de sel

PRÉPARATION :

1. Dans un petit bol, verser 125 mL (1/2 tasse) d'eau bouillante sur les raisins secs. Laisser reposer 5 minutes, égoutter et transférer dans un bol moyen. Incorporer les carottes et le céleri.

2. Fouetter ensemble le reste des ingrédients et verser sur les carottes. Servir immédiatement à la température de la pièce ou réfrigérer.

NOTES :

Quand vous achetez cette salade dans une épicerie fine, vous achetez aussi le double de sucre et de glucides ainsi que 4 fois plus de gras par portion de 125 mL (1/2 tasse).

PAR PORTION :

Calories : 90	Gras : 3 g (1 g saturés)
Glucides : 15 g	Fibres : 2 g
Protéines : 2 g	Sodium : 210 mg

Valeur de choix d'aliments pour le diabète =
1 choix de légumes, 1/2 choix de fruits,
1 choix de gras
Points WW = 2 points

Salade aux trois haricots

6 portions

Ma mère raffole de cette salade. Elle l'achète en grande quantité, mais doit surveiller ses portions vu la teneur élevée en sucre de ce mets. À présent, elle peut faire ma recette qui contient la moitié des glucides et des calories, ainsi que le tiers du gras des salades de haricots du commerce. En son honneur, j'ai prévu des portions de 180 mL (3/4 tasse).

INGRÉDIENTS :

1 boîte de 425 g (15 oz) de haricots verts coupés, égouttés

1 boîte de 425 g (15 oz) de haricots jaunes coupés, égouttés

1 boîte de 425 g (15 oz) de haricots rouges, égouttés et rincés

1 petit poivron vert en dés

1 petit poivron rouge en dés

1 petit oignon rouge en dés

125 mL (1/2 tasse) de vinaigre de vin rouge

160 mL (2/3 tasse) de Splenda® granulé

60 mL (1/4 tasse) de jus de tomate

45 mL (3 c. à soupe) d'huile de canola

3,7 mL (3/4 c. à thé) de sel

2,5 mL (1/2 c. à thé) de poivre

PRÉPARATION :

1. Dans un grand saladier, mêler délicatement les haricots, les poivrons et l'oignon rouge.

2. Dans un petit bol (ou un bocal avec couvercle), fouetter (ou brasser) vigoureusement le reste des ingrédients.

3. Verser la vinaigrette sur les haricots et bien mélanger. Couvrir et réfrigérer au moins 6 heures avant de servir, ou de préférence toute la nuit.

NOTES :

Les glucides diffèrent les uns des autres. Cette salade regorge de fibres en plus d'être riche en protéines. Autrement dit, ces glucides sont bons pour vous.

PAR PORTION DE **180 mL (3/4 TASSE)** :

Calories : 165	Gras : 6,5 g (0,5 g saturés)
Glucides : 22 g	Fibres : 7 g
Protéines : 6 g	Sodium : 360 mg

Valeur de choix d'aliments pour le diabète =
2 choix de légumes, 1 choix de gras, 1 choix de viandes très maigres, 1/2 choix de glucides
Points WW = 3 points (125 mL ou 1/2 tasse = 2 points)

Salade du Sud-Ouest au maïs et aux haricots noirs

8 portions

Cette salade est un plat d'accompagnement idéal. Saine et colorée, elle connaît toujours beaucoup de succès. Les membres de ma famille l'appellent « la salade aux haricots noirs de Marlene ». À peu près toutes mes connaissances l'ont faite à un moment donné, souvent lors de réceptions. Personnellement, je trouve que c'est le plat idéal pour emporter chez des amis, car il accompagne bien les grillades.

INGRÉDIENTS :

1 boîte de 425 g (15 oz) de haricots noirs, égouttés

1 boîte de 425 g (15 oz) de grains de maïs, égouttés

125 mL (1/2 tasse) de pois chiches égouttés

125 mL (1/2 tasse) de pois surgelés (non décongelés)

125 mL (1/2 tasse) d'olives noires tranchées

1 poivron rouge moyen en dés

1/2 oignon rouge moyen émincé

125 mL (1/2 tasse) de jicama (pois patate) en dés (facultatif)

90 mL (6 c. à soupe) de vinaigre de vin rouge

45 mL (3 c. à soupe) d'huile d'olive

22,5 mL (1 1/2 c. à soupe) de Splenda® granulé (ou 2 sachets de Splenda®)

10 mL (2 c. à thé) d'ail écrasé

3,7 mL (3/4 c. à thé) de cumin

1,2 mL (1/4 c. à thé) de sel

1,2 mL (1/4 c. à thé) de piment rouge séché

125 mL (1/2 tasse) de coriandre fraîche, hachée

PRÉPARATION :

1. Dans un grand saladier, déposer les haricots noirs, le maïs, les pois chiches, les pois, les olives, le poivron, l'oignon et le jicama.

2. Dans un petit bol, fouetter ensemble le vinaigre, l'huile d'olive, le Splenda®, l'ail, le cumin, le sel et les flocons de piment rouge. Verser sur la salade et remuer. Ajouter la coriandre et remuer de nouveau.

3. Réfrigérer au moins 1 heure avant de servir. Se conserve bien pendant plusieurs jours.

NOTES :

Il n'y a rien de mieux que des haricots pour augmenter votre apport en fibres. Chaque portion de 125 mL (1/2 tasse) en contient plus de 5 g. C'est un pas de géant vers la quantité recommandée de 25 g par jour.

PAR PORTION :

Calories : 155	Gras : 6 g (0,5 g saturés)
Glucides : 22 g	Fibres : 7 g
Protéines : 6 g	Sodium : 350 mg

Valeur de choix d'aliments pour le diabète =
1 choix de glucides, 1 choix de légumes, 1 choix de gras
Points WW = 3 points

Salade crémeuse de concombre à l'aneth

6 portions

Le concombre enrobé de crème aigre (sure) est une recette traditionnelle. J'ai ici réduit la teneur en gras en utilisant une crème aigre (sure) « allégée ». J'ai aussi rehaussé le goût avec de l'aneth frais et de l'oignon rouge. Puisque les concombres tendent à perdre leur eau, servez la salade le jour même de sa confection ou appliquez le truc proposé dans la prochaine recette.

INGRÉDIENTS :

125 mL (1/2 tasse) de crème aigre (sure) allégée

30 mL (2 c. à soupe) de Splenda® granulé

30 mL (2 c. à soupe) de vinaigre de cidre

10 mL (2 c. à thé) d'aneth frais, haché

Pincée de sel

1 L (4 tasses) de concombres pelés et finement tranchés

125 mL (1/2 tasse) d'oignon rouge finement tranché

PRÉPARATION :

1. Dans un grand saladier, déposer la crème aigre (sure), le Splenda®, le vinaigre de cidre, l'aneth et une pincée de sel.

2. Ajouter le concombre et l'oignon. Remuer pour enrober.

3. Couvrir et réfrigérer environ 30 minutes afin que les saveurs se marient et que le concombre ramollisse un peu. Remuer de nouveau délicatement juste avant de servir.

NOTES :

La qualité des crèmes aigres (sures) allégées et réduites en gras varie d'une marque à une autre. La version allégée de la marque Knudsen (É.-U.) remplace à merveille la version originale. Certaines marques peuvent avoir une texture gluante ou gélatineuse, en plus d'être insipides. Essayez plusieurs marques afin d'en trouver une que vous aimez.

PAR PORTION :

Calories : 40	Gras : 2 g (1,5 g saturés)
Glucides : 5 g	Fibres : 1 g
Protéines : 2 g	Sodium : 65 mg

Valeur de choix d'aliments pour le diabète =
1 choix de légumes, 1/2 choix de gras
Points WW = 1 point

Salade de concombre à l'orientale

4 portions

Voici une salade rafraîchissante et débordante de saveur souvent servie avec des mets orientaux puisqu'elle contrebalance leur goût épicé. Servez-la avec un morceau de poulet ou de poisson teriyaki sur le gril.

INGRÉDIENTS :

125 mL (1/2 tasse) d'eau chaude

60 mL (1/4 tasse) de Splenda® granulé

60 mL (1/4 tasse) de vinaigre de riz naturel

30 mL (2 c. à soupe) d'oignons verts émincés

30 mL (2 c. à soupe) de coriandre fraîche hachée

2,5 mL (1/2 c. à thé) de gingembre frais râpé

2,5 mL (1/2 c. à thé) de sel

1 petit piment jalapeño évidé et en dés

675 g (1 1/2 lb) de concombres pelés, évidés et tranchés (625 mL ou 2 1/2 tasses)

1 carotte moyenne, pelée et râpée

PRÉPARATION :

1. Dans un grand bol peu profond, fouetter ensemble tous les ingrédients sauf le concombre et la carotte. Une fois le liquide homogène, ajouter les légumes.

2. Réfrigérer au moins 30 minutes. Servir dans des coupes de feuilles de laitue si désiré.

NOTES :

Pour garder le concombre bien croquant, saupoudrez des tranches de 10 mL (2 c. à thé) de sel et laissez reposer 1 heure. Rincez bien le concombre avant de l'incorporer à la recette et ne mettez pas les 2,5 mL (1/2 c. à thé) de sel prévus dans la recette.

PAR PORTION DE 125 mL (1/2 TASSE) :

Calories : 35	Gras : 0 g (0 g saturés)
Glucides : 8 g	Fibres : 2 g
Protéines : 1 g	Sodium : 260 mg

Valeur de choix d'aliments pour le diabète =
1 choix de légumes
Points WW = 0 point

Salade de cœurs de palmier à la grecque

4 portions

La saveur des cœurs de palmier est délicate, semblable à celle des cœurs d'artichaut. Je les utilise pour remplacer les olives riches en gras afin d'alléger la teneur en gras de la salade grecque originale. Avec sa vinaigrette piquante à la moutarde, vous pouvez servir cette salade sur des feuilles de laitue ou comme plat d'accompagnement.

INGRÉDIENTS :

1 boîte de 410 g (14 1/2 oz) de cœurs de palmier coupés en tranches de 0,5 à 1 cm (1/4 à 1/2 po)

12 tomates cerise coupées en deux

1/2 concombre pelé, coupé en deux, évidé et tranché en demi-lunes

1/2 petit oignon rouge, tranché et défait en anneaux

60 mL (1/4 tasse) de vinaigre de vin blanc

22,5 mL (1 1/2 c. à soupe) de Splenda® granulé

15 mL (1 c. à soupe) de moutarde de Dijon

1 gousse d'ail écrasée

2,5 mL (1/2 c. à thé) d'origan moulu

2,5 mL (1/2 c. à thé) de basilic séché

Pincée de sel

0,5 mL (1/8 c. à thé) de poivre

30 mL (2 c. à soupe) d'huile d'olive

4 feuilles de laitue frisée verte ou rouge

60 mL (4 c. à soupe) de fromage feta émietté

PRÉPARATION :

1. Dans un grand saladier, combiner les cœurs de palmier, les tomates, le concombre et l'oignon.

2. Dans un petit bol, fouetter ensemble le vinaigre, le Splenda®, la moutarde de Dijon, l'ail, les épices, le sel et le poivre. Continuer de fouetter en versant un mince filet d'huile d'olive dans le mélange.

3. Verser la vinaigrette sur la salade et remuer. Refroidir 1 heure.

4. Remplir des feuilles de laitue à la cuillère. Parsemer de fromage feta.

NOTES :

Les cœurs de palmier sont en fait la partie intérieure des tiges de plusieurs palmiers. Ils sont faibles en glucides et ne contiennent aucun gras. On les trouve en épicerie, près des cœurs d'artichaut en boîte.

PAR PORTION :

Calories : 130
Glucides : 9 g
Protéines : 4 g

Gras : 9 g (2,5 g saturés)
Fibres : 3 g
Sodium : 350 mg

Valeur de choix d'aliments pour le diabète =
2 choix de légumes, 2 choix de gras
Points WW = 3 points

Salade italienne sucrée à la tomate

6 portions

Cette salade aura meilleur goût si vous utilisez des tomates en saison, fermes et savoureuses. Elle est si bonne que même les personnes qui ne sont pas ferventes de tomates l'aiment. Froide ou à la température de la pièce, elle convient parfaitement à un buffet.

INGRÉDIENTS :

80 mL (1/3 tasse) de vinaigre de vin blanc ou de cidre

80 mL (1/3 tasse) de Splenda® granulé

45 mL (3 c. à soupe) d'huile d'olive extra-vierge

3,7 mL (3/4 c. à thé) de basilic séché ou 10 mL (2 c. à thé) de basilic frais ciselé

2,5 mL (1/2 c. à thé) d'ail broyé

1,2 mL (1/4 c. à thé) de sel (ou au goût)

8 tomates moyennes (environ 1,125 kg ou 2 1/2 lb) coupées en quartiers et épépinées

PRÉPARATION :

1. Dans un grand saladier, fouetter tous les ingrédients, sauf les tomates.

2. Une fois le mélange homogène, incorporer les tomates et remuer délicatement. Cette salade se conserve plusieurs jours au réfrigérateur.

NOTES :

Les tomates sont une excellente source de potassium et de vitamine C. Un peu de mozzarella au lait de buffle ou de fromage de chèvre rehaussera la saveur et la texture.

PAR PORTION DE 180 mL (3/4 TASSE) :

Calories : 100	Gras : 7 g (1 g saturés)
Glucides : 10 g	Fibres : 2 g
Protéines : 1 g	Sodium : 110 mg

Valeur de choix d'aliments pour le diabète = 2 choix de légumes, 1 choix de gras
Points WW = 2 points

Salade de courgettes aigre-douce

8 portions

Cette salade toute simple, fraîche et croquante, fait plaisir en tout temps. Je la présente dans un grand plat peu profond, avec du persil italien tout autour, pour rendre extraordinaire un légume plutôt ordinaire.

INGRÉDIENTS :

180 mL (3/4 tasse) de vinaigre de cidre

160 mL (2/3 tasse) de Splenda® granulé

5 mL (1 c. à thé) de sel

5 mL (1 c. à thé) de poivre frais moulu

60 mL (1/4 tasse) d'huile de canola

4 courgettes moyennes finement tranchées (environ 450 g ou 1 lb)

1 oignon rouge moyen finement tranché

1 poivron rouge en dés

250 mL (1 tasse) de céleri en dés

30 mL (2 c. à soupe) de persil italien haché

PRÉPARATION :

1. Dans un bol, fouetter le vinaigre de cidre, le Splenda®, le sel, le poivre et l'huile de canola.

2. Déposer la courgette, l'oignon rouge et le céleri dans un saladier moyen ou dans un grand sac à fermeture à glissière. Verser la vinaigrette. Couvrir ou fermer, et laisser mariner de 4 à 8 heures au réfrigérateur.

3. Ajouter le persil italien juste avant de servir.

PAR PORTION :

Calories : 80	Gras : 2 g (1 g saturés)
Glucides : 11 g	Fibres : 2 g
Protéines : 5 g	Sodium : 65 mg

Valeur de choix d'aliments pour le diabète =
2 choix de légumes, 1/2 choix de gras
Points WW = 1 point

Salade de laitue romaine et d'oranges

8 portions

Cette salade à la fois légère et sucrée accompagne à merveille les mets consistants ou épicés. N'omettez pas le rôtissage des noix, cela les rend plus croquantes et fait ressortir leur saveur.

INGRÉDIENTS :

125 mL (1/2 tasse) d'amandes émincées

2 oranges pelées et en quartiers

2 L (8 tasses) de laitue romaine coupée ou déchiquetée

60 mL (1/4 tasse) de vinaigre de riz

60 mL (1/4 tasse) de Splenda® granulé

45 mL (3 c. à soupe) d'huile de canola

45 mL (3 c. à soupe) de jus d'orange

2,5 mL (1/2 c. à thé) de moutarde préparée

Poivre noir fraîchement moulu au goût

PRÉPARATION :

1. Préchauffer le four à 160 °C (325 °F).

2. Étaler les amandes sur une plaque à cuisson non graissée et griller au four 5 minutes. Remuer la plaque, puis griller de 2 à 3 minutes de plus jusqu'à ce que les amandes soient dorées. Laisser refroidir.

3. Couper les quartiers d'orange en deux et les déposer dans un grand saladier. Incorporer la laitue, puis mélanger.

4. Dans un petit bol, fouetter les ingrédients restants.

5. Verser la vinaigrette sur la salade juste avant de servir. Remuer délicatement. Saupoudrer d'amandes.

PAR PORTION :

Calories : 110	Gras : 8 g (0 g saturés)
Glucides : 7 g	Fibres : 2 g
Protéines : 2 g	Sodium : 45 mg

Valeur de choix d'aliments pour le diabète =
1 choix de légumes, 2 choix de gras
Points WW = 2 points

Salade d'oignons rouges et de betteraves marinées

3 portions

Cette salade faible en calories et colorée remplace agréablement les salades de chou ou de pommes de terre classiques. Vous pouvez la préparer en double ou en triple.

INGRÉDIENTS :

1 boîte de 454 g (16 oz) de betteraves tranchées

60 mL (1/4 tasse) du jus des betteraves (réservé de la boîte)

1/2 oignon rouge, pelé et émincé

60 mL (1/4 tasse) de vinaigre de vin blanc ou de cidre

45 mL (3 c. à soupe) de Splenda® granulé (ou 4 sachets de Splenda®)

2,5 mL (1/2 c. à thé) de moutarde sèche

2,5 mL (1/2 c. à thé) de fécule de maïs

PRÉPARATION :

1. Égoutter les betteraves. Réserver 60 mL (1/4 tasse) du liquide. Couper en juliennes de 1 cm (1/2 po). Déposer dans un grand saladier avec l'oignon. Réserver.

2. Dans une petite casserole, mélanger le jus de betteraves réservé et les ingrédients restants.

3. Faire cuire sur feu moyen jusqu'à ébullition. La sauce doit épaissir et devenir limpide.

4. Verser la vinaigrette sur les betteraves et l'oignon rouge. Laisser refroidir, puis réfrigérer plusieurs heures avant de servir.

NOTES :

Triplez la recette pour un pique-nique. Garnissez la salade de 10 mL (2 c. à thé) de zeste d'orange frais. Donne entre 10 et 12 portions.

PAR PORTION DE **125 mL (1/2 TASSE)** :

Calories : 40   Gras : 0 g
Glucides : 10 g   Fibres : 2 g
Protéines : 1 g   Sodium : 170 mg

Valeur de choix d'aliments pour le diabète =
2 choix de légumes
Points WW = 0 point

Gelée étagée à l'orange et à l'ananas

8 portions

Cette gélatine à l'ancienne demeure populaire. Préparée à la maison, elle a une saveur plus fraîche et naturelle que les gélatines commerciales. La recette est facile, mais comporte plusieurs étapes. La plupart des ingrédients font partie de plus d'une étape, alors gardez vos mesures graduées à la portée de la main.

INGRÉDIENTS :

2 sachets de gélatine neutre

560 mL (2 1/4 tasses) de jus d'orange faible en sucre (Tropicana Light'n Healthy, É.-U.)

125 mL (1/2 tasse) de Splenda® granulé

30 mL (2 c. à soupe) de jus de citron

1 boîte de 226 g (8 oz) d'ananas broyés, égouttés, jus réservé

250 mL (1 tasse) de fromage blanc (cottage) faible en gras

60 mL (1/4 tasse) de fromage à la crème allégé

PRÉPARATION :

1. Saupoudrer 1 sachet de gélatine sur 60 mL (1/4 tasse) de jus d'orange dans un petit bol. Laisser amollir 3 minutes.

2. Porter à ébullition 125 mL (1/2 tasse) de jus d'orange au four à micro-ondes. Verser sur la gélatine et remuer pour dissoudre. Incorporer 60 mL (1/4 tasse) de Splenda®, le jus de citron, 180 mL (3/4 tasse) de jus d'orange et le jus d'ananas réservé. Bien mélanger et verser dans un moule à gélatine de 1 L (4 tasses) ou un bol en verre. Réfrigérer jusqu'à consistance ferme.

3. Une fois la gelée prise, saupoudrer le deuxième sachet de gélatine sur 60 mL (1/4 tasse) de jus d'orange dans un petit bol. Laisser amollir. Porter le reste du jus d'orange, soit 125 mL (1/2 tasse), à ébullition, puis verser sur la gélatine. Remuer pour dissoudre.

4. Au robot culinaire ou au mélangeur, travailler le fromage blanc (cottage) jusqu'à consistance lisse et onctueuse. Ajouter 60 mL (1/4 tasse) de Splenda® et mixer légèrement le fromage à la crème. Incorporer au fouet le mélange de fromage à la préparation gélatineuse. Ajouter les ananas broyés en pliant.

5. Déposer le mélange d'ananas à la cuillère sur la gelée prise dans le moule. Égaliser et faire refroidir jusqu'à consistance ferme.

6. Pour démouler, immerger brièvement l'extérieur du moule dans l'eau chaude afin de faire décoller la gelée. Couvrir le moule d'une assiette et renverser rapidement.

PAR PORTION :

Calories : 80	Gras : 1,5 g (1 g saturés)
Glucides : 10 g	Fibres : 1 g
Protéines : 6 g	Sodium : 135 mg

Valeur de choix d'aliments pour le diabète =
1 choix de viandes maigres, 1/2 choix de fruits
Points WW = 2 points

NOTES :

L'expression « à l'ancienne » ne peut pas être plus juste quand il s'agit de gelées. Le premier brevet pour la gélatine en boîte remonte de 1845. La marque Jell-O® a déjà plus de 100 ans.

Salade des fêtes aux canneberges

10 portions

Les salades en gelée nous donnent l'impression de manger un dessert pour le dîner. C'est peut-être pour cette raison qu'on les sert souvent durant les fêtes. Cette salade est un incontournable des fêtes, mais elle vous permet tout de même de prendre un dessert.

INGRÉDIENTS :

340 g (12 oz) de canneberges lavées et triées

375 mL (1 1/2 tasse) de Splenda® granulé

500 mL (2 tasses) d'eau bouillante

Une boîte de 170 g (6 oz) de poudre de gelée à la cerise sans sucre

60 mL (1/4 tasse) de sucre granulé

250 mL (1 tasse) d'eau froide

375 mL (1 1/2 tasse) d'ananas broyé et égoutté (dans un sirop léger)

125 mL (1/2 tasse) de céleri en dés

125 mL (1/2 tasse) de noix hachées

PRÉPARATION :

1. Hacher les canneberges finement au robot culinaire ou à la main, et déposer dans un bol moyen. Incorporer le Splenda® et mélanger. Réserver.

2. Dans un grand bol, verser l'eau bouillante sur la poudre de gelée et le sucre pour dissoudre. Ajouter l'eau froide. Incorporer les canneberges, l'ananas, le céleri et les noix.

3. Verser dans un plat de service de 2 L (8 tasses), un moule ou un plat en verre d'environ 23 sur 33 cm (9 sur 13 po). Réfrigérer jusqu'à consistance ferme.

NOTES :

Sachez que la version originale contient 63 g de glucides par portion. C'est l'équivalent d'une grosse pointe de tarte aux fruits.

PAR PORTION DE 125 ML (1/2 TASSE) :

Calories : 110	Gras : 3,5 g (2 g saturés)
Glucides : 17 g	Fibres : 2 g
Protéines : 3 g	Sodium : 45 mg

Valeur de choix d'aliments pour le diabète =
1 choix de glucides, 1/2 choix de gras
Points WW = 2 points

Taboulé

8 portions

Cette salade rafraîchissante est aussi énergisante. C'est un mets végétarien classique du Moyen-Orient qui contient traditionnellement deux principaux ingrédients, le persil frais et le citron, et un peu de boulghour. Il en résulte une salade savoureuse ou un plat d'accompagnement exquis que vous pouvez insérer dans un pain pita de blé complet.

INGRÉDIENTS :

125 mL (1/2 tasse) de boulghour sec

1 L (4 tasses) de persil haché

4 tomates italiennes, épépinées et en dés

1/2 concombre moyen, pelé, évidé et en dés

160 mL (2/3 tasse) d'oignons verts hachés

30 mL (2 c. à soupe) de menthe fraîche hachée ou 15 mL (1 c. à soupe) de menthe séchée

30 mL (2 c. à soupe) d'huile d'olive extra vierge

15 mL (1 c. à soupe) de Splenda® granulé

Jus de 2 ou 3 citrons, environ 125 mL (1/2 tasse)

2,5 mL (1/2 c. à thé) de sel

1,2 mL (1/4 c. à thé) de poivre noir

PRÉPARATION :

1. Déposer le boulghour dans un petit bol et le couvrir de 250 mL (1 tasse) d'eau bouillante. Laisser amollir de 5 à 10 minutes.

2. Dans un grand saladier, mélanger le persil, les tomates, les concombres les oignons verts, la menthe et le boulghour ramolli.

3. Fouetter ensemble l'huile d'olive, le Splenda®, le jus de citron frais, le sel et le poivre.

4. Verser sur le mélange persil-boulghour et remuer. Faire refroidir.

NOTES :

Le boulghour est une excellente source de vitamines, de minéraux, de phytochimiques et de fibres.

PAR PORTION :

Calories : 95

Glucides : 13 g

Protéines : 2 g

Gras : 4 g (1 g saturés)

Fibres : 4 g

Sodium : 160 mg

Valeur de choix d'aliments pour le diabète = 1 choix de légumes, 1 choix de gras, 1/2 choix de glucides

Points WW = 1 point

Salade d'épinards et de mandarines

8 portions

La vinaigrette délicieuse qui agrémente cette salade est unique et lui donne un goût particulier. Elle tire sa saveur à la fois douce et piquante d'oignons rouges râpés. La salade fait un repas pour quatre si vous la servez avec du bœuf de surlonge en tranches fines, mariné au préalable dans une sauce teriyaki (page 173).

INGRÉDIENTS :

2 L (8 tasses) de feuilles d'épinards frais (environ 226 g ou 8 oz)

1 boîte de 226 g (8 oz) de châtaignes d'eau en tranches, égouttées

1 boîte de 311 g (11 oz) de mandarines égouttées

226 g (8 oz) de champignons tranchés

1 petit oignon rouge râpé

45 mL (3 c. à soupe) d'huile de canola

30 mL (2 c. à soupe) de ketchup

30 mL (2 c. à soupe) de Splenda® granulé

30 mL (2 c. à soupe) de vinaigre de cidre

30 mL (2 c. à soupe) d'eau

10 mL (2 c. à thé) de sauce Worcestershire

10 mL (2 c. à thé) de sauce de soja

Poivre frais moulu

80 mL (1/3 tasse) d'amandes effilées ou de nouilles de riz (facultatif)

PRÉPARATION :

1. Déposer dans un grand saladier les épinards, les châtaignes d'eau, les mandarines et les champignons. Réserver.

2. Fouetter ensemble les 8 ingrédients qui suivent. Ajouter la vinaigrette au moment de servir.

3. Poivrer et saupoudrer d'amandes ou de nouilles de riz au goût.

NOTES :

Mettez l'oignon au réfrigérateur une heure avant de le râper. Vous pleurerez moins, puisque les gaz de l'oignon froid se dégagent plus lentement. Pelez et coupez l'oignon avant de le râper. Utilisez une râpe à trous moyens, comme pour une carotte.

PAR PORTION :

Calories : 100	Gras : 5 g (0 g saturés)
Glucides : 12 g	Fibres : 4 g
Protéines : 3 g	Sodium : 180 mg

Valeur de choix d'aliments pour le diabète =
2 choix de légumes, 1 choix de gras
Points WW = 2 points

Salade d'épinards avec vinaigrette chaude au bacon

8 portions

Voici ma salade d'épinards préférée entre toutes. Certaines recettes prévoient autant que 227 g (1/2 lb) de bacon pour 4 portions. C'est peut-être pourquoi on la réserve aux grandes occasions. Dorénavant, vous pouvez savourer cette version santé délicieuse en tout temps.

INGRÉDIENTS :

4 tranches de bacon maigre

125 mL (1/2 tasse) d'oignon en dés

125 mL (1/2 tasse) d'eau

80 mL (1/3 tasse) de vinaigre de cidre

45 mL (3 c. à soupe) de Splenda® granulé (ou 4 sachets de Splenda®)

Sel au goût

5 mL (1 c. à thé) de fécule de maïs diluée dans 10 mL (2 c. à thé) d'eau

1 sachet de 340 g (12 oz) d'épinards ou 454 g (1 lb) d'épinards frais

1 oignon rouge pelé et tranché en fins anneaux

250 mL (1 tasse) de champignons tranchés

PRÉPARATION :

1. Dans une grande poêle, faire cuire le bacon à feu moyen pour qu'il soit croustillant. Déposer dans une assiette couverte d'un essuie-tout afin d'éliminer l'excès de gras. Émietter et réserver.

2. Ajouter l'oignon au gras de cuisson (environ 30 mL ou 2 c. à soupe; retirer l'excédent). Faire cuire 3 minutes pour attendrir. Ajouter l'eau, le vinaigre, le Splenda® et le sel (au goût). Remuer en grattant le fond de la poêle.

3. Porter à ébullition et ajouter le mélange de fécule de maïs. Chauffer jusqu'à épaississement.

4. Dans un grand saladier, combiner les épinards, l'oignon et les champignons.

5. Verser la vinaigrette chaude sur les épinards et bien mélanger. Saupoudrer de miettes de bacon et servir.

NOTES :

Les épinards en sachet déjà lavés vous permettent de préparer une salade en un rien de temps.

PAR PORTION :

Calories : 100	Gras : 5 g (1 g saturés)
Glucides : 12 g	Fibres : 4 g
Protéines : 3 g	Sodium : 180 mg

Valeur de choix d'aliments pour le diabète = 2 choix de légumes, 1 choix de gras
Points WW = 2 points

Salade de bœuf à la thaïlandaise

4 portions

Cette salade colorée est délicieuse à longueur d'année, mais je la préfère en été alors que les tomates sont en saison et que le temps permet de jouir de la cuisson sur le gril.

INGRÉDIENTS :

454 g (1 lb) de bifteck de flanc

2 L (8 tasses) de verdure mixte

2 tomates moyennes, coupées en quartiers

125 mL (1/2 tasse) d'oignon doux, émincé

60 mL (1/4 tasse) de feuilles de menthe, en juliennes ou hachées

60 mL (1/4 tasse) de coriandre hachée grossièrement

1/2 concombre pelé, coupé en deux et évidé, puis tranché en demi-lunes

60 mL (1/4 tasse) d'oignons verts tranchés mince (parties blanches et vertes) pour la garniture

MARINADE ET VINAIGRETTE

125 mL (1/2 tasse) de sauce soja légère

125 mL (1/2 tasse) de jus de limette

30 mL (2 c. à soupe) de sauce de poisson

125 mL (1/2 tasse) de Splenda® granulé

15 mL (1 c. à soupe) de poivrons thaïlandais ou Serrano

15 mL (1 c. à soupe) d'ail écrasé

80 mL (1/3 tasse) d'oignons verts (parties blanches et vertes)

30 mL (2 c. à soupe) de gingembre frais, émincé ou râpé

15 mL (1 c. à soupe) de coriandre finement hachée

15 mL (1 c. à soupe) d'huile de canola

15 mL (1 c. à soupe) d'huile de sésame

PRÉPARATION :

1. Marinade : combiner la sauce soja, le jus de limette et la sauce de poisson. Incorporer le Splenda®. Ajouter les piments, l'ail, l'oignon, le gingembre et la coriandre.

2. Réserver 1/3 du mélange pour la vinaigrette. Verser le reste, soit environ 250 mL (1 tasse), sur le bifteck et mariner de 1 à 2 heures.

3. Faire cuire le steak sur un gril très chaud de 7 à 8 minutes (à point) ou à votre goût ; couvrir d'une feuille d'aluminium et garder au chaud au four entre 5 et 10 minutes avant de tailler.

4. Incorporer la menthe, la coriandre, le concombre et l'oignon doux à la verdure.

5. Fouetter les huiles dans la marinade réservée (ou agiter dans un bocal fermé) pour préparer la vinaigrette. Verser sur la salade et bien mélanger.

6. Ajouter les tomates et mélanger délicatement.

7. Déposer la salade dans des assiettes. Répartir les tomates autour de l'assiette.

8. Tailler le bifteck en fines lamelles, en travers du grain de la viande. Placer le bifteck sur la salade. Parsemer d'oignons verts et servir.

PAR PORTION :

Calories : 310	Gras : 14 g (4,5 g saturés)
Glucides : 19 g	Fibres : 4 g
Protéines : 29 g	Sodium : 1 420 mg

Valeur de choix d'aliments pour le diabète =
4 choix de viandes maigres, 2 choix de légumes,
1/2 choix de glucides, 1/2 choix de gras
Points WW = 6 points

NOTES :

Vous pouvez aisément couper en juliennes les herbes à feuilles larges comme la menthe et le basilic. Empilez les feuilles, faites un rouleau et taillez-le de travers. Remuer doucement les herbes pour séparer les brins.

Salade chinoise au poulet

4 portions

Il me fallait inclure cette recette, car j'adore la salade chinoise au poulet. Même si on a l'impression qu'une salade de poulet est légère, peu de recettes le sont. En fait, les salades de poulet de style oriental des chaînes de restauration minute avec vinaigrette au sésame contiennent plus de 35 g de gras. En outre, la vinaigrette comprend quatre sucres différents. Bref, elles fournissent plus de 50 g de glucides par portion. Ma version repas savoureuse vous apporte des protéines et une grande valeur nutritive, mais moins de glucides et de calories.

INGRÉDIENTS :

1 L (4 tasses) de verdure mixte

250 mL (1 tasse) de chou napa émincé

1 poivron rouge moyen en juliennes

1 poivron jaune moyen en juliennes

56 g (2 oz) de pois mange-tout préparés et coupés en deux à la diagonale

125 mL (1/2 tasse) d'oignons verts

1 L (4 tasses) de poulet déchiqueté ou en lanière (environ 454 g ou 1 lb)

45 mL (3 c. à soupe) de vinaigre de riz naturel

22,5 mL (1 1/2 c. à soupe) de Splenda® granulé (ou 2 sachets de Splenda®)

15 mL (1 c. à soupe) de sauce soja légère

2,5 mL (1/2 c. à thé) de gingembre frais râpé

30 mL (2 c. à soupe) d'huile de canola

22,5 mL (1 1/2 c. à soupe) d'huile de sésame

Poivre noir frais moulu

125 mL (1/2 tasse) de nouilles de riz croquantes (ou d'amandes effilées*)

PRÉPARATION :

1. Dans un grand saladier, combiner la verdure, le chou, les poivrons, les pois mange-tout et les oignons verts. Réserver.

2. Fouetter ensemble les ingrédients restants, sauf les nouilles de riz, et verser sur la salade. Remuer délicatement et répartir dans 4 assiettes. Saupoudrer chaque portion de 30 mL (2 c. à soupe) de nouilles de riz (ou d'amandes).

> **NOTES :**
>
> * Si vous devez réduire votre apport en glucides, optez pour des amandes au lieu des nouilles. Chaque portion contiendra 10 g de glucides et 5 g de fibres pour un total net de glucides de 5 g. En revanche, les calories augmentent de 40 calories et le gras, de 5 g.

PAR PORTION :

Calories : 320	Gras : 15 g (2 g saturés)
Glucides : 13 g	Fibres : 3 g
Protéines : 33 g	Sodium : 390 mg

Valeur de choix d'aliments pour le diabète =
4 choix de viandes maigres, 1 choix de légumes,
1/2 choix de glucides, 1 choix de gras
Points WW = 7 points (un sachet de vinaigrette
du restaurant vaut 8 points à lui seul)

Salade à l'avocat et au poulet rôti

2 portions

Cette salade repas consistante n'est pas faible en gras, mais elle est plutôt bonne pour la santé. Je l'ai créée alors que je cherchais un plat principal faible en glucides mais comportant de « bons » gras et de la viande maigre. Elle est assez populaire, même auprès des hommes qui ne raffolent pas des salades. Il semble que la bonne portion de viande et l'avocat onctueux y soient pour quelque chose. Les femmes apprécient le fait qu'elles n'ont qu'à acheter un poulet à la broche déjà cuit.

INGRÉDIENTS :

1 L (4 tasses) de laitues variées

1 petit poivron rouge émincé

226 g (8 oz) de poitrine de poulet rôti

125 mL (1/2 tasse) de concombre finement tranché

1/2 avocat dénoyauté et tranché

60 mL (1/4 tasse) de vinaigrette à la moutarde (page 165)

125 mL (1/2 tasse) d'oignon verts hachés

Coriandre fraîche (pour la garniture)

PRÉPARATION :

1. Répartir la laitue dans 2 grandes assiettes. Parsemer de lanières de poivron rouge et déposer la moitié des blancs de poulet au centre de chaque salade.

2. Déposer les tranches de concombre de belle façon autour de l'assiette et placer les avocats en forme d'éventail de chaque côté du poulet.

3. Arroser chaque salade de 30 mL (2 c. à soupe) de vinaigrette et garnir d'oignons verts. Décorer de coriandre au goût.

NOTES :

En comparaison d'une salade de poulet à l'orientale des restaurants minute, cette salade vous procure 9 g de protéines de plus, 28 g de glucides de moins ainsi que 36 g de sucre de moins. En outre, vous épargnez 180 calories.

PAR PORTION :

Calories : 430	Gras : 26 g (2,5 g saturés)
Glucides : 12 g	Fibres : 6 g
Protéines : 39 g	Sodium : 320 mg

Valeur de choix d'aliments pour le diabète =
4 1/2 choix de viandes maigres, 3 choix de gras,
2 choix de légumes
Points WW = 10 points

Vinaigrettes et marinades

Vinaigrettes

Vinaigrette à la framboise

Vinaigrette sucrée au vinaigre balsamique

Vinaigrette sucrée à la moutarde

Vinaigrette de type Mille-îles

Vinaigrette de type Catalina sans gras

Trempette et vinaigrette à la crème aigre (sure) des vieux pays

Vinaigrette crémeuse aux graines de pavot

Vinaigrette au gingembre et au sésame

Vinaigrette pour salade aux épinards

Vinaigrette au yaourt aux fraises pour salade de fruits

Marinades

Sauce teriyaki

Sauce teriyaki épicée

Marinade au citron frais

Marinade et trempette thaï épicée

Si la salade fait le repas, la vinaigrette fait la salade. Bon nombre de gens croient, puisque j'enseigne la cuisine, que je fais tout à partir de zéro. En réalité, j'utilise souvent des produits préparés pour leur côté pratique, comme vous le faites sans doute, mais jamais dans mes vinaigrettes.

Voici pourquoi. Lisez les étiquettes! Une vinaigrette préparée contient plus de 200 calories, de 20 g de gras et de 10 g glucides par 30 mL (2 c. à soupe). Les vinaigrettes de restaurants sont tout aussi riches, mais en plus les portions sont souvent doubles!

Cela dit, on comprend bien pourquoi on désigne les vinaigrettes du doigt pour leur apport en gras alimentaire. Et bien que l'on trouve de nombreuses vinaigrettes allégées, sans gras, voire faibles en glucides dans le commerce, je préfère confectionner mes propres vinaigrettes, car la cuisine maison saine a tellement meilleur goût. Je suis certaine que vous serez d'accord avec moi après en avoir fait l'essai.

Goûtez la vinaigrette à la framboise avec une salade mixte, ou la vinaigrette crémeuse aux graines de pavot sur des fruits frais, ou encore la trempette et vinaigrette à la crème aigre (sure) des vieux pays sur de la laitue pommée fraîche. Je vous invite à jeter un coup d'œil à la section « Salades à couper le souffle en accompagnement ou en plat principal ». Bien que les ingrédients des vinaigrettes soient inclus dans ces recettes, vous pouvez facilement les « emprunter ». Par exemple, la salade de chou aigre-douce propose une sauce aigre-douce classique et la salade aux trois haricots comporte une merveilleuse marinade. Ne préparez d'abord que la vinaigrette, puis versez-la sur ce que vous voulez.

Vous trouverez également dans cette section quatre marinades épatantes et une trempette qui rehausseront la saveur et préserveront la tendreté des viandes maigres. Elles peuvent agrémenter tant le bœuf, le porc, le poulet que les fruits de mer, qu'il s'agisse d'une sauce teriyaki simple ou d'une authentique marinade et trempette thaï épicée.

Vinaigrette à la framboise

5 portions

De nombreuses vinaigrettes à la framboise sont préparées à base de vinaigre de framboise. Après quelques recherches dans les supermarchés, je me suis rendu compte que ce vinaigre est non seulement difficile à trouver, mais qu'il coûte cher. Ma solution ? J'utilise des framboises entières pour obtenir un goût incomparable de framboise. De plus, les fruits mis en purée confèrent une réelle onctuosité à cette vinaigrette savoureuse faible en gras.

INGRÉDIENTS :

60 mL (4 c. à soupe) de vinaigre de riz naturel

30 mL (2 c. à soupe) d'huile de canola

60 mL (1/4 tasse) de framboises, fraîches ou surgelées

15 mL (1 c. à soupe) de moutarde de Dijon

15 mL (1 c. à soupe) de jus de limette ou de citron

15 mL (1 c. à soupe) d'eau

15 mL (1 c. à soupe) de Splenda ® granulé (ou 2 sachets de Splenda ®)

Poivre moulu au goût

PRÉPARATION :

1. Mettre tous les ingrédients en purée dans un robot culinaire ou un mélangeur jusqu'à consistance lisse.

2. Poivrer au goût.

NOTES :

Cette vinaigrette est délicieuse sur du poulet grillé et une salade mixte parsemée de pacanes grillées.

PAR PORTION DE 30 mL (2 C. À SOUPE) :

Calories : 60	Gras : 6 g (0 g saturés)
Glucides : 1 g	Fibres : 1 g
Protéines : 0 g	Sodium : 40 mg

Valeur de choix d'aliments pour le diabète = 1 choix de gras
Points WW = 1 point

Vinaigrette sucrée au vinaigre balsamique

6 portions

Cette vinaigrette sucrée accompagne bien les salades qui contiennent des fruits. J'aime aussi en verser un filet sur du mesclun et des fraises en tranches, sur des épinards garnis de quartiers d'orange, ou encore sur de la laitue frisée rouge agrémentée de fines tranches de poire.

INGRÉDIENTS :

45 mL (3 c. à soupe) de vinaigre de vin rouge

30 mL (2 c. à soupe) de vinaigre balsamique

30 mL (2 c. à soupe) de jus d'orange

30 mL (2 c. à soupe) de Splenda® granulé (ou 3 sachets de Splenda®)

1 gousse d'ail

45 mL (3 c. à soupe) d'huile d'olive extra vierge

10 mL (2 c. à thé) de moutarde de Dijon

Poivre frais moulu

PRÉPARATION :

1. Fouetter les 5 premiers ingrédients dans un petit bol.

2. Ajouter l'huile d'olive en fouettant, 15 mL (1 c. à soupe) à la fois, jusqu'à homogénéité.

3. Ajouter la moutarde en fouettant. Poivrer au goût.

NOTES :

La recette classique de vinaigrette prévoit 3 parties d'huile pour 1 partie de vinaigre, ce qui représente 20 g de gras par portion de 30 mL (2 c. à soupe).

PAR PORTION DE 30 mL (2 C. À SOUPE) :

Calories : 70	Gras : 7 g (1 g saturés)
Glucides : 2 g	Fibres : 0 g
Protéines : 0 g	Sodium : 0 mg

Valeur de choix d'aliments pour le diabète = 1 1/2 choix de gras
Points WW = 2 points

Vinaigrette sucrée à la moutarde

6 portions

La recette classique de vinaigrette prévoit 3 parties d'huile pour 1 partie de vinaigre. La fonction de l'huile est d'adoucir l'acidité du vinaigre et de générer une émulsion. Cette recette piquante contient de la moutarde et du sucre pour amoindrir l'intensité du vinaigre et une pincée de gomme de xanthame pour favoriser l'émulsion, ce qui réduit la teneur en gras de 75 %. Si vous ne trouvez pas de gomme de xanthame, réduisez l'eau à 15 mL (1 c. à soupe) et versez la vinaigrette sur la salade immédiatement après l'avoir préparée.

INGRÉDIENTS :

80 mL (1/3 tasse) de vinaigre de riz naturel

45 mL (3 c. à soupe) d'eau

15 mL (1 c. à soupe) de moutarde préparée

22,5 mL (1 1/2 c. à soupe) de Splenda® granulé (ou 2 sachets de Splenda®)

30 mL (2 c. à soupe) de coriandre ciselée

0,5 mL (1/8 c. à thé) de sel

60 mL (1/4 tasse) d'huile de canola ou d'olive

À peine 1,2 mL (1/4 c. à thé) de gomme de xanthame

Poivre noir fraîchement moulu au goût

PRÉPARATION :

1. Dans un petit bol ou une tasse graduée, fouetter les 6 premiers ingrédients, du vinaigre au sel. Incorporer l'huile en fouettant.

2. Saupoudrer la gomme de xanthame sur la vinaigrette et fouetter rapidement. Réfrigérer jusqu'au moment de servir.

NOTES :

Je prends soin de choisir des ingrédients faciles à trouver pour mes recettes. L'industrie alimentaire emploie couramment la gomme de xanthame ou la gomme de guar comme agent épaississant, stabilisateur et émulsifiant dans des aliments comme les vinaigrettes. Une pincée suffit. Vous trouverez la gomme de xanthame dans les magasins d'alimentation naturelle ou les marchés qui vendent les produits de marque Bob's Red Mill® (É.-U.).

PAR PORTION DE 30 mL (2 C. À SOUPE) :

Calories : 60	Gras : 7 g (0 g saturés)
Glucides : 0 g	Fibres : 0 g
Protéines : 0 g	Sodium : 80 mg

Valeur de choix d'aliments pour le diabète =
1 1/2 choix de gras
Points WW = 2 points

Vinaigrette de type Mille-îles

5 portions

L'un de mes mets préférés est le crabe Louis. À vrai dire, j'adore la vinaigrette Mille-îles dont on recouvre habituellement cette salade de crabe. Je suis fière de dire que ma version santé est tout aussi savoureuse que l'originale.

INGRÉDIENTS :

125 mL (1/2 tasse) de mayonnaise allégée (Best Foods ou Hellmann's, aux É.-U.)

30 mL (2 c. à soupe) de sauce chili (É.-U.)

15 mL (1 c. à soupe) de Splenda ® granulé (ou 1 sachet de Splenda ®)

30 mL (2 c. à soupe) de céleri finement haché

5 à 10 mL (1 à 2 c. à thé) de lait allégé

PRÉPARATION :

1. Dans un petit bol, fouetter tous les ingrédients.

2. Pour une consistance plus liquide, ajouter du lait.

PAR PORTION DE **30 mL (2 c. à soupe)** :

Calories : 45	Gras : 3,5 g (0 g saturés)
Glucides : 4 g	Fibres : 1 g
Protéines : 0 g	Sodium : 180 mg

Valeur de choix d'aliments pour le diabète =
1 choix de gras
Points WW = 1 point

Vinaigrette de type Catalina sans gras

8 portions

A la base, cette vinaigrette consiste en un amalgame sucré et piquant d'huile, de ketchup et de sucre ; autrement dit, c'est du gras et du sucre. Pas étonnant qu'elle soit si populaire ! Vous avez maintenant l'occasion de la confectionner sans gras ni sucre tout en préservant son goût tant apprécié. Il faut y goûter pour y croire.

INGRÉDIENTS :

250 mL (1 tasse) d'eau froide

80 mL (1/3 tasse) de Splenda® granulé

45 mL (3 c. à soupe) de concentré de tomate

7,5 mL (1 1/2 c. à thé) de fécule de maïs

2,5 mL (1/2 c. à thé) de sel

0,5 mL (1/8 c. à thé) de poudre d'ail

0,5 mL (1/8 c. à thé) de poudre de chili

PRÉPARATION :

1. Mettre tous les ingrédients dans une petite casserole et fouetter afin de dissoudre la fécule de maïs.

2. Faire cuire à feu doux jusqu'à ce que la vinaigrette bouille, épaississe et s'éclaircisse. Retirer du feu et refroidir. Couvrir et réfrigérer.

NOTES :

Une portion de 30 mL (2 c. à soupe) de vinaigrette française au miel du commerce contient 170 calories, 13 g de gras et 12 g de glucides.

PAR PORTION DE 30 mL (2 c. à soupe) :

Calories : 10	Gras : 0 g
Glucides : 3 g	Fibres : 0 g
Protéines : 0 g	Sodium : 180 mg

Valeur de choix d'aliments pour le diabète = 1 choix de gras

Points WW = 1 point

Trempette et vinaigrette à la crème aigre (sure) des vieux pays

8 portions (vinaigrette) 7 portions (trempette*)

Les vinaigrettes à la crème aigre (sure), répandues dans les cuisines européennes, contiennent en général du vinaigre ou du jus de citron et du sucre afin d'équilibrer le taux d'acidité. L'ajout de moutarde, de ciboulette et d'ail rend cette recette très agréable en vinaigrette sur de la laitue ou comme trempette pour légumes.

INGRÉDIENTS :

250 mL (1 tasse) de crème aigre (sure)

45 mL (3 c. à soupe) de vinaigre de cidre

30 mL (2 c. à soupe) de Splenda ® granulé

10 mL (2 c. à thé) de ciboulette fraîche émincée

2,5 mL (1/2 c. à thé) de moutarde sèche

2,5 mL (1/2 c. à thé) de poudre d'ail

0,5 mL (1/8 c. à thé) de sel

45 mL (3 c. à soupe) de lait allégé

PRÉPARATION :

1. Trempette : dans un petit bol, fouetter tous les ingrédients sauf le lait. Refroidir 30 minutes pour laisser les saveurs se marier.

2. Marinade : Ajouter le lait à la trempette et fouetter jusqu'à onctuosité.

PAR PORTION DE 30 mL (2 c. à soupe) :

Calories : 45	Gras : 2,5 g (2 g saturés)
Glucides : 3 g	Fibres : 0 g
Protéines : 2 g	Sodium : 65 mg

Valeur de choix d'aliments pour le diabète =
1/2 choix de gras
Points WW = 1 point
* Ajoutez 5 calories et 0,5 g de gras par portion.

Vinaigrette crémeuse aux graines de pavot

8 portions

Voici une recette pour vous si vous aimez les vinaigrettes onctueuses. Elle se verse à merveille sur une verdure délicate, comme la laitue beurre, ou sur des fruits frais.

INGRÉDIENTS :

125 mL (1/2 tasse) de babeurre

125 mL (1/2 tasse) de crème aigre (sure) allégée

45 mL (3 c. à soupe) de Splenda® granulé (ou 4 sachets de Splenda®)

10 mL (2 c. à thé) de jus de citron

5 mL (1 c. à thé) de graines de pavot

PRÉPARATION :

1. Dans un petit bol, fouetter tous les ingrédients.

NOTES :

Incorporez un soupçon de zeste d'orange à la vinaigrette et servez-la sur des fraises fraîches pour bien finir le repas.

PAR PORTION DE 30 mL (2 c. à soupe) :

Calories : 10   Gras : 0 g
Glucides : 3 g   Fibres : 0 g
Protéines : 0 g   Sodium : 180 mg

Valeur de choix d'aliments pour le diabète =
1 choix de gras
Points WW = 1 point

Vinaigrette au gingembre et au sésame

6 portions

L'huile permet l'émulsion dans la plupart des vinaigrettes. Moins d'huile signifie une texture plus liquide. Dans cette vinaigrette cuite de style oriental, j'utilise de la fécule de maïs comme agent épaississant plutôt qu'une grande quantité d'huile.

INGRÉDIENTS :

80 mL (1/3 tasse) de bouillon de poulet

60 mL (1/4 tasse) de jus d'ananas

45 mL (3 c. à soupe) de vinaigre de riz naturel

30 mL (2 c. à soupe) d'huile de sésame

15 mL (1 c. à soupe) de sauce soja allégée

30 mL (2 c. à soupe) de Splenda® granulé (ou 3 sachets de Splenda®)

7,5 mL (1 1/2 c. à thé) de gingembre frais émincé

2,5 mL (1/2 c. à thé) d'ail haché fin

5 mL (1 c. à thé) de fécule de maïs délayée dans 15 mL (1 c. à soupe) d'eau

PRÉPARATION :

1. Mettre tous les ingrédients dans une petite casserole sauf la fécule de maïs et chauffer jusqu'à chaleur moyenne.

2. Incorporer le mélange de fécule de maïs et porter à ébullition. Faire cuire jusqu'à ce que le liquide épaississe et s'éclaircisse. Retirer du feu et refroidir. Couvrir et réfrigérer.

3. Agiter ou mélanger avant de servir.

PAR PORTION DE 30 mL (2 c. à soupe) :

Calories : 55   Gras : 4,5 g (0 g saturés)
Glucides : 3 g   Fibres : 1 g
Protéines : 0 g   Sodium : 140 mg

Valeur de choix d'aliments pour le diabète =
1 choix de gras
Points WW = 1 point

Vinaigrette pour salade aux épinards

8 portions

Il y a peu de temps, j'ai acheté une vinaigrette pour salade aux épinards d'une chaîne de restauration rapide et j'ai constaté qu'elle contenait six sucres différents. Il n'est pas étonnant que la plupart des calories proviennent du sucre ! Je propose ici une vinaigrette toute simple qui contient seulement un peu de vrai sucre pour assurer sa limpidité. Réfrigérez jusqu'au moment de servir.

INGRÉDIENTS :

22,5 mL (1 1/2 c. à soupe) d'huile de canola

125 mL (1/2 tasse) d'oignon en dés

2,5 mL (1/2 c. à thé) de fumée liquide

160 mL (2/3 tasse) d'eau

80 mL (1/3 tasse) de vinaigre de cidre

30 mL (2 c. à soupe) de préparation *Sugar Blend for Baking de Splenda*® (É.-U.)*

À peine 1,2 mL (1/4 c. à thé) de sel

7,5 mL (1 c. à thé) de fécule de maïs délayée dans 15 mL (1 c. à soupe) d'eau

30 mL (2 c. à soupe) de vraies miettes de bacon

PRÉPARATION :

1. Dans une petite casserole, faire chauffer l'huile à feu moyen. Ajouter l'oignon et faire cuire de 3 à 5 minutes ou jusqu'à ce que les oignons soient transparents.

2. Ajouter la fumée liquide, l'eau, le vinaigre, le Splenda® et le sel, puis remuer.

3. Porter le mélange à faible ébullition et incorporer la fécule de maïs. Remuer pendant 1 minute ou jusqu'à ce que le liquide épaississe et s'éclaircisse.

4. Incorporer les miettes de bacon en fouettant. Faire cuire encore 30 secondes, puis retirer du feu. Servir immédiatement ou verser dans un bol et réfrigérer.

* Si vous remplacez la préparation *Sugar Blend for Baking de Splenda*® par du Splenda® granulé, n'en mettez que 60 mL (1/4 tasse).

PAR PORTION DE 30 mL (2 C. À SOUPE) :

Calories : 50   Gras : 3 g (1 g saturés)
Glucides : 5 g   Fibres : 0 g
Protéines : 1 g   Sodium : 95 mg

Valeur de choix d'aliments pour le diabète =
1 choix de gras
Points WW = 1 point

Vinaigrette au yaourt aux fraises pour salade de fruits

12 portions

Voici une petite vinaigrette simple qui ne contient qu'un soupçon de miel. Elle est idéale sur un plat de fruits frais. Personnellement, je l'aime sur un mélange de fraises et d'oranges, mais elle est délicieuse avec tous les fruits.

INGRÉDIENTS :

125 mL (1/2 tasse) de fraises en tranches

2,5 mL (1/2 c. à thé) de zeste d'orange

180 mL (3/4 tasse) de yaourt nature allégé ou sans gras

90 mL (6 c. à soupe) de crème aigre (sure) allégée

30 mL (2 c. à soupe) de Splenda® granulé

10 mL (2 c. à thé) de miel

PRÉPARATION :

1. Dans un robot culinaire, travailler les fraises et le zeste d'orange pour les briser (ne pas les liquéfier).

2. Déposer les fraises broyées dans un bol moyen. Ajouter en fouettant le yaourt, la crème aigre (sure), le Splenda® et le miel. Bien mélanger. Refroidir avant de servir.

NOTES :

Les baies fraîches sont fantastiques. Elles contiennent peu de glucides, et elles sont riches en fibres et en nutriments. Les melons comme le cantaloup, la pastèque (melon d'eau) et le melon miel sont également intéressants. Leur riche teneur en eau les rend peu denses en calories.

PAR PORTION DE 30 mL (2 c. À SOUPE) :

Calories : 25   Gras : 0,5 g (0,5 g saturés)
Glucides : 3 g   Fibres : 0 g
Protéines : 2 g   Sodium : 15 mg

Valeur de choix d'aliments pour le diabète =
1 choix d'aliments bonis
Points WW = 1 point jusqu'à 60 mL (1/4 tasse)

Sauce teriyaki

10 portions

J'adore la sauce teriyaki pour sa polyvalence et sa saveur qui convient à toutes les coupes de bœuf, au porc, au poulet et aux fruits de mer. Elle fait aussi une trempette délicieuse pour les viandes cuites et une excellente sauce pour sautés qu'il suffit d'épaissir à la fécule de maïs.

INGRÉDIENTS :

80 mL (1/3 tasse) de sauce soja allégée

60 mL (1/4 tasse) de sherry sec ou xérès

30 mL (2 c. à soupe) de vinaigre de riz naturel

45 mL (3 c. à soupe) de Splenda® granulé

15 mL (1 c. à soupe) de cassonade

10 mL (2 c. à thé) d'huile de sésame

5 mL (1 c. à thé) de gingembre frais râpé

2,5 mL (1/2 c. à thé) d'ail émincé

PRÉPARATION :

1. Dans un petit bol, fouetter tous les ingrédients ensemble.

2. Conserver couverte au réfrigérateur.

NOTES :

Le vinaigre de riz naturel ne contient pas de sucre. Le vinaigre de riz parfumé est en revanche additionné de sucre. Dans 15 mL (1 c. à soupe), on trouve environ 5 mL (1 c. à thé) de sucre.

PAR PORTION DE 15 mL (1 c. à soupe) :

Calories : 20   Gras : 1 g (0 g saturés)
Glucides : 2 g   Fibres : 0 g
Protéines : 1 g   Sodium : 260 mg

Valeur de choix d'aliments pour le diabète =
1 choix d'aliments bonis
Points WW = 0 point

Sauce teriyaki épicée

10 portions

L'ail et les flocons de piment rouge remplacent ici le gingembre. J'aime particulièrement cette sauce dans les sautés.

INGRÉDIENTS :

80 mL (1/3 tasse) de sauce soja allégée

60 mL (1/4 tasse) de sherry sec ou xérès

30 mL (2 c. à soupe) de vinaigre de riz naturel

45 mL (3 c. à soupe) de Splenda ® granulé

15 mL (1 c. à soupe) de cassonade

15 mL (1 c. à soupe) d'huile de sésame

5 mL (1 c. à thé) d'ail émincé

0,5 mL (1/8 c. à thé) de flocons de piment rouge

PRÉPARATION :

1. Dans un petit bol, fouetter tous les ingrédients ensemble.

2. Conserver couverte au réfrigérateur.

NOTES :

Après avoir mariné la viande dans la sauce, portez la marinade à ébullition et faites-la réduire de moitié, puis badigeonnez-en la viande.

PAR PORTION DE 15 mL (1 c. à soupe) :

Calories : 25   Gras : 1,5 g (0 g saturés)
Glucides : 2 g   Fibres : 0 g
Protéines : 1 g   Sodium : 260 mg

Valeur de choix d'aliments pour le diabète =
1 choix d'aliments bonis
Points WW = 1 point

Marinade au citron frais

10 portions

Voici une recette extraordinaire pour la cuisson sur le gril du poisson, du poulet ou des crevettes. Pour une marinade rapide, versez les ingrédients dans un grand sac en plastique à fermeture à glissière avec les protéines de votre choix. Rangez le sac sur des glaçons dans une glacière portative. Votre viande sera tendre et savoureuse quand vous la mettrez sur le gril.

INGRÉDIENTS :

80 mL (1/3 tasse) de jus d'orange faible en sucre (Tropicana Light'n Healthy, É.-U.)

Jus et zeste de 1 citron

Jus de 1 limette

30 mL (2 c. à soupe) de Splenda® granulé

2 gousses d'ail écrasées

2,5 mL (1/2 c. à thé) de flocons de piment rouge (facultatif)

Pincée de sel

0,5 mL (1/8 c. à thé) de poivre noir

PRÉPARATION :

1. Mélanger tous les ingrédients et laisser reposer à la température de la pièce pendant 1 heure.

2. Ajouter le poisson, le poulet ou les crevettes et placer au réfrigérateur ou dans une glacière portative jusqu'à 2 heures.

NOTES :

Surveillez-vous le sodium dans votre alimentation ? La saveur éclatante des agrumes évite d'ajouter du sel dans cette marinade.

PAR PORTION :

Calories : 5   Gras : 0 g
Glucides : 1 g   Fibres : 0 g
Protéines : 0 g   Sodium : 35 mg

Valeur de choix d'aliments pour le diabète =
1 choix d'aliments bonis
Points WW = 0 point

Marinade et trempette thaï épicée

6 portions

La cuisine thaïlandaise repose sur quatre saveurs principales : piquant, doux, salé et épicé. Comme bon nombre de sauces thaï, cette recette réunit ces quatre saveurs. Elle fait une marinade succulente pour le bœuf, le poulet et le poisson, et une trempette délicieuse pour à peu près tout, des grillades aux rouleaux de printemps. Une pincée de gomme de xanthame épaissit suffisamment la marinade pour en faire une belle glace à badigeonner sur les aliments.

INGRÉDIENTS :

60 mL (1/4 tasse) de sauce soja allégée ou faible en sodium

60 mL (1/4 tasse) de jus de limette

15 mL (1 c. à soupe) de sauce de poisson

60 mL (1/4 tasse) de Splenda® granulé

30 mL (2 c. à soupe) d'oignons verts ciselés (parties blanches et vertes)

7,5 mL (1 1/2 c. à thé) de piments thaïlandais ou Serrano évidés et coupés finement

7,5 mL (1 1/2 c. à thé) d'ail écrasé

PRÉPARATION :

1. Combiner tous les ingrédients liquides.

2. Incorporer le Splenda®, les oignons verts, les piments et l'ail.

NOTES :

La sauce de poisson provient du liquide de poisson salé et fermenté. C'est un ingrédient de base de la cuisine thaïlandaise. Son goût âcre et relevé confère un arôme et une saveur inégalés. On la trouve en Thaïlande sur toutes les tables, comme le sel en Amérique du Nord. Au magasin, vous la trouverez dans la section des produits asiatiques (Nam Pla).

PAR PORTION DE 30 mL (2 C. À SOUPE) :

Calories : 15	Gras : 0 g
Glucides : 3 g	Fibres : 0 g
Protéines : 1 g	Sodium : 570 mg

Valeur de choix d'aliments pour le diabète = 1 choix d'aliments bonis

Points WW = 0 point

Légumes pour tous les goûts

Nous savons tous que les légumes sont bons pour la santé. Les recherches scientifiques confirment sans cesse leurs bienfaits. Les légumes peuvent aider à protéger contre certains cancers, à diminuer la tension artérielle, à protéger la vue et à conserver une apparence jeune. Suivez donc les recommandations quotidiennes et consommez 5 portions, soit de 625 à 750 mL (2 1/2 à 3 tasses), ou plus de légumes chaque jour. Cependant, pour vraiment profiter de ces bienfaits, il vous faudra réduire votre apport en beurre et en sucre. Eh bien, réjouissez-vous! Ces derniers ne vous manqueront pas, car j'ai choisi des légumes intéressants, à la fois colorés et sains, apprêtés de manière à plaire à vos papilles gustatives sans nuire au bon travail de dame Nature.

Par exemple, mon soufflé à la courge musquée regorge de vitamine A et d'antioxydants. Chaque portion ne contient que 130 calories (sans sucre ajouté). Avec sa garniture croustillante de pacanes, ce mets classique des fêtes, gonflé, onctueux et sucré remplace agréablement la casserole conventionnelle de patates douces qui contient plus de 400 calories, 20 g de gras et 40 g de sucre par portion. Vous aurez peine à croire qu'un mets aussi savoureux est bon pour vous.

Outre ce classique de la période des fêtes (tout aussi bon le reste de l'année), vous découvrirez plusieurs autres recettes de légumes très polyvalentes comme les fèves (haricots) au lard, le chou rouge aigre-doux, les haricots verts aux graines de sésame et même des carottes amusantes pour vos enfants. Il n'aura jamais été aussi facile de consommer cinq portions de légumes par jour.

Oignons et pommes

2 portions

Voici une autre recette de mon amie Fran, qui adore cuisiner avec Splenda®. Je trouve que ce sauté d'oignons et de pommes prêt en 15 minutes accompagne très bien des côtelettes de porc maigres cuites sur le gril.

INGRÉDIENTS :

1 gros oignon en tranches

1 grosse pomme d'environ 150 g (1/3 lb), pelée, évidée et en quartiers

15 mL (1 c. à soupe) de vinaigre de cidre

30 mL (2 c. à soupe) de Splenda® granulé

5 mL (1 c. à thé) de cassonade

1,2 mL (1/4 c. à thé) de graines de carvi (facultatif)

Pincée de sel

Poivre au goût

PRÉPARATION :

1. Déposer la pomme, l'oignon, le vinaigre de cidre, le Splenda® et la cassonade dans une grande poêle antiadhésive. Remuer pour combiner.

2. Couvrir et faire cuire à feu moyen jusqu'à ce que les pommes et les oignons soient tendres, mais pas trop mous – environ 15 minutes.

3. Assaisonner de sel et de poivre au goût.

NOTES :

J'ajoute des graines de carvi quand les légumes doivent accompagner le porc, mais libre à vous d'utiliser une herbe de votre choix. Le romarin va bien avec le bœuf ou le poulet, et l'aneth avec le saumon grillé.

PAR PORTION :

Calories : 90	Gras : 0 g
Glucides : 22 g	Fibres : 4 g
Protéines : 1 g	Sodium : 125 mg

Valeur de choix d'aliments pour le diabète =
1 choix de fruits, 1 choix de légumes
Points WW = 1 point

Carottes glacées à l'aneth frais

6 portions

Les carottes glacées semblent convenir à tous les mets ; peut-être cela explique-t-il leur grande popularité. Même si on leur reproche souvent de contenir beaucoup de sucre, elles comportent en réalité peu de glucides et s'intègrent bien à grand nombre de régimes alimentaires. Le problème avec les carottes glacées, c'est bien plus la glace que les carottes. Certaines recettes exigent jusqu'à 125 mL (1/2 tasse) de sucre et 125 mL (1/2 tasse) de beurre pour 6 portions ou moins. Ma recette, par contre, demande juste assez d'édulcorant et de beurre pour rehausser la saveur naturelle des carottes. L'aneth frais couronne le tout.

INGRÉDIENTS :

60 mL (1/4 tasse) de jus d'orange régulier ou allégé

60 mL (1/4 tasse) d'eau

454 g (1 lb) de carottes (environ 6 grosses), parées, pelées et coupées en tranches

30 mL (2 c. à soupe) de beurre allégé fondu

45 mL (3 c. à soupe) de Splenda® granulé

5 mL (1 c. à thé) d'aneth frais émincé

Sel et poivre au goût

PRÉPARATION :

1. Verser le jus d'orange et l'eau dans une casserole moyenne. Ajouter les carottes et laisser mijoter, couvert, pendant 15 minutes ou jusqu'à ce que les carottes soient tendres et que le liquide se soit évaporé.

2. Dans un petit bol, combiner le beurre fondu, le Splenda® et l'aneth. Verser sur les carottes et remuer.

3. Assaisonner de sel et de poivre au goût.

NOTES :

Les carottes sont bonnes pour vous. Une portion de 125 mL (1/2 tasse) de carottes bouillies fournit seulement 8 g de glucides (mais 2 g de fibres), en plus de l'apport quotidien recommandé de vitamine A.

PAR PORTION DE 125 mL (1/2 TASSE) :

Calories : 60	Gras : 2 g (1 g saturés)
Glucides : 9 g	Fibres : 2 g
Protéines : 1 g	Sodium : 45 mg

Valeur de choix d'aliments pour le diabète =
1 1/2 choix de légumes, 1/2 choix de gras
Points WW = 1 point

Haricots verts aux graines de sésame

4 portions

La cuisson à l'étuvée avive la couleur des haricots verts et les rend bien dodus. Vous pouvez aussi les préparer à l'avance, en gardant l'étape du sauté pour la fin. J'aime servir ces haricots foncés et odorants avec mon filet de porc barbecue au goût d'Asie (page 228).

INGRÉDIENTS :

454 g (1 lb) de haricots verts frais équeutés

15 mL (1 c. à soupe) de graines de sésame

10 mL (2 c. à thé) d'huile de sésame

30 mL (2 c. à soupe) de sauce soja allégée

30 mL (2 c. à soupe) de Splenda® granulé

15 mL (1 c. à soupe) de vinaigre de riz naturel

Pincée de flocons de piment rouge

PRÉPARATION :

1. Déposer les haricots verts dans une grande casserole d'eau bouillante avec 10 mL (2 c. à thé) de sel pendant 4 minutes ou jusqu'à tendreté. Égoutter et mettre dans de l'eau glacée jusqu'à ce que les haricots soient refroidis. Égoutter et assécher. Réserver.

2. Dans une grande poêle antiadhésive, faire griller les graines de sésame à feu doux jusqu'à ce qu'elles soient dorées. Retirer de la poêle et réserver.

3. Mettre l'huile dans la poêle et faire chauffer (l'huile ne doit pas fumer). Ajouter les haricots et faire cuire 1 ou 2 minutes ou jusqu'à ce qu'ils soient chauds.

4. Mélanger le reste des ingrédients et les verser dans la poêle. Continuer de cuire les haricots afin de bien les enrober et de faire chauffer la sauce. Déposer dans un plat de service et parsemer de graines de sésame grillées.

PAR PORTION :

Calories : 70	Gras : 3,5 g (0 g saturés)
Glucides : 9 g	Fibres : 3 g
Protéines : 2 g	Sodium : 250 mg

Valeur de choix d'aliments pour le diabète =
1 1/2 choix de légumes, 1 choix de gras
Points WW = 1 point

NOTES :

L'huile de sésame est très stable, mais les graines peuvent rancir compte tenu de leur teneur élevée en huile. Gardez-les dans un endroit sombre et frais pendant 3 mois, au réfrigérateur pendant 6 mois ou au congélateur pendant 12 mois.

Betteraves en sauce à l'orange

4 portions

Je dois vous avouer qu'avant de créer cette recette, je n'avais jamais fait cuire de betteraves fraîches. Comme je le regrette ! Les betteraves en boîte donnent de bons résultats, mais je recommande d'utiliser les légumes frais, car rien n'égale leur texture. Ce plat d'accompagnement très coloré convient à tous les repas, des plus simples aux plus élégants.

INGRÉDIENTS :

454 g (1 lb) de betteraves fraîches ou 2 boîtes de 425 g (15 oz) de betteraves égouttées

60 mL (1/4 tasse) de jus d'orange régulier ou allégé

60 mL (1/4 tasse) de Splenda ® granulé

30 mL (2 c. à soupe) de vinaigre blanc ou de cidre

5 mL (1 c. à thé) de fécule de maïs

5 mL (1 c. à thé) de zeste d'orange

Pincée de sel

15 mL (1 c. à soupe) de margarine ou de beurre

PRÉPARATION :

1. Préparer les betteraves fraîches en les frottant et en coupant les tiges à 2,5 cm (1 po) du légume. La queue peut être laissée intacte. Déposer dans une casserole d'eau bouillante et laisser bouillir de 40 à 60 minutes ou jusqu'à texture tendre sous la lame d'un couteau tranchant. Égoutter et plonger dans de l'eau glacée pour refroidir. Frotter une betterave entre les mains pour dégager sa pelure, puis couper la chair en cubes.

2. Dans une casserole moyenne, fouetter ensemble le reste des ingrédients, sauf la margarine. Chauffer à feu moyen jusqu'à ébullition et épaississement.

3. Éteindre le feu et incorporer la margarine en brassant. Ajouter les betteraves à la sauce et faire chauffer pour bien les enrober.

NOTES :

Vous voudrez peut-être porter des gants pour peler les betteraves, car leur pigment peut tacher vos mains (et tout ce qu'il touche).

PAR PORTION :

Calories : 85
Glucides : 14 g
Protéines : 2 g

Gras : 2,5 g (0,5 g saturés)
Fibres : 2 g
Sodium : 150 mg

Valeur de choix d'aliments pour le diabète =
2 choix de légumes, 1/2 choix de gras
Points WW = 1 point

Mélange de poivrons à l'orientale

4 portions

Cette combinaison de poivrons colorés constitue un accompagnement alléchant pour le poisson ou la viande sur le gril. L'huile de sésame lui confère son goût exotique.

INGRÉDIENTS :

10 mL (2 c. à thé) d'huile de canola

5 mL (1 c. à thé) d'ail écrasé

3 gros poivrons (1 rouge, 1 vert, 1 jaune ou orangé), épépiné et tranché en lanières de 5 mm (1/4 po)

45 mL (3 c. à soupe) de vinaigre de riz naturel

15 mL (1 c. à soupe) de sauce soja allégée

15 mL (1 c. à soupe) d'huile de sésame

15 mL (1 c. à soupe) de Splenda® granulé

1,2 mL (1/4 c. à thé) de gingembre émincé ou râpé

Poivre frais moulu

PRÉPARATION :

1. Dans une grande poêle antiadhésive, chauffer l'huile, ajouter l'ail puis les poivrons. Cuire à feu élevé pendant 3 minutes.

2. Mélanger le reste des ingrédients et verser sur les poivrons.

3. Faire cuire encore 3 à 5 minutes jusqu'à ce que les poivrons soient tendres sans être mous.

4. Saler et poivrer au goût.

PAR PORTION DE 125 mL (1/2 TASSE) :

Calories : 70	Gras : 4,5 g (0 g saturés)
Glucides : 8 g	Fibres : 2 g
Protéines : 1 g	Sodium : 130 mg

Valeur de choix d'aliments pour le diabète =
1 choix de légumes, 1 choix de gras
Points WW = 1 point

Carottes amusantes

10 portions

J'ai dit à ma mère que j'incluais un chapitre sur les légumes dans mon livre et elle m'a immédiatement rappelé une recette qui méritait bien une adaptation. Cette recette avait un grand succès dans les rencontres entre amis il y a plusieurs années. De plus, le Los Angeles Times l'a présentée dans sa rubrique « Ma meilleure recette » en 1981. La version originale comporte une sauce sucrée incroyable qui fait sortir les carottes de l'ordinaire. Ma version allégée est tout aussi savoureuse.

INGRÉDIENTS :

1,5 L (6 tasses) de carottes pelées et coupées en tranches (908 g ou 2 lb)

1 boîte de 284 g (10 oz) de soupe à la tomate (Campbell's Healthy Selection, É.-U.)

160 mL (2/3 tasse) de Splenda® granulé

160 mL (2/3 tasse) de vinaigre

30 mL (2 c. à soupe) d'huile de canola

7,5 mL (1 1/2 c. à thé) de moutarde préparée

1 oignon moyen en dés

1 poivron vert moyen en dés

125 mL (1/2 tasse) de céleri haché

0,5 mL (1/8 c. à thé) de sel

PRÉPARATION :

1. Faire cuire les carottes dans une casserole moyenne remplie d'eau bouillante jusqu'à ce qu'elles soient tendres (environ 10 minutes). Égoutter et réserver.

2. Combiner les ingrédients restants dans la casserole et faire cuire à feu moyen jusqu'à ébullition. Réduire le feu et laisser mijoter 10 autres minutes. Verser la sauce sur les carottes égouttées. Servir chaud ou réfrigérer et servir froid.

NOTES :

Ces carottes sont si bonnes que tout le monde veut en manger, ce qui est une bien, car une seule portion procure 420 % de l'apport quotidien recommandé de vitamine A.

PAR PORTION DE 125 mL (1/2 TASSE) :

Calories : 90   Gras : 3,5 g (0 g saturés)
Glucides : 15 g   Fibres : 3 g
Protéines : 2 g   Sodium : 180 mg

Valeur de choix d'aliments pour le diabète =
2 1/2 choix de légumes, 1 choix de gras
Points WW = 1 point

Champignons marinés

6 portions

Les champignons conviennent à tous les régimes, car ils contiennent peu de calories et de glucides et si peu de gras. Une fois marinées, ces bouchées sucrées et savoureuses ont divers usages : elles accompagnent un mets principal comme un bifteck grillé, garnissent votre salade préférée ou font de délicieux hors-d'œuvre. Il suffit de doubler la recette pour un plus grand nombre de personnes.

INGRÉDIENTS :

454 g (1 lb) de petits champignons frais

60 mL (1/4 tasse) de sauce soja allégée

125 mL (1/2 tasse) de vin rouge

60 mL (1/4 tasse) de sherry ou xérès

60 mL (1/4 tasse) de Splenda ® granulé

250 mL (1 tasse) d'oignon rouge finement haché

De 1,2 à 2,5 mL (1/4 à 1/2 c. à thé) de poivre fraîchement moulu

PRÉPARATION :

1. Laver et assécher les champignons. Les couper en deux s'ils sont gros.

2. Combiner les ingrédients restants dans une casserole et porter à ébullition.

3. Retirer du feu et verser sur les champignons. Laisser au réfrigérateur une nuit. Servir froid ou à la température de la pièce.

NOTES :

Le champignon est un végétal, et non un légume, ce qui le place dans une catégorie à part. Du point de vue nutritionnel, on le classe parmi les légumes riches en protéines, en vitamines du complexe B, en minéraux et en fibres. Tout ça avec très peu de calories.

PAR PORTION :

Calories : 35	Gras : 0 g
Glucides : 4 g	Fibres : 1 g
Protéines : 3 g	Sodium : 200 mg

Valeur de choix d'aliments pour le diabète =
1 choix de légumes
Points WW = 1 point

* Les données correspondent à la moitié de la marinade.

Asperges à la vinaigrette au citron et à l'estragon

6 portions

Bien que les asperges soient maintenant disponibles presque toute l'année, elles sont à leur meilleur en saison, au printemps. Avec cette présentation simple, mais pourtant relevée, vous profitez à la fois de la beauté et de la saveur des asperges, sans oublier leurs bienfaits pour la santé.

INGRÉDIENTS :

680 g (1 1/2 lb) d'asperges fraîches, lavées (parées)

30 mL (2 c. à soupe) de moutarde de Dijon

30 mL (2 c. à soupe) de Splenda® granulé

30 mL (2 c. à soupe) de jus de citron frais

30 mL (2 c. à soupe) d'huile d'olive vierge ou extra-vierge

15 mL (1 c. à soupe) d'estragon frais haché, séparés en deux (ou encore 3,7 mL ou 3/4 c. à thé d'estragon séché avec 7,5 mL ou 1/2 c. à soupe de persil frais pour la garniture)

PRÉPARATION :

1. Faire cuire les turions d'asperges à l'étuvée ou au four à micro-ondes dans un plat en vitre et un peu d'eau. Couvrir d'une pellicule plastique et mettre au four à micro-ondes pendant 4 minutes à puissance élevée ou jusqu'à ce que les turions soient croquants. Immerger immédiatement dans un bol d'eau glacée afin d'interrompre la cuisson. (Omettre cette étape pour faire cuire les asperges davantage ou les servir immédiatement.)

2. Égoutter et déposer dans un plat de service.

3. Dans un petit bol, fouetter ensemble la moutarde, le Splenda®, le jus de citron, l'huile d'olive et 7,5 mL (1/2 c. à soupe) d'estragon frais ou 3,7 mL (3/4 c. à thé) d'estragon séché.

4. Arroser les asperges avec la vinaigrette. Saupoudrer le reste de l'estragon ou du persil sur les asperges juste avant de servir.

5. Servir froid ou à la température de la pièce.

NOTES :

Les asperges contiennent peu de calories, mais beaucoup de nutriments comme les fibres, l'acide folique et les vitamines A et C. L'asperge agit aussi comme détoxifiant et diurétique en plus d'aider à combattre le cancer.

PAR PORTION :

Calories : 60	Gras : 5 g (1 g saturés)
Glucides : 4 g	Fibres : 1 g
Protéines : 2 g	Sodium : 130 mg

Valeur de choix d'aliments pour le diabète =
1 choix de légumes, 1 choix de gras
Points WW = 1 point

Chou rouge aigre-doux

6 portions

Je me souviens, quand j'étais enfant, de la joie de mon grand-père d'origine allemande lorsque ma mère préparait du chou rouge. Maintenant, à l'approche de l'automne, je sers cette version de chou sans sucre avec le filet de porc. C'est au tour de mon mari de se réjouir.

INGRÉDIENTS :

10 mL (2 c. à thé) d'huile d'olive ou de canola

1/2 oignon rouge en dés

1 chou rouge moyen (environ 908 g ou 2 lb) coupé en quartiers, cœur retiré, puis finement tranché

1 pomme, pelée et râpée (facultatif)*

125 mL (1/2 tasse) de vin rouge

60 mL (1/4 tasse) de vinaigre de cidre

250 mL (1 tasse) d'eau

60 mL (1/4 tasse) de Splenda® granulé

2,5 mL (1/2 c. à thé) de sel

3 ou 4 gouttes de fumée liquide

Poivre au goût

PRÉPARATION :

1. Chauffer l'huile dans une casserole moyenne.

2. Ajouter l'oignon et faire cuire de 4 à 5 minutes ou jusqu'à translucide. Incorporer le chou, la pomme, le vin, le vinaigre, l'eau et le Splenda®. Couvrir et laisser mijoter 20 minutes. Remuer de temps en temps.

3. Incorporer le sel et la fumée liquide, et faire cuire encore 10 minutes ou jusqu'à ce que le chou soit tendre sans être mou.

NOTES :

La fumée liquide est un assaisonnement fait à base d'un concentré de fumée de noyer, suivant un procédé naturel. Elle ne contient aucune calorie et sa saveur rappelle le bacon. Utilisez-la avec modération, car elle est très concentrée.

* **La pomme donne bon goût et n'ajoute que 10 calories et 3 g de glucides par portion.**

PAR PORTION DE 180 mL À 250 mL (3/4 TASSE À 1 TASSE) :

Calories : 80
Glucides : 10 g
Protéines : 2 g

Gras : 2 g (0,5 g saturés)
Fibres : 2 g
Sodium : 220 mg

Valeur de choix d'aliments pour le diabète =
2 choix de légumes, 1/2 choix de gras
Points WW = 1 point

Fèves (haricots) au four

12 portions

Un gentil policier à la retraite m'a écrit après avoir reçu un de mes livres de recettes en cadeau de Noël. Il disait qu'il adorait cuisiner, qu'il souffrait de diabète (contrôlé, bien sûr) et qu'il était réputé pour ses fèves au four préparées avec beaucoup de cassonade. Il avait pourtant essayé ma recette, la faisant cuire à la mijoteuse à feu élevé pendant huit heures. Pour terminer, il m'avouait qu'il préférait ma recette à la sienne. Quel compliment ! À vous de choisir entre le four ou la mijoteuse.

INGRÉDIENTS :

454 g (1 lb) de petits haricots blancs, rincés et débris éliminés

1 gros oignon haché

125 mL (1/2 tasse) de jus de tomates

125 mL (1/2 tasse) de sirop d'érable sans sucre

160 mL (2/3 tasse) de Splenda® granulé

45 mL (3 c. à soupe) de mélasse

30 mL (2 c. à soupe) de vinaigre de cidre

10 mL (2 c. à thé) de moutarde sèche

3,7 mL (3/4 c. à thé) de sel

2,5 mL (1/2 c. à thé) de gingembre

Fumée liquide (facultatif, seulement si vous les aimez à la fumée)

PRÉPARATION :

1. Amener 2 L (8 tasses) d'eau et les fèves (haricots) à ébullition dans une grande casserole et laisser mijoter 2 minutes. Retirer du feu, couvrir et laisser tremper au moins 1 heure (ou jusqu'à 8 heures).

2. Préchauffer le four à 150 °C (300 °F). Égoutter les fèves et les placer dans une casserole ou une marmite allant au four ou dans la mijoteuse (dans ce cas, suivre les indications du fabricant). Incorporer le reste des ingrédients.

3. Mélanger et couvrir entièrement les fèves d'eau chaude (environ 500 mL ou 2 tasses).

4. Couvrir et faire cuire de 5 à 6 heures ou jusqu'à ce que les fèves soient tendres et que la sauce fasse des bulles. Vérifier pendant la cuisson s'il faut ajouter de l'eau.

NOTES :

Les fibres évitent la hausse rapide du glucose sanguin provoquée par les glucides raffinés. Les haricots ou les fèves sont des sources extraordinaires de fibres (et de protéines), ce qui en fait de bons glucides.

PAR PORTION DE 125 mL (1/2 TASSE) :

Calories : 140	Gras : 0 g (2 g saturés)
Glucides : 26 g	Fibres : 7 g
Protéines : 8 g	Sodium : 180 mg

Valeur de choix d'aliments pour le diabète =
1 1/2 choix de glucides
Points WW = 2 points

Soufflé à la courge musquée

8 portions

Eurêka ! Voici un substitut aux patates douces… avec moins de glucides. Ce soufflé facile à préparer fait pourtant un mets d'accompagnement somptueux à saveur riche et sucrée, mais qui ne contient qu'une fraction du sucre, du gras et des calories des versions classiques. Soyez sans crainte : le soufflé a même une garniture croquante aux noix. Personne ne se doutera qu'il s'agit d'une version allégée.

INGRÉDIENTS :

SOUFFLÉ

750 mL (3 tasses) de courge musquée en purée (courge d'environ 908 g ou 2 lb)

160 mL (2/3 tasse) de Splenda® granulé

1 gros œuf

3 blancs d'œufs

80 mL (1/3 tasse) de crème aigre (sure) allégée

15 mL (1 c. à soupe) de margarine fondue

3,7 mL (3/4 c. à thé) de cannelle

2,5 mL (1/2 c. à thé) d'essence de vanille

5 mL (1 c. à thé) de levure chimique

1,2 mL (1/4 c. à thé) de sel

GARNITURE

30 mL (2 c. à soupe) de farine

45 mL (3 c. à soupe) de Splenda® granulé

45 mL (3 c. à soupe) de pacanes finement hachées

15 mL (1 c. à soupe) de margarine fondue

1,2 mL (1/4 c. à thé) de cannelle

PRÉPARATION :

1. Préchauffer le four à 175 °C (350 °F). Vaporiser une casserole ou un plat à soufflé de 2 L (8 tasses) d'un enduit pour cuisson.

2. Soufflé : piquer la courge à plusieurs endroits à l'aide d'un couteau et la mettre dans le four à micro-ondes. Faire cuire à température élevée de 8 à 10 minutes. Retirer du four et couper la courge en deux. Épépiner une fois la courge suffisamment refroidie. Placer les moitiés de courge, face coupée vers le bas, dans un plat en verre; ajouter 60 mL (1/4 tasse) d'eau, couvrir de pellicule plastique (ou d'un couvercle) et remettre 10 minutes au four à micro-ondes ou jusqu'à ce que la chair soit très tendre. Enlever la chair à la cuillère et déposer dans un grand bol.

3. Ajouter le reste des ingrédients du soufflé et bien battre. Verser dans le plat à soufflé et uniformiser le dessus.

4. Combiner tous les ingrédients de la garniture dans un petit bol et mélanger à la fourchette ou avec les doigts jusqu'à consistance grumeleuse. Étaler sur le soufflé.

5. Faire cuire de 30 à 35 minutes jusqu'à ce que le soufflé gonfle au centre et que le dessus soit bien doré.

PAR PORTION DE 125 mL (1/2 TASSE) :

Calories : 120	Gras : 5 g (2 g saturés)
Glucides : 15 g	Fibres : 3 g
Protéines : 4 g	Sodium : 180 mg

Valeur de choix d'aliments pour le diabète = 1 choix de glucides, 1 choix de gras
Points WW = 2 points

NOTES :

Dans ce soufflé, il est impossible de reconnaître s'il s'agit de patates douces ou de courge. En revanche, 125 mL (1/2 tasse) de courge ne contient que 13 g de glucides plutôt que 40 g pour 125 mL (1/2 tasse) de patates douces.

Patates douces avec sirop au cidre

6 portions

Essayez cette recette si vous en avez assez des plats de patates douces garnies de guimauves et de cassonade. J'ai retenu la combinaison classique de pommes et de patates douces et j'y ai ajouté du cidre afin d'obtenir un sirop à base de beurre délicieux qui rehausse la saveur des patates douces au lieu de la dominer.

INGRÉDIENTS :

4 grosses patates douces (environ 680 g ou 1 1/2 lb)

180 mL (3/4 tasse) de cidre

125 mL (1/2 tasse) de Splenda® granulé

30 mL (2 c. à soupe) de beurre

PRÉPARATION :

1. Préchauffer le four à 175 °C (350 °C). Vaporiser un plat de cuisson d'un enduit pour cuisson.

2. Faire bouillir les patates douces de 20 à 25 minutes ou jusqu'à ce qu'elles soient très tendres sous la lame d'un couteau. Les égoutter et laisser refroidir suffisamment pour les peler. Les couper ensuite en rondelles de 6 mm (1/4 po). Étager les rondelles dans un plat rectangulaire allant au four.

3. Dans une petite casserole, faire chauffer le vinaigre de cidre à feu moyen et réduire du tiers ou de la moitié. Incorporer le Splenda® et faire cuire encore une minute. Retirer du feu et ajouter le beurre.

4. Verser le sirop sur les patates douces, couvrir et faire cuire au four 30 minutes ou jusqu'à ce qu'elles soient tendres et chaudes.

NOTES :

Au goût, les patates douces semblent plus sucrées que les pommes de terre blanches, mais elles agissent plus lentement sur le glucose sanguin. Ce n'est plus le cas si vous les recouvrez de 125 mL (1/2 tasse) de cassonade et d'un tas de guimauves. Une portion d'une casserole classique de patates douces contient plus de 60 g de glucides (dont plus de 30 g proviennent du sucre).

PAR PORTION DE 125 mL (1/2 TASSE) :

Calories : 150	Gras : 4,5 g (3 g saturés)
Glucides : 27 g	Fibres : 2 g
Protéines : 2 g	Sodium : 50 mg

Valeur de choix d'aliments pour le diabète = 2 choix de légumes, 1/2 choix de gras
Points WW = 3 points

Fèves (haricots) au lard au sucre d'érable sur la cuisinière

6 portions

Avec le rythme effréné de la vie moderne, les recettes faciles et rapides sont toujours les bienvenues. Vous pouvez pourtant préparer des haricots « maison » dans le temps qu'il faut pour faire le reste du repas. Rien de plus facile.

INGRÉDIENTS :

5 mL (1 c. à thé) d'huile de canola

1 petit oignon finement haché

125 mL (1/2 tasse) de sauce à la tomate

60 mL (1/4 tasse) de sirop d'érable sans sucre

60 mL (1/4 tasse) de Splenda® granulé

15 mL (1 c. à soupe) de mélasse

10 mL (2 c. à thé) de moutarde préparée

5 mL (1 c. à thé) de vinaigre

4 ou 5 gouttes de fumée liquide

2 boîtes de 425 g (15 oz) de haricots pinto égouttés et rincés (ou les haricots de votre choix)

PRÉPARATION :

1. Chauffer l'huile dans une grande casserole. Ajouter l'oignon et faire cuire de 3 à 4 minutes pour les ramollir.

2. Ajouter le reste des ingrédients et remuer.

3. Faire mijoter à feu doux de 25 à 30 minutes.

NOTES :

Le goût sucré des fèves plaît aux enfants et leur permet d'absorber des fibres. L'apport quotidien recommandé de fibres pour les enfants est leur âge plus 5. Avec 5 g de fibres par portion, ces fèves font l'affaire!

PAR PORTION :

Calories : 145   Gras : 2 g (2 g saturés)
Glucides : 26 g   Fibres : 5 g
Protéines : 8 g   Sodium : 160 mg

Valeur de choix d'aliments pour le diabète =
1 1/2 choix de glucides
Points WW = 2 points

Salade de champignons, de haricots verts et de pommes de terre à l'allemande

6 portions

La salade de pommes de terre à l'allemande regorge de pommes de terre riches en amidon et de bacon. Ce n'est pas vraiment un plat santé, mais c'est si bon ! J'ai allégé la recette afin de pouvoir la remettre au menu. J'ai ajouté des légumes plus faibles en glucides, j'ai éliminé le sucre et j'ai prévu juste assez de bacon pour préserver le goût. Mangez cette salade quand cela vous plaît ou avec de la saucisse allégée en gras pour un festin allemand.

INGRÉDIENTS :

226 g (8 oz) de haricots verts frais équeutés

454 g (1 lb) de pommes de terre rouges bien brossées

3 tranches de bacon du centre

1 petit oignon haché

2,5 mL (1/2 c. à thé) de moutarde sèche

2,5 mL (1/2 c. à thé) de thym broyé

10 mL (2 c. à thé) de farine

160 mL (2/3 tasse) de bouillon de poulet

80 mL (1/3 tasse) de vinaigre de vin blanc ou de cidre

30 mL (2 c. à soupe) de Splenda ® granulé

0,5 mL (1/8 c. à thé) de sel (ou plus au goût)

113 g (4 oz) de champignons frais coupés en tranches de 6 mm (1/4 po)

Poivre noir au goût

PRÉPARATION :

1. Faire cuire les haricots verts dans une grande casserole d'eau bouillante additionnée de 5 mL (1 c. à thé) de sel de 6 à 8 minutes pour qu'ils soient tendres, mais croquants. Retirer les haricots de l'eau à l'aide d'un égouttoir et les mettre dans un grand bol à couvercle. Déposer les pommes de terre (avec la pelure) dans l'eau chaude et faire bouillir 20 minutes ou jusqu'à tendres lorsque percées d'une fourchette. Égoutter, couper en tranches et ajouter aux haricots.

2. Durant la cuisson des pommes de terre, dans une grande poêle, faire cuire le bacon pour qu'il soit croustillant. Retirer le bacon et enlever le gras à l'aide d'un essuie-tout. Émietter et réserver.

3. Laisser 30 mL (2 c. à soupe) de gras de bacon dans la poêle. Ajouter l'oignon et le faire ramollir. Incorporer la moutarde et le thym, puis la farine.

4. En fouettant, ajouter le bouillon de poulet, le vinaigre, le Splenda® et le sel. Fouetter jusqu'à épaississement.

5. Incorporer les champignons pour les réchauffer sans les faire cuire. Verser la sauce chaude sur le mélange de pommes de terre. Remuer. Ajouter les miettes de bacon et ajuster l'assaisonnement.

PAR PORTION :

Calories : 130	Gras : 3,5 g (0,5 g saturés)
Glucides : 20 g	Fibres : 3 g
Protéines : 5 g	Sodium : 290 mg

Valeur de choix d'aliments pour le diabète =
1 choix de glucides, 1 choix de légumes,
1/2 choix de gras
Points WW = 2 points

Pain de maïs au babeurre

12 portions

Des livres de recettes entiers ont été rédigés en hommage à ce plat en apparence simple. Pour bien des gens, le pain de maïs est plus qu'un pain ; c'est un aliment réconfortant. Et comme tous les aliments réconfortants, il a plusieurs facettes. J'ai alors créé une version plus saine, inspirée de la recette d'une pâtisserie reconnue pour ses tartes, mais davantage pour son pain de maïs. Tous aiment ce pain de maïs moelleux, sucré et léger. Chaud, c'est un régal !

INGRÉDIENTS :

1 gros œuf + 2 blancs d'œufs

45 mL (3 c. à soupe) de margarine fondue

310 mL (1 1/4 tasse) de babeurre

5 mL (1 c. à thé) d'essence de vanille

250 mL (1 tasse) de farine de maïs

250 mL (1 tasse) de farine tout usage

125 mL (1/2 tasse) de Splenda® granulé

20 mL (4 c. à thé) de levure chimique

2,5 mL (1/2 c. à thé) de bicarbonate de sodium

Pincée de sel

PRÉPARATION :

1. Préchauffer le four à 190 °C (375 °F). Vaporiser un moule carré de 20 cm (8 po) ou un moule rond de 23 cm (9 po) d'un enduit pour cuisson.

2. Dans un bol moyen, fouetter ensemble les 4 premiers ingrédients (des œufs à l'essence de vanille). Réserver.

3. Combiner tous les ingrédients secs dans un grand bol. Remuer. Faire un puits au centre des ingrédients et y verser le mélange de babeurre. Brasser délicatement à l'aide d'une cuillère juste assez pour mouiller la farine.

4. Déposer la pâte à la cuillère dans le moule préparé. Faire cuire de 20 à 25 minutes ou jusqu'à ce que le pain reprenne sa forme après une légère pression du doigt.

PAR PORTION :

Calories : 125	Gras : 3,5 g (2 g saturés)
Glucides : 19 g	Fibres : 1 g
Protéines : 4 g	Sodium : 295 mg

Valeur de choix d'aliments pour le diabète =
1 choix de glucides, 1 choix de gras
Points WW = 2 points

Pain de maïs aux piments jalapeño et au fromage

12 portions

Ces pains de maïs au fromage savoureux et piquant conviennent comme plat d'accompagnement au brunch, au déjeuner ou au dîner. Après bien des essais, j'ai conclu que le fromage donne plus de goût et un plus beau coup d'œil quand on le saupoudre sur les muffins. Rien ne vous empêche de l'incorporer à la pâte si vous le préférez.

INGRÉDIENTS :

250 mL (1 tasse) de farine de maïs

250 mL (1 tasse) de farine

180 mL (3/4 tasse) de Splenda® granulé

15 mL (1 c. à soupe) de levure chimique

5 mL (1 c. à thé) de bicarbonate de sodium

430 mL (1 3/4 tasse) de babeurre

1 œuf

45 mL (3 c. à soupe) de beurre ou de margarine, fondu

15 mL (1 c. à soupe) de piments jalapeño (frais ou en pot)

180 mL (12 c. à soupe) de cheddar fort allégé râpé

PRÉPARATION :

1. Préchauffer le four à 190 °C (375 °F). Vaporiser un moule à muffins d'un enduit pour cuisson.

2. Dans un bol moyen, mélanger ensemble la farine de maïs, la farine, le Splenda®, la levure chimique et le bicarbonate de sodium.

3. Dans une grosse tasse graduée, combiner le babeurre, l'œuf et le beurre fondu.

4. Faire un puits au centre des ingrédients secs et y verser le mélange de babeurre. Mélanger délicatement, juste assez pour combiner. Incorporer les piments jalapeño.

5. Répartir la pâte dans les 12 alvéoles du moule à muffins.

6. Saupoudrer 15 mL (1 c. à soupe) de cheddar râpé sur chaque muffin.

7. Faire cuire de 15 à 17 minutes ou jusqu'à ce qu'un cure-dents inséré au centre en ressorte propre.

PAR PORTION :

Calories : 125
Glucides : 19 g
Protéines : 5 g

Gras : 5 g (1 g saturés)
Fibres : 1 g
Sodium : 330 mg

Valeur de choix d'aliments pour le diabète =
1 choix de glucides, 1 choix de gras
Points WW = 3 points

Pudding sucré au maïs du Sud-Ouest

6 portions

Les recettes de pudding au maïs varient, mais elles regorgent toutes de calories. Certaines ont la consistance d'un flan, alors que d'autres contiennent tellement de farine de maïs que je les taille en carrés. Ma version, au goût riche et sucré, se trouve à peu près à mi-chemin. Ce plat d'accompagnement avec oignons et piments verts sautés est fantastique avec des mets mexicains ou des aliments grillés avec des épices du Sud-Ouest. Si vous préférez une version plus classique, essayez la recette qui suit.

INGRÉDIENTS :

1 petit oignon en dés

30 mL (2 c. à soupe) de beurre ou de margarine

250 mL (1 tasse) de babeurre

1 gros œuf + 2 blancs d'œufs

1 boîte de 127 g (4 1/2 oz) de piments verts hachés

1 boîte de 425 g (15 oz) de maïs égoutté

125 mL (1/2 tasse) de farine de maïs

30 mL (2 c. à soupe) de farine tout usage

2,5 mL (1/2 c. à thé) de levure chimique

125 mL (1/2 tasse) de Splenda® granulé

PRÉPARATION :

1. Préchauffer le four à 175 °C (350 °F). Vaporiser un plat de cuisson allant au four de 1 L (4 tasses) d'un enduit pour cuisson.

2. Dans une petite poêle, faire cuire les oignons dans la margarine jusqu'à ramollis. Déposer les oignons dans un grand bol et incorporer le babeurre, l'œuf, les blancs d'œufs et le piment.

3. Déposer le maïs dans un robot culinaire. Pulser quelques fois jusqu'à ce qu'il soit grossièrement haché. Verser dans la préparation.

4. Mélanger le reste des ingrédients secs dans un petit bol. Verser dans le mélange liquide et brasser. Déposer la pâte à la cuillère dans le plat préparé et faire cuire de 45 à 50 minutes ou jusqu'à ce que le tout soit bien gonflé et doré.

PUDDING AU MAÏS SUCRÉ CLASSIQUE :

Éliminer les oignons et les piments. Faire fondre la margarine ou le beurre et l'ajouter au mélange liquide. (Les teneurs en calories, en glucides et en gras ne changent pas de façon significative.)

PAR PORTION :

Calories : 140
Glucides : 18 g
Protéines : 5 g

Gras : 4 g (2 g saturés)
Fibres : 2 g
Sodium : 270 mg

Valeur de choix d'aliments pour le diabète =
1 choix de glucides, 1 choix de gras
Points WW = 2 points

Condiments populaires

Voulez-vous relever le goût d'un mets? Alors pensez à un condiment. Qu'il soit doux, épicé, aromatique, consistant ou onctueux, c'est souvent la sauce qui définit le plat.

Malheureusement, certains condiments regorgent naturellement de sucre, de gras ou de calories et peuvent vous laisser avec plus qu'un bon souvenir du repas, notamment en ajoutant quelques kilos sur votre pèse-personne ou en augmentant votre taux de glucose sanguin sur votre tensiomètre artériel. C'est pourquoi plusieurs nutritionnistes déconseillent les condiments. Je ne suis pas d'accord. Au fait, je vous suggère de manger ce qui vous plaît, soit tous les aliments qui unissent les mets sains et les condiments savoureux.

Vous découvrirez dans ce chapitre comment rehausser au maximum la saveur de vos aliments; et ce, en reprenant les classiques comme la sauce aux canneberges à deux volets qui ne contient que 8 g de glucides au lieu de 45 par portion, ou encore la sauce barbecue douce à saveur de fumée ou le beurre de pomme. Ces versions rehausseront tous vos repas. Je vous propose aussi de nouvelles recettes comme le chutney aux pêches du Sud-Ouest et la sauce aux cacahuètes (arachides) à la thaïlandaise ainsi que la façon de convertir vos cornichons de aigres à doux, et ce, sans sucre. Enfin, j'ai inclus des tas d'astuces dans l'introduction de chaque recette qui lorsqu'elles sont amalgamées au plat approprié ne feront qu'augmenter ses saveurs et vous inspirer à créer vos propres recettes.

Confiture à la tomate et au gingembre

10 portions

Il y a quelques années, je me suis inscrite à un cours d'emballage de cadeaux à une école culinaire régionale. J'ai appris à préparer un délicieux Chutney, soit un type de confiture à la tomate et au gingembre semblable à celle que l'on trouve dans les marchés gastronomiques. Ma version a conservé le goût incroyable et piquant de la recette conventionnelle sans sucre. Servez ce chutney sur des viandes grillées ou comme amuse-gueule délicieux sur des craquelins nappés d'un fromage à la crème allégé lors de réception et de fêtes.

INGRÉDIENTS :

1 boîte de tomates Roma (italiennes) ou en dés de 828 mL (28 oz)

160 mL (2/3 tasse) de Splenda® granulé

160 mL (2/3 tasse) de vinaigre de cidre de pommes

30 mL (2 c. à soupe) de sirop de maïs

6,2 mL (1 1/4 c. à thé) de gingembre moulu

5 mL (1 c. à thé) d'ail

2,5 mL (1/2 c. à thé) de sel

0,6 mL (1/8 c. à thé) de poivre de cayenne ou 1,2 mL (1/4 c. à thé) de flocons de piments rouges

PRÉPARATION :

1. Combiner tous les ingrédients dans une casserole épaisse.

2. Mener à ébullition à feu élevé, puis réduire la chaleur et laisser mijoter en remuant à l'occasion jusqu'à ce que le liqude s'évapore et que le tout prenne la consistance épaisse d'une confiture… environ 1 heure.

3. Laisser refroidir, couvrir et réfrigérer. Se conserve près de 1 mois.

NOTES :

Cette confiture savoureuse et relevée à la tomate est un cadeau de fêtes unique de l'hôtesse tout autant apprécié que les friandises achetées en magasin ou les plats de biscuits. Mettez-la dans un joli flacon ou bol décoré d'un ruban de fêtes.

PAR PORTION DE 45 mL (3 c. à soupe) :

Calories : 35	Gras : 0 g (0 saturés)
Glucides : 8 g	Fibres : 2 g
Protéines : 1 g	Sodium : 0 mg

Valeur de choix d'aliments pour le diabète =
1 choix de légumes
Points WW = 0 points

Sauce aux cacahuètes (arachides) à la thaïlandaise

8 portions

Les sauces aux cachuètes (arachides) sont aussi populaires en Asie que les sauces barbecue en Amérique. Dans ma version cependant, j'ai éliminé l'excès de gras et, bien sûr, le sucre. J'ai conservé la sauce hoisin, bien qu'elle contienne du sucre. Cette sauce orientale procure de la richesse qui ne peut être copiée par aucun autre ingrédient. Vous trouverez cette sauce dans la section des produits orientaux de votre supermarché.

INGRÉDIENTS :

30 mL (2 c. à soupe) de sauce soja allégée

45 mL (3 c. à soupe) de vinaigre de riz nature

30 mL (2 c. à soupe) de sauce hoisin

45 mL (3 c. à soupe) de Splenda® granulé

5 mL (1 c. à thé) d'huile de sésame

125 mL (1/2 tasse) d'eau

Pincée de flocons de piments rouges

45 mL (3 c. à soupe) de beurre de cacahuètes (d'arachides)

2,5 mL (1/2 c. à thé) de fécule de maïs diluée dans 5 mL (1 c. à thé) d'eau

PRÉPARATION :

1. Fouetter tous les ingrédients dans une petite casserole, sauf le beurre de cacahuètes (d'arachides) et la fécule de maïs.

2. Incorporer le beurre de cacahuètes (d'arachides) et chauffer à feu doux, remuer au fouet jusqu'à consistance lisse. Mener à une faible ébullition, puis ajouter la fécule de maïs. Remuer jusqu'à ce que la sauce épaississe et qu'elle soit limpide.

NOTES :

Cette sauce est servie avec les brochettes de la page 239. On l'utilise aussi sur les sautés ou pour enrober les pâtes, le poulet et les légumes restants servis sur des nouilles orientales bonnes pour la santé.

PAR PORTION DE 30 mL (2 C. À SOUPE) :

Calories : 55	Gras : 4 g (1 saturés)
Glucides : 4 g	Fibres : 0 g
Protéines : 2 g	Sodium : 220 mg

Valeur de choix d'aliments pour le diabète =
1 choix de gras
Points WW = 1 point

Sauce douce au raifort

12 portions

Je me souviens de mon frère qui raffolait d'une sauce à sandwich au raifort. La combinaison d'une mayonnaise douce et de raifort ravigote le goût de ce sandwich au rôti de bœuf. J'ai adopté une approche de diminution du gras que j'enseigne à de futurs chefs cuisiniers, soit comment remplacer avec succès la mayonnaise par du fromage blanc (cottage).

INGRÉDIENTS :

80 mL (1/3 tasse) de fromage blanc (cottage) allégé

45 mL (3 c. à soupe) de crème aigre (sure) allégée

30 mL (2 c. à soupe) de raifort

15 mL (1 c. à soupe) de Splenda® granulé

PRÉPARATION :

1. Déposer le fromage cottage dans un robot cuinaire ou un mélangeur, et mettre en crème (comme de la mayonnaise).

2. Incorporer la crème sure, le raifort, le Splenda® et mélanger de nouveau. Couvrir et réfrigérer.

NOTES :

Vous pouvez utiliser le fromage cottage allégé nature comme substitut dans vos produits à tartiner, vos trempettes et vos marinades au lieu de la mayonnaise ou de la crème sure. Vous réduirez ainsi non seulement le gras et les calories, mais vous ajouterez des protéines et du calcium.

PAR PORTION DE 15 mL (1 c. à soupe) :

Calories : 15	Gras : 1 g (1 saturés)
Glucides : 1 g	Fibres : 0 g
Protéines : 1 g	Sodium : 45 mg

Valeur de choix d'aliments pour le diabète =
1 choix d'aliments bonis
Points WW = 0 point

Sauce douce à la moutarde et trempette

10 portions

Cette recette me rappelle la sauce à la moutarde de la chaîne de restaurant américaine T.G.I.F (Thank God It's Friday). Ma version cependant comprend des produits allégés en gras et du Splenda® en vue de réduire de moitié les calories, le gras et les glucides. Vous pouvez éclaircir la sauce en l'additionnant de quelques cuillérées à soupe d'eau chaude ou l'utiliser telle quelle comme vinaigrette douce à la moutarde sur vos salades.

INGRÉDIENTS :

60 mL (1/4 tasse) de mayonnaise allégée (sans gras)

60 mL (1/4 tasse) de crème aigre (sure)

30 mL (2 c. à soupe) de Splenda® granulé

15 mL (1 c. à soupe) d'eau chaude

15 mL (1 c. à soupe) + 5 mL (1 c. à thé) de moutarde de Dijon

7,5 mL (1 1/2 c. à thé) de vinaigre

30 mL (2 c. à soupe) de miel

PRÉPARATION :

1. Déposer tous les ingrédients dans un petit bol et fouetter ensemble.

2. Couvrir et réfrigérer jusqu'à épaississement. Éliminer l'eau pour une utilisation immédiate comme tartinade sur un sandwich.

NOTES :

La mayonnaise régulière ne contient habituellement pas de sucre, elle regorge de gras et totalise 100 calories par cuillérée à soupe.

PAR PORTION DE 15 mL (1 c. à soupe) :

Calories : 35
Glucides : 2 g
Protéines : 0 g

Gras : 2,5 g (1 saturés)
Fibres : 0 g
Sodium : 70 mg

Valeur de choix d'aliments pour le diabète =
1 choix de 1/2 gras
Points WW = 1 point

Sauce barbecue ou trempette douce et rapide

6 portions

Voici une recette facile à préparer que mes enfants adorent. La sauce barbecue agrémente tous les plats qui s'y prêtent bien, entre autres le poulet et les côtes levées.

INGRÉDIENTS :

1 boîte de sauce à la tomate de 247 mL (8 oz)

30 mL (2 c. à soupe) d'eau

15 mL (1 c. à soupe) de sauce Worcestershire

15 mL (1 c. à soupe) de vinaigre de cidre de pommes

60 mL (1/4 tasse) de Splenda® granulé

5 mL (1 c. à thé) de miel

Pincée de poudre d'oignon

Pincée de sel

PRÉPARATION :

1. Déposer tous les ingrédients dans une petite casserole et faire cuire 5 minutes à feu doux.

2. Continuer la cuisson 5 minutes supplémentaires pour une sauce plus épaisse.

NOTES :

Un seul sachet de sauce barbecue de la chaîne Wendy (restaurants-rapides aux É.-U.) contient 45 calories et 10 g de glucides. Utilisez deux sachets et vous venez de doubler vos calories et vos glucides.

PAR PORTION DE 30 mL (2 c. à soupe) :

Calories : 15   Gras : 0 g
Glucides : 4 g   Fibres : 0,5 g
Protéines : 0,5 g   Sodium : 210 mg

Valeur de choix d'aliments pour le diabète =
1 choix d'aliments bonis
Points WW = 0 point

Sauce barbecue douce à saveur de fumée

12 portions

La sauce barbecue américaine conventionnelle est très populaire, en plus d'être très polyvalente. Mais quel qu'en soit le type, à saveurs d'hickory, fumée, au miel ou piquante, elle regorge de sucre. Et bien que vous puissiez vous permettre de consommer une cuillérée sans problème, la plupart des personnes en avalent plus d'une ou deux à la fois. Ma version est facile à préparer et rapide, et sa teneur en sucre est très faible. En outre, elle agrémente parfaitement les plats de bœuf, de porc ou de poulet.

INGRÉDIENTS :

30 mL (2 c. à soupe) d'huile de canola

15 mL (1 c. à soupe) d'ail écrasé

250 mL (1 tasse) d'oignon finement haché

1 boîte de pâte de tomates de 177 g (6 oz)

250 mL (1 tasse) d'eau

30 mL (2 c. à soupe) de vinaigre de cidre de pommes

45 mL (3 c. à soupe) de sauce Worcestershire

80 mL (1/3 tasse) de Splenda® granulé

30 mL (2 c. à soupe) de mélasse

5 mL (1 c. à thé) de chili en poudre

5 mL (1 c. à thé) de moutarde sèche

3 ou 4 gouttes de fumée liquide

Quelques gouttes de Tabasco® (sauce piquante facultative au goût)

PRÉPARATION :

1. Faire chauffer l'huile et l'ail dans une casserole moyenne à feu modéré pendant 1 minute. Déposer tous les ingrédients dans une petite casserole et faire cuire 5 minutes à feu doux. Ajouter l'oignon et le faire cuire 10 minutes ou jusqu'à ce qu'il soit ramolli et transparent.

2. Ajouter le reste des ingrédients, bien mélanger et laisser mijoter 20 minutes à feu doux.

3. Retirer du feu et fouettez au mélangeur jusqu'à consistance lisse et que les saveurs s'unissent.

4. Refroidir et couvrir. Elle se conserve 2 semaines au réfrigérateur.

NOTES :

La pâte de tomates est riche en lycopène, un antioxydant puissant qui peut s'avérer favorable dans la lutte contre certaines formes de cancer et de maladies du cœur.

PAR PORTION DE 30 mL (2 c. à soupe) :

Calories : 25	Gras : 0,5 g
Glucides : 5 g	Fibres : 0,5 g
Protéines : 1 g	Sodium : 105 mg

Valeur de choix d'aliments pour le diabète =
1 choix de glucides par 45 mL (3 c. à soupe)
Points WW = 0 point

Épices sèches Cajun à saveur aigre-douce

24 portions

Les épices que l'on étale sur la viande agrémentent sa saveur et sa couleur sans y ajouter de gras. Les meilleures épices sont à la fois douces et salée en plus d'être aromatiques. Elles éveilleront toutes vos papilles gustatives. Ma recette est savoureuse avec tous les types de viande, de poulet ou de poisson. Les morceaux individuels doivent être épicés une heure environ avant d'être déposés sur le gril. Frottez les gros morceaux plusieurs heures avant de les cuire, voire la nuit précédente, ce qui permettra à la viande d'absorber les saveurs.

INGRÉDIENTS :

30 mL (2 c. à soupe) de paprika

7,5 mL (1 1/2 c. à thé) de Splenda® granulé

15 mL (1 c. à soupe) de sel

15 mL (1 c. à soupe) de poivre fraîchement moulu

15 mL (1 c. à soupe) de poudre d'ail

15 mL (1 c. à soupe) de poudre d'oignon

15 mL (1 c. à soupe) d'origan

15 mL (1 c. à soupe) de thym

7,5 mL (1 1/2 c. à thé) à 15 mL (1 c. à soupe) de poivre de cayenne (une cuillerée et demie rendra le plat très épicé)

PRÉPARATION :

1. Bien mélanger tous les ingrédients ensemble.

2. Utiliser immédiatement ou conserver les épices dans un petit bol fermé hermétiquement. (Les épices se conserveront plusieurs mois.)

NOTES :

Vous faites un régime faible en sodium? Alors coupez le sel de moitié ou utilisez un succédané faible en sel comme le « Nu-Salt » (É.-U.).

PAR PORTION DE 2,5 mL (1/2 C. À THÉ) :

Calories : 8   Gras : 0 g
Glucides : 2 g   Fibres : 1 g
Protéines : 0 g   Sodium : 300 mg

Valeur de choix d'aliments pour le diabète = 1 choix d'aliments bonis
Points WW = 0 point

Sauce aux canneberges à deux volets

10 portions de 60 mL (1/4 tasse) ou de 30 mL (2 c. à soupe de gelée)

Personne n'adoptera un nouveau plat, santé ou non, s'il ne se compare pas aux mets traditionnels des fêtes. Je vous promets que si vous faites l'essai de ma recette, vos convives ignoreront que 75 % des sucres nécessaires à la réussite de cette sauce aux canneberges ont été éliminés. Ma version est aussi douce. Vous pouvez choisir de laisser les canneberges entières, comme je le fais, ou de passer la sauce au tamis en vue d'obtenir une gelée de canneberges comme le décrit la variante ci-après.

INGRÉDIENTS :

60 mL (1/4 tasse) de jus d'orange régulier ou allégé en sucre

5 mL (1 c. à thé) de gélatine neutre

340 g (12 oz) de canneberges fraîches lavées et nettoyées

250 mL (1 tasse) d'eau

180 mL (3/4 tasse) de Splenda ® granulé

45 mL (3 c. à soupe) de sucre

Colorant alimentaire rouge (facultatif)

PRÉPARATION :

1. Verser le jus d'orange dans un petit bol. Ajouter la gélatine et laisser reposer 3 minutes.

2. Combiner les canneberges, l'eau, le Splenda® et le sucre dans une casserole moyenne. Mener à ébullition.

3. Ajouter la gélatine ramollie. Mijoter 10 minutes ou jusqu'à ce que presque toutes les canneberges aient éclaté.

4. Ajuster la couleur en ajoutant 2 ou 3 gouttes de colorant alimentaire au besoin.

Gelée de canneberges : Ajouter 10 mL (2 c. à thé) de gélatine. Passer la sauce au tamis en pressant les fruits avec le dos de la cuillère. Réfrigérer toute la nuit.

NOTES :

La sauce aux canneberges maison classique peut contenir 35 g de sucre par portion de 60 mL (1/4 tasse). C'est plus de sucre que dans n'importe lequel des desserts de ce livre.

PAR PORTION DE 60 mL (1/4 TASSE) OU 30 mL (2 c. À SOUPE DE GELÉE) :

Calories : 30   Gras : 0 g
Glucides : 8 g   Fibres : 2 g
Protéines : 1 g   Sodium : 0 mg

Valeur de choix d'aliments pour le diabète = 1/2 fruit
Points WW = 1 point

Relish sensationnelle aux canneberges sans cuisson

8 portions

Au cours des dernières années, les condiments « relish » aux canneberges sont devenus de plus en plus populaires. Ma version à la fois piquante et rafraîchissante comprend quelques touches additionnelles qui la distinguent des autres recettes. Préparez la relish au moins la journée précédente afin que toutes les saveurs s'y fondent.

INGRÉDIENTS :

340 g (12 oz) de canneberges fraîches lavées et nettoyées

1 orange pelée et épépinée (réserver le quart du zeste)

30 mL (2 c. à soupe) de cassonade

30 mL (2 c. à soupe) de liqueur d'orange

180 mL (3/4 tasse) de Splenda® granulé

PRÉPARATION :

1. Déposer la moitié des canneberges, l'orange et le zeste dans un robot culinaire et hacher le mélange finement sans mettre en purée.

2. Répéter le processus avec la deuxième moitié des canneberges. Ajouter la cassonade. Déposer dans un bol.

3. Incorporer la liqueur d'orange et le Splenda® dans le mélange de canneberges. Couvrir et réfrigérer toute la nuit ou plus longuement avant de servir. (Se conserve jusqu'à deux semaines au réfrigérateur.)

NOTES :

Les canneberges regorgent d'antioxydants et de flavonoïdes agissant comme protecteurs contre des maladies depuis les ulcères aux maladies du cœur, ainsi que le cancer.

PAR PORTION :

Calories : 36   Gras : 0 g
Glucides : 7 g   Fibres : 1 g
Protéines : 0 g   Sodium : 0 mg

Valeur de choix d'aliments pour le diabète = 1/2 fruit
Points WW = 1 point

Relish à la courgette et au maïs

16 portions

Une de mes amies a adapté la recette de relish fraîche de cornichons de sa grand-mère pour mon livre. La recette conventionnelle regorge de sucre, alors que la mienne est idéale pour toute personne faisant un régime minceur. Elle est faible en gras et en calories, mais elle est très savoureuse. Ma copine Nancie en agrémente sa salade de thon ; la relish est aussi délicieuse sur les « hot dogs » ou les « burger » allégés.

INGRÉDIENTS :

625 mL (2 1/2 tasses) de courgette râpée

250 mL (1 tasse) d'oignon finement haché

180 mL (3/4 tasse) de poivron vert haché finement

180 mL (3/4 tasse) de poivron rouge haché finement

15 mL (1 c. à soupe) de sel

1,2 mL (1/4 c. à thé) de curcuma

1,2 mL (1/4 c. à thé) de poudre de cari

1,2 mL (1/4 c. à thé) de graines de céleri

1,2 mL (1/4 c. à thé) de poivre

2,5 mL (1/2 c. à thé) de fécule de maïs

250 mL (1 tasse) de Splenda® granulé

160 mL (2/3 tasse) de vinaigre

PRÉPARATION :

1. Mélanger la courgette, l'oignon, le poivron vert, le poivron rouge et le sel dans un grand bol. Réfrigérer toute la nuit.

2. Rincer complètement les ingrédients le lendemain matin à l'eau froide et bien égoutter.

3. Déposer dans une casserole et incorporer le reste des ingrédients et faire cuire à feu moyen 30 minutes. Déposer dans un bol à couvercle hermétique et réfrigérer. Se conserve de 1 à 2 semaines.

NOTES :

Stérilisez et chauffez vos pots selon les instructions du fabricant, si vous décidez de mettre la relish en conserve. Vous pouvez vérifier si le bol est hermétiquement clos en exerçant une pression sur le dessus du couvercle. Si vous entendez un « clouc », la conserve de relish n'est pas réussie.

PAR PORTION DE 30 mL (2 C. À SOUPE) :

Calories : 20	Gras : 0 g
Glucides : 4 g	Fibres : 1 g
Protéines : 1 g	Sodium : 40 mg

Valeur de choix d'aliments pour le diabète = 1 légume
Points WW = 0 point

Chutney aux canneberges

12 portions

Chaque année durant les fêtes, je prépare un chutney aux canneberges que je sers avec la dinde. Le chutney amalgame vinaigre et sucre, et crée un équilibre aigre-doux parfait. Ma version contient en outre un soupçon de piquant, car j'y ajoute quelques flocons de piment rouge, ainsi qu'un peu d'orange. Préparez une autre recette ou utilisez les restes sur un sandwich froid à la dinde. Le chutney est aussi délicieux avec un filet de porc.

INGRÉDIENTS :

5 mL (1 c. à thé) d'huile de canola

1 grosse échalote hachée finement de 80 mL (1/3 tasse)

1 sac de 340 g (12 oz) de canneberges fraîches

125 mL (1/2 tasse) de Splenda® granulé

125 mL (1/2 tasse) de jus d'orange régulier ou allégé

80 mL (1/3 tasse) de vinaigre de cidre de pommes

15 mL (1 c. à soupe) de cassonade

2,5 mL (1/2 c. à thé) de gingembre moulu

Près de 1,2 mL (1/4 c. à thé) de flocons de piment rouge

15 mL (1 c. à soupe) de zeste d'orange

PRÉPARATION :

1. Chauffer l'huile dans une grande casserole et faire cuire l'échalote de 3 à 4 minutes ou jusqu'à ce qu'elle soit ramollie .

2. Ajouter le reste des ingrédients sauf le zeste. Réduire le feu et mijoter 15 minutes. Remuer à l'occasion.

3. Ajouter le zeste et faire cuire encore 15 minutes ou jusqu'à ce que la consistance soit plus épaisse.

4. Refroidir et réfrigérer. Servir froid ou à la température de la pièce.

NOTES :

J'ajoute habituellement quelques gouttes de colorant alimentaire afin de rehausser le rouge du chutney, surtout si je l'offre en cadeau durant les fêtes.

PAR PORTION DE 30 mL (2 C. À SOUPE) :

Calories : 35   Gras : 0 g
Glucides : 8 g   Fibres : 1 g
Protéines : 0 g   Sodium : 0 mg

Valeur de choix d'aliments pour le diabète = 1/2 fruit
Points WW = 1 point

Chutney aux pêches

8 portions

Ma voisine, dégustatrice volontaire de plusieurs de mes essais culinaires, fut enchantée de recevoir en cadeau un bol de ce succulent chutney aux pêches. En fait, elle m'a remerciée pendant des semaines. Le chutney est délicieux avec des viandes grillées ou du poisson.

INGRÉDIENTS :

6 pêches moyennes fraîches, environ 680 g (1 1/2 lb)

15 mL (1 c. à soupe) de jus de citron

125 mL (1/2 tasse) d'oignon haché

125 mL (1/2 tasse) de poivron rouge haché

5 mL (1 c. à thé) d'huile

125 mL (1/2 tasse) de Splenda® granulé

80 mL (1/3 tasse) de vinaigre de cidre de pommes

5 mL (1 c. à thé) de gingembre frais moulu

10 mL (2 c. à thé) de miel

0,5 mL (1/8 c. à thé) de cannelle

0,5 mL (1/8 c. à thé) de flocons de piment rouge

PRÉPARATION :

1. Déposer les pêches dans de l'eau bouillante pendant 1 minute. Les transférer immédiatement dans de l'eau glacée. Peler, dénoyauter et couper en bouchées d'environ 750 mL (3 tasses). Asperger de jus de citron.

2. Faire cuire l'oignon et le poivre dans une casserole moyenne jusqu'à légèrement ramollis.

3. Ajouter les pêches et le reste des ingrédients et porter à faible ébullition. Réduire le feu et continuer la cuisson 30 minutes jusqu'à réduction et épaississement du mélange. Remuer à l'occasion.

NOTES :

Vous pouvez utiliser bon nombre de fruits et de légumes dans un chtuney. Vous pouvez aussi le servir frais, cette recette par exemple, ou le mettre en pot comme vous le feriez pour une gelée. Le chutney réfrigéré se conserve jusqu'à un mois.

PAR PORTION DE 60 mL (1/4 TASSE) :

Calories : 45	Gras : 0 g
Glucides : 11 g	Fibres : 2 g
Protéines : 1 g	Sodium : 0 mg

Valeur de choix d'aliments pour le diabète =
1 fruit
Points WW = 1 point

Chutney aux pêches du Sud-Ouest

8 portions

Le cumin et le curcuma dans cette recette de chutney aromatique rappellent légèrement les saveurs du Sud-Ouest. Dégustez-le sur du poulet grillé accompagné d'une grosse salade verte, ou sur du pain de maïs aux piments jalapeño et au fromage de la page 194 ou avec le pudding sucré au maïs de type Sud-Ouest de la page 195. Et désalterez-vous avec un grand verre de boisson effervescente à la limette et au citron de la page 39.

INGRÉDIENTS :

6 pêches moyennes fraîches, environ (680 g / 1 1/2 lb)

15 mL (1 c. à soupe) de jus de limette

5 mL (1 c. à thé) d'huile

125 mL (1/2 tasse) d'oignon haché

125 mL (1/2 tasse) de poivron rouge haché

1 petit piment jalapeño évidé et haché finement

125 mL (1/2 tasse) de Splenda® granulé

80 mL (1/3 tasse) de vinaigre de cidre de pommes

10 mL (2 c. à thé) de miel

2,5 mL (1/2 c. à thé) de cumin

0,5 mL (1/8 c. à thé) de curcuma

PRÉPARATION :

1. Déposer les pêches dans de l'eau bouillante pendant 1 minute. Les transférer immédiatement dans de l'eau glacée. Peler, dénoyauter et couper en bouchées moyennes (environ 750mL / 3 tasses). Asperger de jus de limette.

2. Faire cuire l'oignon et les poivrons dans une casserole moyenne jusqu'à légèrement ramollis. Ajouter le reste des ingrédients et porter à faible ébullition. Réduire le feu et continuer de mijoter pendant 30 minutes jusqu'à réduction et épaississement du mélange. Remuer à l'occasion.

PAR PORTION DE 60 mL (1/4 TASSE) :

Calories : 45	Gras : 0 g
Glucides : 11 g	Fibres : 2 g
Protéines : 1 g	Sodium : 0 mg

Valeur de choix d'aliments pour le diabète = ·1 fruit

Points WW = 1 point

Chutney rapide à la menthe fraîche

4 portions

En général, le chutney est fait de fruits ou de légumes, comme la recette de chutney aux pêches de la page 210. Cette recette est tout à fait différente. Le chutney rapide à la menthe fraîche est inspiré des Indes et a la consistance d'un pesto. Les fines herbes fraîches sont amalgamées en une pâte épaisse. La combinaison savoureuse de menthe et de citron en fait un plat d'accompagnement délicieux avec l'agneau, le poulet ou les fruits de mer, ou est une tartinade exquise.

INGRÉDIENTS :

250 mL (1 tasse) bien aéré de feuilles de menthe fraîche

60 mL (1/4 tasse) de coriandre fraîche

60 mL (1/4 tasse) d'oignons verts (les parties blanches et vertes)

15 mL (1 c. à soupe) de piment jalapeño

Zeste de 1 citron

5 mL (1 c. à thé) de Splenda® granulé (ou 1/2 sachet de Splenda®)

5 mL (1 c. à thé) de gingembre émincé

Pincée de sel

45 mL (3 c. à soupe) de jus de citron frais

15 mL (1 c. à soupe) d'huile de canola

15 mL (1 c. à soupe) d'eau

PRÉPARATION :

1. Déposer les feuilles de menthe, la coriandre, l'oignon, le jalapeño, le zeste de citron, le Splenda®, le gingembre et le sel dans un robot culinaire. Hacher les herbes.

2. Ajouter le jus de citron, l'huile et l'eau. Mélanger.

NOTES :

Vous pouvez facilement préparer cette recette en double, et une ou deux journées à l'avance. Conservez-la au réfrigérateur dans un bol à couvercle hermétique jusqu'au moment de servir.

PAR PORTION DE **30 mL (2 c. à soupe)** :

Calories : 45   Gras : 3,5 g (0 saturés)
Glucides : 3 g   Fibres : 1 g
Protéines : 1 g   Sodium : 90 mg

Valeur de choix d'aliments pour le diabète =
1 gras, 1/2 légume
Points WW = 1 point

Relish de cornichons et d'oignons

10 portions

Le résultat de cette recette est un vrai plaisir. Mieux encore, les cornichons étaient plus savoureux que ceux vendus en magasin qui regorgent aussi de sucre. Les petits cornichons ou concombres à mariner sont les meilleurs, bien que vous puissiez aussi utiliser les concombres à salade. Vous pouvez également mariner divers types de légumes (voir « variante des divers légumes marinés »).

INGRÉDIENTS :

681 g (1 1/2 lb) de concombres non pelés et coupés en tranches, bouts enlevés

1 oignon moyen, finement tranché

375 mL (1 1/2 tasse) de vinaigre

250 mL (1 tasse) de Splenda® granulé

7,5 mL (1 1/2 c. à thé) de graines de moutarde

5 mL (1 c. à thé) de fécule de maïs

3,6 mL (3/4 c. à thé) de curcuma

2,5 mL (1/2 c. à thé) de graines de céleri

PRÉPARATION :

1. Déposer les tranches de concombres et l'oignon dans un grand bol et saupoudrer de sel pour marinades. Couvrir et réfrigérer 1 à 2 heures.

2. Bien rincer dans un tamis sous un jet d'eau. Égoutter et déposer dans un grand bol.

3. Dans une casserole moyenne, combiner le reste des ingrédients et porter à ébullition à feu élevé. Remuer jusqu'à consistance plus épaisse et limpide.

4. Verser la marinade chaude sur les concombres et les oignons. Refroidir à température de la pièce, couvrir et réfrigérer. La relish se conserve jusqu'à un mois.

NOTES :

Ces cornichons à la fois doux et croquants satisferont sûrement l'envie de sucre qui se manifeste en après-midi. Si vous les préférez avec de la glace, n'hésitez pas, car le Splenda est sécuritaire, même pour les futures mères.

PAR PORTION DE **125 mL** (1/2 TASSE) :

Calories : 20	Gras : 0 g
Glucides : 5 g	Fibres : 0,5 g
Protéines : 0 g	Sodium : 120 mg

Valeur de choix d'aliments pour le diabète = 1 légume

Points WW = 0 point

Cornichons faciles macérés deux fois

De 10 à 12 portions

J'ai trouvé cette recette dans un vieux livre de recettes de charité ou de bienfaisance. Je me devais de l'essayer. Honnêtement, j'ignore pourquoi une personne transformerait un pot de cornichons aigres en des délices doux en utilisant du sucre, car les fabricants le font pour vous. En revanche, quel défi inspirant pour ceux et celles qui veulent limiter leur apport en sucre. Et c'est tellement facile...

INGRÉDIENTS :

1 pot de cornichons cacher à l'aneth de 500 mL (16 oz)

180 mL (3/4 tasse) de vinaigre de cidre de pommes

180 mL (3/4 tasse) de Splenda® granulé

2,5 mL (1/2 c. à thé) d'aneth

PRÉPARATION :

1. Ouvrir le pot de cornichons à l'aneth et vider le liquide et conserver les cornichons.

2. Réchauffer le vinaigre, le Splenda® et l'aneth dans une petite casserole.

3. Verser le liquide chaud sur les cornichons. Remettre le couvercle et laisser refroidir à la température de la pièce.

4. Mettre au réfrigérateur pendant 24 heures avant de servir.

NOTES :

Je vous suggère de choisir un cornichon faible en sodium si vous surveillez votre apport en sel et que vous voulez préparer cette recette. Sinon, je vous propose la recette « Relish de cornichons et d'oignons » à la page 213.

PAR PORTION (1 CORNICHON) :

Calories : 5	Gras : 0 g
Glucides : 1 g	Fibres : 0 g
Protéines : 0 g	Sodium : 260 mg

Valeur de choix d'aliments pour le diabète =
1 choix d'aliments bonis

Points WW = 0 point

Beurre de pomme

48 portions

Ce beurre de pomme foncé, épais et lisse est une merveilleuse substitution aux tartines et aux sandwichs nappés de beurre et de confiture de fruits. N'oubliez pas l'étape du tamis qui garantit la consistance lisse de la tartinade, ce qui confère en outre au beurre de pomme sa texture veloutée et le différencie de la sauce de pomme.

INGRÉDIENTS :

1 8 Kg (4 lb) de pommes lavées, non pelées ni évidées, coupées en quartiers

500 mL (2 tasses) d'eau

125 mL (1/2 tasse) de jus de citron frais

10 mL (2 c. à thé) de cannelle moulue

2,5 mL (1/2 c. à thé) de piment de la Jamaïque

180 mL (3/4 tasse) de Splenda® granulé (ou plus au goût)

Pincée de sel

PRÉPARATION :

1. Déposer les pommes (environ 3 L / 12 tasses), le jus de citron et l'eau dans une casserole. Couvrir et porter à ébullition. Réduire à feu moyen et continuer de cuire jusqu'à ce que les pommes soient ramollies (environ 30 minutes).

2. Déposer le mélange de pommes (environ 500 mL / 2 tasses) soit dans un tamis, un chinois ou un moulin à légumes au dessus d'un grand bol, et réduire en purée.

3. Chauffer le four 135 ºC (275 ºF).

4. Ajouter les épices, le Splenda® et le sel aux pommes. Déposer le tout dans un plat allant au four et faire cuire jusqu'à ce que le mélange ait épaissi (environ 1 heure). À la bonne consistance, le beurre de pomme devrait former une boule plutôt ferme.

5. Déposer dans un bol ou des pots, et réfrigérer. Le beurre de pomme se conserve pendant 1 mois.

PAR PORTION DE 15 mL (1 C. À SOUPE) :

Calories : 20	Gras : 0 g
Glucides : 5 g	Fibres : 0 g
Protéines : 0 g	Sodium : 0 mg

Valeur de choix d'aliments pour le diabète = 1 choix d'aliments bonis

Points WW = 0 point

NOTES :

Vous pouvez utiliser une mijoteuse après avoir tamisé les pommes au lieu du four pour épaissir le mélange. Faites cuire les pommes de 3 à 4 heures. Vérifiez fréquemment jusqu'à ce que vous obteniez la consistance désirée, soit celle d'une boule plutôt ferme.

Confiture de fraises allégée en sucre

48 portions

Voici une recette gagnante de confitures de fraises. La recette que j'ai découverte sur Internet contenait 1,2 L (5 tasses) de fraises écrasées et 1,7 L (7 tasses) de sucre. Ma version n'emploie qu'une fraction du sucre, soit moins que 80 mL (1/3 tasse) pour 1 L (4 tasses) de confiture. Vous pouvez omettre le sucre complètement, bien que le sucre granulé favorise la limpidité du produit, en plus de sa qualité générale. Assurez-vous d'utiliser une pectine sans sucre si vous voulez que votre confiture coagule.

INGRÉDIENTS :

1 L (4 tasses) de fraises lavées et équeutées, soit 1 L (4 tasses) de fraises écrasées

1 sachet de 55,5 mL (1 1/2 oz) de pectine sans sucre à ajouter

625 mL (2 tasses) de Splenda® granulé

80 mL (1/3 tasse) de sucre

3 ou 4 gouttes de colorant alimentaire rouge

PRÉPARATION :

1. Écraser les fraises et mélanger à la pectine dans une grande casserole. Remuer et réserver 10 minutes.

2. Chauffer à feu moyen. Ajouter le Splenda® et le sucre, et porter à ébullition. Continuer de cuire 1 minute. Ajouter la quantité de colorant alimentaire désirée et écumez.

3. Placer dans des bols et réfrigérer. Se conserve 1 mois.

Variante de confitures aux pêches surgelées : substituer 1 L (4 tasses) de pêches fraîches pelées et tranchées aux fraises.

NOTES :

Choisissez la pectine qui ne requiert pas de sucre en sus, et non la pectine faible en sucre, afin que votre confiture coagule. Et si votre pectine en poudre a durci, passez-la au mélangeur avant de l'incorporer aux fruits.

PAR PORTION DE 15 mL (1 C. À SOUPE) :

Calories : 15	Gras : 0 g
Glucides : 4 g	Fibres : 0,5 g
Protéines : 0 g	Sodium : 0 mg

Valeur de choix d'aliments pour le diabète =
1 choix d'aliments bonis
Points WW = 0 point

Compote de pommes à la cannelle cuite au micro-ondes

6 portions

La sauce de pomme, surtout servie en compote, est un plat d'accompagnement merveilleux. Ma recette vous rappellera la compote d'autrefois, mais elle est préparée avec un outil moderne, le micro-ondes.

INGRÉDIENTS :

6 pommes moyennes, soit 680 g (1 1/2 livre) non pelées, coupées en deux et évidées

160 mL (2/3 tasse) d'eau

15 mL (1 c. à soupe) de jus de citron

125 mL (1/2 tasse) de Splenda® granulé

2,5 mL (1/2 c. à thé) de cannelle

15 mL (1 c. à soupe) de cassonade

PRÉPARATION :

1. Couper les pommes soit en tranches épaisses ou en morceaux de 2,5 cm (1 po). Déposer les pommes dans un bol profond allant au micro-ondes.

2. Ajouter l'eau, le jus de citron, le Splenda® et la cannelle.

3. Faire cuire sans couvercle pendant 5 minutes. Remuer. Écraser les pommes avec une fourchette.

4. Faire cuire encore 5 à 8 minutes ou jusqu'à ce que les pommes soient molles. Écraser les pommes de nouveau et les mélanger au liquide jusqu'à la texture désirée.

5. Incorporer la cassonade dans le mélange de pommes chaud et remuer. Servir chaud ou froid. Réfrigérer jusqu'au moment de servir. La compote se conserve 3 ou 4 jours.

NOTES :

Utilisez différents types de pommes afin d'obtenir une compote très savoureuse.

PAR PORTION DE 125 mL (1/2 TASSE) :

Calories : 78	Gras : 0 g
Glucides : 18 g	Fibres : 2 g
Protéines : 0 g	Sodium : 0 mg

Valeur de choix d'aliments pour le diabète =
1 choix de fruits
Points WW = 1 point

Plats principaux riches en protéines

Sloppy Joes

Bœuf à l'orange épicé

Chou farci de grand-mère Claire

Petits pains de viande barbecue

Boulettes cocktail avec sauce aigre-douce éclair

Sandwich au porc barbecue

Tranches de jambon glacé à l'érable

Filet de porc barbecue au goût d'Asie

Suprême de dinde en saumure

Poulet au bourbon

Poulet aigre-doux

Poulet des Caraïbes

Roulés de volaille finement hachée avec laitue

Lanières de poulet relevées avec trempette à la moutarde

Saumon du Sud-Ouest facile

Pétoncles et salsa aux mangues

Poisson au four avec pesto à l'orientale

Saumon grillé avec sauce à la moutarde et à l'aneth

Brochettes de crevettes et sauce aux cacahuètes (arachides) à la thaïlandaise

Nouilles soba avec sauce aux cacahuètes (arachides) à l'ail

Pâtes marinara de Marlene

Le plat principal, comme son nom l'indique, est au cœur du repas. C'est la partie du repas qui contient le plus de protéines. Les protéines, en plus de satisfaire votre appétit, contribuent au maintien de la santé, à l'édification de la masse musculaire et à la préservation du système immunitaire.

Même si certains rejettent les régimes riches en protéines, tout le monde s'entend sur le caractère essentiel des protéines, surtout chez les personnes qui veulent perdre du poids. Comme je le mentionne dans mon cours de cuisine faible en glucides, le secret pour consommer des protéines; tout en ayant une alimentation saine; est de choisir des protéines maigres et de les apprêter de façon légère (sans les sauces riches et sucrées habituelles). Je suis heureuse de vous proposer dans ce chapitre un grand nombre de façons intéressantes de garnir votre assiette de plats sains et maigres apprêtés selon vos goûts, mais sans le sucre. Ces plats, depuis les classiques comme le poulet aigre-doux et le sandwich au porc barbecue jusqu'aux nouveautés comme les roulés de volaille finement hachée avec laitue et les pétoncles et salsa aux mangues, sauront combler les appétits. Les enfants adoreront les lanières de poulet relevées avec trempette à la moutarde et les pâtes marinara. D'autres plats fantastiques, comme le saumon grillé avec sauce à la moutarde et à l'aneth et le filet de porc barbecue au goût d'Asie, sont si bons que vous voudrez les partager avec votre famille et vos amis. Peu importe les goûts, ces plats principaux riches en protéines retiendront l'attention de tous.

Sloppy Joes

6 portions

On raconte que ce mets américain a été créé pendant la Première Guerre mondiale dans le but de faire durer les rations de bœuf. Bien qu'un peu salissant, il est facile à préparer. Le steak de surlonge haché vous assure un repas sain et nourrissant.

INGRÉDIENTS :

454 g (1 lb) de surlonge ou de bœuf haché

1 petit oignon en dés

1 poivron vert en dés

4 branches de céleri en dés

250 mL (1 tasse) d'eau

170 g (6 oz) de pâte de tomates

45 mL (3 c. à soupe) de Splenda® granulé

15 mL (1 c. à soupe) de vinaigre

15 mL (1 c. à soupe) de sauce Worcestershire

2,5 mL (1/2 c. à thé) de poudre de chili

2,5 mL (1/2 c. à thé) de paprika

Pincée de sel

6 petits pains de farine de blé, allégés ou faibles en glucides

PRÉPARATION :

1. Dans une poêle moyenne, faire cuire le bœuf, l'oignon, le poivron vert et le céleri.

2. Ajouter le reste des ingrédients, sauf le pain. Bien mélanger. Réduire le feu et laisser mijoter de 20 à 30 minutes.

3. Déposer un peu moins de 125 mL (1/2 tasse) de la préparation sur chaque petit pain.

NOTES :

La sauce Worcestershire donne de la saveur et du caractère au bœuf. Outre les anchois, cette sauce anglaise contient du tamarin, de la mélasse, du vinaigre, de l'ail, du clou de girofle, des piments forts, des oignons et parfois des fruits.

PAR PORTION :

Calories : 290   Gras : 12 g (5 g saturés)
Glucides : 26 g   Fibres : 4 g
Protéines : 20 g   Sodium : 500 mg

Valeur de choix d'aliments pour le diabète = 1 1/2 choix de glucides, 3 choix de viandes maigres, 1 choix de gras
Points WW = 6 points

Bœuf à l'orange épicé

4 portions

Faire sauter le bœuf dans cette recette populaire au lieu de le faire frire réduit la teneur en gras, mais laisse la saveur intacte, car c'est la sauce à l'orange à la fois douce et épicée qui la rend si particulière. Il est plus facile de tailler la viande en tranches minces quand elle est partiellement congelée.

INGRÉDIENTS :

454 g (1 lb) de surlonge ou de bifteck de flanc, partiellement congelé

30 mL (2 c. à soupe) de sherry ou xérès

30 mL (2 c. à soupe) de sauce soja allégée

15 mL (1 c. à soupe) de fécule de maïs

15 mL (1 c. à soupe) d'huile de canola ou de cacahuètes (arachides)

1 oignon moyen en dés de 1 cm (1/2 po)

2 petits poivrons jaunes émincés

250 mL (1 tasse) de châtaignes d'eau tranchées

2 oignons verts (parties blanches et vertes)

SAUCE

5 mL (1 c. à thé) de fécule de maïs

60 mL (1/4 tasse) de jus d'orange régulier ou allégé

45 mL (3 c. à soupe) de Splenda ® granulé

30 mL (2 c. à soupe) de sauce soja allégée

30 mL (2 c. à soupe) de marmelade à l'orange faible en sucre

10 mL (2 c. à thé) de vinaigre

5 mL (1 c. à thé) d'huile de sésame

1,2 ou 2,5 mL (1/4 ou 1/2 c. à thé) de flocons de piment rouge

PRÉPARATION :

1. Tailler le bœuf en fines tranches en travers des fibres. Déposer dans un bol moyen.

2. Ajouter le sherry ou le xérès, la sauce soja et la fécule de maïs. Remuer pour enrober la viande. Réserver.

3. Sauce : combiner les ingrédients de la sauce dans un petit bol. Réserver.

4. Faire chauffer le wok. Y mettre l'huile. Une fois l'huile très chaude, y déposer le bœuf. (La viande doit grésiller au contact.) Faire sauter de 3 à 4 minutes ou jusqu'à ce que la viande perde sa teinte rosée. Retirer le bœuf.

5. Mettre l'oignon dans le wok et faire cuire en remuant 1 minute. Ajouter les poivrons et les châtaignes d'eau et faire sauter 2 ou 3 minutes de plus.

6. Incorporer la sauce; bien mélanger.

7. Déposer la viande dans la sauce chaude, puis les oignons verts. Remuer afin d'enrober le bœuf et servir.

NOTES :

Les enfants adorent cette recette. On m'a dit que même des enfants qui n'aiment pas la viande en raffolent… au plaisir de leur mère. Servez ce plat avec du riz brun, une céréale complète.

PAR PORTION :

Calories : 310	Gras : 15 g (3,5 g saturés)
Glucides : 16 g	Fibres : 2 g
Protéines : 27 g	Sodium : 610 mg

Valeur de choix d'aliments pour le diabète =
1 choix de légumes, 4 choix de viandes maigres,
1/2 choix de glucides, 1/2 choix de gras
Points WW = 7 points

Chou farci de grand-mère Claire

10 portions

Une de mes assistantes tient cette recette de chou farci aigre-doux de sa grand-mère. Ma version reprend les saveurs de la Pologne, où on utilise couramment la cannelle, le gingembre et le quatre-épices tant pour la cuisson que pour la confection de pâtisseries. Ces épices accompagnent bien le bœuf ou la dinde hachée et on les goûte davantage le jour suivant la préparation, alors que les saveurs ont eu le temps de se marier. Réservez quelques choux farcis pour le repas du midi du lendemain.

INGRÉDIENTS :

1 chou moyen, soit 8 à 10 feuilles entières + 500 mL (2 tasses) de chou haché

900 g (2 lb) de bœuf haché maigre ou de dinde hachée maigre

500 mL (2 tasses) de riz cuit

15 mL (1 c. à soupe) de poudre d'oignon

1 œuf

7,5 mL (1/2 c. à thé) de sel (ou plus au goût)

Poivre moulu au goût

824 mL (28 oz) de tomates broyées avec purée de tomates

1 oignon jaune moyen en dés

Jus de 1 citron

30 mL (2 c. à soupe) de vinaigre de cidre

30 mL (2 c. à soupe) de Splenda® granulé

2,5 mL (1/2 c. à thé) de quatre-épices

2,5 mL (1/2 c. à thé) de cannelle

Pincée de gingembre

Sel et poivre au goût

PRÉPARATION :

1. Dans un plat allant au four à micro-ondes, déposer le chou entier dans 30 mL (2 c. à soupe) d'eau. Couvrir d'une pellicule plastique et faire cuire à puissance élevée pendant 7 minutes. Retirer du four.

2. Lorsque le chou ne brûle plus les mains, détacher 10 feuilles entières en prenant soin de ne pas les briser. Réserver.

3. Dans un saladier moyen, combiner le bœuf haché, le riz, la poudre d'oignon, l'œuf, le sel et le poivre. Réserver.

4. Dans une grande casserole, combiner les tomates, l'oignon, le jus de citron, le vinaigre de cidre, le Splenda®, le quatre-épices, la cannelle et le gingembre. Faire mijoter à feu modéré.

5. Pendant que la sauce mijote, étaler une feuille de chou sur une surface plane, la tige vers vous. Déposer 125 mL (1/2 tasse) de viande sur la feuille, près de la tige. Replier les côtés, puis rouler la feuille à la manière d'un burrito mexicain. Continuer avec les autres feuilles de chou.

6. Déposer les rouleaux de chou farci dans la sauce qui mijote sur la cuisinière, puis 500 mL (2 tasses) de chou râpé par-dessus. Couvrir et laisser mijoter 30 minutes ou jusqu'à ce que la viande soit cuite et que le chou soit tendre.

7. Déposer délicatement les choux farcis dans une assiette et les recouvrir de sauce à la tomate et de chou.

PAR PORTION :

Calories : 240	Gras : 9 g (3,5 g saturés)
Glucides : 17 g	Fibres : 3 g
Protéines : 22 g	Sodium : 260 mg

Valeur de choix d'aliments pour le diabète =
3 choix de viandes maigres, 1 choix de glucides
Points WW = 5 points

Petits pains de viande barbecue

12 portions

Ces petits pains de viande sont amusants à faire et à manger. Voilà une bonne occasion de faire participer vos enfants à la préparation du repas. Les petits peuvent préparer la sauce barbecue (pendant que vous hachez les légumes) puis l'incorporer à la viande et s'amuser à façonner les petits pains. Encore mieux, l'utilisation d'un moule à muffins permet à chacun d'avoir son propre pain de viande, et vite !

INGRÉDIENTS :

SAUCE BARBECUE

160 mL (2/3 tasse) de ketchup régulier (Heinz One Carb®, É.-U.)*

30 mL (2 c. à soupe) d'eau

22,5 mL (1 1/2 c. à soupe) de Splenda® granulé

15 mL (1 c. à soupe) de sauce Worcestershire

15 mL (1 c. à soupe) de vinaigre

2,5 mL (1/2 c. à thé) de fumée liquide

2,5 mL (1/2 c. à thé) de poudre de chili

0,5 mL (1/8 c. à thé) de poudre d'oignon

0,5 mL (1/8 c. à thé) de poudre d'ail

PAIN DE VIANDE

790 g (1 3/4 lb) de surlonge ou de bœuf haché maigre

1/2 petit oignon jaune en petits dés

1/2 poivron vert en petits dés

1/2 poivron rouge en petits dés

1 gros œuf + 1 blanc d'œuf

250 mL (1 tasse) de chapelure nature

2,5 mL (1/2 c. à thé) de poudre d'oignon

2,5 mL (1/2 c. à thé) de poudre d'ail

2,5 mL (1/2 c. à thé) de sel

Poivre au goût

PRÉPARATION :

1. Préchauffer le four à 230 °C (450 °F). Vaporiser les alvéoles d'un moule à muffins d'un enduit pour cuisson.

2. Sauce : combiner tous les ingrédients dans une petite casserole et bien mélanger. Laisser mijoter à feu doux 5 minutes. Réserver.

3. Pains de viande : déposer le bœuf haché dans un bol moyen. Combiner tous les ingrédients restants ainsi que 125 mL (1/2 tasse) de la sauce préparée. Mélanger sans trop brasser. Saler et poivrer au goût.

4. Répartir la viande également dans les 12 alvéoles du moule à muffins (environ 125 mL ou 1/2 tasse par petit pain de viande).

5. Faire cuire au four de 20 à 25 minutes ou jusqu'à ce que le pain de viande soit cuit.

6. Retirer du four et badigeonner le dessus des muffins avec la sauce barbecue. Laisser reposer 10 minutes avant de servir.

NOTES :

Les enfants qui participent à la préparation des repas aiment davantage goûter de nouveaux plats. Laissez-les couper les poivrons, casser les œufs et mesurer les ingrédients. Ils apprendront ainsi à cuisiner et à mesurer.

PAR PORTION :

Calories : 165	Gras : 7 g (2,5 g saturés)
Glucides : 9 g	Fibres : 1 g
Protéines : 16 g	Sodium : 380 mg

Valeur de choix d'aliments pour le diabète = 2 choix de viandes maigres, 1/2 choix de glucides, 1/2 choix de gras

Points WW = 4 points

* Ajoutez 2,5 g de glucides et 10 calories par portion si vous utilisez du ketchup original.

Boulettes cocktail avec sauce aigre-douce éclair

10 portions

Servez ces boulettes lors d'une réception et voyez-les disparaître. J'inclus une recette de boulettes de viande, mais vous pouvez en acheter des surgelées. Lisez les étiquettes toutefois, car les boulettes du commerce sont parfois bourrées de gras et d'agents de remplissage.

INGRÉDIENTS :

BOULETTES

225 g (1/2 lb) de bœuf haché maigre ou de dinde hachée maigre

80 mL (1/3 tasse) de chapelure nature

1 gros œuf

30 mL (2 c. à soupe) d'oignon séché

30 mL (2 c. à soupe) de persil frais haché

2,5 mL (1/2 c. à thé) de sel

1,2 mL (1/4 c. à thé) de poivre

125 mL (1/2 tasse) de lait allégé

SAUCE

80 mL (1/3 tasse) de ketchup*

60 mL (1/4 tasse) de vinaigre de cidre

60 mL (1/4 tasse) de Splenda® granulé

10 mL (2 c. à thé) de sauce Worcestershire

160 mL (2/3 tasse) d'eau froide

20 mL (1 c. à soupe + 1 c. à thé) de fécule de maïs

PRÉPARATION :

1. Préchauffer le four à 175 °C (350 °F).

2. Boulettes : combiner tous les ingrédients dans un grand bol et bien mélanger.

3. Avec les mains, façonner de petites boulettes d'environ 2,5 cm (1 po) et les déposer sur une plaque non graissée.

4. Faire cuire 15 minutes ou jusqu'à ce que le centre ait perdu sa teinte rosée.

5. Sauce : combiner les ingrédients dans une petite casserole.

6. Faire mijoter à feu modéré jusqu'à consistance plus épaisse et limpide.

7. Verser la sauce sur les boulettes. Servir chaud.

NOTES :

À quel point les boulettes cocktail sont-elles populaires ? Extrêmement ! Une simple recherche sur Internet vous donnera des milliers de recettes.

PAR PORTION DE 3 OU 4 BOULETTES AVEC SAUCE :

Calories : 130	Gras : 5 g (2 g saturés)
Glucides : 9 g	Fibres : 0 g
Protéines : 12 g	Sodium : 580 mg

Valeur de choix d'aliments pour le diabète = 2 choix de viandes maigres, 1/2 choix de glucides

Points WW = 3 points

* Si vous employez du ketchup allégé (1 g de glucides par cuillerée), soustrayez 1,5 g de glucides et 8 calories par portion.

Sandwich au porc barbecue

12 portions

Ce porc tendre et déchiqueté trempe dans une sauce sucrée et piquante. Servi sur un petit pain, il ne fournit que 250 calories. La recette donne une douzaine de sandwichs, ce qui est parfait pour recevoir. La salade de chou aigre-douce de la page 137 fait un superbe accompagnement faible en glucides.

INGRÉDIENTS :

900 g à 1,2 kg (2 à 2 1/4 lb) de rôti de longe de porc, gras enlevé

1 boîte de 237 mL (8 oz) de sauce à la tomate

1 boîte de 177 mL (6 oz) de pâte de tomates

60 mL (1/4 tasse) de vinaigre

125 mL (1/2 tasse) de Splenda ® granulé

30 mL (2 c. à soupe) de mélasse

30 mL (2 c. à soupe) de sauce Worcestershire

10 mL (2 c. à thé) de poudre d'oignon

12 petits pains de blé complet pour hamburger

PRÉPARATION :

1. Déposer le porc dans un fait-tout de 4 L (16 tasses) ou une grande casserole. Ajouter 500 mL (2 tasses) d'eau et faire cuire pendant 2 1/2 heures ou jusqu'à ce que la viande se détache à la fourchette.

2. Retirer la viande du liquide et déchiqueter à la fourchette. Réserver.

3. Réserver 250 mL (1 tasse) du liquide de cuisson et dégraisser.

4. Remettre les 250 mL (1 tasse) de liquide dans la casserole. Incorporer le reste des ingrédients sauf les petits pains et bien mélanger.

5. Déposer la viande délicatement dans la sauce. (Ne pas trop remuer, sinon la viande se défera trop.) Couvrir et laisser mijoter à feu doux pendant 30 minutes.

6. Déposer 60 mL (1/4 tasse) de porc barbecue sur chaque pain et servir.

NOTES :

Recherchez des pains faibles en glucides ou de blé complet allégé. J'en trouve à mon marché local. Ils ne contiennent que 90 calories, 18 g de glucides et 3 g de fibres par pain. Ou bien choisissez les Carb-Style Hamburger Rolls de Pepperidge Farm ® (É.-U.).

PAR PORTION :

Calories : 245   Gras : 7 g (2 g saturés)
Glucides : 27 g   Fibres : 4 g
Protéines : 21 g   Sodium : 510 mg

Valeur de choix d'aliments pour le diabète =
1 1/2 choix de glucides, 3 choix de viandes maigres
Points WW = 5 points

Tranches de jambon glacé à l'érable

4 portions

Tandis qu'on réserve en général les gros jambons pour les occasions spéciales et les récep-tions, les tranches de jambon maigre font en tout temps un repas à la fois rapide et délicieux. Cette sauce hors de l'ordinaire se fait à base de sirop d'érable sans sucre. Choisissez l'une des nombreuses marques contenant du Splenda®.

INGRÉDIENTS :

2 tranches de jambon maigre entièrement cuites, de 2 à 2,5 cm (3/4 à 1 po) d'épaisseur (12 oz chacune)

SAUCE

80 mL (1/3 tasse) de sirop d'érable sans sucre

30 mL (2 c. à soupe) de compote de pommes sans sucre

30 mL (2 c. à soupe) de Splenda® granulé

15 mL (1 c. à soupe) de ketchup

5 mL (1 c. à thé) de moutarde de Dijon

2,5 mL (1/2 c. à thé) de sel

Pincée de poudre d'ail

PRÉPARATION :

1. Sauce : fouetter tous les ingrédients ensemble dans une petite casserole et faire cuire à feu doux pendant 5 minutes.

2. Déposer les tranches de jambon sur une plaque à cuisson. Étaler la moitié de la sauce sur les tranches.

3. Faire griller à 5 cm (2 po) de l'élément chauffant pendant 5 minutes puis retourner les tranches de jambon et les garnir du reste de la sauce. Faire griller 5 minutes ou jusqu'à ce que le jambon soit chaud.

NOTES :

Le sel est un ingrédient essentiel à la salaison du jambon; par conséquent, le jambon con-tient beaucoup de sodium. Prenez une portion plus petite si vous surveillez votre apport en sodium.

PAR PORTION :

Calories : 230	Gras : 8 g (2 g saturés)
Glucides : 9 g	Fibres : 0 g
Protéines : 33 g	Sodium : 1980 mg

Valeur de choix d'aliments pour le diabète =
5 choix de viandes maigres
Points WW = 5 points

Filet de porc barbecue au goût d'Asie

4 portions

La sauce hoisin, un condiment à la fois onctueux, sucré et épicé, est très utilisée dans la cuisine orientale. En plus de garnir les crêpes qui accompagnent le porc « mu shu », elle sert à la cuisson de sautés ou à la préparation de sauce barbecue comme celle-ci.

INGRÉDIENTS :

60 mL (1/4 tasse) de jus d'orange régulier ou allégé

45 mL (3 c. à soupe) de Splenda® granulé

30 mL (2 c. à soupe) de sauce soja allégée

30 mL (2 c. à soupe) de sauce hoisin

10 mL (2 c. à thé) d'huile de sésame

2,5 mL (1/2 c. à thé) de gingembre râpé

560 g (1 1/4 lb) de filet de porc

PRÉPARATION :

1. Déposer tous les ingrédients sauf le porc dans un petit bol.

2. Déposer le porc dans un plat peu profond et l'enrober de la sauce. Couvrir et faire mariner quelques heures ou toute la nuit.

3. Préchauffer le four à 220 °C (425 °F).

4. Retirer le porc de la sauce et le déposer sur une plaque de cuisson recouverte de papier d'aluminium. Badigeonner de marinade et faire cuire 20 minutes ou jusqu'à ce que la température interne atteigne de 62 à 65 °C (145 à 150 °F).

5. Pendant la cuisson de la viande, verser la marinade dans une petite casserole et porter à ébullition. Laisser mijoter 5 minutes jusqu'à obtenir la consistance d'un sirop. Retirer la viande du four et badigeonner le porc de la sauce.

6. Laisser la viande reposer de 5 à 10 minutes. Tailler en fines tranches en travers des fibres, puis servir.

NOTES :

La sauce hoisin est faite à partir de haricots de soja, de piments, d'ail, de gingembre et de sucre. Elle varie grandement d'une marque à une autre. Optez pour une sauce très foncée à saveur prononcée (Koon Chun® et Lee Kum Kee® (É.-U.) par exemple).

PAR PORTION :

Calories : 210	Gras : 7 g (2 g saturés)
Glucides : 5 g	Fibres : 0 g
Protéines : 30 g	Sodium : 490 mg

Valeur de choix d'aliments pour le diabète = 4 choix de viandes très maigres, 1/2 choix de glucides

Points WW = 5 points

Suprême de dinde en saumure

8 portions

Les suprêmes de dinde maigre représentent une façon saine et rapide de savourer le merveilleux goût de cette volaille, mais la dinde sèche facilement à la cuisson. La solution consiste à faire mariner le suprême dans une solution salée aromatisée. Vous obtiendrez chaque fois une volaille tendre et savoureuse.

INGRÉDIENTS :

1 suprême de dinde d'environ 2,27 kg (5 lb)

2,5 L (10 tasses) d'eau

125 mL (1/2 tasse) de sel cacher

125 mL (1/2 tasse) de Splenda® granulé

30 mL (2 c. à soupe) de miel

30 mL (2 c. à soupe) de moutarde de Dijon

5 mL (1 c. à thé) de flocons de piment rouge

2 tiges de romarin frais

Paprika

PRÉPARATION :

1. Verser 2 L (8 tasses) d'eau dans un bol suffisamment grand pour recevoir le suprême de dinde et la marinade. Réserver.

2. Dans une petite casserole, combiner 500 mL (2 tasses) d'eau, le sel, le Splenda®, le miel, la moutarde, les flocons de piment rouge et le romarin. Faire cuire à feu modéré jusqu'à ce que le sel soit dissous. Verser dans l'eau froide réservée.

3. Préchauffer le four à 220 °C (425 °F).

4. Retirer la dinde de la solution salée, l'assécher en tapotant. Déposer le suprême dans une grande rôtissoire et saupoudrer de paprika. Ne pas saler. Faire cuire au four jusqu'à ce qu'un thermomètre inséré dans la partie la plus dodue de la poitrine indique 77 °C (170 °F), environ 1 heure 30 minutes.

NOTES :

La saumure humidifie et attendrit les viandes, car le sel aide la fibre musculaire à absorber plus de liquide et rend la viande plus juteuse. En outre, elle contribue à dissoudre certaines protéines, ce qui attendrit davantage la viande. Les épices et les édulcorants sont des ajouts qui rehaussent la saveur.

PAR PORTION :

Calories : 240	Gras : 2 g (0,5 g saturés)
Glucides : 2 g	Fibres : 0 g
Protéines : 51 g	Sodium : 950 mg

Valeur de choix d'aliments pour le diabète =
6 choix de viandes très maigres
Points WW = 5 points

Poulet au bourbon

4 portions

Dès leur arrivée dans les centres commerciaux, mes fils se dirigent toujours vers la foire alimentaire afin de manger du poulet au bourbon. La version du restaurant ne contient pas d'alcool, mais la mienne, oui.

INGRÉDIENTS :

80 mL (1/3 tasse) de sauce soja allégée

80 mL (1/3 tasse) de Splenda® granulé

80 mL (1/3 tasse) de bourbon

30 mL (2 c. à soupe) de flocons d'oignons

5 mL (1 c. à thé) de mélasse

5 mL (1 c. à thé) de gingembre moulu

2,5 mL (1/2 c. à thé) de poudre d'ail

450 g (1 lb) d'escalopes de poulet désossées

PRÉPARATION :

1. Dans un grand saladier, combiner tous les ingrédients sauf le poulet. Bien mélanger.

2. Ajouter le poulet et remuer pour bien enrober. Couvrir et réfrigérer quelques heures ou toute la nuit.

3. Préchauffer le four à 175 °C (350 °F). Déposer le poulet et la marinade dans un plat de cuisson.

4. Faire cuire au four pendant 30 minutes et badigeonner à l'occasion.

5. Retirer du four et badigeonner de la marinade restante. Servir.

NOTES :

L'alcool se dissipe presque entièrement après une demi-heure de cuisson au four. Malgré tout, on m'a demandé de proposer un substitut au bourbon. Vous pouvez remplacer l'alcool par 60 mL (1/4 tasse) de jus d'ananas ou de jus d'orange additionné de 1,2 mL (1/4 c. à thé) d'essence de vanille. Le goût sera un peu différent, mais tout aussi délicieux.

PAR PORTION :

Calories : 180	Gras : 2,5 g (1 g saturés)
Glucides : 3 g	Fibres : 0 g
Protéines : 23 g	Sodium : 1 060 mg

Valeur de choix d'aliments pour le diabète =
4 choix de viandes très maigres
Points WW = 4 points

Poulet aigre-doux

4 portions

Si on veut un plat principal sucré, on pense tout de suite aux mets orientaux aigre-doux. Je n'ai pas eu à chercher longtemps une recette de base pour ce plat, puisque ma mère préparait un savoureux poulet aigre-doux. Je suis enchantée de pouvoir dire que ma version Splenda® est tout aussi bonne que la recette de ma mère. Mille mercis, maman !

INGRÉDIENTS :

15 mL (1 c. à soupe) d'huile végétale

454 g (1 lb) d'escalopes de poulet désossées et sans la peau, coupées en bouchées

10 mL (2 c. à thé) de fécule de maïs

15 mL (1 c. à soupe) de sherry ou xérès

2,5 mL (1/2 c. à thé) de sel

2,5 mL (1/2 c. à thé) de gingembre râpé (facultatif)

125 mL (1/2 tasse) de carottes pelées, en rondelles de 0,5 cm (1/4 po)

125 mL (1/2 tasse) de poivron vert en dés de 2,5 cm (1 po)

125 mL (1/2 tasse) de morceaux d'ananas bien égouttés

125 mL (1/2 tasse) de Splenda® granulé

60 mL (1/4 tasse) de ketchup allégé en sucre (Heinz One Carb®, É.-U.)

15 mL (1 c. à soupe) de sauce soja allégée

80 mL (1/3 tasse) de vinaigre de cidre

30 mL (2 c. à soupe) de fécule de maïs + 60 mL (1/4 tasse) d'eau

PRÉPARATION :

1. Dans un bol moyen, combiner le poulet, la fécule de maïs, le sherry ou xérès, le sel et le gingembre. Bien enrober la viande. Réserver.

2. Déposer les carottes dans une petite casserole et couvrir de 125 mL (1/2 tasse) d'eau. Porter à ébullition et faire bouillir 1 minute.

3. Ajouter le poivron vert et continuer de faire bouillir encore 1 minute. Égoutter les légumes et bien rincer à l'eau froide. Incorporer l'ananas et réserver.

4. Dans une petite casserole, combiner le Splenda®, le ketchup, la sauce soja et le vinaigre. Faire mijoter doucement.

5. Verser le mélange de fécule dans la casserole et faire cuire en remuant jusqu'à épaississement et consistance claire. Incorporer les légumes et remuer.

6. Faire chauffer le wok. Ajouter l'huile. Lorsque l'huile est très chaude, y déposer le poulet. (Il doit grésiller.) Faire cuire de 2 à 3 minutes ou jusqu'à ce qu'il perde sa teinte rosée. Retirer du wok.

7. Verser la sauce aigre-douce sur le poulet. Servir sur du riz brun ou blanc au goût.

PAR PORTION :

Calories : 200	Gras : 5 g (1 g saturés)
Glucides : 14 g	Fibres : 1 g
Protéines : 24 g	Sodium : 370 mg

Valeur de choix d'aliments pour le diabète = 4 choix de viandes très maigres, 1 choix de glucides

Points WW = 4 points

NOTES :

Le ketchup Heinz One Carb® ne contient que 1 g de glucides et 5 calories par cuillerée (4 g de glucides et 16 calories pour le ketchup original). Fait à base de sucralose (Splenda®), il constitue un merveilleux ketchup pour les gens qui surveillent leur apport en sucre. Vous le trouverez à votre marché local ou à www.ketchupworld.com.

Poulet des Caraïbes

4 portions

Ce plat d'inspiration tropicale me rappelle de merveilleux moments passés dans les Caraïbes. La sauce piquante à fraîche saveur d'agrumes est à la fois sucrée et savoureuse.

INGRÉDIENTS :

4 escalopes de poulet désossées et sans la peau d'environ 140 g (5 oz) chacune

60 mL (1/4 tasse) de jus d'ananas sans sucre

30 mL (2 c. à soupe) de jus de limette

45 mL (3 c. à soupe) de Splenda® granulé

30 mL (2 c. à soupe) de confiture aux pêches faible en sucre

15 mL (1 c. à soupe) de sauce soja allégée

2,5 mL (1/2 c. à thé) de thym broyé

1,2 mL (1/4 c. à thé) de gingembre moulu

1,2 mL (1/4 c. à thé) de muscade

3 ou 4 gouttes de sauce Tabasco®

PRÉPARATION :

1. Dans un petit bol, fouetter tous les ingrédients sauf le poulet.

2. Aplatir les escalopes entre des feuilles de pellicule plastique ou de papier paraffiné (ciré) à 0,5 cm (1/4 po) d'épaisseur. Déposer dans un plat peu profond et couvrir de la sauce. Laisser mariner 1 heure ou plus.

3. Préchauffer le gril ou le grilloir. Retirer le poulet de la sauce.

4. Verser la sauce dans une petite casserole. Sur feu moyen, porter à faible ébullition. Baisser le feu et laisser mijoter afin de réduire de moitié.

5. Faire griller le poulet de 4 à 5 minutes de chaque côté ou jusqu'à ce que le jus qui s'en écoule soit clair. Verser la sauce à la cuillère sur le poulet et servir.

NOTES :

L'enzyme bromélaïne présente dans le jus d'ananas est un attendrisseur puissant et fait de ce jus un ingrédient de choix pour les marinades.

PAR PORTION :

Calories : 240	Gras : 8 g (2,5 g saturés)
Glucides : 8 g	Fibres : 0 g
Protéines : 31 g	Sodium : 240 mg

Valeur de choix d'aliments pour le diabète =
4 choix de viandes maigres, 1/2 choix de glucides
Points WW = 5 points

Roulés de volaille finement hachée avec laitue

4 portions

La volonté de certains de réduire leur consommation de pain a contribué à la popularité des sandwichs roulés des restaurants-minute. Peu de gens savent que ces roulés savoureux font depuis longtemps partie de la cuisine orientale. Souvent proposés comme entrées, ils font un bon repas du midi ou un dîner léger.

INGRÉDIENTS :

SAUCE

60 mL (1/4 tasse) d'eau

45 mL (3 c. à soupe) de Splenda® granulé

45 mL (3 c. à soupe) de sauce soja allégée

30 mL (2 c. à soupe) de vinaigre de riz naturel

30 mL (2 c. à soupe) de sauce hoisin

10 mL (2 c. à thé) d'huile de sésame

10 mL (2 c. à thé) de pâte de piment rouge

5 mL (1 c. à thé) de moutarde forte chinoise

7,5 mL (1 1/2 c. à thé) de fécule de maïs

15 mL (1 c. à soupe) d'eau

GARNITURE

15 mL (1 c. à soupe) d'huile de canola

454 (1 lb) d'escalope de poulet hachée

1 boîte de 250 g (8 oz) de châtaignes d'eau égouttées et émincées

250 mL (1 tasse) de champignons crémini

125 mL (1/2 tasse) de poivron rouge émincé

125 mL (1/2 tasse) d'oignons verts finement hachés (parties vertes et blanches)

1/2 carotte râpée

1 grosse laitue beurre (ou 2 petites), lavée et asséchée

PAR PORTION DE 4 ROULÉS :

Calories : 275	Gras : 8 g (1 g saturés)
Glucides : 18 g	Fibres : 5 g
Protéines : 34 g	Sodium : 920 mg

Valeur de choix d'aliments pour le diabète =
4 choix de viandes maigres, 2 choix de légumes
Points WW = 5 points

PRÉPARATION :

1. Sauce : combiner tous les ingrédients dans une petite casserole, sauf la fécule de maïs et 15 mL (1 c. à soupe) d'eau. Chauffer légèrement en remuant pour bien mélanger.

2. Délayer la fécule de maïs dans 15 mL (1 c. à soupe) d'eau. Ajouter la fécule à la sauce lorsqu'elle commence à mijoter. Porter à ébullition. Continuer de cuire jusqu'à épaississement et transparence. Réserver.

3. Garniture : chauffer l'huile dans une grande poêle antiadhésive sans la faire fumer. Y faire sauter le poulet haché. Défaire la viande à la fourchette jusqu'à ce qu'elle soit à peu près cuite. Incorporer les châtaignes d'eau, le poivron rouge et l'oignon vert, et faire chauffer.

4. Ajouter la sauce chaude au poulet. Bien mélanger. Incorporer la carotte râpée et retirer du feu.

5. Déposer le mélange de viande sur la laitue à la cuillère ou servir selon la suggestion de service ci-dessous.

NOTES :

Suggestion de service : tapissez les côtés d'un plat de service de feuilles de laitue. Ajoutez des tranches de concombre, des feuilles de menthe fraîche et un peu de carotte râpée. Déposez le poulet chaud en boule au centre du plat et laissez les convives préparer leurs propres roulés.

Lanières de poulet relevées avec trempette à la moutarde

4 portions

Tout le monde aime les lanières de poulet, tant en hors-d'œuvre qu'en plat principal. Je sers celles-ci en plat principal. J'inclus une trempette qui rappelle la sauce au miel et à la moutarde qu'offrent la plupart des restaurants.

INGRÉDIENTS :

454 g (1 lb) d'escalopes de poulet désossées ou de languettes

1 gros blanc d'œuf

5 mL (1 c. à thé) de moutarde de Dijon

125 mL (1/2 tasse) de chapelure régulière

60 mL (4 c. à soupe) de farine de maïs

60 mL (4 c. à soupe) de fromage parmesan râpé

2,5 mL (1/2 c. à thé) de poudre d'ail

2,5 mL (1/2 c. à thé) chacun de thym, d'origan et de basilic broyé

Poivre au gout

Sauce douce à la moutarde (page 202)

PRÉPARATION :

1. Préchauffer le four à 230 °C (450 °F). Vaporiser une plaque à cuisson d'un enduit antiadhésif. Mettre la plaque à préchauffer dans le four.

2. Aplatir le poulet légèrement et couper en lanières de 1 cm (1/2 po).

3. Dans un petit bol, battre le blanc d'œuf et la moutarde. Enduire les lanières de ce mélange.

4. Dans un bol moyen, combiner le reste des ingrédients sauf la sauce à la moutarde. Enrober complètement chaque morceau de poulet de chapelure. Quand les lanières sont prêtes, retirer la plaque de cuisson chaude du four et y déposer les lanières.

5. Faire cuire 8 minutes d'un côté, retourner et cuire 7 minutes de l'autre côté jusqu'à doré et croustillant.

6. Préparer la sauce douce à la moutarde de la page 202 pendant que le poulet cuit. Servir les lanières de poulet avec la sauce.

PAR PORTION :

Calories : 280	Gras : 11 g (3 g saturés)
Glucides : 15 g	Fibres : 1 g
Protéines : 27 g	Sodium : 300 mg

Valeur de choix d'aliments pour le diabète = 4 choix de viandes très maigres, 1 1/2 choix de gras, 1 choix de glucides
Points WW = 6 points

Saumon du Sud-Ouest facile

4 portions

Voici un plat simple à saveur complexe. Sucré, piquant et épicé, il éveillera vos papilles gustatives. Délicieux chaud, il demeure agréable à la température de la pièce. Froid, il fait un reste succulent.

INGRÉDIENTS :

4 filets de saumon de 140 g (5 oz)

30 mL (2 c. à soupe) de jus d'ananas

15 mL (1 c. à soupe) de jus de limette ou de citron

45 mL (3 c. à soupe) de Splenda® granulé

10 mL (2 c. à thé) de poudre de chili

3,7 mL (3/4 c. à thé) de cumin moulu

1,2 mL (1/4 c. à thé) de sel

0,5 mL (1/8 c. à thé) de cannelle

PRÉPARATION :

1. Déposer le saumon dans un plat peu profond. Verser le jus d'ananas et le jus de citron sur le poisson, couvrir et réfrigérer 30 minutes.

2. Préchauffer le four à 200 °C (400 °F).

3. Combiner le reste des ingrédients.

4. Retirer le saumon de la marinade. Appliquer les épices sur le saumon en tapotant.

5. Déposer les filets de saumon dans le plat et faire cuire au four de 15 à 20 minutes ou jusqu'à ce que le poisson se détache facilement à la fourchette.

6. Servir chaud ou à la température de la pièce.

> **NOTES :**
>
> Le saviez-vous? Le saumon sauvage (140 g ou 5 oz) contient moins de substances polluantes et 6 g de gras de moins que le saumon d'élevage.

PAR PORTION :

Calories : 225*	Gras : 12 g (1,5 g saturés)
Glucides : 2 g	Fibres : 0 g
Protéines : 28 g	Sodium : 220 mg

Valeur de choix d'aliments pour le diabète =
4 choix de viandes maigres
Points WW = 5 points
* Moyenne des saumons sauvages et d'élevage

Pétoncles et salsa aux mangues

4 portions

Je fais griller les pétoncles à la poêle. Cette méthode est pratique (et rapide) lorsqu'on ne peut pas utiliser le gril à l'extérieur, en plus de convenir aux fruits de mer. Une fois cuits, je nappe les pétoncles d'une salsa colorée aux mangues et au piment jalapeño. Les crevettes et le thon frais sont d'excellents substituts aux pétoncles.

INGRÉDIENTS :

1 mangue pelée, dénoyautée et coupée en gros morceaux

125 mL (1/2 tasse) de poivron rouge haché

1/2 piment jalapeño finement haché

80 mL (1/3 tasse) d'oignon rouge en dés, rincé et égoutté

60 mL (1/4 tasse) de coriandre fraîche

45 mL (3 c. à soupe) de jus de limette frais

15 mL (1 c. à soupe) de Splenda ® granulé

Pincée de sel

Pincée de poivre de Cayenne

680 g (1 1/2 lb) de pétoncles géants ou de baie (petits)

15 mL (1 c. à soupe) d'huile d'olive

PRÉPARATION :

1. Mélanger tous les ingrédients sauf les pétoncles et l'huile d'olive. (Cette étape peut être faite à l'avance. Il suffit de couvrir et de réfrigérer.)

2. Asperger les pétoncles d'huile. Chauffer une grande poêle épaisse sur feu élevé. (Faire fonctionner le ventilateur de cuisine.)

3. Déposer tous les pétoncles à plat sur la surface très chaude de la poêle. Faire cuire de 1 1/2 à 2 minutes ou jusqu'à ce qu'ils soient dorés. (Il est normal que la poêle fume.) Retourner et faire cuire le deuxième côté de 1 1/2 à 2 minutes. Réduire le feu afin de finir la cuisson au besoin.

4. Déposer immédiatement les pétoncles dans un plat de service ou dans 4 assiettes.

5. Garnir de salsa aux mangues et de coriandre additionnelle, au goût.

NOTES :

Tout comme les avocats, les mangues mûres sont tendres au toucher. Pour hâter leur mûrissement, mettez-les dans un sac en papier fermé. Les fruits mûrs se conservent plusieurs jours au réfrigérateur.

PAR PORTION :

Calories : 220
Glucides : 16 g
Protéines : 29 g
Gras : 5 g (1 g saturés)
Fibres : 2 g
Sodium : 350 mg

Valeur de choix d'aliments pour le diabète = 4 choix de viandes très maigres, 1/2 choix de fruits, 1/2 choix de glucides
Points WW = 4 points

Poisson au four avec pesto à l'orientale

4 portions

Ce pesto à l'orientale (nom de ma composition) est l'une de mes sauces préférées. J'ai souvent montré comment le préparer dans mes cours de cuisine et je l'ai servi à bon nombre de mes réceptions. Comme la recette produit plus que ce dont vous avez besoin, rangez les restes dans un bol et utilisez-le le lendemain ; avec du poulet, vous obtiendrez alors un tout nouveau mets.

INGRÉDIENTS :

30 mL (2 c. à soupe) de jus de limette frais

15 mL (1 c. à soupe) de sauce soja allégée

15 mL (1 c. à soupe) de sherry ou xérès

5 mL (1 c. à thé) d'huile de sésame

5 mL (1 c. à thé) de Splenda® granulé

4 filets de poisson de 140 g (5 oz) – bar, flétan, saumon ou autres

PESTO

5 mL (1 c. à thé) d'huile de canola

5 mL (1 c. à thé) d'ail émincé

10 mL (2 c. à thé) de gingembre frais, finement émincé

45 mL (3 c. à soupe) de chacun : jus de limette, vinaigre de riz et vin de riz

30 mL (2 c. à soupe) de sauce soja allégée

30 mL (2 c. à soupe) de Splenda® granulé

60 mL (1/4 tasse) d'oignons verts (parties blanches et vertes) finement émincés

60 mL (1/4 tasse) de coriandre fraîche, ciselée

5 mL (1 c. à thé) de fécule de maïs + 10 mL (2 c. à thé) d'eau froide

PRÉPARATION :

1. Préchauffer le gril ou le four à 175 °C (350 °F).

2. Dans un petit bol, combiner les 5 premiers ingrédients (soit du jus de limette au Splenda®). Verser sur le poisson et laisser mariner de 20 à 30 minutes.

3. Pesto : chauffer l'huile dans une petite casserole. Une fois l'huile très chaude, ajouter l'ail et le gingembre. Faire chauffer pendant 20 secondes.

4. Ajouter le reste des ingrédients, sauf la fécule de maïs, et bien mélanger. Amener au point d'ébullition avant d'incorporer la fécule de maïs délayée dans l'eau. Continuer la cuisson en remuant jusqu'à ce que le pesto épaississe et devienne limpide.

5. Couvrir le poisson d'une feuille de papier d'aluminium et faire cuire au four 20 minutes ou jusqu'à ce que le poisson se détache facilement à la fourchette.

6. Servir le poisson nappé de 30 mL (2 c. à soupe) de pesto. (Il restera du pesto.)

PAR PORTION
(BAR OU AUTRE POISSON À CHAIR BLANCHE :

Calories : 190	Gras : 6 g (1 g saturés)
Glucides : 2 g	Fibres : 0 g
Protéines : 30 g	Sodium : 520 mg

Valeur de choix d'aliments pour le diabète =
4 choix de viandes très maigres, 1 choix de gras
Points WW = 4 points

Saumon grillé avec sauce à la moutarde et à l'aneth

4 portions

Cette sauce à l'aneth est épatante. Elle accompagne à merveille tant le gravlax (saumon cru et salé à froid) que les filets de saumon grillés. Remplacez le saumon par votre poisson préféré afin de personnaliser la recette.

INGRÉDIENTS :

45 mL (3 c. à soupe) de moutarde de Dijon crémeuse (Dijonnaise, É.-U.)

30 mL (2 c. à soupe) de Splenda® granulé

22,5 mL (1 1/2 c. à soupe) de vinaigre de vin blanc

15 mL (1 c. à soupe) d'aneth frais finement haché

À peine 2,5 mL (1/2 c. à thé) de moutarde sèche

45 mL (3 c. à soupe) d'huile d'olive vierge

Poivre frais au goût

4 filets de saumon de 140 g (5 oz) chacun

PRÉPARATION :

1. Dans un petit bol, fouetter ensemble les 5 premiers ingrédients (soit de la moutarde de Dijon à la moutarde sèche).

2. Continuer de fouetter en versant l'huile d'olive en filet, 15 mL (1 c. à soupe) à la fois. Poivrer au goût.

3. Mettez la sauce de côté 30 minutes afin de laisser la moutarde sèche s'intégrer. Cette étape peut se faire à l'avance.

4. Faire griller le saumon à feu élevé, soit 5 minutes de chaque côté (filets de 2,5 cm ou 1 po) ou jusqu'à ce que la chair se détache facilement à la fourchette.

5. Déposer les filets dans des assiettes ou sur un plat de service. Étaler la sauce à la cuillère sur le poisson.

NOTES :

Cette recette est merveilleuse pour recevoir. Pensez à garnir le plat de service d'aneth frais et de quartiers de citron. Si vous surveillez votre poids ou les points WW, remplacez le saumon par un poisson à chair blanche, comme le vivaneau ou la morue, afin d'éliminer 6 g de gras et 50 calories (2 points WW).

PAR PORTION :

Calories : 285	Gras : 19 g (2 g saturés)
Glucides : 2 g	Fibres : 0 g
Protéines : 24 g	Sodium : 310 mg

Valeur de choix d'aliments pour le diabète =
4 choix de viandes maigres, 1 1/2 choix de gras
Points WW = 7 points

Brochettes de crevettes et sauce aux cacahuètes (arachides) à la thaïlandaise

4 portions

Les brochettes sont courantes en cuisine asiatique. Il s'agit de cubes de viande, de poisson ou de volaille montés sur des brochettes en bois ou en bambou. Tout le monde aime ces brochettes de crevettes savoureuses et leur sauce aux cacahuètes (arachides) à la thaïlandaise.

INGRÉDIENTS :

8 brochettes en bois ou en bambou

15 mL (1 c. à soupe) d'huile d'olive

15 mL (1 c. à soupe) de jus de limette

15 mL (1 c. à soupe) de chacun : sauce soja allégée et sherry ou xérès

15 mL (1 c. à soupe) de Splenda® granulé

2 gousses d'ail émincées

680 g (1 1/2 lb) de crevettes (de 21 à 26) pelées et veine enlevée

Sauce aux cacahuètes (arachides) à la thaïlandaise (page 200)

PRÉPARATION :

1. Faire tremper les brochettes dans de l'eau froide de 30 à 60 minutes afin d'éviter qu'elles brûlent.

2. Mélanger tous les ingrédients (sauf la sauce aux cacahuètes/arachides à la thaïlandaise) dans un grand bol et ajouter les crevettes. Réfrigérer et laisser mariner 30 minutes ou plus.

3. Glisser les crevettes à plat sur les brochettes.

4. Faire cuire les crevettes sur un gril très chaud ou à 10 à 15 cm (4 à 6 po) du grilloir pendant 4 à 6 minutes. Retourner une fois.

5. Servir avec la sauce aux cacahuètes (arachides) à la thaïlandaise.

NOTES :

Vous pouvez remplacer les crevettes par des blancs de poulet ou inclure des légumes. Vous obtiendrez environ 8 brochettes à partir de 454 g (1 lb) de poulet.

PAR PORTION DE 1 BROCHETTE + 30 mL/2 c. À SOUPE DE SAUCE :

Calories : 175	Gras : 3,5 g (0,5 g saturés)
Glucides : 4 g	Fibres : 0 g
Protéines : 24 g	Sodium : 450 mg

Valeur de choix d'aliments pour le diabète =
3 choix de viandes maigres
Points WW = 4 points

Nouilles soba avec sauce aux cacahuètes (arachides) à l'o

4 portions

Partout au Japon, à peu près tout le monde mange des nouilles soba faites à base de sarrasin et de farine de blé. On les sert au goûter et aux repas, froides ou chaudes, selon la saison et le moment de la journée. Ces nouilles très saines contiennent plus de protéines et de fibres que les pâtes conventionnelles. Elles font une base délicieuse à ce mets tout-en-un auquel on ajoute des légumes et une sauce aux cacahuètes (arachides). Servir chaudes ou froides.

SAUCE

160 mL (2/3 tasse) de bouillon de poulet

60 mL (1/4 tasse) de sauce soja

45 mL (3 c. à soupe) de vinaigre de riz naturel

30 mL (2 c. à soupe) de sherry ou xérès

30 mL (2 c. à soupe) de Splenda® granulé

30 mL (2 c. à soupe) de beurre de cacahuètes (arachides) crémeux

2,5 mL (1/2 c. à thé) de chacun : ail et fécule de maïs

1,2 mL (1/4 c. à thé) de flocons de piment rouge

170 g (6 oz) de nouilles soba

1 poivron rouge en lanières

250 mL (1 tasse) de champignons en tranches

113 g (4 oz) de pois mange-tout

4 oignons verts hachés

340 g (12 oz) de blancs de poulet cuits et hachés grossièrement

1 carotte moyenne râpée

Coriandre fraîche hachée

PRÉPARATION :

1. Sauce : dans une petite casserole, fouetter tous les ingrédients de la sauce (le beurre de cacahuètes/arachides ne se dissout pas).

2. Faire chauffer à feu moyen et porter à ébullition en remuant jusqu'à consistance lisse. Réserver.

3. Dans une grande casserole, faire cuire les nouilles soba selon les directives du fabricant (de 5 à 7 minutes).

4. Pendant que les nouilles cuisent, verser la sauce dans une grande poêle à sauter et faire mijoter.

5. Ajouter le poivron rouge, les champignons, les pois mange-tout et les oignons à la sauce et faire cuire 1 minute.

6. Égoutter les nouilles et les déposer dans la sauce avec le poulet. Remuer et répartir immédiatement dans des plats individuels. Parsemer de coriandre hachée et de carotte râpée.

NOTES :

Adaptez ce plat à vos goûts. Par exemple, utilisez les légumes préparés de la section des fruits et légumes de votre marché, ou remplacez le poulet par des crevettes ou du tofu déjà cuits. Vous pouvez aussi servir ces nouilles sur de la laitue comme une salade aux nouilles soba.

PAR PORTION :

Calories : 350
Glucides : 40 g
Protéines : 32 g
Gras : 7 g (1 g saturés)
Fibres : 4 g
Sodium : 690 mg

Valeur de choix d'aliments pour le diabète = 2 choix de glucides, 4 choix de viandes très maigres, 1 choix de légumes, 1 choix de gras
Points WW = 7 points

Pâtes marinara de Marlene

4 portions

On a pointé les pâtes du doigt en raison de leur teneur élevée en glucides, mais en réalité, le problème réside dans la taille des portions et non dans les pâtes elles-mêmes. Pour régler ce problème, optez pour des pâtes de grains complets et réduisez les portions à 250 mL (1 tasse) de pâtes et 113 g (4 oz) de blancs de poulet assaisonnés. Accompagnez le tout d'une salade verte avec vinaigrette sucrée au vinaigre balsamique (page 164). Ainsi, vous aurez droit à un bon morceau de pain italien ou à une portion de tiramisu (page 270). Merci à Julie, la conceptrice de mon site Web, pour la recette de sauce marinara.

INGRÉDIENTS :

22,5 mL (1 1/2 c. à soupe) d'huile d'olive

1 petit oignon blanc émincé

2 gousses d'ail écrasées

1 boîte de 828 mL (28 oz) de tomates broyées

1 boîte de 177 mL (6 oz) de pâte de tomates

1 boîte de 237 mL (8 oz) de sauce à la tomate

125 mL (1/2 tasse) de vin rouge

30 mL (2 c. à soupe) de Splenda® granulé

30 mL (2 c. à soupe) de basilic séché broyé

15 mL (1 c. à soupe) de feuilles d'origan

2,5 mL (1/2 c. à thé) de poivre noir

454 g (1 lb) de blancs de poulet désossés et sans la peau

5 mL (1 c. thé) de chacun : sel d'ail, basilic séché et feuilles d'origan

226 g (8 oz) de pâtes (Barilla Plus® ou Healthy Harvest Whole-Wheat Blend®, É.-U.)

60 mL (1/4 tasse) de fromage parmesan

PRÉPARATION :

1. Verser l'huile d'olive dans une grande marmite et chauffer. Ajouter l'oignon et faire cuire jusqu'à tendre. Ajouter l'ail et faire cuire jusqu'à ce que l'oignon soit transparent. Incorporer le reste des ingrédients jusqu'au poivre noir et 375 mL (1 1/2 tasse) d'eau. Porter à ébullition. Réduire le feu à doux et laisser mijoter au moins 1 heure ou plus si vous avez le temps.

2. Aplatir les blancs de poulet à environ 0,5 cm (1/4 po) d'épaisseur entre des feuilles de papier paraffiné ou de pellicule plastique. Saupoudrer chaque blanc de poulet de sel d'ail, de basilic séché et de feuilles d'origan à broyer entre les doigts. Réserver.

3. Porter une grande marmite d'eau à ébullition. Saler au goût et faire cuire les pâtes selon les directives du fabricant.

4. Pendant la cuisson des pâtes, faire cuire le poulet sur le gril ou le faire frire à la poêle d'un côté jusqu'à doré (de 1 à 2 minutes). Tourner et faire griller pendant environ 2 minutes. Continuer de cuire 1 à 2 minutes de plus ou jusqu'à cuit.

5. Égoutter les pâtes et les répartir dans les assiettes. Déposer dans chaque assiette 80 mL (1/3 tasse) de sauce marinara, puis un blanc de poulet. Saupoudrer 15 mL (1 c. à soupe) de fromage parmesan râpé.

PAR PORTION :

Calories : 390	Gras : 4,5 g (1 g saturés)
Glucides : 44 g	Fibres : 5 g
Protéines : 36 g	Sodium : 660 mg

Valeur de choix d'aliments pour le diabète = 4 choix de viandes très maigres, 2 1/2 choix de glucides, 1 choix de légumes

Points WW = 7 points

NOTES :

Idée santé : recouvrir la courge spaghetti (calebasse) de sauce marinara et de fromage parmesan.

Puddings et flans

En matière de desserts sucrés qui font chaud au cœur, à peu près rien ne bat les puddings et les flans maison. Malheureusement, à cause de notre rythme de vie effréné, nous utilisons trop souvent des produits tout faits ou des préparations en boîte. C'est triste, car ces desserts classiques sont faciles à préparer et ont un goût irremplaçable. Mieux encore, ils figurent parmi les desserts les plus nourrissants. Onctueux et sucrés, le calcium et les protéines dont ils regorgent les rendent parfaits non seulement comme desserts, mais aussi comme goûters, collations avant d'aller dormir et même – je l'avoue – comme petit déjeuner.

Certains d'entre vous connaissent peut-être déjà mes puddings aux deux chocolats ou à la vanille. Cette fois, je propose 18 variantes de pudding et de flan. Je suis particulièrement heureuse de mon pudding léger au caramel écossais, de mon pudding onctueux à l'italienne à base de fromage ricotta et de mon pudding au pain de La Nouvelle-Orléans avec sauce au bourbon, qui va confondre les plus grands sceptiques d'une alimentation faible en gras et en sucre. Je vous offre non pas une, mais deux superbes recettes de flans, en plus d'une recette de flan classique aux œufs qui convient à toutes les occasions. Vous découvrirez de nombreuses variantes, notamment les flans à la citrouille et au lait de poule pour les fêtes, et un flan onctueux au chocolat à servir à votre prochain repas du dimanche. Les accros à la caféine peuvent se réjouir, car il y a même une recette de flan au café. Miam!

Pudding à la vanille

5 portions

Il y a deux clans chez moi en matière de pudding : le clan chocolat et le clan vanille. Je fais partie de ce dernier. J'adore les puddings à la vanille lisses, crémeux et sucrés comme celui-ci. Ce pudding au riche parfum de vanille constitue à lui seul un dessert maison de choix, mais il peut aussi servir de base pour vos parfaits préférés ou de garniture pour une tarte à la vanille.

INGRÉDIENTS :

45 mL (3 c. à soupe) de fécule de maïs

160 mL (2/3 tasse) de Splenda® granulé

125 mL (1/2 tasse) de crème simple sans gras

1 gros œuf + 1 jaune d'œuf légèrement battu

430 mL (1 3/4 tasse) de lait allégé

7,5 mL (1 1/2 c. à thé) d'essence de vanille

PRÉPARATION :

1. Dans une casserole moyenne, combiner la fécule de maïs, le Splenda®, la crème simple et les œufs battus. Fouetter jusqu'à consistance lisse. Ajouter le lait en fouettant.

2. En remuant, faire cuire à feu modéré jusqu'à ce que le pudding épaississe et forme des bulles. Cuire encore 1 minute. Retirer du feu. Incorporer l'essence de vanille.

3. Verser dans un plat moyen ou répartir dans 5 ramequins individuels. Couvrir d'une pellicule plastique. Laisser refroidir et réfrigérer avant de servir.

Garniture pour tarte à la vanille : ajouter 15 mL (1 c. à soupe) de fécule de maïs à la recette de base pour une tarte de 20 cm (9 po)

NOTES :

La crème simple sans gras donne de l'onctuosité au pudding sans ajouter de gras. Vous pouvez cependant la remplacer par du lait évaporé ou du lait allégé si vous le désirez.

PAR PORTION :

Calories : 110	Gras : 3 g (1 g saturés)
Glucides : 15 g	Fibres : 0 g
Protéines : 4 g	Sodium : 60 mg

Valeur de choix d'aliments pour le diabète =
1/2 choix de lait allégé, 1/2 choix de glucides
Points WW = 2 points

Pudding léger au caramel écossais

4 portions

Le produit le plus récent de Splenda® est le mélange de cassonade Splenda®. Il combine 50 % de cassonade et 50 % de Splenda®, ce qui double le pouvoir sucrant d'une tasse de cassonade ordinaire. J'ai élaboré cette recette avant l'arrivée sur le marché du mélange de cassonade Splenda®. Vous pouvez cependant utiliser 60 mL (1/4 tasse) de ce mélange et omettre la cassonade et le Splenda® granulé.

INGRÉDIENTS :

80 mL (1/3 tasse) de succédané d'œufs liquide (ou 1 gros œuf)

1 gros jaune d'œuf

30 mL (2 c. à soupe) de fécule de maïs

60 mL (1/4 tasse) de cassonade foncée

60 mL (1/4 tasse) de Splenda® granulé

500 mL (2 tasses) de lait allégé

2,5 mL (1/2 c. à thé) d'essence de vanille

15 mL (1 c. à soupe) de beurre allégé

PRÉPARATION :

1. Dans un petit bol, fouetter ensemble le succédané d'œufs (ou l'œuf) et le jaune d'œuf.

2. Dans une casserole moyenne, combiner la fécule de maïs, la cassonade et le Splenda®. Incorporer le lait en fouettant.

3. Faire cuire à feu moyen en remuant jusqu'à ce que le mélange soit chaud. Incorporer en fouettant une grosse cuillerée de lait chaud dans les œufs afin de réchauffer les œufs. Ajouter une autre cuillerée de lait chaud aux œufs, puis verser rapidement le mélange d'œufs dans la casserole en fouettant.

4. Continuer la cuisson en remuant jusqu'à ce que le pudding arrive à faible ébullition. Continuer de cuire en remuant 1 minute jusqu'à ce que le pudding devienne épais et lisse. Retirer du feu et ajouter l'essence de vanille et le beurre en brassant.

5. Verser le pudding dans un plat moyen ou le répartir dans 4 ramequins.

6. Couvrir d'une pellicule plastique. Laisser refroidir et réfrigérer jusqu'au moment de servir.

PAR PORTION :

Calories : 155   Gras : 4 g (2 g saturés)
Glucides : 23 g   Fibres : 0 g
Protéines : 7 g   Sodium : 110 mg

Valeur de choix d'aliments pour le diabète =
1 choix de glucides, 1/2 choix de lait allégé,
1/2 choix de gras
Points WW = 3 points

NOTES :

L'utilisation de la cassonade foncée (et non dorée) permet d'en employer moins et confère au pudding sa saveur et sa couleur particulières. Ne confectionnez pas votre propre cassonade foncée à partir de mélasse. Le goût de la mélasse est trop prononcé pour ce pudding.

Pudding aux deux chocolats

6 portions

Ce pudding réjouira les amateurs de chocolat de votre famille. Cette version chocolatée riche et onctueuse surpasse les produits en boîte sans sucre. Pas besoin d'attendre une occasion spéciale pour le préparer, mais le jour où vous en servirez sortira de l'ordinaire.

INGRÉDIENTS :

30 mL (2 c. à soupe) de fécule de maïs

180 mL (3/4 tasse) de Splenda® granulé

30 mL (2 c. à soupe) de cacao alcalinisé (par exemple, Hershey European®, É.-U.)

125 mL (1/2 tasse) de crème simple sans gras

1 gros œuf, légèrement battu

430 mL (1 1/4 tasse) de lait allégé

80 mL (1/3 tasse) de pépites de chocolat

7,5 mL (1 1/2 c. à thé) d'essence de vanille

PRÉPARATION :

1. Dans une casserole moyenne, combiner la fécule de maïs, le Splenda®, le cacao, la crème simple et l'œuf battu. Fouetter jusqu'à consistance lisse. Incorporer le lait allégé en fouettant.

2. Faire cuire à feu moyen en remuant jusqu'à ce que le pudding soit épais et fasse des bulles. Cuire encore 1 minute. Retirer du feu.

3. Incorporer les pépites de chocolat en fouettant jusqu'à ce qu'elles fondent. Incorporer l'essence de vanille.

4. Verser le pudding dans un plat moyen ou le répartir entre 6 ramequins. Couvrir d'une pellicule plastique. Laisser refroidir et réfrigérer jusqu'au moment de servir.

NOTES :

Double régal : dans un verre à parfait, alternez des couches de pudding au chocolat et de pudding à la vanille pour créer un parfait zébré.

PAR PORTION :

Calories : 130   Gras : 4,5 g (2,5 g saturés)
Glucides : 18 g   Fibres : 0 g
Protéines : 4 g   Sodium : 65 mg

Valeur de choix d'aliments pour le diabète =
1/2 choix de lait allégé, 1/2 choix de glucides,
1/2 choix de gras
Points WW = 3 points

Pudding onctueux à l'italienne

6 portions

Ce pudding léger, onctueux et riche en protéines est facile à préparer et délicieux à déguster. Couvrez-le de baies fraîches ou nappez-le de sauce rapide à la framboise (page 423).

INGRÉDIENTS :

375 mL (1 1/2 tasse) de crème simple sans gras

1 sachet de gélatine neutre

500 mL (2 tasses) de fromage ricotta allégé

125 mL (1/2 tasse) de Splenda® granulé

5 mL (1 c. à thé) d'essence de vanille

Zeste de 1 citron

PRÉPARATION :

1. Dans une petite casserole, verser 125 mL (1/2 tasse) de crème simple. La saupoudrer de gélatine et laisser gonfler 5 minutes.

2. Déposer le fromage ricotta dans un mélangeur ou un robot culinaire.

3. Incorporer le reste de la crème simple, le Splenda®, l'essence de vanille et le zeste de citron dans le mélange de gélatine. Faire cuire à feu doux. Remuer pour dissoudre la gélatine. Ne pas porter à ébullition.

4. Ajouter lentement le mélange de lait chaud à la ricotta et brasser jusqu'à consistance complètement lisse.

5. Répartir également entre 6 ramequins. Laisser refroidir au réfrigérateur 2 heures ou jusqu'à figé avant de servir.

NOTES :

La ricotta allégée fournit des protéines à ce dessert merveilleux et le rend non seulement délicieux, mais aussi nutritif.

PAR PORTION :

Calories : 140	Gras : 4 g (2 g saturés)
Glucides : 13 g	Fibres : 0 g
Protéines : 12 g	Sodium : 125 mg

Valeur de choix d'aliments pour le diabète =
1 choix de viandes maigres, 1/2 choix de lait allégé, 1/2 choix de glucides
Points WW = 3 points

Flan classique aux œufs

6 portions

On peut préparer des flans très riches (comme la crème brûlée) ou très allégés (avec du lait sans gras et des blancs d'œufs). Ici, j'ai visé un équilibre entre saveur et nutrition en utilisant du lait allégé et une combinaison d'œufs complets et de blancs d'œufs. Assurez-vous de passer le mélange de lait au tamis et de le cuire dans un bain d'eau selon la méthode traditionnelle, ce qui lui confère sa texture.

INGRÉDIENTS :

2 gros œufs

2 gros blancs d'œufs

160 mL (2/3 tasse) de Splenda ® granulé

10 mL (2 c. à thé) d'essence de vanille

500 mL (2 tasses) de lait allégé

250 mL (1 tasse) de lait évaporé faible en gras

Muscade moulue ou fraîchement râpée

PRÉPARATION :

1. Préchauffer le four à 160 °C (325 °F).

2. Dans un bol moyen, fouetter les œufs, les blancs d'œufs, le Splenda ® et l'essence de vanille. Réserver.

3. Dans une petite casserole, faire frémir le lait. Ajouter en fouettant une petite quantité de lait chaud au mélange d'œufs afin de réchauffer les œufs. Ajouter en fouettant le mélange d'œufs dans le lait. Passer le tout au tamis dans une grande tasse graduée ou un bol muni d'un bec verseur.

4. Verser ou déposer à la louche le liquide tamisé dans 6 ramequins ou récipients à flan.

5. Déposer les ramequins dans un plat et mettre au four. Verser de l'eau très chaude dans le plat de cuisson jusqu'à la moitié de la hauteur des ramequins.

6. Faire cuire les flans de 45 à 55 minutes ou jusqu'à ce que les rebords soient pris. Le centre doit remuer quand on bouge le ramequin. Refroidir et réfrigérer afin de faire prendre.

NOTES :

Ce flan convient à merveille si vous désirez ajouter des protéines maigres à votre alimentation. Tout comme les barres nutritives, il contient environ 35 % de protéines, 30 % de gras et 40 % de glucides.

PAR PORTION DE 125 mL (1/2 TASSE) :

Calories : 110	Gras : 3,5 g (2 g saturés)
Glucides : 11 g	Fibres : 1 g
Protéines : 9 g	Sodium : 125 mg

Valeur de choix d'aliments pour le diabète =
1 choix de lait allégé
Points WW = 2 points

Variantes savoureuses de flan

Si vous aimez les flans, vous apprécierez sûrement les variantes qui suivent. Apportez les modifications suivantes à la recette de flan classique aux œufs de la page 249.

Flan super onctueux

Remplacer la crème simple sans gras par du lait évaporé. Utiliser 3 œufs complets + 2 blancs d'œufs. Faire cuire au four de 80 à 90 minutes.

Flan à la noix de coco

N'utiliser que 5 mL (1 c. à thé) d'essence de vanille et ajouter 2,5 mL (1/2 c. à thé) d'essence de noix de coco. Saupoudrer 5 mL (1 c. à thé) de noix de coco grillée sur chaque ramequin rempli du mélange de lait. Éliminer la muscade et garnir chaque ramequin de 5 mL (1 c. à thé) additionnels de noix de coco grillée après la cuisson. (Ajoute 20 calories, 1,5 g de gras et 1 g de protéines.)

Flan au café

Ajouter 15 mL (1 c. à soupe) de café soluble au lait. Augmenter le Splenda® à 180 mL (3/4 tasse). Éliminer la muscade.

Lait de poule

N'utiliser que 5 mL (1 c. à thé) d'essence de vanille et ajouter 2,5 mL (1/2 c. à thé) d'essence de rhum. Utiliser 3 œufs complets et éliminer les blancs.

Flan au chocolat

6 portions

Pour un dessert qui diffère du flan à la vanille classique, essayez cette version au chocolat. La texture légère et onctueuse vous rappellera votre pudding au chocolat préféré. Servez ce flan avec une noisette de garniture de fouettée allégée.

INGRÉDIENTS :

2 gros œufs

1 gros blanc d'œuf

160 mL (2/3 tasse) de Splenda® granulé

5 mL (1 c. à thé) d'essence de vanille

375 mL (1 1/2 tasse) de crème simple sans gras

250 mL (1 tasse) de lait allégé

125 mL (1/2 tasse) de cacao

15 mL (1 c. à soupe) de cassonade

PRÉPARATION :

1. Préchauffer le four à 160 °C (325 °F).

2. Dans un bol moyen, fouetter les œufs, le blanc d'œuf, le Splenda® et l'essence de vanille. Réserver.

3. Dans une petite casserole, faire frémir le lait et la crème simple. Éteindre le feu et ajouter le cacao et la cassonade en fouettant. Brasser jusqu'à consistance lisse. Ajouter en fouettant une petite quantité de lait chaud au mélange d'œufs afin de réchauffer les œufs. Incorporer ensuite le reste du lait. Passer le mélange au tamis dans une grande tasse graduée ou un bol muni d'un bec verseur.

4. Verser ou déposer à la louche le liquide tamisé dans 6 ramequins ou récipients à flan de 177 mL (6 oz).

5. Déposer les ramequins dans un plat et mettre au four. Verser de l'eau très chaude dans le plat de cuisson jusqu'à la moitié de la hauteur des ramequins.

6. Faire cuire les flans de 35 à 40 minutes ou jusqu'à ce que les rebords soient bien cuits. Le centre doit remuer quand on bouge le ramequin. Refroidir et réfrigérer afin de faire prendre.

PAR PORTION :

Calories : 125	Gras : 3,5 g (1 g saturés)
Glucides : 17 g	Fibres : 2 g
Protéines : 8 g	Sodium : 115 mg

Valeur de choix d'aliments pour le diabète =
1 choix de lait allégé
Points WW = 2 points

NOTES :

Les ramequins de 177 mL (6 oz) sont faciles à trouver et abordables. Ils sont pratiques, non seulement pour les flans, mais aussi pour préparer des portions individuelles de pudding, de soufflé ou encore de glace.

Ramequins à la citrouille

7 portions

La meilleure partie d'une tarte à la citrouille est bien sûr sa garniture. Voici une excellente recette qui reproduit la saveur de cette garniture exquise, sans les calories et le travail qu'implique l'abaisse. Une astuce : pour un pudding à texture plus onctueuse que la garniture de tarte, employez un jaune d'œuf additionnel et faites cuire dans un bain d'eau.

INGRÉDIENTS :

1 recette de garniture de tarte à la citrouille, page 330

1 jaune d'œuf

PRÉPARATION :

1. Préchauffer le four à 175 °C (350 °F). Vaporiser 7 ramequins de 177 mL (6 oz) d'un enduit non adhésif.

2. Préparer la recette de garniture de tarte, mais éliminer l'abaisse et le blanc d'œuf. En revanche, ajouter 1 jaune d'œuf (remplacer 1 des blancs d'œufs par un œuf complet).

3. Verser le mélange dans les ramequins, que vous déposerez dans un plat allant au four. Verser de l'eau très chaude dans le plat de cuisson jusqu'à la moitié de la hauteur des ramequins.

4. Faire cuire 40 minutes ou jusqu'à ce que la lame d'un couteau insérée au centre des flancs en ressorte propre.

NOTES :

Les portions individuelles facilitent le service en plus d'aider à limiter les quantités consommées.

PAR PORTION :

Calories : 120	Gras : 1,5 g (0,5 g saturés)
Glucides : 17 g	Fibres : 2 g
Protéines : 8 g	Sodium : 100 mg

Valeur de choix d'aliments pour le diabète =
1/2 choix de glucides, 1/2 choix de lait allégé,
1/2 choix de légumes
Points WW = 2 points

Crème caramel

6 portions

Voici un dessert très aimé inspiré de l'Espagne et du Mexique. C'est l'occasion d'y goûter si vous n'avez pas encore eu ce bonheur. Une fois renversé, ce dessert léger et onctueux se retrouve nappé d'un sirop sucré.

INGRÉDIENTS :

FLAN

500 mL (2 tasses) de lait allégé

10 mL (2 c. à thé) d'essence de vanille

2 œufs

2 blancs d'œufs

80 mL (1/3 tasse) de Splenda® granulé

SIROP CARAMÉLISÉ

90 mL (6 c. à soupe) de *Sugar Blend for Baking* de Splenda®

45 mL (3 c. à soupe) d'eau

PRÉPARATION :

1. Flan : préchauffer le four à 175 °C (350 °F). Faire frémir le lait dans une casserole moyenne. Incorporer l'essence de vanille et réserver.

2. Sirop : dans une autre casserole, déposer le *Sugar Blend for Baking* (ou le sucre) et l'eau. Couvrir. Faire cuire à feu moyen à élevé pendant environ 5 minutes ou jusqu'à l'obtention d'une couleur dorée.

3. Entre-temps, dans un grand bol, fouetter les œufs, les blancs d'œufs et le Splenda®. Verser lentement le lait chaud dans le mélange d'œufs tout en fouettant. Passer le tout au tamis.

4. Lorsque le sirop caramélisé est cuit, le verser dans des ramequins en verre de 177 mL (6 oz) ou de petits plats allant au four. Pencher les ramequins afin d'enrober le fond et les rebords de sirop.

5. Déposer le mélange liquide à la louche dans les ramequins enduits de sirop, puis placer les ramequins dans un plat allant au four. Verser de l'eau très chaude dans le plat afin de créer un bain de cuisson.

6. Faire cuire les flans de 18 à 20 minutes ou jusqu'à ce qu'ils soient pris. Le centre sera un peu mou.

7. Retirer les ramequins du bain de cuisson et refroidir. Mettre au réfrigérateur au moins 1 heure avant de servir. Pour servir, détacher le flan du ramequin à l'aide de la lame d'un couteau, puis renverser sur une assiette.

NOTES :

Ne remplacez pas le *Sugar Blend for Baking* par du Splenda® granulé pour préparer le sirop caramélisé, car ce dernier ne fond pas et ne dore pas non plus. Vous pouvez cependant utiliser du sucre. Un peu de sucre peut coller dans la casserole et les ramequins. L'information nutritionnelle en tient compte.

PAR PORTION :

Calories : 110	Gras : 2,5 g (1 g saturés)
Glucides : 16 g	Fibres : 0 g
Protéines : 6 g	Sodium : 80 mg

Valeur de choix d'aliments pour le diabète =
1/2 choix de lait allégé, 1/2 choix de glucides
Points WW = 2 points

Flan parfumé au gingembre avec sauce à l'orange

6 portions

Ce flan classique du Mexique représente la rencontre de l'Orient et de l'Occident en mariant le gingembre et l'orange. Délicieux et léger, il termine en douceur un repas où vous servez un filet de porc barbecue au goût d'Asie (page 228) accompagné de riz brun vapeur et de haricots verts aux graines de sésame (page 181).

INGRÉDIENTS :

FLAN

250 mL (1 tasse) de lait allégé

250 mL (1 tasse) de crème simple sans gras

1 morceau de 5 cm (2 po) de gingembre pelé

2 œufs

2 blancs d'œufs

125 mL (1/2 tasse) de Splenda® granulé

SAUCE À L'ORANGE

250 mL (1 tasse) de jus d'orange allégé (comme le Tropicana Light'n Healthy®, É.-U.)

15 mL (1 c. à soupe) de Splenda® granulé

10 mL (2 c. à thé) de fécule de maïs

10 mL (2 c. à thé) d'eau

PRÉPARATION :

1. Préchauffer le four à 175 °C (350 °F). Dans une casserole moyenne, faire frémir le lait et la crème simple. Fermer le feu et ajouter le gingembre. Laisser infuser 15 minutes. Passer le gingembre.

2. Dans un grand saladier, fouetter les œufs, les blancs d'œufs et le Splenda® pour combiner sans faire mousser. Ajouter lentement les œufs au mélange de lait chaud en fouettant. Passer le tout au tamis. Transférer le mélange à la louche dans un plat en céramique de 2 L (8 tasses) allant au four ou un moule à tarte de 23 cm (9 po).

3. Déposer le plat dans un autre plat allant au four. Verser de l'eau très chaude dans le second plat afin de créer un bain de cuisson. Faire cuire 30 minutes environ ou jusqu'à ce que le rebord soit cuit. Le centre restera mou. Retirer du bain d'eau et laisser refroidir.

4. Réfrigérer au moins 1 heure ou toute la nuit.

5. Pendant la cuisson du flan, verser le jus d'orange dans une petite casserole et faire mijoter à feu moyen 5 minutes ou jusqu'à ce que le jus réduise à 180 mL (3/4 tasse). Ajouter le Splenda®. Délayer la fécule de maïs dans l'eau, puis incorporer ce mélange au jus d'orange. Continuer la cuisson jusqu'à ce que le mélange bouille et devienne clair.

6. Servir le flan froid et nappé de la sauce à l'orange chaude ou froide.

PAR PORTION :

Calories : 90	Gras : 2 g (1 g saturés)
Glucides : 12 g	Fibres : 0 g
Protéines : 6 g	Sodium : 100 mg

Valeur de choix d'aliments pour le diabète = 1/2 choix de lait sans gras, 1/2 choix de glucides
Points WW = 2 points

NOTES :

Pour préparer le gingembre, coupez et pelez un de ses rhizomes. Faites-y une incision afin d'exposer la chair et déposez-le dans le lait. Le gingembre bien emballé se conserve trois mois au réfrigérateur et six mois au congélateur.

Pudding au tapioca

6 portions

Il a suffi de quelques modifications pour ramener ce délice d'antan au goût du jour. Le plus difficile est de ne pas manger toute la casserole !

INGRÉDIENTS :

625 mL (2 1/2 tasses) de lait allégé

1 gros œuf, séparé

125 mL (1/2 tasse) de Splenda ® granulé

52,5 mL (3 1/2 c. à soupe) de tapioca à cuisson rapide

7,5 mL (1 1/2 c. à thé) d'essence de vanille

1,2 mL (1/4 c. à thé) de crème de tartre

10 mL (2 c. à thé) de sucre

PRÉPARATION :

1. Dans une casserole moyenne, combiner le lait, le jaune d'œuf, le tapioca et le Splenda ®. Laisser reposer 5 minutes afin de ramollir le tapioca.

2. Bien fouetter le mélange de lait et porter à ébullition tout en brassant. Retirer du feu, ajouter l'essence de vanille et laisser prendre. Le mélange épaissira en refroidissant.

3. Fouetter ensemble le blanc d'œuf et la crème de tartre. Saupoudrer de sucre et battre jusqu'à la formation de pointes molles. Plier délicatement le blanc d'œuf dans le pudding chaud.

4. Laisser refroidir au moins 20 minutes avant de servir ou de verser dans un bol ou des plats individuels. Réfrigérer toute portion qui n'est pas servie tout de suite.

NOTES :

Le tapioca ne supporte pas l'excès de cuisson ou de brassage. Après épaississement, on obtient un pudding gluant.

PAR PORTION DE 125 mL (1/2 TASSE) :

Calories : 90	Gras : 2 g (1 g saturés)
Glucides : 14 g	Fibres : 0 g
Protéines : 4 g	Sodium : 100 mg

Valeur de choix d'aliments pour le diabète =
1/2 choix de lait allégé, 1/2 choix de glucides
Points WW = 2 points

Pudding au riz onctueux

8 portions

Je ne saurais dire combien de fois j'ai fait du pudding au riz. J'ai ajouté quelques cuillerées de riz à cette version afin de m'assurer une consistance voluptueuse.

INGRÉDIENTS :

250 mL (1 tasse) d'eau froide

160 mL (2/3 tasse) de riz à grains moyens non cuit

750 mL (3 tasses) de lait allégé

250 mL (1 tasse) de crème simple sans gras

125 mL (1/2 tasse) de Splenda® granulé

15 mL (1 c. à soupe) de beurre

0,5 mL (1/8 c. à thé) de sel

10 mL (2 c. à thé) de fécule de maïs + 15 mL (1 c. à soupe) d'eau

7,5 mL (1 1/2 c. à thé) d'essence de vanille

1,2 mL (1/4 c. à thé) d'essence d'amande

2,5 mL (1/2 c. à thé) de zeste de citron

PRÉPARATION :

1. Dans une casserole moyenne, amener l'eau à ébullition et incorporer le riz. Réduire le feu et faire mijoter, couvert, de 15 à 20 minutes ou jusqu'à ce que l'eau soit absorbée.

2. Ajouter le lait, la crème simple, le Splenda®, le beurre et le sel en remuant. Faire cuire à découvert à feu moyen pendant 30 minutes. Remuer fréquemment.

3. Ajouter la fécule de maïs délayée dans l'eau et chauffer jusqu'à l'apparition de bulles, puis faire cuire jusqu'à ce que le pudding épaississe. Incorporer l'essence de vanille, l'essence d'amande et le zeste de citron. Verser dans un plat de service ou des plats à dessert.

Variante à l'ancienne : éliminer le zeste de citron et saupoudrer le pudding de cannelle.

NOTES :

Pour un dessert d'été idéal, accompagnez chaque portion de 60 mL (1/4 tasse) de myrtilles (bleuets) fraîches. Cela ajoute 20 calories et 1 g de fibres, mais les valeurs de choix d'aliments et les points WW restent les mêmes.

PAR PORTION :

Calories : 135	Gras : 2,5 g (1,5 g saturés)
Glucides : 22 g	Fibres : 0,5 g
Protéines : 4 g	Sodium : 100 mg

Valeur de choix d'aliments pour le diabète = 1/2 choix de lait allégé, 1 choix de glucides
Points WW = 3 points

Pudding au riz brun cuit au four

6 portions

En comparaison du riz blanc, le riz brun est plus riche en protéines et en fibres. En outre, son index glycémique est plus faible (c'est-à-dire la vitesse à laquelle les glucides se transforment en sucre dans l'organisme). Le riz brun donne un pudding au riz délicieux et nutritif.

INGRÉDIENTS :

310 mL (1 1/4 tasse) d'eau

2,5 mL (1/2 c. à thé) de cannelle

1,2 mL (1/4 c. à thé) de sel

125 mL (1/2 tasse) de riz brun

625 mL (2 1/2 tasses) de lait allégé

2 œufs battus

7,5 mL (1 1/2 c. à thé) d'essence de vanille

5 mL (1 c. à thé) de zeste d'orange

80 mL (1/3 tasse) de Splenda® granulé

2,5 mL (1/2 c. à thé) de cannelle

PRÉPARATION :

1. Préchauffer le four à 160 °C (325 °F).

2. Dans une casserole moyenne, amener l'eau, 2,5 mL (1/2 c. à thé) de cannelle et le sel à ébullition. Incorporer le riz. Couvrir et faire cuire de 35 à 45 minutes ou jusqu'à l'eau soit absorbée.

3. Ajouter le lait, les œufs, l'essence de vanille, le zeste d'orange et le Splenda® au riz en remuant. Amener au point d'ébullition et transférer dans une casserole ou un plat allant au four de 2 L (8 tasses).

4. Faire cuire au four sans couvrir pendant 30 minutes. Remuer. Faire cuire encore 30 minutes et remuer de nouveau. Retirer du four et incorporer la cannelle restante. Le pudding va épaissir en refroidissant. Servir chaud ou froid.

NOTES :

Quelques amandes effilées bonnes pour la santé font une belle garniture..

PAR PORTION DE 125 mL (1/2 TASSE) :

Calories : 135	Gras : 2 g (1 g saturés)
Glucides : 18 g	Fibres : 1 g
Protéines : 7 g	Sodium : 120 mg

Valeur de choix d'aliments pour le diabète =
1/2 choix de lait allégé, 1/2 choix de glucides,
1/2 choix de viandes maigres
Points WW = 3 points

Pudding au pain de La Nouvelle-Orléans avec sauce au bourbon

6 portions

Les puddings au pain figurent parmi les plats les plus réconfortants qui soient. C'est peut-être pourquoi ils font un retour dans nos cuisines, en cette époque où tout va vite. La sauce au bourbon de La Nouvelle-Orléans vient rehausser le pudding au pain, sur le plan du goût et de l'apparence.

INGRÉDIENTS :

1,25 L (5 tasses) de pain français ou italien légèrement rassis, en cubes de 2,5 à 5 cm (1 à 2 po)

375 mL (1 1/2 tasse) de lait allégé

250 mL (1 tasse) de crème simple sans gras

180 mL (3/4 tasse) de Splenda® granulé

2 gros œufs

2 gros blancs d'œufs

7,5 mL (1 1/2 c. à thé) de cannelle

15 mL (1 c. à soupe) d'essence de vanille

30 mL (2 c. à soupe) de sucre

2,5 mL (1/2 c. à thé) de cannelle

Sauce au bourbon (page 422)

PRÉPARATION :

1. Préchauffer le four à 175 °C (350 °F). Vaporiser un plat carré allant au four de 20 cm (8 po) d'un enduit antiadhésif. Étendre les cubes de pain dans le plat.

2. Fouetter ensemble les 7 ingrédients suivants (du lait à l'essence de vanille). Verser sur le pain. Laisser reposer 10 minutes en appuyant sur les cubes de pain afin de les saturer.

3. Mélanger ensemble le sucre et la cannelle. Saupoudrer sur le pudding. Faire cuire au four 1 heure ou jusqu'à ce que le centre du pudding gonfle.

4. Laisser refroidir au moins 15 minutes ou complètement avant de servir. Servir chaud (réchauffer au four à micro-ondes) ou à la température de la pièce. Garnir de sauce au bourbon chaude.

NOTES :

On croit que le pudding au pain est apparu en Angleterre à la fin du 17e siècle. Aux États-Unis, La Nouvelle-Orléans est célèbre pour son pudding au pain.

PAR PORTION DE 125 mL AVEC 22,5 mL DE SAUCE (1/2 TASSE AVEC 1 1/2 C. À SOUPE DE SAUCE)

Calories : 185 Gras : 4,5 g (2 g saturés)
Glucides : 24 g Fibres : 1 g
Protéines : 8 g Sodium : 125 mg

Valeur de choix d'aliments pour le diabète = 1/2 choix de lait allégé, 1 choix de glucides, 1 choix de gras
Points WW = 4 points

Crème pâtissière

8 portions

En général, la crème pâtissière est très riche (parce qu'elle contient beaucoup de jaunes d'œufs). On l'utilise le plus souvent comme garniture de tarte, d'éclairs ou de gâteaux. Ma version est aussi onctueuse, mais contient moins de la moitié du gras de la version originale. Je l'ai créée pour ma tarte aux fruits frais (page 359), mais elle remplace la crème pâtissière dans toutes les recettes qui en demandent.

INGRÉDIENTS :

1 gros œuf

1 gros jaune d'œuf (gros œuf)

80 mL (1/3 tasse) de Splenda® granulé

30 mL (2 c. à soupe) de fécule de maïs

180 mL (3/4 tasse) de lait allégé

125 mL (1/2 tasse) de crème simple sans gras

3,7 mL (3/4 c. à thé) d'essence de vanille

PRÉPARATION :

1. Dans un bol moyen, fouetter vigoureusement l'œuf, le jaune d'œuf et le Splenda®. Incorporer la fécule de maïs et délayer. Réserver.

2. Dans une casserole de petite à moyenne, faire frémir le lait et la crème simple. Déposer une petite quantité du mélange de lait chaud dans les œufs tout en fouettant, afin de les réchauffer. Fouetter les œufs dans le mélange de lait et remettre sur le feu. Porter à ébullition en remuant. Faire cuire 1 minute de plus ou jusqu'à épaississement. Retirer du feu. Incorporer la vanille en fouettant.

3. Déposer dans un petit plat à la cuillère et laisser refroidir. Couvrir d'une pellicule plastique et réfrigérer jusqu'au moment de servir.

PAR PORTION DE 30 mL (2 C. À SOUPE) :

Calories : 45	Gras : 1,5 g (0,5 g saturés)
Glucides : 6 g	Fibres : 0 g
Protéines : 2 g	Sodium : 35 mg

Valeur de choix d'aliments pour le diabète =
1/2 choix de glucides
Points WW = 1 point

Mousses et autres délices crémeux

Les mousses, soufflés et autres desserts onctueux font naître des pensées de décadence, car nous savons qu'il s'agit de mets très riches. Par exemple, une portion de mousse au chocolat classique, faite de beurre, d'œufs, de sucre et de beaucoup de crème, contient plus de 450 calories et 35 g de gras, dont 20 g de gras saturés. Réjouissez-vous! Grâce à quelques substitutions habiles, avec la crème simple sans gras, la garniture fouettée allégée, le cacao et, bien sûr, le Splenda® au lieu du sucre, vous pouvez réduire de façon substantielle le sucre, le gras et les calories de vos desserts favoris.

Les recettes de ce chapitre vous surprendront agréablement, la neige au parfum d'orange étant la plus légère de toutès. Je dois mentionner la mousse au chocolat noir et la crème française et purée de framboises. (Aucune de ces recettes ne représente plus de 200 calories.) Ces desserts vous épateront non seulement par leur faible teneur en calories, mais aussi parce qu'ils ont le même goût savoureux que les versions originales. En effet, j'ai accordé beaucoup d'importance aux détails. Par exemple, les choux à la crème épatants sont légers et aérés, remplis d'un riche pudding à la vanille et arrosés d'une sauce au chocolat; le tiramisu en coupe est fait avec du mascarpone et de la ricotta déposés sur des boudoirs imbibés de café sucré et saupoudrés de cacao et de chocolat râpé; enfin, le soufflé aux fraises est confectionné à partir de fraises fraîches broyées et de garniture fouettée allégée et dressé de manière à ébahir vos convives. Que dire de plus…

Neige au parfum d'orange

4 portions

Voici un petit rien tout à fait délicieux. Mieux encore, il est faible en calories, en gras et en glucides. La neige au parfum d'orange est très légère et rafraîchissante. C'est la gâterie idéale des chaudes journées d'été.

INGRÉDIENTS :

7,5 mL (1 1/2 c. à thé) de gélatine neutre

30 mL (2 c. à soupe) d'eau froide

1 jaune d'œuf

250 mL (1 tasse) de babeurre

155 mL (1/2 tasse + 2 c. à soupe) de Splenda® granulé

60 mL (1/4 tasse) de jus d'orange régulier ou allégé

15 mL (1 c. à soupe) de zeste d'orange

2 blancs d'œufs

PRÉPARATION :

1. Mettre la gélatine dans un petit bol et ajouter l'eau. Réserver.

2. Dans une casserole moyenne, fouetter le jaune d'œuf, le babeurre et 125 mL (1/2 tasse) de Splenda®. Faire chauffer le mélange jusqu'à ce qu'il épaississe légèrement jusqu'à enrober le dos d'une cuillère.

3. Incorporer la gélatine ramollie, le jus d'orange et le zeste en remuant. Retirer du feu, verser dans un plat et réfrigérer le mélange jusqu'à ce qu'il ait la consistance de blancs d'œufs crus.

4. Battre les blancs d'œufs en mousse. Ajouter 30 mL (2 c. à soupe) de Splenda® et battre jusqu'à la formation de pics mous. Plier dans le mélange à l'orange.

5. Réfrigérer jusqu'au moment de servir.

NOTES :

Même si on lit le mot « beurre » dans « babeurre », le babeurre ne contient pas de beurre. Au départ, le babeurre était la partie du lait qui restait après le barattage, d'où son nom. De nos jours, on produit le babeurre en ajoutant des cultures d'acide lactique actives à du lait écrémé ou allégé.

PAR PORTION DE 125 mL (1/2 TASSE) :

Calories : 65	Gras : 2 g (1 g saturés)
Glucides : 8 g	Fibres : 0 g
Protéines : 5 g	Sodium : 95 mg

Valeur de choix d'aliments pour le diabète =
1/2 choix de lait allégé
Points WW = 1 point

Surprise aux fraises

4 portions

Ce plat rappelle les desserts britanniques classiques faits de fruits en purée mêlés à de la crème fouettée. Ma version allégée n'emploie qu'un peu de crème fouettée combinée à du yaourt. Le résultat : un dessert faible en calories et en gras mais néanmoins délicieux.

INGRÉDIENTS :

375 mL (1 1/2 tasse) de yaourt nature allégé

120 mL (8 c. à soupe) de Splenda® granulé, divisés

2,5 mL (1/2 c. à thé) d'essence d'amande (facultatif)

340 g (12 oz) de fraises fraîches lavées et équeutées

60 mL (4 c. à soupe) de crème fouettée

PRÉPARATION :

1. Combiner le yaourt, 60 mL (4 c. à soupe) de Splenda® et l'essence d'amande (facultatif). Écraser les fruits dans un autre bol avec 30 mL (2 c. à soupe) de Splenda®. Faire refroidir au moins 1 heure.

2. Fouetter la crème avec les 30 mL (2 c. à soupe) de Splenda® restants jusqu'à la formation de pics plutôt fermes. Plier la crème dans le yaourt. Ajouter délicatement les fruits au mélange de crème et yaourt. Servir.

NOTES :

Si vous utilisez un autre fruit, ajustez la quantité de Splenda® en conséquence.

PAR PORTION DE 180 mL (3/4 TASSE) :

Calories : 140	Gras : 6 g (3 g saturés)
Glucides : 16 g	Fibres : 2 g
Protéines : 6 g	Sodium : 70 mg

Valeur de choix d'aliments pour le diabète =
1/2 choix de lait allégé, 1/2 choix de fruits,
1 choix de gras
Points WW = 3 points

Parfait au yaourt

2 portions

Vous savez d'où m'est venue l'idée de cette recette si vous êtes allé dans un restaurant McDonald's récemment. J'y ai mangé un parfait au yaourt en me disant qu'il devait sans doute être bourré de sucre. J'ai donc entrepris de créer une version plus saine. Ces parfaits sont faciles à préparer. Il suffit d'alterner les ingrédients en couches.

INGRÉDIENTS :

2 bols de 170 g (6 oz) ou 375 mL (1 1/2 tasse) de yaourt nature allégé

30 mL (6 c. à thé) de Splenda® granulé (ou 3 sachets de Splenda®)

125 mL (1/2 tasse) de fraises surgelées sans sucre, décongelées

125 mL (1/2 tasse) de myrtilles (bleuets) fraîches

60 mL (1/4 tasse) de céréales granolas incomparables (page 77) ou vos granolas ou céréales faibles en sucre préférées

PRÉPARATION :

1. Choisissez deux verres de 237 mL (8 oz). (J'aime bien les verres à vin blanc.)

2. Mélanger 20 mL (4 c. à thé) de Splenda® au yaourt. Déposer 80 mL (1/3 tasse) du mélange de yaourt dans chaque verre.

3. Dans un petit bol, mélanger 10 mL (2 c. à thé) de Splenda® avec les fraises. Déposer 60 mL (1/4 tasse) de fraises sur le yaourt dans chaque verre. Déposer ensuite 60 mL (1/4 tasse) de myrtilles (bleuets).

4. Couvrir du reste de yaourt. Garnir de granolas ou de céréales.

(Les parfaits bien couverts se conservent une journée au réfrigérateur. N'ajouter les granolas qu'au moment de servir.)

PAR PORTION :

Calories : 160	Gras : 2 g (0 g saturés)
Glucides : 27 g	Fibres : 4 g
Protéines : 8 g	Sodium : 115 mg

Valeur de choix d'aliments pour le diabète =
1/2 choix de lait sans gras, 1 choix de fruits
Points WW = 3 points

Choux à la crème épatants

8 portions

Les choux à la crème sont des gâteries sans égales. Leur préparation, sans être difficile, comporte trois étapes : la confection des choux, la confection de la garniture à la crème et celle de la sauce au chocolat. Vous pouvez confectionner les choux la veille ou avant et les congeler. La garniture se conserve une journée et la sauce au chocolat, une semaine (à moins que vous ne la consommiez avant). Vous pouvez donc procéder à la confection des choux à l'avance si vous le désirez. Cependant, ils sont meilleurs le jour même de leur confection ou le jour suivant, ce qui pose rarement problème.

INGRÉDIENTS :

CHOU

125 mL (1/2 tasse) d'eau

45 mL (3 c. à soupe) de beurre

3,7 mL (3/4 c. à thé) de sel

125 mL (1/2 tasse) de farine tout usage

1 gros œuf

3 gros blancs d'œufs

GARNITURE

1 recette de pudding à la vanille de la page 245 (omettre 125 mL ou 1/2 tasse de crème simple sans gras)

125 mL (1/2 tasse) de garniture fouettée allégée

NAPPAGE

80 mL (1/3 tasse) de sauce au chocolat (page 430)

PRÉPARATION :

1. Préchauffer le four à 150 °C (300 °F). Vaporiser une plaque à cuisson d'un enduit antiadhésif.

2. Choux : dans une casserole moyenne, amener à ébullition l'eau, le beurre et le sel. Ajouter la farine en une seule fois et brasser jusqu'à ce que l'appareil soit homogène et décolle de la casserole en formant une boule. Retirer du feu. Laisser refroidir 3 minutes. Ajouter l'œuf et les blancs d'œufs en brassant vigoureusement après chaque addition jusqu'à consistance lisse et luisante. Déposer par cuillerées sur la plaque à cuisson préparée de façon à obtenir 8 choux. Placer la plaque au tiers inférieur du four et augmenter la température à 230 °C (450 °F). Faire cuire 15 minutes jusqu'à ce que les choux soient gonflés et dorés. Réduire la température à 149 °C (300 °F) et faire cuire 15 minutes de plus. Faire une petite entaille sur le côté des choux afin de libérer la vapeur. Éteindre le feu et laisser les choux sécher dans le four 5 minutes. Retirer du four et déposer sur une grille pour refroidir. Une fois refroidis, les choux se conservent 24 heures dans un bol hermétique. Ou encore, bien les emballer et les congeler.

3. Garniture : faire la recette de pudding à la vanille. Laisser refroidir. Plier la garniture fouettée allégée dans le pudding refroidi, 60 mL (1/4 tasse) à la fois. Plier le reste. Le pudding se conserve 24 heures au réfrigérateur dans un bol fermé.

4. Nappage : faire la recette de sauce au chocolat. La faire chauffer légèrement jusqu'à consistance onctueuse si vous l'avez préparée la veille.

5. Assemblage des choux : couper le dessus de chaque chou. Retirer toute pâte humide ou en trop afin de créer une cavité. Remplir de 60 mL (1/4 tasse) de garniture et remettre le dessus des choux. Arroser chaque chou de 10 mL (2 c. à thé) de sauce au chocolat.

PAR PORTION :

Calories : 178	Gras : 8 g (4 g saturés)
Glucides : 18 g	Fibres : 0 g
Protéines : 6 g	Sodium : 70 mg

Valeur de choix d'aliments pour le diabète =
1 choix de glucides, 1 choix de viandes maigres,
1 choix de gras
Points WW = 4 points

NOTES :

Commencer la cuisson des choux à température moyenne puis la poursuivre à température croissante permet aux choux d'atteindre leur taille maximale. Ils lèvent à mesure que la température augmente.

Soufflé froid aux fraises

8 portions

Voici l'une des premières recettes Splenda® que j'ai conçues. J'ai emporté mon soufflé à un dîner et tout le monde l'a aimé. Mes amis ont noté sa légèreté et son onctuosité ainsi que sa saveur de fraises fraîches. Et personne n'a remarqué que j'avais remplacé le sucre par du Splenda®. Cela m'a confirmé une chose : Splenda® peut donner à mes desserts favoris le bon goût du sucre.

INGRÉDIENTS :

2 L (8 tasses) de fraises fraîches (environ 900 g ou 2 livres)

2 sachets de gélatine neutre (12,5 mL ou 2 1/2 c. à thé) chacun

125 mL (1/2 tasse) de Splenda® granulé

15 mL (1 c. à soupe) de jus de citron

6 gros blancs d'œufs ou 9 blancs d'œufs pasteurisés + 2,5 mL (1/2 c. à thé) de crème de tartre

1 bol de 226 g (8 oz) de garniture fouettée allégée, décongelée

PRÉPARATION :

1. Préparer un plat à soufflé de 2 L (8 tasses).

2. Nettoyer les fraises, les équeuter et les couper en deux afin d'obtenir 1,25 L (5 tasses). Réserver 4 fraises pour décorer.

3. Mettre les fruits en purée dans un robot culinaire ou un mélangeur. Déposer 250 mL (1 tasse) de purée dans une casserole moyenne. Ajouter la gélatine et 60 mL (1/4 tasse) de Splenda®. Chauffer pour faire dissoudre la gélatine. Incorporer le reste de la purée et le jus de citron. Retirer du feu et réfrigérer 20 minutes.

4. Pendant que la purée refroidit, battre les blancs d'œufs en mousse. Ajouter le reste du Splenda® et battre jusqu'à la formation de pics fermes, mais non secs. Plier délicatement 1/4 des blancs d'œufs dans la purée refroidie. Plier le reste des blancs d'œufs, puis la garniture fouettée.

5. Déposer à la cuillère dans le plat à soufflé et réfrigérer au moins 4 heures avant de servir.

6. Au moment de servir, décorer le soufflé avec les fraises réservées.

NOTES :

Les blancs d'œufs réguliers produisent un volume supérieur avec moins de blancs. Assurez-vous que les œufs sont frais et sans fêlures. Pour plus de sécurité, si vous prévoyez servir le soufflé à des enfants, à des personnes âgées ou à des personnes immunodéficientes, utilisez des blancs d'œufs en poudre ou pasteurisés.

PAR PORTION :

Calories : 120	Gras : 4 g (3,5 g saturés)
Glucides : 16 g	Fibres : 1 g
Protéines : 5 g	Sodium : 45 mg

Valeur de choix d'aliments pour le diabète =
1 choix de viandes mi-grasses, 1/2 choix de fruits
Points WW = 2 points

Dessert sicilien aux baies

4 portions

La ricotta est un fromage italien doux à texture légère. On la retrouve dans la plupart des foyers italiens, car elle entre dans la confection de nombreux plats, des cannolis sucrés aux lasagnes savoureuses. Je dois à mon amie Chris, d'origine italienne et spécialiste de la nutrition qui étudie les baies et leurs propriétés anticancéreuses, ce dessert à la fois sain et délicieux qui combine une ricotta sucrée et des baies fraîches. Bellissimo !

INGRÉDIENTS :

180 mL (3/4 tasse) de fromage ricotta allégé

90 mL (6 c. à soupe) de crème aigre (sure) allégée

80 mL (1/3 tasse) de Splenda® granulé

1,2 mL (1/4 c. à thé) d'essence d'amande (ou 1/2 mesure de liqueur d'amande Amaretto)

À peine 5 mL (1 c. à thé) de zeste d'orange

750 mL (3 tasses) de baies fraîches (mûres, framboises, mûres de Boysen ou fraises)

14 g (1 oz) de chocolat blanc râpé (facultatif)*

PRÉPARATION :

1. Dans un robot culinaire ou un mélangeur, mélanger la ricotta, la crème aigre (sure), le Splenda® et l'essence d'amande jusqu'à consistance lisse (ne pas trop travailler, sinon ce sera trop liquide). Déposer dans un bol à la cuillère et incorporer le zeste d'orange. Couvrir et réfrigérer.

2. Déposer 180 mL (3/4 tasse) de fruits dans 4 jolis plats en verre ou 4 verres (j'aime bien les verres à vin). Déposer à la cuillère environ 60 mL (1/4 tasse) de garniture sur les fruits.

3. Garnir avec du chocolat blanc râpé (au goût).

* La garniture de chocolat blanc ajoute 1 g de gras, 2 g de glucides et 20 calories par portion et 1 point WW.

NOTES :

Ce joli dessert est riche en protéines, en calcium, en vitamine C et en fibres. En outre, il est faible en sucres ajoutés, en gras, en sodium et en calories. Difficile d'être à la fois si bon au goût et si bon pour la santé !

PAR PORTION :

Calories : 140	Gras : 4,5 g (2 g saturés)
Glucides : 18 g	Fibres : 6 g
Protéines : 7 g	Sodium : 50 mg

Valeur de choix d'aliments pour le diabète =
1 choix de fruits, 1 choix de viandes mi-grasses
Points WW = 2 points

Tiramisu en coupe

6 portions

Le tiramisu est un dessert très aimé en Italie et fait avec du mascarpone, un fromage italien onctueux, mais très riche en gras. Avec la crème, les jaunes d'œufs et le sucre, on obtient un dessert plutôt lourd. Dans cette version, j'utilise un peu de mascarpone en raison de sa saveur unique, mais j'ai allégé les autres ingrédients. De plus, je propose une présentation plus moderne, soit en portions individuelles dans des verres à martini. Si vous le préférez, vous pouvez étager les ingrédients dans un grand plat carré.

INGRÉDIENTS :

113 g (4 oz) de fromage mascarpone*

113 g (4 oz) de fromage à la crème sans gras

60 mL (1/4 tasse) de fromage ricotta allégé

30 mL (2 c. à soupe) de crème aigre (sure) allégée

125 mL (1/2 tasse) de Splenda® granulé

180 mL (3/4 tasse) de garniture fouettée allégée

180 mL (3/4 tasse) d'eau

15 mL (1 c. à soupe) de café soluble

45 mL (3 c. à soupe) de Splenda® granulé

15 mL (1 c. à soupe) de brandy (facultatif)

12 boudoirs

5 mL (1 c. à thé) de cacao alcalinisé (Hershey's European®)

14 g (1/2 oz) de copeaux de chocolat mi-sucré (facultatif)

* Substitution : un bol de 113 g (4 oz) de fromage à la crème allégé et 30 mL (2 c. à soupe) de crème aigre (sure) allégée.

PRÉPARATION :

1. Préparer 6 verres à martini d'une capacité de 177 mL (6 oz) chacun ou un plat de service de 1 L (4 tasses). Dans un bol moyen, battre le mascarpone et les 4 ingrédients suivants au batteur électrique jusqu'à consistance onctueuse et lisse. Plier la garniture fouettée allégée dans le mélange. Réserver.

2. Mettre l'eau dans un petit bol allant au four à micro-ondes ou une petite casserole. Ajouter le café soluble, le Splenda® et le brandy (facultatif) et chauffer 2 minutes.

3. Assemblage des tiramisus individuels : pour chaque portion, tremper brièvement le côté extérieur de 4 morceaux de boudoirs (soit 2 biscuits séparés en deux) dans le mélange de café et les placer contre la paroi du verre. Badigeonner l'intérieur des biscuits du mélange de café. Déposer 125 mL (1/2 tasse) du mélange de fromage au centre des boudoirs et saupoudrer d'un peu de cacao (0,5 mL ou 1/8 c. à thé). Garnir de copeaux de chocolat au goût. Couvrir d'une pellicule plastique et réfrigérer 6 heures avant de servir.

4. Assemblage du tiramisu dans un plat : placer la moitié des boudoirs au fond du plat. Badigeonner les biscuits du mélange de café. Couvrir de la moitié du mélange de fromage et lisser.

5. Répéter. Saupoudrer le dessus du tiramisu de cacao. Garnir de copeaux de chocolat au goût. Réfrigérer 6 heures avant de servir.

PAR PORTION :

Calories : 160	Gras : 11 g (4,5 g saturés)
Glucides : 9 g	Fibres : 0 g
Protéines : 5 g	Sodium : 135 mg

Valeur de choix d'aliments pour le diabète = 1/2 choix de glucides, 1 choix de viandes très maigres, 2 choix de gras
Points WW = 4 points

NOTES :

J'ai souvent enseigné cette recette dans mes cours de cuisine, à la suite de leçons sur la cuisine avec les pâtes, la cuisine santé faible en glucides et la cuisine sans sucre. C'est une réussite à tout coup. Mes étudiants m'ont dit avoir fait ce tiramisu pour des amis, qui l'ont fait pour leurs amis à leur tour. C'est le meilleur compliment qu'on puisse me faire !

Mousse citronnée merveilleuse

6 portions

Pourquoi merveilleuse ? Tout simplement parce qu'il s'agit d'une merveille en matière de nutrition. En effet, cette mousse vous apporte des tas de bonnes choses, comme des protéines, de la vitamine C et du calcium, tout ça avec seulement 100 calories. Rafraîchissante, onctueuse, sucrée et légèrement acidulée, cette mousse a si bon goût que vous aurez de la difficulté à croire qu'elle est aussi bonne pour la santé.

INGRÉDIENTS :

1 sachet de gélatine neutre

160 mL (2/3 tasse) de jus de citron

180 mL (3/4 tasse) de Splenda® granulé

Zeste fin de 1 citron

2 gouttes de colorant alimentaire jaune (facultatif)

125 mL (1/2 tasse) de fromage cottage

250 g (8 oz) de yaourt nature sans gras

1 blanc d'œuf (pasteurisé ou en poudre, au goût)

15 mL (1 c. à soupe) de sucre

180 mL (3/4 tasse) de garniture fouettée allégée

PRÉPARATION :

1. Déposer la gélatine dans une petite casserole. Ajouter 80 mL (1/3 tasse) de jus de citron et laisser reposer 3 minutes. Faire chauffer à feu doux et ajouter l'autre partie du jus de citron, le Splenda®, le zeste et le colorant alimentaire (si désiré). Faire chauffer de 3 à 4 minutes jusqu'à la dissolution complète de la gélatine. Verser le mélange dans un bol.

2. Réserver et laisser refroidir légèrement. Remuer de temps à autre afin d'éviter la prise. Mettre en purée le yaourt et le fromage cottage jusqu'à consistance complètement lisse, semblable à la crème aigre (sure).

3. Incorporer la purée dans le mélange citron-gélatine en fouettant. Réfrigérer pour refroidir en remuant à l'occasion afin d'éviter la formation de grumeaux. Fouetter le blanc d'œuf jusqu'à la formation de pics mous. Ajouter 15 mL (1 c. à soupe) de sucre et fouetter de nouveau jusqu'à l'obtention de pics fermes. Plier dans le mélange de citron refroidi. Plier également la garniture fouettée allégée et déposer dans un plat de service ou dans des plats individuels.

PAR PORTION :

Calories : 100 Gras : 1, 5 g (1 g saturés)
Glucides : 13 g Fibres : 0 g
Protéines : 9 g Sodium : 55 mg

Valeur de choix d'aliments pour le diabète =
1 choix de lait très allégé
Points WW = 2 points

NOTES :

Légère et onctueuse, la mousse se tient assez bien pour remplir des abaisses de mini-tartelettes qu'on trouve dans la section des produits surgelés ou pour faire une tarte à la mousse citronnée. Dans tous les cas, elle a toujours fière allure avec des baies fraîches et quelques feuilles de menthe.

Mousse au chocolat noir

6 portions

Je dédie cette recette au lecteur de Philadelphie, qui a donné à mon premier livre de recettes une cote de 5 étoiles sur le site Amazon.com. Il a réclamé une recette de mousse au chocolat noir à la fois dense et onctueuse. J'espère que celle-ci le satisfera.

INGRÉDIENTS :

5 mL (1 c. à thé) de gélatine neutre

30 mL (2 c. à soupe) d'eau

180 mL (3/4 tasse) de crème simple sans gras

5 mL (1 c. à thé) de zeste d'orange

2 œufs séparés

160 mL (2/3 tasse) de Splenda® granulé

80 mL (1/3 tasse) de cacao alcalinisé

56 g (2 oz) de chocolat mi-sucré haché

5 mL (1 c. à thé) d'essence de vanille

15 mL (1 c. à soupe) de sucre

180 mL (3/4 tasse) de garniture fouettée allégée

PRÉPARATION :

1. Combiner la gélatine et l'eau dans une petite casserole. Attendre 3 minutes. Ajouter la crème simple sans gras et le zeste d'orange. Ajouter en fouettant les jaunes d'œufs, le Splenda® et le cacao.

2. Faire chauffer à feu moyen en remuant jusqu'à consistance lisse et épaisse (de 3 à 4 minutes).

3. Ajouter le chocolat ainsi que l'essence de vanille et remuer jusqu'à consistance lisse. Laisser refroidir à la température de la pièce (environ 30 minutes).

4. Dans un grand bol, battre les blancs d'œufs en mousse légère. Incorporer le sucre en battant jusqu'à la formation de pics mous. Plier délicatement les blancs d'œufs dans le mélange au chocolat. Plier ensuite la garniture fouettée légère.

5. Réfrigérer jusqu'à très froid.

PAR PORTION DE 125 mL (1/2 TASSE) :

Calories : 150	Gras : 5,5 g (3,5 g saturés)
Glucides : 18 g	Fibres : 2 g
Protéines : 4 g	Sodium : 25 mg

Valeur de choix d'aliments pour le diabète =
1 choix de lait sans gras, 1/2 choix de glucides,
1 choix de gras
Points WW = 3 points

Gâteau mousse au chocolat

8 portions

Mes parents sont venus me visiter un jour où j'avais fait ce gâteau. Après le dîner, j'en ai servi à mon père qui raffole de tout ce qui est riche, sucré et engraissant. Son opinion : « Décadent ! » Contrairement à la plupart des gâteaux, ce dessert incroyable a la texture d'une mousse légère et onctueuse. La garniture repose sur une base de chapelure de biscuits au chocolat et se tranche comme un gâteau, d'où son nom de gâteau mousse. Mon père, lui, l'appelle simplement « Délicieux ».

Ingrédients :

ABAISSE

180 mL (3/4 tasse) de chapelure de biscuits au chocolat

15 mL (1 c. à soupe) de Splenda® granulé

5 mL (1 c. à thé) de cacao alcalinisé (Hershey's European, É.-U.)

30 mL (2 c. à soupe) de margarine

GARNITURE

1 sachet de gélatine neutre, soit 12,5 mL (2 1/2 c. à thé)

60 mL (1/4 tasse) d'eau

250 mL (1 tasse) de lait allégé

1 gros œuf, légèrement battu

80 mL (1/3 tasse) de cacao alcalinisé

160 mL (2/3 tasse) de Splenda® granulé

80 mL (1/3 tasse) de pépites de chocolat mi-sucré

5 mL (1 c. à thé) d'essence de vanille

1,2 mL (1/4 c. à thé) d'essence d'orange ou 15 mL (1 c. à soupe) de liqueur d'orange

2 gros blancs d'œufs (ou 3 œufs pasteurisés)

15 mL (1 c. à soupe) de sucre

250 mL (1 tasse) de garniture fouetté allégée décongelée

14 g (1/2 oz) de copeaux de chocolat (facultatif)

Préparation :

1. Préchauffer le four à 175 °C (350 °F). Vaporiser un moule à charnière de 23 cm (9 po) d'un enduit antiadhésif.

2. Abaisse : combiner la chapelure de biscuits, le Splenda® et le cacao. Ajouter la margarine et mélanger.

3. Bien tasser le mélange de chapelure au fond du moule préparé ainsi que les côtés, jusqu'à 3,5 cm (1 1/2 po) de hauteur (utiliser une pellicule plastique pour plus de facilité). Faire cuire au four 8 minutes. Refroidir.

4. Garniture : dans une casserole moyenne, saupoudrer la gélatine sur 60 mL (1/4 tasse) d'eau. Laisser reposer 3 minutes.

5. Ajouter en fouettant le lait, l'œuf battu, le cacao et le Splenda®. Faire chauffer à feu moyen en remuant jusqu'à ce que le mélange soit épais et lisse. Incorporer les pépites de chocolat et brasser jusqu'à ce qu'elles soient fondues. Ajouter les essences de vanille et d'orange. Retirer du feu. Verser dans un grand plat et laisser refroidir.

6. Réfrigérer 30 minutes en remuant de temps à autre jusqu'à ce que le mélange ait refroidi et qu'il garde sa forme quand on le prend à la cuillère.

7. Battre les blancs d'œufs en mousse. Ajouter le sucre et battre jusqu'à la formation de pics fermes, mais non secs. Plier les blancs d'œufs dans le mélange de chocolat. Plier ensuite la garniture fouettée allégée. Verser la mousse dans le moule préparé. Réfrigérer au moins 2 heures. Garnir de copeaux de chocolat au goût.

PAR PORTION :

Calories : 175	Gras : 7,5 g (3,5 g saturés)
Glucides : 24 g	Fibres : 1,5 g
Protéines : 5 g	Sodium : 130 mg

Valeur de choix d'aliments pour le diabète =
1 choix de glucides, 1 choix de viandes maigres,
1 choix de gras
Points WW = 4 points

Mousse à la citrouille et croquants au gingembre

8 portions

La première version de cette recette a paru dans Fantastic Foods with Splenda, mais depuis, j'y ai apporté plusieurs changements. Cette nouvelle version ressemble à la mousse à la citrouille présentée sur la chaîne américaine Food Channel puis allégée par Art Smith, le chef personnel de l'animatrice Oprah Winfrey. J'ai décidé d'omettre les bananes en purée et d'éliminer l'épaisse abaisse de biscuits Graham. J'ai plutôt opté pour une garniture plus légère de croquants au gingembre écrasés. Il en résulte une mousse nettement améliorée que vous aimerez à coup sûr.

INGRÉDIENTS :

1 sachet de gélatine neutre

180 mL (3/4 tasse) de crème simple sans gras

1 boîte de 425 g (15 oz) de purée de citrouille (pas une garniture)

180 mL (3/4 tasse) de Splenda® granulé

2 gros œufs séparés

10 mL (2 c. à thé) de cannelle

5 mL (1 c. à thé) de muscade

30 mL (2 c. à soupe) de sucre granulé

250 mL (1 tasse) de garniture fouetté allégée

6 croquants au gingembre (Old-Fashioned de Nabisco®, É.-U.)

PRÉPARATION :

1. Saupoudrer la gélatine sur 60 mL (1/4 tasse) de crème simple sans gras. Réserver 3 minutes.

2. Entre-temps, dans un bol moyen, fouetter ensemble le reste de la crème simple, la citrouille, le Splenda®, les jaunes d'œufs et les épices. Faire chauffer à feu moyen. Ajouter la gélatine ramollie et bien mélanger jusqu'à ce qu'elle soit chaude et bien dissoute. Faire cuire de 3 à 4 minutes ou jusqu'à ébullition. Retirer du feu; déposer dans un grand plat à la cuillère et laisser refroidir.

3. Dans un petit bol, battre les blancs d'œufs en mousse. Ajouter le sucre et battre jusqu'à la formation de pics fermes. Plier la garniture fouettée et les blancs d'œufs dans le mélange de citrouille.

4. Déposer la mousse à la cuillère dans un plat de service. Saupoudrer de croquants au gingembre émiettés.

5. Réfrigérer au moins 2 heures.

PAR PORTION :

Calories : 115	Gras : 2 g (1,5 g saturés)
Glucides : 17 g	Fibres : 2 g
Protéines : 4 g	Sodium : 80 mg

Valeur de choix d'aliments pour le diabète =
1 choix de légumes, 1 choix de glucides
Points WW = 2 points

Crème française et purée de framboises

6 portions

La crème française est une concoction onctueuse faite de crème sucrée, de crème aigre (sure) et de fromage à la crème. Voici une version allégée des plus élégantes et délicieuses convenant aux occasions les plus spéciales et pourtant facile à faire en tout temps.

INGRÉDIENTS :

1 bol de 226 g (8 oz) de fromage à la crème allégé

250 mL (1 tasse) de crème aigre (sure) sans gras

310 mL (1 1/4 tasse) de crème simple sans gras

1 sachet de gélatine neutre

180 mL + 30 mL (3/4 tasse + 2 c. à soupe) de Splenda® granulé

30 mL (2 c. à soupe) d'essence de vanille

1,2 mL (1/4 c. à thé) d'essence d'amande

250 mL (1 tasse) de framboises

15 mL (1 c. à soupe) de liqueur d'orange ou d'eau

PRÉPARATION :

1. Préparer 6 ramequins de 120 à 180 mL (4 à 6 oz).

2. Dans un plat moyen, battre le fromage à la crème et la crème aigre (sure) jusqu'à consistance lisse.

3. Dans une petite casserole, combiner la crème simple et la gélatine. Réserver 3 minutes.

4. Incorporer en fouettant 180 mL (3/4 tasse) de Splenda® et faire chauffer à feu moyen. Faire cuire en remuant jusqu'à ce que la gélatine soit dissoute (de 1 à 2 minutes).

5. Incorporer le mélange de gélatine et les essences dans la préparation de fromage. Battre jusqu'à texture lisse.

6. Répartir la préparation entre les ramequins. Couvrir et réfrigérer.

7. Travailler les fruits, 30 mL (2 c. à soupe) de Splenda® et la liqueur d'orange au robot culinaire ou au mélangeur jusqu'à texture lisse. Passer au tamis si désiré. Pour démouler les crèmes françaises, tremper la base des ramequins dans l'eau chaude quelques secondes et dégager les côtés à l'aide de la lame d'un couteau.

8. Renverser sur des assiettes et arroser de purée de framboises.

PAR PORTION DE 125 mL (1/2 TASSE) :

Calories : 200 Gras : 6 g (4 g saturés)
Glucides : 21 g Fibres : 1 g
Protéines : 8 g Sodium : 210 mg

Valeur de choix d'aliments pour le diabète = 1 choix de lait allégé, 1/2 choix de glucides
Points WW = 4 points

NOTES :

Les cœurs à la crème classiques (crème française en forme de cœur) peuvent contenir jusqu'à 48 g de gras par portion (dont 30 g de gras saturés).

Crêpes onctueuses à l'orange

4 portions

D'une saveur riche trompeuse, ces crêpes alléchantes sont une excellente façon de montrer à une personne que vous l'aimez. Avec leur teneur en protéines élevée, elles conviennent au menu d'un petit déjeuner chic ou d'un brunch. Garnissez les assiettes d'une poignée de framboises fraîches et de feuilles de menthe.

INGRÉDIENTS :

PÂTE À CRÊPES

125 mL (1/2 tasse) de farine

125 mL (1/2 tasse) de lait allégé

60 mL (1/4 tasse) d'eau

1 œuf

2 blancs d'œufs

22,5 mL (1 1/2 c. à soupe) de margarine fondue

30 mL (2 c. à soupe) de Splenda® granulé

Pincée de sel

GARNITURE

60 mL (1/4 tasse) de fromage à la crème allégé

250 mL (1 tasse) de fromage cottage faible en gras

1 jaune d'œuf

37,5 mL (2 1/2 c. à soupe) de Splenda® granulé

0,5 mL (1/8 c. à thé) d'essence d'amande

5 mL (1 c. à thé) de zeste d'orange

10 mL (2 c. à thé) de sucre glace (facultatif)

PRÉPARATION :

1. Pâte : dans un petit bol, battre tous les ingrédients de la pâte à crêpes. Réserver 30 minutes à la température de la pièce.

2. Garniture : dans un robot culinaire ou un mélangeur, combiner le fromage à la crème, le fromage cottage, le jaune d'œuf, le Splenda® et l'essence d'amande. Travailler jusqu'à consistance lisse (environ 1 minute). Incorporer le zeste d'orange à la main. Réserver.

3. Vaporiser une poêle de 13 cm (6 po) d'un enduit antiadhésif. Faire chauffer à feu moyen. Déposer à peine 60 mL (1/4 tasse) de pâte à crêpes en faisant tourner rapidement la poêle pour couvrir le fond. Faire cuire de 2 à 3 minutes d'un côté jusqu'à légèrement doré. Retirer la crêpe sans la tourner et la déposer sur une assiette. Faire cuire le reste des crêpes et les empiler. (À ce stade, on peut couvrir et réfrigérer les crêpes pour un usage ultérieur.)

4. Déposer 30 mL (2 c. à soupe) combles de garniture au centre d'une crêpe. Laisser au moins 1 cm (1/2 po) de libre autour de la crêpe, puis replier les côtés par-dessus la garniture.

5. Remettre les crêpes dans la poêle et faire cuire 2 minutes de chaque côté jusqu'à doré.

6. Saupoudrer de sucre glace au goût.

PAR PORTION DE 2 CRÊPES :

Calories : 235	Gras : 10 g (4 g saturés)
Glucides : 18 g	Fibres : 0 g
Protéines : 15 g	Sodium : 420 mg

Valeur de choix d'aliments pour le diabète =
2 choix de viandes maigres, 1 choix de glucides,
1 choix de gras
Points WW = 5 points

NOTES :

La pâte à crêpes est facile à faire et la poêle antiadhésive facilite la cuisson. J'empile les crêpes les unes sur les autres, mais vous pouvez mettre une feuille de papier paraffiné entre chacune pour éviter qu'elles collent.

Desserts surgelés

Avez-vous visité la section des glaces de votre marché récemment? L'éventail de produits est si grand qu'on ne sait plus quoi choisir, entre les glaces de qualité regorgeant de sucre et de gras, les produits allégés en gras, mais tout de même riches en sucre, et maintenant des glaces faibles en glucides (mais trop souvent à haute teneur en gras).

Il y a une autre option, celle de confectionner vos propres desserts surgelés. Vous contrôlez ainsi la liste des ingrédients en plus d'assortir les parfums qui vous plaisent et de passer un bon moment. C'est plus simple que jamais grâce aux nombreuses sorbetières de cuisine qui n'exigent pas de glaçons ni de sel. Vous n'avez qu'à surgeler le bol au préalable et, en 30 minutes, vous obtenez une glace, un sorbet ou un yaourt glacé maison bon pour la santé.

Vous allez voir qu'outre les parfums les plus répandus – chocolat, vanille, fraises et café –, je vous propose des parfums savoureux à base de fruits frais comme le citron, la limette, les pêches et les mûres de Boysen. Je souhaite que mes recettes vous inspireront à créer vos propres glaces en variant les fruits ou en ajoutant diverses préparations.

Notez que la texture des desserts proposés ici est à son meilleur tout de suite après le barattage. Vu leur faible teneur en sucre et l'absence d'alcools de sucre habituellement présents dans les produits du commerce, ils durcissent lors de la congélation. Pour les ramollir avant de servir, laissez le bol sur le comptoir ou au réfrigérateur 30 minutes.

Sorbet aux baies

6 portions

Avec une explosion de saveur de baies fraîches, ce sorbet d'un rouge vif enchantera vos papilles gustatives. Variez les baies ou combinez-les afin de créer de tout nouveaux parfums.

INGRÉDIENTS :

1 L (4 tasses) de fraises ou de framboises, équeutées, lavées et tranchées

30 mL (2 c. à soupe) de jus d'orange

5 mL (1 c. à thé) de zeste d'orange

160 mL (2/3 tasse) de Splenda® granulé

125 mL (1/2 tasse) d'eau

PRÉPARATION :

1. Mettre les baies en purée avec le jus d'orange au robot culinaire ou au mélangeur. Réserver.

2. Dans une petite casserole, amener le Splenda® et l'eau à ébullition. Réduire le feu et laisser mijoter 5 minutes jusqu'à léger épaississement. Ajouter ce sirop aux fruits. Laisser refroidir.

3. Verser le mélange dans la sorbetière et suivre les directives du fabricant. Servir immédiatement ou ranger dans un bol et congeler.

4. Mettre le sorbet au réfrigérateur 30 minutes avant de le servir afin qu'il ramollisse.

NOTES :

On attribue à Marco Polo l'introduction des premiers desserts glacés aux fruits en Europe, en provenance de l'Orient.

PAR PORTION DE 125 mL (1/2 TASSE) :

Calories : 35	Gras : 0 g
Glucides : 8 g	Fibres : 2 g
Protéines : 0 g	Sodium : 0 mg

Valeur de choix d'aliments pour le diabète = 1/2 choix de fruits
Points WW = 0 point (1 point jusqu'à 375 mL ou 1 1/2 tasse)

Sorbet au citron et à la limette

6 portions

À la fois sucré et acidulé, ce dessert rafraîchissant rince le palais. J'utilise une sorbetière électrique avec un bol à congeler, mais il semble que les sorbetières classiques donnent un sorbet plus aéré et qui prend mieux. Pour la sorbetière classique, utilisez 750 mL (3 tasses) d'eau, 180 mL (3/4 tasse) de jus de citron, 125 mL (1/2 tasse) de jus de limette, 625 g (2 1/2 tasses) de Splenda ® granulé et 15 mL (1 c. à soupe) de sirop de maïs clair.

INGRÉDIENTS :

500 mL (2 tasses) d'eau froide

125 mL (1/2 tasse) de jus de citron frais

80 mL (1/3 tasse) de jus de limette frais

430 mL (1 3/4 tasse) de Splenda® granulé

10 mL (2 c. à thé) de sirop de maïs clair

PRÉPARATION :

1. Combiner tous les ingrédients dans un saladier. Remuer pour dissoudre le Splenda®.

2. Faire refroidir au réfrigérateur au moins 1 heure.

3. Verser le mélange dans la sorbetière et suivre les directives du fabricant. Servir immédiatement ou ranger dans un bol et congeler. Remuer de nouveau 30 et 60 minutes plus tard afin d'aérer le sorbet.

4. Placer le sorbet au réfrigérateur 30 minutes avant de le servir afin qu'il ramollisse.

NOTES :

Sachant que la limette exige un peu plus de sucre, ajustez la quantité de jus de citron et de jus de limette à votre goût.

PAR PORTION DE 125 mL (1/2 TASSE) :

Calories : 45	Gras : 0 g (0 g saturés)
Glucides : 11 g	Fibres : 0 g
Protéines : 0 g	Sodium : 0 mg

Valeur de choix d'aliments pour le diabète =
1 choix de fruits
Points WW = 1 point

Sorbet au chocolat

6 portions

Un peu signifie beaucoup dans le cas de ce sorbet au chocolat noir très intense. Une cuillerée de sirop de maïs adoucit à la fois la texture et la saveur.

INGRÉDIENTS :

250 mL (1 tasse) de Splenda® granulé

160 mL (2/3 tasse) de cacao alcalinisé

375 mL (1 1/2 tasse) d'eau

15 mL (1 c. à soupe) de sirop de maïs clair

5 mL (1 c. à thé) d'essence de vanille

PRÉPARATION :

1. Combiner le Splenda® et le cacao dans une casserole moyenne. Ajouter l'eau et le sirop de maïs en fouettant. Porter à ébullition à feu moyen. Réduire le feu et laisser mijoter de 4 à 5 minutes jusqu'à léger épaississement.

2. Retirer du feu, verser dans un saladier et incorporer la vanille. Réfrigérer 30 minutes.

3. Verser le mélange dans la sorbetière et suivre les directives du fabricant. Servir immédiatement ou ranger dans un bol et congeler.

4. Placer le sorbet au réfrigérateur 30 minutes avant de le servir afin qu'il ramollisse.

NOTES :

Ce sorbet préparé avec du sucre granulé contient 30 g de glucides.

PAR PORTION DE 125 mL (1/2 TASSE) :

Calories : 60	Gras : 1 g (0,5 g saturés)
Glucides : 10 g	Fibres : 3 g
Protéines : 2 g	Sodium : 10 mg

Valeur de choix d'aliments pour le diabète =
1/2 choix de glucides
Points WW = 1 point

Granité au café

4 portions

Nul besoin d'une sorbetière pour confectionner ce merveilleux dessert glacé au café. Il est facile à faire, mais il faut le racler à plusieurs reprises. Choisissez donc un moment où vous serez à la maison pour un moment. Servez-le dans de jolis verres à martini ou dans des coupes.

INGRÉDIENTS :

500 mL (2 tasses) de café fort ou d'espresso

125 mL (1/2 tasse) de Splenda® granulé

7,5 mL (1 1/2 c. à thé) d'essence de vanille

2 gros morceaux de pelure de citron ou d'orange (zeste seulement)

PRÉPARATION :

1. Mélanger tous les ingrédients. Verser dans un plat de cuisson en métal de 23 cm (9 po) et mettre au congélateur.

2. Racler le mélange toutes les 30 minutes à l'aide d'une fourchette afin de briser les cristaux de glace. Répéter 3 fois (2 heures en tout dans le congélateur).

3. Transférer le mélange dans un bol de métal. Retirer les zestes et surgeler 30 minutes de plus. Bien mélanger à la fourchette afin d'obtenir une texture plus lisse.

4. Servir froid garni d'un zeste de citron ou d'orange.

NOTES :

Une gentille lectrice m'a remerciée pour mes recettes qui l'aident à contrôler sa glycémie. Elle propose ceci : verser la limonade rose dans des bacs à glaçons, puis congeler. Un de ces glaçons fait des merveilles dans un thé glacé !

PAR PORTION DE 125 mL (1/2 TASSE) :

Calories : 20	Gras : 0 g
Glucides : 5 g	Fibres : 0 g
Protéines : 0 g	Sodium : 0 mg

Valeur de choix d'aliments pour le diabète = Aliment libre
Points WW = 0 point

Yaourt glacé aux pêches

8 portions

Bien que rien ne surpasse la saveur des pêches en saison, vous pouvez employer des pêches surgelées dans cette recette afin de retrouver leur délicieux parfum en tout temps.

Ingrédients :

500 mL (2 tasses) de pêches fraîches ou surgelées, décongelées

375 mL (1 1/2 tasse) de Splenda® granulé

7,5 mL (1 1/2 c. à thé) de gélatine neutre

180 mL (3/4 tasse) de crème simple sans gras

375 mL (1 1/2 tasse) de yaourt allégé nature

2,5 mL (1/2 c. à thé) d'essence de vanille

Préparation :

1. Dans un robot culinaire, déposer les pêches et 3/4 du Splenda®. Mettre en purée. Réserver.

2. Combiner la gélatine et 60 mL (1/4 tasse) de crème simple. Laisser prendre 3 minutes. Incorporer en fouettant le reste de la crème simple et du Splenda®. Faire chauffer pour dissoudre la gélatine. Faire refroidir légèrement avant d'ajouter le yaourt et l'essence de vanille.

3. Verser le mélange de yaourt dans la sorbetière et suivre les directives du fabricant. Servir immédiatement ou ranger dans un bol et congeler.

4. Placer le yaourt glacé au réfrigérateur 30 minutes avant de le servir afin qu'il ramollisse.

Notes :

Pour peler facilement une pêche fraîche, la plonger dans de l'eau bouillante pendant 30 secondes et la déposer immédiatement dans un bain d'eau froide pour la refroidir. La pelure va se détacher du fruit.

Par portion de 125 mL (1/2 tasse) :

Calories : 100	Gras : 1 g (0,5 g saturés)
Glucides : 16 g	Fibres : 1 g
Protéines : 4 g	Sodium : 45 mg

Valeur de choix d'aliments pour le diabète = 1/2 choix de fruits, 1/2 choix de lait allégé
Points WW = 2 points

Yaourt glacé aux fraises

6 portions

Cette recette est l'une des plus faciles qui soient. Toutes les baies conviennent. Ajustez la quantité de Splenda® selon le fruit choisi.

INGRÉDIENTS :

1 L (4 tasses) de fraises équeutées, lavées et coupées en deux

15 mL (1 c. à soupe) de jus de citron

180 mL (3/4 tasse) de Splenda® granulé

250 mL (1 tasse) de yaourt nature allégé

180 mL (3/4 tasse) de lait allégé

PRÉPARATION :

1. Déposer les fraises sur une plaque à biscuits et les congeler partiellement (15 à 30 minutes).

2. Retirer les fraises du congélateur et broyer grossièrement au robot culinaire avec le jus de citron.

3. Dans un grand bol, combiner le Splenda®, le yaourt, le lait allégé et les fraises.

4. Verser le mélange dans la sorbetière et suivre les directives du fabricant. Servir immédiatement ou ranger dans un bol et congeler.

5. Placer le yaourt glacé au réfrigérateur 30 minutes avant de le servir afin qu'il ramollisse.

NOTES :

Pour une texture plus onctueuse en bouche, vous pouvez remplacer une partie du lait par de la crème simple sans gras. Si vous remplacez tout le lait, ajoutez 5 calories et 2 g de glucides par portion.

PAR PORTION DE 125 mL (1/2 TASSE) :

Calories : 70   Gras : 1 g (0,5 g saturés)
Glucides : 11 g   Fibres : 2 g
Protéines : 3 g   Sodium : 45 mg

Valeur de choix d'aliments pour le diabète =
1/2 choix de lait écrémé, 1/2 choix de fruits
Points WW = 1 point

Sorbet au babeurre et aux mûres de Boysen

4 portions

Le goût acidulé du babeurre s'agence à merveille à celui des mûres de Boysen fraîches ou surgelées pour produire un sorbet savoureux faible en sucre et en gras.

INGRÉDIENTS :

5 mL (1 c. à thé) de gélatine neutre

5 mL (1 c. à thé) de jus d'orange

375 mL (1 1/2 tasse) de mûres de Boysen fraîches ou surgelées

160 mL (2/3 tasse) de Splenda ® granulé

160 mL (2/3 tasse) d'eau

250 mL (1 tasse) de babeurre

PRÉPARATION :

1. Saupoudrer la gélatine sur le jus d'orange. Réserver.

2. Dans une casserole moyenne, combiner les mûres de Boysen, le Splenda ® et l'eau. Faire chauffer à feu moyen et laisser mijoter 5 minutes. Retirer du feu et ajouter la gélatine. Remuer pour dissoudre. Passer le mélange au tamis afin d'enlever les graines.

3. Combiner le sirop de mûres et le babeurre. Verser le mélange dans la sorbetière et suivre les directives du fabricant. Servir immédiatement ou ranger dans un bol et surgeler.

4. Placer le sorbet au réfrigérateur 30 minutes avant de le servir afin qu'il ramollisse.

NOTES :

Les mûres de Boysen ont beaucoup de graines. Vous devrez écraser les fruits à l'aide d'une grosse cuillère pour les passer au tamis afin de récupérer toute leur savoureuse pulpe.

PAR PORTION DE 125 mL (1/2 TASSE) :

Calories : 60
Glucides : 12 g
Protéines : 3 g

Gras : 0,5 g (0 g saturés)
Fibres : 2 g
Sodium : 55 mg

Valeur de choix d'aliments pour le diabète =
1/2 choix de fruits, 1/2 choix de lait allégé
Points WW = 1 point

Glace au café au lait

6 portions

Même si vous ne buvez pas de café, vous apprécierez ce délice glacé. La fécule de maïs et une petite poignée de guimauves miniatures confèrent une texture veloutée à cette glace.

INGRÉDIENTS :

2 œufs battus

180 mL (3/4 tasse) de Splenda® granulé

375 mL (1 1/2 tasse) de lait allégé

10 mL (2 c. à thé) de fécule de maïs

30 mL (2 c. à soupe) de café soluble

60 mL (1/4 tasse) de guimauves miniatures

250 mL (1 tasse) de crème simple sans gras

PRÉPARATION :

1. Dans une casserole moyenne, fouetter ensemble les 4 premiers ingrédients (des œufs à la fécule de maïs) et amener le mélange à faible ébullition. Ajouter le café soluble, puis incorporer les guimauves. Laisser refroidir 15 minutes. Ajouter la crème simple et réfrigérer.

2. Verser le mélange dans la sorbetière et suivre les directives du fabricant. Servir immédiatement ou ranger dans un bol et congeler.

3. Mettre la glace au réfrigérateur 30 minutes avant de la servir afin qu'elle ramollisse.

NOTES :

Une chef pâtissière de ma connaissance saupoudre sa glace au café de cannelle moulue juste avant de la servir. La sauce au chocolat noir de la page 429 fait aussi une garniture épatante, avec un brin de zeste d'orange.

PAR PORTION DE **125 mL (1/2 TASSE)** :

Calories : 100   Gras : 2,5 g (1 g saturés)
Glucides : 13 g   Fibres : 3 g
Protéines : 5 g   Sodium : 60 mg

Valeur de choix d'aliments pour le diabète =
1/2 choix de lait allégé, 1/2 choix de glucides
Points WW = 2 points

Riche glace au chocolat

6 portions

Je dédie cette recette plutôt inhabituelle à mes amis de l'école de cuisine ainsi qu'aux admirateurs d'Alice Medrich, chocolatière et auteure bien connue. Pour préparer sa glace au chocolat, elle utilise des fèves de cacao décortiquées. Pour alléger sa recette, j'ai utilisé du Sugar Blend for Baking de Splenda® et de la crème simple sans gras. Il en résulte une glace très onctueuse qui est à son meilleur juste après le barattage.

INGRÉDIENTS :

375 mL (1 1/2 tasse) de lait complet

375 mL (1 1/2 tasse) de crème simple sans gras

60 mL (1/4 tasse) de fèves de cacao décortiquées, hachées

60 mL (1/4 tasse) de *Sugar Blend for Baking de Splenda*®

15 mL (1 c. à soupe) de cacao alcalinisé

Pincée de sel

PRÉPARATION :

1. Dans une casserole moyenne, combiner tous les ingrédients. Porter à ébullition, puis retirer du feu et couvrir. Laisser macérer 20 minutes.

2. Passer le mélange au tamis dans un bol.

3. Faire refroidir complètement le mélange et préparer la glace selon les directives du fabricant de votre sorbetière.

NOTES :

Une fois l'écorce enlevée, il reste le cœur des fèves de cacao. C'est la partie la plus coûteuse (et délicieuse) de la fève, car elle recèle toute la saveur du cacao et sert à la confection du chocolat. On en trouve dans un grand nombre d'épiceries fines. Vous pouvez écraser les restes dans des biscuits ou en saupoudrer sur une glace afin de lui donner un peu de croquant.

PAR PORTION DE 125 mL (1/2 TASSE) :

Calories : 150	Gras : 5 g (1,5 g saturés)
Glucides : 19 g	Fibres : 1 g
Protéines : 6 g	Sodium : 115 mg

Valeur de choix d'aliments pour le diabète =
1 choix de lait allégé, 1/2 choix de glucides
Points WW = 3 points

Glace au gâteau au fromage citronné

6 portions

Voici une recette conçue pour moi, car j'adore la glace. J'aime aussi le gâteau au fromage, en particulier au citron. Cette glace satisfait donc tous mes désirs à la fois. Le mélange de lait chaud aide à mettre la ricotta en crème dans cette glace plus onctueuse qu'un gâteau au fromage classique. Bon appétit !

INGRÉDIENTS :

125 mL (1/2 tasse) de fromage ricotta allégé

60 mL (1/4 tasse) de fromage à la crème allégé

60 mL (1/4 tasse) de crème aigre (sure) allégée

60 mL (1/4 tasse) de jus de citron

Zeste de 1 citron

2,5 mL (1/2 c. à thé) d'essence de vanille

1,2 mL (1/4 c. à thé) d'essence d'amande

375 mL (1 1/2 tasse) de crème simple sans gras

180 mL (3/4 tasse) de Splenda ® granulé

2 œufs battus

PRÉPARATION :

1. Déposer la ricotta, le fromage à la crème, la crème aigre (sure), le jus de citron, le zeste et les essences dans un robot culinaire ou un mélangeur.

2. Dans une casserole moyenne, combiner la crème simple, le Splenda ® et les œufs. Faire chauffer à feu moyen et cuire de 4 à 5 minutes jusqu'à ce que le mélange épaississe et couvre l'endos d'une cuillère. Verser lentement dans le mélange de ricotta et travailler quelques minutes jusqu'à consistance lisse. Réfrigérer de 20 à 30 minutes.

3. Verser le mélange dans la sorbetière et suivre les directives du fabricant. Servir immédiatement ou ranger dans un bol et congeler.

4. Mettre la glace au réfrigérateur 30 minutes avant de la servir afin qu'elle ramollisse.

PAR PORTION DE 125 mL (1/2 TASSE) :

Calories : 135   Gras : 6 g (2,5 g saturés)
Glucides : 12 g   Fibres : 0 g
Protéines : 7 g   Sodium : 110 mg

Valeur de choix d'aliments pour le diabète =
1 choix de lait allégé, 1 choix de gras
Points WW = 3 points

Douceur à la vanille riche en protéines

6 portions

Mes garçons raffolent de cette douceur à la vanille facile à préparer. Ils ne se doutent pas que c'est aussi une excellente source de calcium. Comme toutes les glaces à la vanille, celle-ci peut recevoir toutes vos garnitures préférées.

INGRÉDIENTS :

5 mL (1 c. à thé) de gélatine neutre

15 mL (1 c. à soupe) d'eau

250 mL (1 tasse) de lait allégé

60 mL (1/4 tasse) de succédané d'œufs

125 mL (1/2 tasse) de lait en poudre sans gras

160 mL (2/3 tasse) de Splenda® granulé

375 mL (1 1/2 tasse) de lait complet

5 mL (1 c. à thé) d'essence de vanille

PRÉPARATION :

1. Dans une casserole moyenne, saupoudrer la gélatine sur l'eau. Laisser prendre 3 minutes.

2. Ajouter le lait allégé et faire chauffer jusqu'à ce que la gélatine soit dissoute. Retirer du feu et incorporer le reste des ingrédients.

3. Verser le mélange dans la sorbetière et suivre les directives du fabricant. Servir immédiatement ou ranger dans un bol et congeler.

4. Mettre la glace au réfrigérateur 30 minutes avant de la servir pour qu'elle ramollisse.

NOTES :

On trouve maintenant une multitude de variétés de glaces sans sucre ou faibles en sucre. Il faut toutefois bien lire les étiquettes. Cherchez les glaces également faibles en gras. Méfiez-vous aussi des glaces à forte teneur en alcools de sucre. Ces produits peuvent causer des troubles gastro-intestinaux, surtout chez les enfants.

PAR PORTION :

Calories : 100   Gras : 3,5 g (2 g saturés)
Glucides : 11 g   Fibres : 0 g
Protéines : 7 g   Sodium : 100 mg

Valeur de choix d'aliments pour le diabète =
1 choix de lait allégé
Points WW = 2 points

Pudding surgelé à la vanille française

6 portions

L'utilisation de succédané d'œufs permet de créer un pudding onctueux sans cuisson à la base de ce pudding surgelé délicieux, simple à préparer et hautement savoureux. La grande proportion d'œufs confère au pudding sa couleur jaune caractéristique.

INGRÉDIENTS :

250 mL (1 tasse) de crème allégée

250 mL (1 tasse) de lait allégé

250 mL (1 tasse) de Splenda® granulé

180 mL (3/4 tasse) de succédané d'œufs (Egg Beaters®, É.-U.)

10 mL (2 c. à thé) d'essence de vanille

PRÉPARATION :

1. Dans un grand bol, fouetter la crème allégée, le lait, le Splenda®, le succédané d'œufs et l'essence de vanille.

2. Verser le mélange dans la sorbetière et suivre les directives du fabricant. Servir immédiatement ou ranger dans un bol et congeler.

3. Mettre le pudding au réfrigérateur 30 minutes avant de le servir pour qu'il ramollisse.

NOTES :

Pour garder la recette simple, j'ai utilisé une essence de vanille pure. Cependant, si vous raclez plutôt l'intérieur d'une gousse de vanille dans la préparation, vous obtenez un joli pudding surgelé moucheté de vanille.

PAR PORTION DE 125 mL (1/2 TASSE) :

Calories : 120   Gras : 7 g (4 g saturés)
Glucides : 8 g   Fibres : 0 g
Protéines : 5 g   Sodium : 85 mg

Valeur de choix d'aliments pour le diabète =
1/2 choix de lait allégé, 1 choix de gras
Points WW = 3 points

Glace à la vanille en sachet

4 portions

La glace à la vanille en sachet est idéale pour les sorties en plein air avec les enfants. Une de mes collègues utilise ma recette dans un camp d'été pour enfants diabétiques. La glace convient tout aussi bien dans votre propre jardin ou peut occuper les enfants lors des après-midi pluvieux.

INGRÉDIENTS :

Sacs à fermeture à glissière de 4 L (16 tasses) pour le congélateur

Glaçons ou glace concassée

90 mL (6 c. à soupe) de sel

500 mL (2 tasses) de crème simple sans gras

125 mL (1/2 tasse) de Splenda® granulé (ou 12 sachets de Splenda®)

5 mL (1 c. à thé) d'essence de vanille

1 sac à fermeture à glissière de 1 L (4 tasses)

PRÉPARATION :

1. Remplir la moitié du sac de 4 L (16 tasses) de glaçons ou de glace concassée et ajouter 90 mL (6 c. à soupe) de sel.

2. Mélanger la crème simple, le Splenda® et l'essence de vanille dans le sac à fermeture à glissière de 1 L (4 tasses). Placer ce sac dans le sac qui contient les glaçons et fermer la glissière.

3. Secouer et pétrir le sac jusqu'à ce que la glace épaississe.

PAR PORTION DE 125 mL (1/2 TASSE) :

Calories : 90   Gras : 0 g
Glucides : 15 g   Fibres : 0 g
Protéines : 2 g   Sodium : 80 mg

Valeur de choix d'aliments pour le diabète =
1 choix de glucides
Points WW = 2 points

Sucettes glacées aux deux cerises

16 portions

J'ai longuement hésité à utiliser une recette de sucettes glacées demandant du Jell-O® et du Kool-Aid® (É.-U.). En revanche, je savais que mes enfants seraient enchantés si ces sucettes qui ne coulent pas donnaient de bons résultats. Après plusieurs essais avec du Splenda® granulé et avec du Sugar Blend for Baking de Splenda®, j'ai découvert que ce dernier donnait des sucettes glacées plus limpides. Mes sucettes contiennent beaucoup moins de sucre que la recette originale et les enfants en raffolent.

INGRÉDIENTS :

1 petite boîte de gélatine parfumée à la cerise (4 portions)

1 emballage de Kool-Aid® sans sucre à la cerise

125 mL (1/2 tasse) de *Sugar Blend for Baking de Splenda®*

250 mL + 750 mL (1 tasse + 3 tasses) d'eau froide

16 moules en papier ou à sucettes de 90 mL (3 oz)

16 bâtonnets à sucettes

PRÉPARATION :

1. Déposer la gélatine et la préparation de Kool-Aid® dans un grand pot à eau d'une capacité de plus de 1 L (4 tasses).

2. Porter 250 mL (1 tasse) d'eau à ébullition. Verser sur le mélange de gélatine et faire dissoudre. Ajouter 750 mL (3 tasses) d'eau froide et remuer.

3. Verser 60 mL (1/4 tasse) du mélange dans chacun des moules en papier ou à sucettes.

4. Congeler 1 heure ou jusqu'à ce que les bâtonnets tiennent en place.

5. Déposer un bâtonnet au centre de chaque moule et congeler jusqu'à ce que les sucettes soient bien gelées (environ 1 heure de plus).

NOTES :

Les enfants adorent préparer ces sucettes et varier les parfums. Vous pouvez utiliser toutes les variétés de gélatine sans sucre et de Kool Aid®.

PAR PORTION :

Calories : 25	Gras : 0 g
Glucides : 6 g	Fibres : 0 g
Protéines : 0 g	Sodium : 15 mg

Valeur de choix d'aliments pour le diabète = 1/2 choix de glucides
Points WW = 1/2 point

Sucettes glacées aux fraises et à la limette

6 portions

Ces sucettes sont préparées avec des fraises entières et du jus de limette frais. Elles plaisent à tout âge. Vous pouvez aussi les surgeler dans des bacs à glaçons. Déposez ces glaçons dans un verre de boisson effervescente à la limette et au citron (page 39).

INGRÉDIENTS :

500 mL (2 tasses) de fraises lavées, équeutées et coupées en deux

125 mL (1/2 tasse) de jus de limette frais

125 mL (1/2 tasse) de Splenda® granulé

60 mL (1/4 tasse) d'eau

15 mL (1 c. à soupe) de sirop de maïs clair

Zeste de 1 limette

3 gouttes de colorant alimentaire rouge (facultatif)

6 moules en papier ou à sucettes de 90 mL (3 oz)

6 bâtonnets à sucettes

PRÉPARATION :

1. Mélanger tous les ingrédients dans un mélangeur jusqu'à texture lisse. Presser ensuite le mélange à travers un tamis fin.

2. Verser 60 mL (1/4 tasse) du mélange dans chacun des moules en papier ou à sucettes. Congeler 1 heure ou jusqu'à ce que les bâtonnets tiennent en place.

3. Déposer un bâtonnet au centre de chaque moule et congeler jusqu'à ce que les sucettes soient bien gelées (environ 1 heure de plus).

NOTES :

Vous pouvez remplacer les fraises par vos baies préférées (mûres de Boysen et jus d'orange, miam!!!) et le jus de limette par du jus de citron ou d'orange. Si les baies ont des graines, passez le mélange au tamis avant de le verser dans les moules.

PAR PORTION :

Calories : 40	Gras : 0 g
Glucides : 10 g	Fibres : 0 g
Protéines : 0 g	Sodium : 0 mg

Valeur de choix d'aliments pour le diabète =
1/2 choix de fruits
Points WW = 1 point

Biscuits préférés

Biscuits aux pépites de chocolat

Biscuits aux pépites de chocolat avec Sugar Blend for Baking

Biscuits au beurre de cacahuètes (arachides) à l'ancienne

Biscuits au chocolat et aux pépites de chocolat

Splendides biscuits à l'avoine

Biscuits à l'avoine et à l'orange

Snickerdoodles avec Sugar Blend for Baking

Tendres biscuits au sucre à la crème aigre (sure)

Gaufrettes à la noix de coco et au citron

Macarons à la noix de coco

Meringues aux pépites de chocolat

Meringues italiennes

Biscuits à la mélasse à l'emporte-pièce

Zèbres

Brownies au chocolat

Barres givrées à la citrouille

Barres à l'avoine et au beurre de cacahuètes (arachides) riches en protéines

Barres à l'avoine et aux abricots

Carrés au citron à l'ancienne

Barres au fromage au citron

Triangles sablés aux framboises

Biscotins chocolatés aux amandes

Biscotins à l'orange, au gingembre et aux pacanes

L'un des articles sur la science de l'alimentation les plus intéressants que j'aie lu traitait des desserts que j'aime le plus faire : les biscuits. Cet article de Shirley O. Corriher, auteure de *Cookwise : The Hows and Whys of Successful Cooking*, examinait l'effet de chaque ingrédient dans une recette de biscuits. Il appert, bien sûr, que deux des ingrédients essentiels dans la confection de biscuits sont le sucre et le gras. Au-delà du goût sucré, la quantité et le type de sucre et de gras influent sur la couleur, la texture et la hauteur des biscuits (ou leur expansion). C'est pourquoi les biscuits allégés en gras contiennent plus de sucre et vice versa. Pour moi, le défi a consisté à réduire à la fois la teneur en gras *et* en sucre d'une même recette.

Grâce à Shirley, j'avais une idée de ce qui m'attendait, mais je dois avouer qu'il m'a fallu cuisiner des tas de biscuits.

Voici ce que j'ai appris : étonnamment, utiliser quelques cuillerées (au lieu de tasses) du sucre approprié (si nécessaire) peut déterminer la réussite ou l'échec d'une recette de biscuits.

Il me fait plaisir de pouvoir vous présenter deux douzaines de merveilleuses recettes de biscuits. Si vous préférez les barres, essayez les barres givrées à la citrouille ou les barres à l'avoine et aux abricots. J'inclus les classiques que sont les biscuits au beurre de cacahuètes (arachides) à l'ancienne et les splendides biscuits à l'avoine. Pour les fêtes, confectionnez les biscuits à la mélasse à l'emporte-pièce et les biscotins à l'orange, au gingembre et aux pacanes. Invitez vos enfants à préparer avec vous les biscuits aux pépites de chocolat et les zèbres.

Je me réjouis aussi de vous annoncer que grâce au *Sugar Blend for Baking* de Splenda®, je peux inclure en toute confiance certaines de mes meilleures recettes de biscuits faibles en gras et en sucre, notamment les brownies au chocolat, les carrés au citron à l'ancienne et les *Snickerdoodles* avec *Sugar Blend for Baking*. Bon appétit !

Biscuits aux pépites de chocolat

18 portions

Ces biscuits aux pépites de chocolat ressemblent en tout point à la version originale. Ils sont tendres, sucrés et remplis de chocolat. Jan de Phoenix (É.-U.) m'a confié dans un courriel qu'elle en fait au moins une fois par semaine. Elle est bien sûr ravie que j'aie réduit le sucre de 75 % et le gras de moitié, comparativement à la recette originale, mais surtout, elle raffole de leur goût.

INGRÉDIENTS :

250 mL (1 tasse) de farine tout usage

2,5 mL (1/2 c. à thé) de bicarbonate de sodium

60 mL (1/4 tasse) de margarine ramollie

30 mL (2 c. à soupe) de purée de pruneaux*

160 mL (2/3 tasse) de Splenda® granulé

45 mL (3 c. à soupe) de cassonade

1 gros blanc d'œuf

7,5 mL (1 1/2 c. à thé) d'essence de vanille

90 mL (6 c. à soupe) de pépites de chocolat miniatures

PRÉPARATION :

1. Préchauffer le four à 190 °C (375 °F). Vaporiser une plaque à biscuits d'un enduit pour cuisson antiadhésif.

2. Dans un petit bol, combiner la farine et le bicarbonate de sodium. Réserver.

3. Dans un bol moyen, battre en crème au batteur électrique la margarine, la purée de pruneaux, le Splenda® et la cassonade. Incorporer le blanc d'œuf et l'essence de vanille. Bien mélanger. Ajouter le mélange de farine et les pépites de chocolat.

4. Déposer la pâte par cuillerées rases (15 mL) sur la plaque à biscuits. Aplatissez chaque biscuit avec une spatule ou le fond d'un verre.

5. Faire cuire 4 minutes ou jusqu'à ce que les biscuits gonflent. Ouvrir la porte du four et frapper fermement la plaque à biscuits contre la grille afin de faire dégonfler les biscuits et les aider à s'étendre.

6. Remettre les biscuits au four et cuire 5 minutes de plus ou jusqu'à doré. Retirer du four et refroidir sur une grille. Les biscuits seront croquants pendant quelques heures, puis s'attendriront.

* Vous pouvez remplacer la purée de pruneaux par de la margarine, mais alors chaque biscuit contiendra 5 calories et 1 g de gras de plus. La teneur en glucides diminue de 1 g.

PAR PORTION DE 1 BISCUIT :

Calories : 80	Gras : 3,5 g (1 g saturés)
Glucides : 11 g	Fibres : 0,5 g
Protéines : 1 g	Sodium : 60 mg

Valeur de choix d'aliments pour le diabète = 1 choix de glucides, 1/2 choix de gras (2 biscuits = 1 1/2 choix de glucides, 1 choix de gras)
Points WW = 2 points

NOTES :

Si vous remplacez une cuillerée de la cassonade par une cuillerée de sirop de maïs, vous obtiendrez un biscuit à l'extérieur plus croquant, mais chaque biscuit contiendra toujours 5 mL (1 c. à thé) de sucre.

Biscuits aux pépites de chocolat avec Sugar Blend for Baking

30 portions

J'ai failli nommer cette recette « Biscuits au chocolat bons pour vous » parce que, bien qu'ils contiennent toujours les ingrédients que nous cherchons à éviter, comme le beurre, le sucre, les pépites de chocolat et les noix, ils sont plus sains. La purée de pruneaux m'a permis d'utiliser moins de beurre ; j'ai réduit le sucre grâce au Sugar Blend for Baking de Splenda® ; j'ai opté pour des pépites de chocolat miniatures ; enfin, j'ai simplement diminué la quantité de noix. Par conséquent, ces biscuits sont aussi beaux et aussi bons que les « vrais » biscuits aux pépites de chocolat. Que demander de plus ?

INGRÉDIENTS :

80 mL (1/3 tasse) de beurre

80 mL (1/3 tasse) de *Sugar Blend for Baking de Splenda*®

45 mL (3 c. à soupe) de cassonade

30 mL (2 c. à soupe) de purée de pruneaux

7,5 mL (1 1/2 c. à thé) d'essence de vanille

1 gros œuf

250 mL (1 tasse) de farine tout usage

125 mL (1/2 tasse) de farine à pâtisserie de blé complet

3,7 mL (3/4 c. à thé) de bicarbonate de sodium

80 mL (1/3 tasse) de pépites de chocolat miniatures

80 mL (1/3 tasse) de noix de Grenoble ou de pacanes hachées

PRÉPARATION :

1. Préchauffer le four à 190 °C (375 °F). Vaporiser une plaque à biscuits d'un enduit pour cuisson antiadhésif.

2. Dans un grand saladier, mettre en crème à l'aide d'un batteur électrique le beurre, le *Sugar Blend for Baking*, la cassonade et la purée de pruneaux jusqu'à consistance légère. Incorporer l'essence de vanille et le gros œuf en battant.

3. Dans un autre bol, combiner la farine tout usage, la farine à pâtisserie et le bicarbonate de sodium.

4. Incorporer le mélange de farine au mélange de beurre et bien mêler. Ajouter les pépites de chocolat et les noix.

5. Déposer la pâte par cuillerées rases (15 mL) sur une plaque à biscuits en laissant 5 cm (2 po) entre chaque biscuit. Aplatissez légèrement chaque biscuit avec une spatule.

6. Faire cuire de 7 à 9 minutes ou jusqu'à cuits. Faire refroidir sur la plaque jusqu'à ce que les biscuits soient fermes. Transférer les biscuits sur une grille pour continuer de refroidir.

PAR PORTION :

Calories : 80
Glucides : 10 g
Protéines : 1 g
Gras : 4 g (1,5 g saturés)
Fibres : 1 g
Sodium : 85 mg

Valeur de choix d'aliments pour le diabète = 1/2 choix de glucides, 1 choix de gras
Points WW = 2 points

NOTES :

Les canneberges ou cerises séchées hachées peuvent remplacer les noix. Le nombre de calories reste le même, mais chaque biscuit contient 1 g de glucides de plus et 0,5 g de gras de moins.

Biscuits au beurre de cacahuètes (arachides) à l'ancienne

26 portions

Souvent, mes cours de cuisine les plus agréables sont ceux que je donne à des enfants. Je choisis les recettes que les enfants aiment dans le but de leur inculquer les principes d'une bonne nutrition. Ces biscuits remplacent agréablement les aliments vides et les enfants en raffolent.

INGRÉDIENTS :

375 mL (1 1/2 tasse) de farine tout usage

5 mL (1 c. à thé) de bicarbonate de sodium

2,5 mL (1/2 c. à thé) de levure chimique

125 mL + 30 mL (1/2 tasse + 2 c. à soupe) de beurre de cacahuètes (arachides)

60 mL (1/4 tasse) de margarine

30 mL (2 c. à soupe) de fromage à la crème sans gras

180 mL (3/4 tasse) de Splenda® granulé

45 mL (3 c. à soupe) de cassonade

1 gros œuf

45 mL (3 c. à soupe) de lait allégé

10 mL (2 c. à thé) d'essence de vanille

PRÉPARATION :

1. Préchauffer le four à 190 °C (375 °F). Vaporiser une plaque à biscuits d'un enduit pour cuisson antiadhésif.

2. Dans un bol, combiner la farine, le bicarbonate de sodium et la levure chimique. Réserver.

3. Dans un bol moyen, battre en crème au batteur électrique le beurre de cacahuètes (arachides), la margarine, le fromage à la crème, le Splenda® et la cassonade. Ajouter l'œuf, le lait et l'essence de vanille. Bien battre. Incorporer le mélange de farine.

4. Prendre la pâte par cuillerées rases (15 mL) et former des boules. Les déposer sur la plaque à biscuits et les aplatir avec une fourchette avec un motif entrecroisé.

5. Faire cuire de 9 à 10 minutes. Retirer de la plaque et faire refroidir sur une grille.

NOTES :

Avec un verre de lait, ces biscuits font une collation idéale après l'école. Le biscuit a bon goût, mais surtout il regorge de protéines, de gras sains et de glucides qui donnent de l'énergie.

PAR PORTION DE 1 BISCUIT :

Calories : 90   Gras : 5 g (1 g saturés)
Glucides : 8 g   Fibres : 0,5 g
Protéines : 3 g   Sodium : 45 mg

Valeur de choix d'aliments pour le diabète =
1/2 choix de glucides, 1 choix de gras
Points WW = 2 points

Biscuits au chocolat et aux pépites de chocolat

24 portions

Du chocolat et encore du chocolat… mes enfants adorent ces biscuits. Tendres et bourrés de chocolat, ils ne contiennent qu'un peu de sucre, mais le lait leur permet de mieux s'étaler durant la cuisson.

INGRÉDIENTS :

250 mL (1 tasse) de farine tout usage

45 mL (3 c. à soupe) de cacao alcalinisé (Hershey's European, É.-U.)

2,5 mL (1/2 c. à thé) de bicarbonate de sodium

80 mL (1/3 tasse) de margarine

30 mL (2 c. à soupe) de purée de pruneaux

125 mL (1/2 tasse) de Splenda® granulé

45 mL (3 c. à soupe) de cassonade

1 œuf

5 mL (1 c. à thé) d'essence de vanille

30 mL (2 c. à soupe) de lait allégé

80 mL (1/3 tasse) de pépites de chocolat miniatures

PRÉPARATION :

1. Préchauffer le four à 190 °C (375 °F). Vaporiser une plaque à biscuits d'un enduit pour cuisson antiadhésif.

2. Dans un bol, combiner la farine, le cacao et le bicarbonate de sodium. Réserver.

3. Dans un bol moyen, battre en crème au batteur électrique la margarine, la purée de pruneaux, le Splenda® et la cassonade. Ajouter l'œuf et l'essence de vanille. Bien battre. Incorporer le mélange de farine en alternant avec le lait. Incorporer les pépites de chocolat.

4. Déposer par cuillerées rases (15 mL) sur la plaque à biscuits. Aplatir les biscuits avec le fond d'un verre.

5. Faire cuire de 8 à 10 minutes. Retirer de la plaque et faire refroidir sur une grille.

NOTES :

Bonne nouvelle : le chocolat est bon pour vous ! Des études révèlent que le gras saturé du chocolat, l'acide stéarique, ne fait pas augmenter le cholestérol. En outre, le chocolat contient des antioxydants. Le chocolat, surtout noir, consommé avec modération est donc bon pour la santé. Qui l'eût cru ?

PAR PORTION DE 1 BISCUIT :

Calories : 60	Gras : 3 g (1 g saturés)
Glucides : 8 g	Fibres : 1 g
Protéines : 1 g	Sodium : 30 mg

Valeur de choix d'aliments pour le diabète = 1/2 choix de glucides, 1/2 choix de gras
Points WW = 1 point

Splendides biscuits à l'avoine

22 portions

Voici un autre classique. Un grand nombre de recettes de biscuits à l'avoine allégés remplacent le gras par une compote de pommes. Personnellement, je trouve que cela donne souvent des biscuits gluants, surtout sans le gras et le sucre. J'utilise donc du beurre pour la saveur, de l'huile pour la tendreté et une purée de pruneaux pour la couleur et la texture. Il en résulte un biscuit faible en gras et en sucre, mais digne de votre jarre à biscuits.

INGRÉDIENTS :

180 mL (3/4 tasse) de farine tout usage

375 mL (1 1/2 tasse) de flocons d'avoine à l'ancienne (pas instantanés)

2,5 mL (1/2 c. à thé) de bicarbonate de sodium

5 mL (1 c. à thé) de cannelle

30 mL (2 c. à soupe) de beurre ramolli

30 mL (2 c. à soupe) d'huile de canola

30 mL (2 c. à soupe) de purée de pruneaux

160 mL (2/3 tasse) de Splenda® granulé

45 mL (3 c. à soupe) de cassonade

1 gros œuf

5 mL (1 c. à thé) d'essence de vanille

60 mL (1/4 tasse) de canneberges séchées hachées finement

2,5 mL (1/2 c. à thé) de zeste d'orange

PRÉPARATION :

1. Préchauffer le four à 190 °C (375 °F). Vaporiser une plaque à biscuits d'un enduit pour cuisson antiadhésif.

2. Dans un bol, combiner la farine, les flocons d'avoine, le bicarbonate de sodium et la cannelle. Réserver.

3. Dans un bol moyen, battre en crème au batteur électrique le beurre, l'huile, la purée de pruneaux, le Splenda® et la cassonade. Ajouter l'œuf et l'essence de vanille. Bien battre. Incorporer les canneberges et le zeste, puis le mélange de farine.

4. Déposer la pâte par cuillerées rases (15 mL) sur la plaque à biscuits. Aplatir les biscuits avec le fond d'un verre. Faire cuire 4 minutes ou jusqu'à ce que les biscuits gonflent. Ouvrir la porte du four et frapper la plaque fermement contre la grille du four afin que les biscuits s'étendent. Remettre les biscuits au four et faire cuire 5 à 7 minutes de plus ou jusqu'à ce qu'ils soient dorés.

5. Retirer les biscuits de la plaque et les faire refroidir sur une grille. Les biscuits resteront croustillants quelques heures, puis s'attendriront.

PAR PORTION DE 1 BISCUIT :

Calories : 75	Gras : 3 g (1 g saturés)
Glucides : 11 g	Fibres : 1 g
Protéines : 2 g	Sodium : 35 mg

Valeur de choix d'aliments pour le diabète = 1 choix de glucides, 1/2 choix de gras (2 biscuits = 1 1/2 choix de glucides, 1 choix de gras)
Points WW = 2 points

NOTES :

Pour faire des biscuits à l'avoine et aux raisins à l'ancienne, utilisez des raisins secs au lieu des canneberges séchées, éliminez le zeste d'orange et ajoutez 2,5 mL (1/2 c. à thé) de vanille et de cannelle.

Biscuits à l'avoine et à l'orange

14 portions

Je raffole de cette délicieuse combinaison d'orange et de pacanes. Faits comme les biscuits irlandais, avec très peu de farine, ces biscuits ne suivent pas la méthode conventionnelle, mais croyez-moi, ils sont délicieux. Ils sont trop fragiles pour la jarre à biscuits, car ils sont légers et ont tendance à s'émietter. En revanche, la faible quantité de farine fait ressortir la saveur des flocons d'avoine et des noix.

INGRÉDIENTS :

45 mL (3 c. à soupe) de beurre ou de margarine

30 mL (2 c. à soupe) de sirop de maïs

15 mL (1 c. à soupe) de lait allégé

125 mL (1/2 tasse) de Splenda® granulé

5 mL (1 c. à thé) d'essence de vanille

2 blancs d'œufs

180 mL (3/4 tasse) de flocons d'avoine à l'ancienne

60 mL (1/4 tasse) de pacanes hachées finement

30 mL (2 c. à soupe) de farine tout usage

2,5 mL (1/2 c. à thé) de bicarbonate de sodium

5 mL (1 c. à thé) de zeste d'orange

PRÉPARATION :

1. Préchauffer le four à 190 °C (375 °F). Vaporiser une plaque à biscuits d'un enduit pour cuisson antiadhésif.

2. Dans une casserole moyenne, faire fondre la margarine. Incorporer le sirop de maïs, le lait, le Splenda® et la vanille. Retirer du feu et y fouetter vigoureusement les blancs d'œufs.

3. Dans un bol, mélanger le reste des ingrédients. Incorporer le mélange de flocons d'avoine aux ingrédients de la casserole. Laisser gonfler 3 minutes.

4. Déposer la pâte par grosses cuillerées sur la plaque à biscuits et aplatir légèrement le milieu. Faire cuire de 12 à 14 minutes. Laisser refroidir un peu avant de les retirer de la plaque.

PAR PORTION DE 1 BISCUIT :

Calories : 60	Gras : 3,5 g (0,5 g saturés)
Glucides : 6 g	Fibres : 1 g
Protéines : 1 g	Sodium : 70 mg

Valeur de choix d'aliments pour le diabète =
1/2 choix de glucides, 1 choix de gras
Points WW = 1 point

Snickerdoodles avec Sugar Blend for Baking

24 portions

Mon fils James raffole des snickerdoodles reconnus pour leur garniture de sucre et de cannelle. Afin de préserver l'extérieur croquant et le centre moelleux qui les caractérisent, j'ai utilisé du Sugar Blend for Baking de Splenda® dans ma recette allégée en gras. Je suis très satisfaite du résultat : des snickerdoodles à la hauteur de leur réputation. James est aux anges !

INGRÉDIENTS :

430 mL (1 3/4 tasse) de farine tout usage

2,5 mL (1/2 c. à thé) de bicarbonate de sodium

2,5 mL (1/2 c. à thé) de crème de tartre

80 mL (1/3 tasse) de margarine à la température de la pièce

125 mL (1/2 tasse) de *Sugar Blend for Baking de Splenda®*

15 mL (1 c. à soupe) de sirop de maïs

5 mL (1 c. à thé) d'essence de vanille

1 gros œuf

30 mL (2 c. à soupe) de sucre

10 mL (2 c. à thé) de cannelle

PRÉPARATION :

1. Préchauffer le four à 190 °C (375 °F). Vaporiser légèrement une plaque à biscuits d'un enduit pour cuisson antiadhésif.

2. Dans un grand bol, combiner en fouettant la farine, le bicarbonate de sodium et la crème de tartre.

3. Dans un autre bol, battre en crème au batteur électrique la margarine et le Splenda®.

4. Ajouter le sirop de maïs, l'essence de vanille et l'œuf, et battre jusqu'à consistance aérée et onctueuse. Incorporer graduellement le mélange de farine en brassant juste assez pour combiner. Couvrir et réfrigérer 10 minutes.

5. Dans un petit plat, combiner le sucre et la cannelle.

6. Avec les mains humides, former 24 boules de 2,5 cm (1 po). Rouler les boules dans le mélange de sucre et de cannelle et les déposer sur la plaque à biscuits préparée. Aplatir les biscuits avec le fond d'un verre.

7. Faire cuire 5 minutes. Les biscuits seront moelleux. Transférer sur une grille et laisser refroidir.

PAR PORTION DE 1 BISCUIT :

Calories : 75	Gras : 2,5 g (1 g saturés)
Glucides : 12 g	Fibres : 0 g
Protéines : 1 g	Sodium : 55 mg

Valeur de choix d'aliments pour le diabète = 1 choix de glucides

Points WW = 2 points

Tendres biscuits au sucre à la crème aigre (sure)

20 portions

Confectionner des biscuits « au sucre » avec si peu de sucre est un véritable exploit. Cette recette peut servir de base à toutes les variantes de biscuits au sucre. Choisissez la vôtre ou faites l'une des deux recettes que je propose. J'aime beaucoup le parfum d'agrumes. Pour faire des biscuits à l'emporte-pièce, j'ajoute 15 mL (1 c. à soupe) de farine et je réfrigère la pâte avant de l'abaisser à près de 4 mm (1/8 po) d'épaisseur.

INGRÉDIENTS :

375 mL (1 1/2 tasse) de farine tout usage

2,5 mL (1/2 c. à thé) de bicarbonate de sodium

2,5 mL (1/2 c. à thé) de levure chimique

80 mL (1/3 tasse) de margarine

180 mL (3/4 tasse) de Splenda® granulé

30 mL (2 c. à soupe) de sirop de maïs

60 mL (1/4 tasse) de crème aigre (sure)

5 mL (1 c. à thé) d'essence de vanille

1,2 mL (1/4 c. à thé) d'essence d'amande

1 jaune d'œuf

PRÉPARATION :

1. Préchauffer le four à 190 °C (375 °F). Vaporiser légèrement une plaque à biscuits d'un enduit pour cuisson antiadhésif.

2. Dans un petit bol, tamiser la farine, le bicarbonate de sodium et la levure chimique. Réserver.

3. Dans un bol moyen, battre au batteur électrique la margarine, le Splenda® et le sirop de maïs jusqu'à consistance lisse. Incorporer la crème aigre (sure), les essences et le jaune d'œuf. Battre de 2 à 3 minutes jusqu'à texture légère et aérée.

4. Incorporer le mélange de farine.

5. Déposer la pâte par grosses cuillerées sur la plaque à biscuits et aplatir avec le fond d'un verre ou une spatule. Faire cuire 3 minutes. Frapper la plaque sur la grille du four afin de faire dégonfler les biscuits. Cuire 4 ou 5 minutes de plus.

Variante aux agrumes : ajouter 5 mL (1 c. à thé) de zeste de citron, de limette ou d'orange à la pâte.

PAR PORTION DE 1 BISCUIT :

Calories : 70	Gras : 3 g (1 g saturés)
Glucides : 10 g	Fibres : 0 g
Protéines : 1 g	Sodium : 70 mg

Valeur de choix d'aliments pour le diabète =
1/2 choix de gras, 1/2 choix de glucides
Points WW = 2 points

NOTES :

Pour faire des rondelles à la crème aigre (sure) et aux agrumes, ajoutez une cuillerée de farine et le zeste de votre choix. Formez un rouleau d'environ 6 cm (2 1/2 po) de diamètre et 12 cm (5 po) de longueur. Réfrigérer 30 minutes puis tailler en tranches de 6 mm (1/4 po). Cuire à 190 °C (375 °F) de 7 à 8 minutes.

Gaufrettes à la noix de coco et au citron

20 portions

Voici ce qu'on appelle des biscuits « réfrigérateur » : on forme un rouleau avec la pâte, on le réfrigère, puis on le taille en tranches quand vient le temps de faire cuire les biscuits. Parfumées au citron et à la noix de coco grillée, ces gaufrettes sont croquantes et ont belle apparence. Dégustez-les avec une tasse de thé bien chaud.

INGRÉDIENTS :

500 mL (2 tasses) de farine tout usage

5 mL (1 c. à thé) de levure chimique

0,5 mL (1/8 c. à thé) de sel

125 mL (1/2 tasse) de margarine ramollie

60 mL (1/4 tasse) de *Sugar Blend for Baking de Splenda*®

1 gros œuf

15 mL (1 c. à soupe) de chacun : eau et jus de citron

5 mL (1 c. à thé) d'essence de vanille

125 mL (1/2 tasse) de noix de coco râpée, grillée

15 mL (1 c. à soupe) de zeste de citron

PRÉPARATION :

1. Mélanger ensemble la farine et la levure chimique. Réserver.

2. Dans un grand bol, battre en crème au batteur électrique la margarine et le *Sugar Blend for Baking* jusqu'à texture aérée et onctueuse. Ajouter l'œuf, l'eau, le jus de citron et l'essence de vanille. Battre afin de bien mélanger. Incorporer le mélange de farine et battre pour combiner.

3. Incorporer la noix de coco et le zeste de citron. Diviser la pâte en deux et former des boudins d'environ 5 cm (2 po) de diamètre et 13 cm (5 po) de long.

4. Envelopper de pellicule plastique ou de papier paraffiné et réfrigérer jusqu'à ferme.

5. Pour faire cuire les biscuits, préchauffer le four à 190 °C (375 °F).

6. Tailler des tranches de 6 mm (1/4 po) et les déposer sur une plaque à biscuits non graissée. Faire cuire de 8 à 10 minutes ou jusqu'à ce que la base des gaufrettes soit légèrement dorée.

7. Faire refroidir sur une grille. Conserver dans une boîte hermétique.

PAR PORTION DE 2 BISCUITS :

Calories : 105
Glucides : 10 g
Protéines : 2 g

Gras : 5 g (1,5 g saturés)
Fibres : 0,5 g
Sodium : 65 mg

Valeur de choix d'aliments pour le diabète =
1 choix de glucides, 1 choix de gras
Points WW = 2 points

Macarons à la noix de coco

12 portions

Dans ces petites bouchées, je remplace une partie de la noix de coco des macarons classiques par une céréale de riz soufflé croquant. Il en résulte une texture épatante à la fois croustillante et moelleuse.

INGRÉDIENTS :

2 blancs d'œufs

Pincée de crème de tartre

180 mL (3/4 tasse) de Splenda® granulé

5 mL (1 c. à thé) d'essence de vanille

430 mL (1 3/4 tasse) de céréale de riz soufflé croquant

250 mL (1 tasse) de noix de coco non sucrée

PRÉPARATION :

1. Préchauffer le four à 135 °C (275 °F). Vaporiser des plaques à biscuits d'un enduit pour cuisson antiadhésif.

2. Battre les blancs d'œufs et la crème de tartre jusqu'à la formation de pics mous. Ajouter graduellement le Splenda® et continuer de battre jusqu'à la formation de pics fermes.

3. Plier l'essence de vanille, les céréales et la noix de coco dans le mélange. Déposer par cuillerées combles sur les plaques à biscuits.

4. Faire cuire de 18 à 20 minutes ou jusqu'à légèrement dorés et fermes au toucher.

NOTES :

Tapisser les plaques de papier parchemin ou de tapis de silicone simplifie la cuisson des macarons.

PAR PORTION DE 2 MACARONS :

Calories : 65   Gras : 4 g (4 g saturés)
Glucides : 6 g   Fibres : 1 g
Protéines : 1 g   Sodium : 55 mg

Valeur de choix d'aliments pour le diabète =
1/2 choix de glucides, 1 choix de gras
Points WW = 1 point

Meringues aux pépites de chocolat

12 portions

Ces meringues chocolatées simples à faire collent un peu sous la dent tout en étant légères comme l'air. Le Sugar Blend for Baking fournit le sucre essentiel à la texture des meringues. On peut donc suivre la méthode conventionnelle, c'est-à-dire battre les blancs d'œufs avec le sucre.

INGRÉDIENTS :

3 blancs d'œufs

1,2 mL (1/4 c. à thé) de crème de tartre

125 mL (1/2 tasse) de *Sugar Blend for Baking de Splenda*®

15 mL (1 c. à soupe) de fécule de maïs

90 mL (6 c. à soupe) de pépites de chocolat miniatures

PRÉPARATION :

1. Préchauffer le four à 110 °C (225 °F).

2. Vaporiser les plaques à biscuits, les tapis de silicone ou les feuilles de papier parchemin (le cas échéant) d'un enduit pour cuisson antiadhésif. Réserver.

3. À l'aide d'un batteur électrique et à haute vitesse, battre les blancs d'œufs en mousse légère. Incorporer la crème de tartre en continuant de battre, puis le Sugar Blend for Baking, 15 mL (1 c. à soupe) à la fois. Battre jusqu'à la formation de pics fermes.

4. Tamiser la fécule de maïs dans le mélange et ajouter les pépites de chocolat.

5. Déposer par cuillerées sur les plaques à biscuits. Faire cuire 45 minutes ou jusqu'à ce que les meringues soient fermes au toucher.

6. Ranger dans des bols hermétiques.

NOTES :

Pour les fêtes, remplacez un peu de pépites de chocolat par des bonbons à la menthe écrasés. Évitez d'utiliser du cacao, car les meringues ne sécheront pas.

PAR PORTION DE 2 MERINGUES :

Calories : 65   Gras : 1,5 g (0,5 g saturés)
Glucides : 12 g   Fibres : 0 g
Protéines : 1 g   Sodium : 20 mg

Valeur de choix d'aliments pour le diabète =
1 choix de glucides
Points WW = 1 point

Meringues italiennes

9 portions

Il y a deux façons de faire des meringues : la méthode classique ou la méthode italienne. La méthode classique, qui requiert de battre les blancs d'œufs en neige avec du sucre jusqu'à consistance ferme, demande beaucoup de sucre. La méthode italienne en demande moins, car on incorpore en battant un sirop sucré bouillant aux blancs d'œufs battus. Ici, j'ai remplacé presque tout le sucre par du Splenda® granulé.

INGRÉDIENTS :

180 mL (3/4 tasse) de Splenda® granulé

45 mL (3 c. à soupe) de sucre

160 mL (2/3 tasse) d'eau

3 blancs d'œufs

1,2 mL (1/4 c. à thé) de crème de tartre

2,5 mL (1/2 c. à thé) d'essence de vanille

2,5 mL (1/2 c. à thé) d'essence d'orange, de citron, de menthe poivrée ou autre (facultatif)

PRÉPARATION :

1. Préchauffer le four à 135 °C (275 °F). Tapisser une plaque à biscuits de papier parchemin (ou de papier d'aluminium).

2. Dans une casserole, combiner le Splenda®, le sucre et l'eau et faire tourner la casserole. Ne bas brasser le sirop pendant qu'il vient à ébullition. Couvrir, réduire le feu et laisser mijoter.

3. Dans un grand bol, battre les blancs d'œufs en mousse. Incorporer la crème de tartre et passer à vitesse élevée jusqu'à la formation de pics fermes.

4. Retirer le couvercle de la casserole et plonger un thermomètre dans le sirop. Faire bouillir jusqu'à 113 °C (235 °F). Retirer immédiatement du feu et verser le sirop en ébullition en filet dans les blancs d'œufs en battant vigoureusement.

5. Ajouter l'essence de vanille et l'autre essence (au goût) et battre jusqu'à ce que le mélange devienne très ferme (de 5 à 6 minutes).

6. Déposer par cuillerées sur la plaque à biscuits ou à l'aide d'une poche à douille. Faire cuire 1 heure. Fermer le four et y laisser refroidir les meringues jusqu'à ce qu'elles se détachent aisément du papier parchemin.

PAR PORTION DE 2 MERINGUES :

Calories : 30	Gras : 0 g
Glucides : 6 g	Fibres : 0 g
Protéines : 2 g	Sodium : 20 mg

Valeur de choix d'aliments pour le diabète = 1/2 choix de glucides

Points WW = 1 point (jusqu'à 5 meringues!)

NOTES :

Selon Julia Child, une meringue réussie ne change ni de structure ni de couleur à la cuisson. Elle doit simplement s'assécher. Une quantité adéquate de sucre est cruciale à cette étape pour préserver la structure de la meringue, sinon elle va s'écraser et changer de couleur.

Biscuits à la mélasse à l'emporte-pièce

24 portions

Les enfants raffolent de ces biscuits. Ils aiment non seulement confectionner la pâte et l'abaisser, mais ils engouffrent les biscuits et en redemandent. Cette recette convient pour faire des bonhommes en pain d'épice lors des fêtes de fin d'année ou des biscuits découpés pour accompagner une glace.

INGRÉDIENTS :

500 mL (2 tasses) de farine tout usage

10 mL (2 c. à thé) de bicarbonate de sodium

5 mL (1 c. à thé) de cannelle

3,7 mL (3/4 c. à thé) de gingembre

2,5 mL (1/2 c. à thé) de clou de girofle

60 mL (1/4 tasse) de purée de pruneaux ou un pot de pruneaux pour bébés

60 mL (1/4 tasse) de shortening

250 mL (1 tasse) de Splenda® granulé

45 mL (3 c. à soupe) de mélasse

1 gros œuf

PRÉPARATION :

1. Préchauffer le four à 175 °C (350 °F). Vaporiser légèrement une plaque à biscuits d'un enduit pour cuisson antiadhésif.

2. Dans un petit bol, tamiser la farine, le bicarbonate de sodium, la cannelle, le gingembre et le clou de girofle. Réserver.

3. Dans un bol moyen, battre en crème au batteur électrique les pruneaux, le shortening, le Splenda®, la mélasse et l'œuf. Battre de 2 à 3 minutes jusqu'à consistance légère et aérée.

4. Incorporer le mélange de farine.

5. Séparer la pâte en deux et la couvrir d'une pellicule plastique. Réfrigérer au moins 1 heure. (La pâte se conserve 2 jours au réfrigérateur.)

6. Retirer une partie de la pâte du réfrigérateur, la diviser en deux et remettre une moitié au réfrigérateur. Sur une surface de travail légèrement enfarinée, abaisser la pâte à une épaisseur de 4 mm (1/8 po) et découper avec vos emporte-pièces préférés.

7. Déposer sur la plaque à biscuits et faire cuire de 6 à 8 minutes.

Variantes : pour chaque biscuit, former une boule avec 15 mL (1 c. à soupe) de pâte et déposer sur la plaque à biscuits. Aplatir avec le fond d'un verre. Saupoudrer légèrement de sucre avant de cuire, au goût.

PAR PORTION DE 1 BISCUIT :

Calories : 70	Gras : 2,5 g (1 g saturés)
Glucides : 11 g	Fibres : 1 g
Protéines : 1 g	Sodium : 135 mg

Valeur de choix d'aliments pour le diabète =
1 choix de glucides
Points WW = 1 point

Zébres

15 portions

Ces barres moelleuses de chocolat noir entrelacées de fromage à la crème sucré sont irrésistibles.

INGRÉDIENTS :

28 g (1 oz) de chocolat mi-sucré

30 mL (2 c. à soupe) de margarine

60 mL (1/4 tasse) de purée de pruneaux ou un pot de pruneaux pour bébés

45 mL (3 c. à soupe) de cassonade

160 mL (2/3 tasse) de Splenda® granulé

60 mL (1/4 tasse) de cacao

1 gros œuf + 2 blancs d'œufs

7,5 mL (1 1/2 c. à thé) d'essence de vanille

15 mL (1 c. à soupe) d'eau chaude du robinet

180 mL (3/4 tasse) de farine tout usage

2,5 mL (1/2 c. à thé) de levure chimique

1,2 mL (1/4 c. à thé) de bicarbonate de sodium

125 mL (1/2 tasse) de fromage à la crème allégé

30 mL (2 c. à soupe) de blancs d'œufs réservés

30 mL (2 c. à soupe) de Splenda® granulé

15 mL (1 c. à soupe) de sucre glace

2,5 mL (1/2 c. à thé) d'essence de vanille

PRÉPARATION :

1. Préchauffer le four à 160 °C (325 °F). Vaporiser un plat à cuisson de 18 sur 28 cm (7 sur 11 po) ou de 23 sur 23 cm (9 sur 9 po) d'un enduit pour cuisson antiadhésif.

2. Dans un bol moyen, faire fondre le chocolat et la margarine ensemble au four à micro-ondes, de 30 à 60 secondes à puissance élevée. Incorporer en fouettant les 7 ingrédients suivants, soit des pruneaux à l'eau chaude. Réserver 30 mL (2 c. à soupe) des blancs d'œufs. Mélanger jusqu'à consistance lisse.

3. Tamiser ensemble la farine, la levure chimique et le bicarbonate de sodium. Incorporer en remuant juste assez pour mélanger. Verser le mélange dans le plat préparé.

4. Dans un petit bol, battre en crème les 5 derniers ingrédients, du fromage à la crème à l'essence de vanille. Déposer par cuillerées sur le mélange au chocolat. Passer la pointe d'un couteau dans la pâte pour former un motif zébré.

5. Faire cuire de 20 à 22 minutes ou jusqu'à ce que le centre soit ferme au toucher.

PAR PORTION DE 1 BARRE :

Calories : 90	Gras : 4 g (2 g saturés)
Glucides : 12 g	Fibres : 1 g
Protéines : 3 g	Sodium : 105 mg

Valeur de choix d'aliments pour le diabète =
1 choix de glucides, 1/2 choix de gras
Points WW = 2 points

Brownies au chocolat

12 portions

Je dois vous dire, avant que vous consultiez la liste des ingrédients, que j'étais sceptique à l'idée d'une recette de brownies aux haricots noirs. Même si j'avais déjà entendu parler de cette technique, je n'avais jamais ressenti l'envie d'en faire l'essai. Néanmoins, après de nombreux échecs d'adaptations allégées en gras, j'ai changé d'idée. À ma grande surprise, les haricots en purée ont donné des brownies foncés, tendres et chocolatés sans les imprégner de leur goût. Ce n'est pas rien…

INGRÉDIENTS :

180 mL (3/4 tasse) de haricots noirs; rincés

45 mL (3 c. à soupe) de beurre fondu

2 gros œufs

5 mL (1 c. à thé) d'essence de vanille

125 mL (1/2 tasse) de *Sugar Blend for Baking de Splenda*®

90 mL (6 c. à soupe) de cacao alcalinisé

60 mL (1/4 tasse) de farine tout usage

1,2 mL (1/4 c. à thé) de levure chimique

45 mL (3 c. à soupe) de noix de Grenoble hachées (facultatif)

PRÉPARATION :

1. Préchauffer le four à 160 °C (325 °F). Vaporiser un plat à cuisson de 20 sur 20 cm (8 sur 8 po) d'un enduit pour cuisson antiadhésif.

2. Combiner le cacao, la farine et la levure chimique. Réserver.

3. Déposer les haricots et le beurre fondu dans le robot culinaire et les réduire en purée jusqu'à consistance lisse (une pâte épaisse). Transférer le mélange de haricots dans un bol moyen.

4. À l'aide d'une cuillère en bois, battre les œufs, l'essence de vanille et le *Sugar Blend for Baking*. Ajouter le mélange de cacao et de haricots et brasser jusqu'à incorporé. Ajouter des noix si désiré.

5. Déposer la pâte à la cuillère dans le moule préparé et faire cuire de 13 à 15 minutes ou jusqu'à ce que le centre reprenne sa forme après une légère pression du doigt. (Éviter de trop cuire.)

6. Laisser refroidir dans le plat de cuisson sur une grille.

NOTES :

Les haricots noirs sont une excellente source de glucides complexes et de fibres. Puisqu'ils remplacent une partie de la farine tout usage dans cette recette, ils réduisent la quantité totale de glucides.

PAR PORTION :

Calories : 100   Gras : 4 g (2 g saturés)
Glucides : 14 g   Fibres : 2 g
Protéines : 3 g   Sodium : 95 mg

Valeur de choix d'aliments pour le diabète =
1 choix de glucides, 1 choix de gras
Points WW = 2 points

Barres givrées à la citrouille

24 portions

Cherchez-vous une nouvelle recette des fêtes plus saine que les autres ? Eurêka ! Ces barres givrées à la citrouille sont à la fois sucrées, aussi moelleuses qu'un gâteau et délectables. La touche ultime est leur riche glace au fromage à la crème. Tout ce bon goût et la moitié de l'apport quotidien en vitamine A recommandé, c'est suffisant pour avoir l'esprit à la fête !

INGRÉDIENTS :

BARRES

500 mL (2 tasses) de farine tout usage

5 mL (1 c. à thé) de levure chimique

2,5 mL (1/2 c. à thé) de bicarbonate de sodium

7,5 mL (1 1/2 c. à thé) de cannelle

2,5 mL (1/2 c. à thé) de muscade

1,2 mL (1/4 c. à thé) de macis

90 mL (6 c. à soupe) de margarine ramollie

1 pot de pruneaux pour bébé de 70 mL (2 1/2 oz)

1 boîte de 444 mL (15 oz) de purée de citrouille

160 mL (2/3 tasse) de Splenda® granulé

30 mL (2 c. à soupe) de mélasse

7,5 mL (1 1/2 c. à thé) d'essence de vanille

1 œuf

60 mL (1/4 tasse) de raisins secs, hachés finement

GLACE

1 paquet de 113 g (4 oz) de fromage à la crème allégé

177 mL (6 oz) de fromage à la crème sans gras

60 mL (1/4 tasse) de Splenda® granulé

30 mL (2 c. à soupe) de jus d'orange

PAR PORTION DE **1 BARRE** :

Calories : 75	Gras : 3,5 g (1 g saturés)
Glucides : 8 g	Fibres : 0,5 g
Protéines : 3 g	Sodium : 120 mg

Valeur de choix d'aliments pour le diabète =
1/2 choix de glucides, 1 choix de gras
Points WW = 2 points

PRÉPARATION :

1. Préchauffer le four à 175 °C (350 °F). Vaporiser un moule de 23 sur 33 cm (9 sur 13 po) d'un enduit pour cuisson antiadhésif.

2. Combiner la farine, la levure chimique, le bicarbonate de sodium et les épices.

3. Dans un grand bol, battre en crème au batteur électrique la margarine et la purée de pruneaux. Ajouter la purée de citrouille, le Splenda®, la mélasse, la vanille et l'œuf. Bien battre. Incorporer le mélange de farine, puis les raisins secs.

4. Déposer la pâte par cuillerées dans le moule préparé et étaler. Faire cuire 20 minutes ou jusqu'à ce que le gâteau reprenne sa forme après une légère pression du doigt. Laisser refroidir sur une grille.

5. Dans un petit bol, battre au batteur électrique tous les ingrédients de la glace jusqu'à texture lisse et légère. Étaler la glace sur les barres refroidies.

6. Réfrigérer.

NOTES :

Afin d'atténuer l'effet d'un ingrédient (en saveur ou en valeur nutritionnelle), on peut l'éliminer, le remplacer par un autre ou en utiliser en plus petite quantité, comme je l'ai fait ici. Hachés finement, les raisins secs se répartissent mieux, donc il en faut moins. Cela permet de limiter la teneur en sucre de ce délice des fêtes.

Barres à l'avoine et au beurre de cacahuètes (arachides) riches en protéines

20 portions

Mon fils, qui en est à sa troisième année scolaire, a apporté ces délicieuses barres à l'école. Il est revenu avec un plat vide et une pile de remerciements. Pas mal pour un biscuit « santé ».

INGRÉDIENTS :

90 mL (6 c. à soupe) de beurre de cacahuètes (arachides)

45 mL (3 c. à soupe) de margarine ramollie

30 mL (2 c. à soupe) de miel

180 mL (3/4 tasse) de Splenda® granulé

2 œufs

7,5 mL (1 1/2 c. à thé) d'essence de vanille

500 mL (2 tasses) de flocons d'avoine à l'ancienne

125 mL (1/2 tasse) de lait en poudre sans gras

125 mL (1/2 tasse) de farine tout usage

1,2 mL (1/4 c. à thé) de sel

2,5 mL (1/2 c. à thé) de levure chimique

1,2 mL (1/4 c. à thé) de bicarbonate de sodium

28 g (1 oz) de chocolat mi-sucré

PRÉPARATION :

1. Préchauffer le four à 175 °C (350 °F). Vaporiser un moule de 23 sur 33 cm (9 sur 13 po) d'un enduit pour cuisson antiadhésif.

2. Dans un grand bol, battre le beurre de cacahuètes (arachides), la margarine et le miel. Incorporer le Splenda®, les œufs et la vanille. Battre jusqu'à consistance légère, de 2 à 3 minutes. Ajouter le reste des ingrédients sauf le chocolat.

3. Comprimer la pâte dans le moule préparé et faire cuire de 12 à 14 minutes. Retirer du four.

4. Faire fondre le chocolat au four à micro-ondes de 30 à 60 secondes. Remuer et, à l'aide d'une fourchette, décorer les barres de filets de chocolat. Refroidir, couper et servir.

NOTES :

Aux États-Unis, la moitié de la production de cacahuètes (arachides) est transformée en beurre de cacahuètes (arachides). C'est un aliment de base des Américains.

PAR PORTION DE 1 BARRE :

Calories : 95	Gras : 5 g (1 g saturés)
Glucides : 10 g	Fibres : 1 g
Protéines : 5 g	Sodium : 110 mg

Valeur de choix d'aliments pour le diabète = 1/2 choix de glucides, 1 choix de viandes mi-grasses

Points WW = 2 points

Barres à l'avoine et aux abricots

15 portions

Ces barres compactes regorgent des bienfaits des flocons d'avoine et offrent la délicieuse saveur de la confiture d'abricot. Comme elles sont faciles à transporter, apportez-les lors de votre prochain pique-nique.

INGRÉDIENTS :

125 mL (1/2 tasse) de farine tout usage

125 mL (1/2 tasse) de chapelure de biscuits Graham

250 mL (1 tasse) de flocons d'avoine à l'ancienne

125 mL (1/2 tasse) de Splenda® granulé

80 mL (1/3 tasse) de margarine

180 mL (3/4 tasse) de confiture d'abricot faible en sucre

15 mL (1 c. à soupe) de cassonade

PRÉPARATION :

1. Préchauffer le four à 175 °C (350 °F). Vaporiser un moule carré de 20 cm (8 po) d'un enduit antiadhésif.

2. Déposer la farine, la chapelure de biscuits Graham, les flocons d'avoine, le Splenda® et la margarine dans un robot culinaire. Travailler par à-coups jusqu'à ce que le mélange prenne une consistance grumeleuse.

3. Comprimer 2/3 de la pâte (environ 500 mL ou 2 tasses) dans le plat préparé.

4. Faire cuire 15 minutes. Retirer du four et étaler la confiture d'abricot sur la pâte chaude.

5. Ajouter la cassonade au reste de la pâte et étendre la pâte sur la confiture. Comprimer légèrement.

6. Faire cuire de 20 à 25 minutes ou jusqu'à légèrement doré. Laisser refroidir dans le moule sur une grille.

PAR PORTION DE 1 BARRE :

Calories : 115	Gras : 4 g (1 g saturés)
Glucides : 17 g	Fibres : 1 g
Protéines : 2 g	Sodium : 60 mg

Valeur de choix d'aliments pour le diabète =
1 choix de glucides, 1 choix de gras
Points WW = 2 points

NOTES :

Remplacez la confiture d'abricot par toute autre confiture de fruits. Lisez bien les étiquettes, toutefois, car « fruits entiers » ou « sans sucre ajouté » ne signifient pas forcément une faible teneur en sucre. Par exemple, la confiture d'abricot allégée en sucre de Smucker's® (É.-U.) ne contient que 6 g de sucre par cuillerée à soupe; tandis que la version originale en contient entre 12 et 14.

Carrés au citron à l'ancienne

16 portions

Comme la version originale tant aimée, ce dessert propose une garniture au citron onctueuse, sucrée et acidulée sur une abaisse au beurre. Utilisez le jus et le zeste de citrons frais pour un meilleur résultat. Pour confectionner des carrés à la limette, employez du jus et du zeste de limette ainsi que 30 mL (2 c. à soupe) de Splenda® granulé.

INGRÉDIENTS :

ABAISSE

250 mL (1 tasse) de farine tout usage

80 mL (1/3 tasse) de Splenda® granulé

1,2 mL (1/4 c. à thé) de sel

1,2 mL (1/4 c. à thé) de levure chimique

60 mL (4 c. à soupe) de margarine ou de beurre

30 mL (2 c. à soupe) de babeurre

GARNITURE

2 gros œufs + 1 blanc d'œuf

45 mL (3 c. à soupe) de farine tout usage

125 mL (1/2 tasse) de *Sugar Blend for Baking de Splenda®*

160 mL (2/3 tasse) de jus de citron

80 mL (1/3 tasse) de babeurre

15 mL (1 c. à soupe) de zeste de citron

10 mL (2 c. à thé) de sucre glace (facultatif)

PRÉPARATION :

1. Préchauffer le four à 190 °C (375 °F). Vaporiser un moule carré de 20 cm (8 po) d'un enduit pour cuisson antiadhésif.

2. Abaisse : dans un bol moyen, mélanger la farine, le Splenda®, le sel et la levure chimique. Y couper le beurre ou la margarine jusqu'à ce que le mélange ait une consistance grumeleuse. Arroser les ingrédients secs de babeurre et combiner. Déposer le mélange dans le moule préparé et comprimer l'abaisse dans le fond du moule. Réfrigérer 15 minutes, puis faire cuire de 15 à 20 minutes ou jusqu'à légèrement doré.

3. Garniture : dans un grand bol, battre les œufs, le blanc d'œuf, la farine, le *Sugar Blend for Baking*. Ajouter le jus de citron, le babeurre et le zeste. Verser sur l'abaisse chaude.

4. Réduire la chaleur du four à 175 °C (350 °F) et faire cuire 18 à 20 minutes de plus ou jusqu'à ce que la garniture soit prise. Laisser refroidir entièrement.

5. Si désiré, saupoudrer de sucre glace avant de servir.

PAR PORTION DE 1 BARRE :

Calories : 100	Gras : 4 g (1 g saturés)
Glucides : 15 g	Fibres : 0 g
Protéines : 2 g	Sodium : 75 mg

Valeur de choix d'aliments pour le diabète =
1 choix de glucides, 1 choix de gras
Points WW = 2 points

NOTES :

Une chef pâtissière a créé ces délices au citron pour moi à partir de la recette tirée de mon livre *Fantastic Foods with Splenda®*. Elle a doublé la quantité de jus de citron, a ajouté du babeurre à la pâte et à la garniture et utilisé du *Sugar Blend for Baking* pour produire une nouvelle version épatante d'une recette aimée depuis toujours.

Barres au fromage au citron

12 portions

J'ai lu de nombreuses recettes de barres au citron faibles en gras, mais débordant malheu-reusement de sucre, à la fois dans l'abaisse et dans la garniture, en plus d'être couvertes de plus de sucre. Ces somptueuses barres au fromage au citron constituent une version idéale qui ne contient que la moitié des calories, le tiers du gras et le quart du sucre. Ne les faites pas trop cuire, cependant, car la garniture va se fendiller.

INGRÉDIENTS :

ABAISSE

125 mL (1/2 tasse) de farine tout usage

125 mL (1/2 tasse) de chapelure de biscuits Graham

30 mL (2 c. à soupe) de cassonade

45 mL (3 c. à soupe) de Splenda® granulé

60 mL (4 c. à soupe) de margarine froide

GARNITURE

180 mL (3/4 tasse) de fromage cottage allégé

125 mL (1/2 tasse) de fromage à la crème allégé

180 mL (3/4 tasse) de Splenda® granulé

15 mL (1 c. à soupe) de farine tout usage

2,5 mL (1/2 c. à thé) de levure chimique

2,5 mL (1/2 c. à thé) d'essence de vanille

15 mL (1 c. à soupe) de zeste de citron

45 mL (3 c. à soupe) de jus de citron

1 gros œuf

1 gros blanc d'œuf

PRÉPARATION :

1. Préchauffer le four à 175 °C (350 °F). Vaporiser un moule carré de 20 cm (8 po) d'un enduit pour cuisson antiadhésif.

2. Mélanger la farine, la chapelure de biscuits Graham, la cassonade et le Splenda®.

3. Abaisse : couper la margarine dans le mélange sec jusqu'à consistance grumeleuse. Comprimer le mélange dans le moule préparé et faire cuire 15 minutes.

4. Garniture : mettre le fromage cottage dans un robot culinaire et travailler pour obtenir une purée très lisse. Ajouter le reste des ingrédients, sauf l'œuf et le blanc d'œuf, et travailler jusqu'à consistance lisse. Incorporer l'œuf et le blanc d'œuf (quelques pulsions seulement).

5. Verser la garniture sur l'abaisse chaude. Remettre au four et cuire 18 à 20 minutes de plus ou jusqu'à ce que le mélange semble pris.

NOTES :

Les recettes classiques de barres au citron utilisent autant que 375 mL (1 1/2 tasse) de sucre, ce qui donne 24 g de sucre par barre.

PAR PORTION DE 1 BARRE :

Calories : 135   Gras : 6 g (2 g saturés)
Glucides : 14 g   Fibres : 0 g
Protéines : 4 g   Sodium : 180 mg

Valeur de choix d'aliments pour le diabète =
1 choix de glucides, 1 choix de gras
Points WW = 3 points

Triangles sablés aux framboises

9 portions

Ces jolis sablés me rappellent l'heure du thé. Ils sont beaux et savoureux. Comme la saveur des sablés ressort vraiment, j'utilise du beurre pour obtenir le meilleur résultat.

INGRÉDIENTS :

ABAISSE

250 mL (1 tasse) de farine tout usage

90 mL (6 c. à soupe) de Splenda® granulé

2,5 mL (1/2 c. à thé) de zeste de citron

60 mL (1/4 tasse) de beurre

30 mL (2 c. à soupe) de fromage à la crème allégé ou de babeurre

GARNITURE

125 mL (1/2 tasse) de confiture à la framboise faible en sucre

125 mL (1/2 tasse) de framboises fraîches ou surgelées (partiellement décongelées)

60 mL (1/4 tasse) de Splenda® granulé

1 gros blanc d'œuf

5 mL (1 c. à thé) de beurre

0,5 mL (1/8 c. à thé) d'essence d'amande

80 mL (1/3 tasse) d'amandes en tranches

PRÉPARATION :

1. Préchauffer le four à 175 °C (350 °F). Vaporiser un moule carré de 20 cm (8 po) d'un enduit pour cuisson antiadhésif.

2. Abaisse : mélanger la farine, le Splenda® et le zeste de citron. Couper le beurre dans le mélange. Y incorporer le fromage à la crème ou asperger de babeurre jusqu'à une fine consistance grumeleuse.

3. Comprimer le mélange dans le moule. Faire cuire 15 minutes.

4. Garniture : dans un contenant moyen, battre au batteur électrique la confiture et le reste des ingrédients, sauf les amandes. Verser la garniture sur l'abaisse chaude et remettre au four 15 minutes.

5. Ouvrir le four et répartir les amandes sur les sablés. Poursuivre la cuisson pendant 10 minutes.

6. Laisser refroidir sur une grille pendant 15 minutes, puis tailler 9 carrés de 7,5 cm (3 po) de côté. Couper chaque carré en deux pour obtenir 18 triangles.

PAR PORTION DE 2 SABLÉS :

Calories : 150	Gras : 7 g (4 g saturés)
Glucides : 19 g	Fibres : 1 g
Protéines : 3 g	Sodium : 65 mg

Valeur de choix d'aliments pour le diabète =
1 choix de glucides, 1 1/2 choix de gras
Points WW = 3 points

Biscotins chocolatés aux amandes

18 portions

En Italie, le mot biscotti signifie « cuit deux fois ». La cuisson double rend ce biscuit croquant et parfait pour tremper. Servez les biscotins alors avec un thé ou un café régulier ou l'une des boissons parfumées de la section « Boissons chaudes invitantes et préparations maison ».

INGRÉDIENTS :

60 mL (1/4 tasse) d'amandes entières

430 mL (1 3/4 tasse) de farine tout usage

60 mL (1/4 tasse) de cacao

5 mL (1 c. à thé) de levure chimique

1,2 mL (1/4 c. à thé) de bicarbonate de sodium

0,5 mL (1/8 c. à thé) de sel

30 mL (2 c. à soupe) de beurre

45 mL (3 c. à soupe) de cassonade

180 mL (3/4 tasse) de Splenda® granulé

2 œufs + 1 blanc d'œuf

5 mL (1 c. à thé) d'essence d'amande

5 mL (1 c. à thé) d'essence de vanille

PRÉPARATION :

1. Préchauffer le four à 175 °C (350 °F). Vaporiser une plaque à cuisson d'un enduit pour cuisson antiadhésif.

2. Étaler les amandes sur une autre plaque à cuisson et mettre au four durant 5 minutes ou jusqu'à légèrement dorées. Retirer du four et broyer grossièrement. Réserver.

3. Dans un contenant moyen, tamiser la farine, le cacao, la levure chimique, le bicarbonate de sodium et le sel. Ajouter les amandes en brassant.

4. Dans un autre contenant moyen, mettre le beurre et la cassonade en crème à l'aide d'un batteur électrique. Ajouter le Splenda®, les œufs, le blanc d'œuf et les essences d'amande et de vanille. Battre jusqu'à consistance lisse. Plier le mélange de farine dans le mélange humide à l'aide d'une cuillère ou d'une spatule.

5. Former 2 boudins d'environ 20 cm (8 po) de long et 5 cm (2 po) de diamètre. Placer les boudins sur la plaque préparée et les aplatir légèrement.

6. Faire cuire 30 minutes ou jusqu'à ce qu'un cure-dent inséré au centre en ressorte propre. Retirer du four et laisser refroidir de 5 à 10 minutes. Réduire la chaleur à 150 °C (300 °F). Tailler chaque boudin à la diagonale en tranches d'environ 6 mm (1/4 po).

7. Placer les biscotins sur la plaque à cuisson et cuire 20 minutes jusqu'à fermes. Les biscotins

---

PAR PORTION DE 2 BISCOTINS :

Calories : 90
Glucides : 12 g
Protéines : 1 g

Gras : 3 g (0 g saturés)
Fibres : 1 g
Sodium : 70 mg

Valeur de choix d'aliments pour le diabète =
1 choix de glucides
Points WW = 2 points

NOTES :

Les rondins peuvent se fendre le long de la base, en raison de l'expansion de la pâte sans sucre. Cela confère aux biscotins une forme unique de champignon une fois taillés.

Biscotins à l'orange, au gingembre et aux pacanes

30 portions

La confection de ces biscotins odorants est devenue une tradition des fêtes pour moi. Je reçois beaucoup de compliments des gens à qui j'en offre. Emballez-les avec une préparation de thé chaï aux épices de la page 72.

INGRÉDIENTS :

60 mL (1/4 tasse) de moitiés de pacanes

500 mL (2 tasses) de farine tout usage

3,7 mL (3/4 c. à thé) de gingembre moulu

2,5 mL (1/2 c. à thé) de muscade moulue

5 mL (1 c. à thé) de levure chimique

1,2 mL (1/4 c. à thé) de bicarbonate de sodium

22,5 mL (1 1/2 c. à soupe) de gingembre cristallisé haché

2 œufs + 1 blanc d'œuf

15 mL (1 c. à soupe) d'huile

30 mL (2 c. à soupe) de jus d'orange concentré

180 mL (3/4 tasse) de Splenda® granulé

15 mL (1 c. à soupe) de zeste d'orange

PRÉPARATION :

1. Préchauffer le four à 175 °C (350 °F). Vaporiser légèrement une plaque à cuisson d'un enduit pour cuisson antiadhésif.

2. Étaler les pacanes sur une autre plaque et mettre au four 5 minutes ou jusqu'à légèrement dorées. Retirer du four et hacher grossièrement. Réserver.

3. Dans un contenant moyen, tamiser la farine, le gingembre, la muscade, la levure chimique, le bicarbonate de sodium et le gingembre cristallisé. Ajouter les pacanes en brassant.

4. Dans un autre contenant moyen, fouetter le reste des ingrédients jusqu'à consistance lisse. Plier le mélange de farine dans le mélange humide à l'aide d'une cuillère ou d'une spatule. Former 2 boudins d'environ 20 cm (8 po) de long et 5 cm (2 po) de diamètre. Placer les boudins sur la plaque à cuisson préparée et les aplatir légèrement.

5. Faire cuire 30 minutes ou jusqu'à ce qu'un cure-dent inséré au centre en ressorte propre. Retirer du four et laisser refroidir de 5 à 10 minutes. Réduire la chaleur à 150 °C (300 °F). Tailler chaque boudin à la diagonale en tranches d'environ 6 mm (1/4 po).

6. Placer les biscotins sur la plaque à cuisson et faire cuire 20 minutes jusqu'à fermes. Les biscotins durciront davantage en refroidissant.

PAR PORTION DE 1 BISCOTIN :

Calories : 50   Gras : 1,5 g (1 g saturés)
Glucides : 9 g   Fibres : 0 g
Protéines : 2 g   Sodium : 35 mg

Valeur de choix d'aliments pour le diabète =
1/2 choix de glucides
Points WW = 1 point

NOTES :

Le biscotin classique à tremper existerait en Italie depuis le XIVe siècle.

Tartes classiques

Abaisse simple

Fond de tarte aux biscuits Graham

Fond de tarte à la chapelure double chocolat

Fond de tarte à la chapelure à la vanille

Tarte à la citrouille

Tarte aux pommes dans un sac

Tarte aux pommes à la crème aigre (sure)

Tarte aux fraises et à la rhubarbe

Flan pâtissier aux pêches

Flan pâtissier à l'ancienne

Tarte à la lime

Tarte au beurre de cacahuètes (arachides)

Tarte à la crème triple vanille

Tarte à la crème à la banane

Tarte à la crème à la noix de coco

Tarte à la crème au chocolat et à la menthe

Tarte aux fraises de rêve

Tarte au citron meringuée

Tarte mousseline au citron

Tarte mousseline à la citrouille

Tarte mousseline au chocolat

Avouons-le, rien n'est plus américain qu'une bonne tarte aux fruits à l'ancienne. On attribue aux Pères pèlerins les premières tartes sucrées (qui n'étaient pas à la citrouille, mais aux fruits). Les premiers colons ont rapidement adopté la tarte et, en peu de temps, on en mangeait presque à tous les repas. Le temps de le dire, la tarte est devenue aussi américaine que… la tarte aux pommes !

Aujourd'hui toutefois, beaucoup de gens achètent des tartes préparées au lieu de les faire. Malheureusement, les tartes du commerce contiennent tellement de sucre et de calories qu'on peut tout juste se permettre d'en manger une pointe à un repas, encore moins à chaque repas. C'est dommage, car il n'y a pas de dessert plus invitant, plus impressionnant ou sentant meilleur qu'une tarte maison.

Pour vous aider à mieux recevoir les gens que vous aimez, ce chapitre vous propose des recettes d'abaisses faciles et de tartes maison réconfortantes comme la tarte aux fraises et à la rhubarbe et le flan pâtissier aux pêches, qui allient le style d'antan et les critères de santé modernes. Les tartes à la crème, comme la tarte à la crème à la noix de coco ou la tarte à la crème au chocolat et à la menthe, avec leur abaisse de chapelure sucrée, attireront les compliments.

Vous trouverez également des classiques des fêtes mis à jour, comme la tarte mousseline à la citrouille, le flan pâtissier à l'ancienne et, bien sûr, la tarte aux pommes, ce dessert traditionnel américain. Si, comme moi, vous adorez le citron, vous découvrirez avec plaisir ma tarte au citron meringuée contenant 75 % moins de sucre que la version originale. Peu importe vos préférences, il y a une tarte qui vous plaira.

Abaisse simple

8 portions

La réussite d'une tarte dépend de son abaisse. Cette version délicieuse contient la moitié du gras de certaines abaisses maison classiques et seulement le quart des gras saturés. Après de nombreux essais, j'ai compris que l'emploi de gras solides assure l'obtention d'une abaisse tendre. En outre, la faible quantité de sucre utilisée réduit la formation de gluten, ce qui améliore aussi la tendreté. Si vous manquez de temps ou préférez employer une abaisse du commerce, vous en trouverez plusieurs sur le marché. Prenez soin d'en choisir une dont l'information nutritionnelle est semblable à celle-ci.

INGRÉDIENTS :

250 mL (1 tasse) de farine tout usage

15 mL (1 c. à soupe) de fécule de maïs

10 mL (2 c. à thé) de sucre

À peine 1,2 mL (1/4 c. à thé) de sel

30 mL (2 c. à soupe) de shortening

30 mL (2 c. à soupe) de margarine ou de beurre (ajouter 1 g de gras saturés pour le beurre)

30 mL (2 c. à soupe) d'eau glacée

30 mL (2 c. à soupe) de lait allégé froid

PRÉPARATION :

1. Tamiser la farine, la fécule de maïs, le sucre et le sel dans un contenant moyen. Y couper la margarine et le shortening à l'aide d'un coupe-pâte ou de vos doigts jusqu'à une texture grumeleuse.

2. Mélanger le lait et l'eau puis verser dans le mélange de farine. Remuer à la fourchette jusqu'à ce qu'une boule commence à se former. Avec les mains, compléter la boule en incorporant toute la farine. (Il faudra peut-être ajouter quelques gouttes de lait ou d'eau pour faire adhérer toute la farine.)

3. Écraser la pâte en un disque plat et la placer entre deux feuilles de papier paraffiné. Réfrigérer 30 minutes ou plus. Abaisser la pâte du centre vers l'extérieur pour former un cercle d'environ 28 cm (11 po).

4. Retirer le papier paraffiné et déposer délicatement l'abaisse dans une assiette à tarte de 23 cm (9 po). Lisser l'abaisse afin qu'elle épouse l'assiette. Boucher les trous. Replier les rebords et les façonner au goût.

Suite à la page suivante…

PAR PORTION :

Calories : 110   Gras : 6 g (1,5 g saturés)
Glucides : 13 g   Fibres : 0 g
Protéines : 2 g   Sodium : 70 mg

Valeur de choix d'aliments pour le diabète =
1 choix de glucides, 1 choix de gras
Points WW = 2 1/2 points

NOTES :

Le seul gramme de sucre de cette recette permet à la pâte de rester tendre. Ne le remplacez pas par du Splenda®.

5. Pour faire cuire partiellement une abaisse vide : préchauffer le four à 220 °C (425 °F). Tapisser l'abaisse entière ainsi que ses rebords d'une feuille de papier d'aluminium, le côté luisant au-dessous, et remplir l'abaisse de poids, de riz ou de haricots secs. Placer dans le tiers inférieur du four et faire cuire 10 minutes. Retirer le papier d'aluminium et les poids, piquer l'abaisse avec une fourchette et remettre au four 10 minutes. Si des bulles d'air se forment, ouvrir le four et les écraser avec le dos d'une cuillère. Remplir et cuire selon la marche à suivre de la recette.

6. Pour faire cuire complètement une abaisse vide : préchauffer le four à 220 °C (425 °F). Tapisser l'abaisse entière ainsi que ses rebords d'une feuille de papier d'aluminium, le côté luisant en dessous, et remplir l'abaisse de poids, de riz ou de haricots secs. Placer dans le tiers inférieur du four et faire cuire 10 minutes. Retirer le papier d'aluminium et les poids, piquer l'abaisse avec une fourchette et remettre au four de 12 à 15 minutes ou jusqu'à légèrement doré. Si des bulles d'air se forment, ouvrir le four et les écraser avec le dos d'une cuillère pour les aplatir.

Fond de tarte aux biscuits Graham

8 portions

Ce fond de tarte est à la fois polyvalent et facile à faire. De plus, tout le monde l'aime. Pour réduire le gras, je mets moins de beurre et j'utilise du blanc d'œuf pour lier. Assurez-vous de vous procurer la version allégée en gras si vous achetez un fond préparé du commerce.

INGRÉDIENTS :

250 mL (1 tasse) de chapelure de biscuits Graham (environ 16 biscuits)

30 mL (2 c. à soupe) de Splenda® granulé

15 mL (1 c. à soupe) de margarine ou de beurre fondu

15 mL (1 c. à soupe) d'huile de canola

30 mL (2 c. à soupe) de blancs d'œufs

PRÉPARATION :

1. Préchauffer le four à 175 °C (350 °F). Vaporiser légèrement une assiette à tarte de 23 cm (9 po) de diamètre d'un enduit pour cuisson antiadhésif.

2. Mettre la chapelure dans un petit contenant ou mettre les biscuits dans un robot culinaire et travailler pour obtenir de la chapelure.

3. Ajouter le Splenda®, la margarine et l'huile; brasser ou travailler au robot culinaire. Ajouter les blancs d'œufs et bien mélanger.

4. Verser le mélange de chapelure dans l'assiette à tarte. L'écraser sur le fond et les rebords avec les doigts, le dos d'une cuillère ou une pellicule plastique.

5. Faire cuire de 8 à 10 minutes. Retirer du four et refroidir.

NOTES :

Beurre, margarine ou huile? Cette recette combine de la margarine en bâtonnet (90 calories, 10 g de gras, dont 3,5 g de gras saturés et de gras trans combinés par cuillerée) et de l'huile de canola (120 calories et 13,5 g de gras dont 1 g de gras saturés par cuillerée) pour produire un fond de tarte santé allégé en gras. Vous pouvez substituer du beurre en tout ou en partie pour son bon goût. Il contient 100 calories et 11 g de gras, dont 7 g saturés, par cuillerée.

PAR PORTION :

Calories : 90	Gras : 4,5 g (0,5 g saturés)
Glucides : 12 g	Fibres : 0 g
Protéines : 1 g	Sodium : 105 mg

Valeur de choix d'aliments pour le diabète =
1 choix de glucides, 1 choix de gras
Points WW = 2 points

Fond de tarte à la chapelure double chocolat

8 portions

Voici un excellent fond de tarte qui plaît à tous les amateurs de chocolat. À mon premier essai, j'ai remplacé la chapelure de biscuits Graham par de la chapelure de biscuits au chocolat afin de réduire les calories et le sucre, mais le faible goût de chocolat m'a déçue. La solution : un peu de cacao alcalinisé afin de retrouver le riche goût de chocolat et du Splenda® granulé pour le sucrer. Les biscuits Graham au chocolat n'ont jamais été aussi savoureux.

INGRÉDIENTS :

250 mL (1 tasse) de chapelure de biscuits Graham au chocolat (environ 14 biscuits)

15 mL (1 c. à soupe) de cacao alcalinisé (Hershey's European, É.-U.)

60 mL (1/4 tasse) de Splenda® granulé

15 mL (1 c. à soupe) de margarine ou de beurre fondu

15 mL (1 c. à soupe) d'huile de canola

1 gros blanc d'œuf (environ 45 mL ou 3 c. à soupe)

PRÉPARATION :

1. Préchauffer le four à 175 °C (350 °F). Vaporiser légèrement une assiette à tarte de 23 cm (9 po) de diamètre d'un enduit pour cuisson anti-adhésif.

2. Mettre la chapelure dans un petit contenant ou mettre les biscuits dans un robot culinaire et travailler pour obtenir de la chapelure.

3. Ajouter le cacao, le Splenda®, la margarine et l'huile; brasser ou travailler pour mélanger. Ajouter le blanc d'œuf et mélanger de nouveau.

4. Verser le mélange de chapelure dans l'assiette à tarte. L'écraser dans le fond et sur les rebords avec les doigts, le dos d'une cuillère ou une pellicule plastique.

5. Faire cuire de 8 à 10 minutes. Retirer du four et refroidir.

NOTES :

Si vous surveillez votre apport en glucides, lisez bien les étiquettes si vous choisissez d'acheter un fond de tarte du commerce. Je n'en ai pas encore trouvé une qui contienne des quantités raisonnables de sucre, de glucides et de calories.

PAR PORTION :

Calories : 90	Gras : 4,5 g (0,5 g saturés)
Glucides : 12 g	Fibres : 0 g
Protéines : 2 g	Sodium : 95 mg

Valeur de choix d'aliments pour le diabète =
1 choix de glucides, 1 choix de gras
Points WW = 2 points

Fond de tarte à la chapelure à la vanille

8 portions

Croyez-le ou non, mais ce fond de tarte en biscuits contient moins de calories et de grammes de glucides qu'une abaisse classique. Je l'utilise pour confectionner ma tarte à la crème à la noix de coco et ma tarte à la crème triple vanille. Elle convient aussi bien à votre garniture au chocolat préférée.

INGRÉDIENTS :

250 mL (1 tasse) combles de gaufrettes à la vanille écrasées (environ 28 gaufrettes)

15 mL (1 c. à soupe) de Splenda® granulé

30 mL (2 c. à soupe) de margarine ou de beurre fondu

15 mL (1 c. à soupe) de blanc d'œuf

PRÉPARATION :

1. Préchauffer le four à 175 °C (350 °F). Vaporiser légèrement une assiette à tarte de 23 cm (9 po) de diamètre d'un enduit pour cuisson antiadhésif.

2. Mettre les biscuits écrasés dans un petit contenant ou mettre les biscuits dans un robot culinaire et travailler pour obtenir de la chapelure. Ajouter le Splenda® et la margarine, puis remuer ou travailler. Ajouter le blanc d'œuf et bien mélanger.

3. Verser le mélange de chapelure dans l'assiette à tarte. L'écraser dans le fond et sur les rebords avec les doigts, le dos d'une cuillère ou une pellicule plastique.

4. Faire cuire de 8 à 10 minutes.

NOTES :

Astuce rapide : placez vos mains dans des sacs en plastique pour écraser le mélange, car la chapelure n'adhère pas au plastique. Ainsi, elle colle plus à l'assiette qu'à vos doigts.

PAR PORTION :

Calories : 85	Gras : 4,5 g (1 g saturés)
Glucides : 10 g	Fibres : 0 g
Protéines : 1 g	Sodium : 60 mg

Valeur de choix d'aliments pour le diabète =
1/2 choix de glucides, 1 choix de gras
Points WW = 2 points

Tarte à la citrouille

8 portions

Aux États-Unis, ce n'est pas vraiment l'Action de grâces s'il n'y a pas de tarte à la citrouille. Ma version allégée termine le copieux repas de cette fête en beauté. Si vous préférez une texture plus légère que celle d'un flan, vous n'avez qu'à fouetter les blancs en dernier lieu et à les plier dans le mélange à la fin. La recette de ramequins à la citrouille de la page 252 est une variation savoureuse idéale de la même garniture, mais préparée en portions individuelles dans des plats à soufflé ou des ramequins. Vous pouvez alors servir un pudding onctueux et éliminer l'abaisse et les calories.

INGRÉDIENTS :

1 abaisse simple (page 325) ou une abaisse préparée*

1 gros blanc d'œuf battu avec 10 mL (2 c. à thé) d'eau

GARNITURE

1 gros œuf

2 blancs d'œufs (ou 1 œuf additionnel)

1 boîte de 444 mL (15 oz) de purée de citrouille (pas la garniture à tarte)

180 mL (3/4 tasse) de Splenda® granulé

15 mL (1 c. à soupe) de mélasse

10 mL (2 c. à thé) de fécule de maïs

7,5 mL (1 1/2 c. à thé) de cannelle

2,5 mL (1/2 c. à thé) de gingembre

1,2 mL (1/4 c. à thé) de quatre-épices (facultatif)

1,2 mL (1/4 c. à thé) de clou de girofle moulu

5 mL (1 c. à thé) d'essence de vanille

1 boîte de 355 mL (12 oz) de lait évaporé

* Si vous achetez une abaisse préparée, choisissez une abaisse dite « profonde ».

PRÉPARATION :

1. Préchauffer le four à 220 °C (425 °F).

2. Préparer une abaisse partiellement cuite selon la marche à suivre. Retirer du four et badigeonner immédiatement le fond et les rebords du blanc d'œuf battu avec de l'eau. Réserver pour assécher.

3. Dans un grand contenant, fouetter l'œuf et les blancs d'œufs. Incorporer la citrouille, le Splenda®, la mélasse, la fécule de maïs, les épices et l'essence de vanille. Bien mélanger. Ajouter le lait en fouettant.

4. Verser le mélange dans l'abaisse précuite.

5. Faire cuire à 220 °C (425 °F) pendant 10 minutes. Réduire alors la chaleur à 175 °C (350 °F) et cuire encore 30 à 35 minutes ou jusqu'à ce que la lame d'un couteau insérée au centre en ressorte propre. Laisser refroidir la tarte sur une grille.

NOTES :

Trop souvent, les tartes à la citrouille ont une abaisse détrempée. Une abaisse faible en gras ne fait qu'aggraver le problème. La solution est de faire cuire l'abaisse partiellement, puis de sceller la pâte afin qu'elle reste croustillante. Procédez ainsi si vous avez une abaisse non cuite au départ.

PAR PORTION :

Calories : 200	Gras : 7 g (1,5 g saturés)
Glucides : 26 g	Fibres : 3 g
Protéines : 8 g	Sodium : 160 mg

Valeur de choix d'aliments pour le diabète =
1 choix de glucides, 1 choix de gras,
1/2 choix de lait allégé, 1/2 choix de légumes
Points WW = 4 points

Tarte aux pommes dans un sac

8 portions

Enfant, j'allais au verger en famille tous les ans. Nous avions acheté un livre de recettes local qui proposait une recette de tarte aux pommes à une abaisse avec une garniture de croustade cuite dans un sac en papier. Le sac fait circuler la vapeur et confère une texture agréable aux pommes. J'ai souvent fait cette recette et elle n'a jamais rendu quelqu'un malade. Je le mentionne ici, car la USDA, aux É.-U., a récemment indiqué que cette méthode de cuisson présentait des risques en raison des substances chimiques et des teintures présentes dans le papier. Ma solution : utiliser un sac de cuisson du type utilisé pour rôtir la viande. Je vous avoue toutefois que j'aimais bien déchirer le sac et y découvrir une splendide tarte aux pommes.

INGRÉDIENTS :

1 abaisse simple (page 325) ou une abaisse préparée*

6 pommes à cuire, environ 1,13 kg (2 1/2 lb)

15 mL (1 c. à soupe) de jus de citron

90 mL (6 c. à soupe) de Splenda® granulé

15 mL (1 c. à soupe) de farine tout usage

2,5 mL (1/2 c. à thé) de cannelle

GARNITURE

125 mL (1/2 tasse) de Splenda® granulé

90 mL (6 c. à soupe) de farine tout usage

7,5 mL (1/2 c. à thé) de cannelle

45 mL (3 c. à soupe) de margarine

1 sac pour le rôtissage de la viande

15 mL (1 c. à soupe) de farine tout usage

* Si vous achetez une abaisse préparée, choisissez une abaisse dite « profonde ».

PRÉPARATION :

1. Préchauffer le four à 200 °C (400 °F).

2. Préparer et réserver une abaisse non cuite de 23 cm (9 po).

3. Peler, épépiner et couper les pommes en quarts, puis couper les quarts en deux en travers pour obtenir des morceaux. Déposer dans un grand contenant et arroser de jus de citron.

4. Ajouter le Splenda®, la farine et la cannelle, et bien enrober. Déposer les morceaux de pommes à la cuillère dans l'abaisse.

5. Garniture : combiner le Splenda®, la farine et la cannelle. Y couper la margarine jusqu'à l'obtention de grumeaux grossiers.

6. Saupoudrer la garniture sur la tarte de façon à la recouvrir. Mettre 15 mL (1 c. à soupe) de farine dans le sac pour rôtissage et secouer. Y insérer la tarte et sceller.

7. Déposer sur une plaque à biscuits et mettre au four. Faire cuire 50 minutes ou jusqu'à les pommes bouillent et que le dessus soit doré.

8. Ouvrir le sac délicatement et retirer la tarte.

PAR PORTION :

Calories : 210	Gras : 9 g (2,5 g saturés)
Glucides : 30 g	Fibres : 2 g
Protéines : 2 g	Sodium : 140 mg

Valeur de choix d'aliments pour le diabète =
1 choix de fruits, 1 choix de glucides, 2 choix de gras
Points WW = 5 points

NOTES :

Les pâtissiers se servent de jus de pommes concentré pour sucrer leurs tartes sans sucre, ce qui équivaut à ajouter du sucre. Lisez toujours les étiquettes ou, mieux encore, confectionnez votre propre tarte.

Tarte aux pommes à la crème aigre (sure)

8 portions

Mon but ici était de recréer une tarte aux pommes à l'ancienne et j'y suis parvenue. La texture de cette tarte est onctueuse ; les pommes ont un bon goût de cannelle et leur arôme est si invitant que vos convives se sentiront comme chez eux. Il faut précuire la pâte afin qu'elle reste sèche et feuilletée.

INGRÉDIENTS :

1 abaisse simple (page 325) ou une abaisse préparée*

1 gros blanc d'œuf battu avec 10 mL (2 c. à thé) d'eau

2 gros œufs

250 mL (1 tasse) de crème aigre (sure) allégée

180 mL (3/4 tasse) de Splenda® granulé

30 mL (2 c. à soupe) de farine tout-usage

30 mL (2 c. à soupe) d'essence de vanille

1,2 mL (1/4 c. à thé) de sel

625 mL (2 1/2 tasses) de pommes à cuire; pelées et tranchées finement

GARNITURE STREUSEL

60 mL (4 c. à soupe) de farine tout usage

45 mL (3 c. à soupe) de beurre

80 mL (1/3 tasse) de Splenda® granulé

5 mL (1 c. à thé) de cannelle

* Si vous achetez une abaisse préparée, choisissez une abaisse dite « profonde ».

PRÉPARATION :

1. Préchauffer le four à 220 °C (425 °F) et préparer une abaisse partiellement cuite selon la marche à suivre. Retirer du four et badigeonner immédiatement le fond et les côtés avec le mélange de blanc d'œuf et d'eau. Réserver pour assécher.

2. Dans un grand contenant, battre légèrement les œufs, la crème aigre (sure), le Splenda®, la farine, l'essence de vanille et le sel. Incorporer les pommes et verser dans l'abaisse précuite. Faire cuire 15 minutes. Réduire la chaleur à 150°C (300 °F) et faire cuire 20 minutes de plus. Recouvrir les bords de l'abaisse avec du papier d'aluminium afin d'éviter qu'ils brûlent.

3. Pendant que la tarte cuit, combiner les ingrédients de la garniture. Retirer la tarte du four et étaler la garniture dessus. Remettre la tarte au four et faire cuire 20 minutes de plus.

4. Laisser refroidir complètement avant de servir.

PAR PORTION :

Calories : 190	Gras : 11 g (5 g saturés)
Glucides : 20 g	Fibres : 1 g
Protéines : 4 g	Sodium : 150 mg

Valeur de choix d'aliments pour le diabète =
1 choix de fruits, 1/2 choix de glucides, 2 choix de gras
Points WW = 4 points

Tarte aux fraises et à la rhubarbe

8 portions

Dans cette recette, en éliminant l'abaisse du fond, je me suis assurée qu'il y avait une portion généreuse de garniture sucrée et acidulée proportionnelle à la quantité de pâte, ce qui confère à cette tarte son goût spécial. J'ai aussi utilisé un moule à tarte plus grand, soit de 25 cm (10 po), afin de pouvoir savourer plus de pâte à chaque bouchée.

INGRÉDIENTS :

750 mL (3 tasses) de morceaux de rhubarbe de 2,5 cm (1 po), soit environ 565 g (1 1/4 livre)

750 mL (3 tasses) de fraises fraîches équeutées et coupées en deux

180 mL (3/4 tasse) de Splenda® granulé

30 mL (2 c. à soupe) de fécule de maïs

2,5 mL (1/2 c. à thé) de zeste d'orange

1 abaisse simple (page 325) ou une abaisse préparée réfrigérée*

15 mL (1 c. à soupe) de lait

5 mL (1 c. à thé) de sucre granulé

PRÉPARATION :

1. Préchauffer le four à 190 °C (375 °F). Réserver un moule à tarte de 25 cm (10 po) de diamètre.

2. Mélanger les fraises, la rhubarbe, le Splenda® et la fécule de maïs. Déposer les fruits dans le moule à tarte et parsemer de zeste d'orange.

3. Abaisser la pâte à tarte entre deux feuilles de papier paraffiné ou sur une surface légèrement enfarinée jusqu'à former un cercle de 28 cm (11 po). Déposer l'abaisse sur les fruits et replier le contour en le façonnant. Badigeonner légèrement la surface de lait et saupoudrer de sucre.

4. Avant de mettre la tarte au four, faire quelques entailles sur l'abaisse. Faire cuire de 40 à 45 minutes ou jusqu'à ce que le jus des fruits forme des bulles.

NOTES :

La rhubarbe fraîche est en fait un légume et non un fruit. On la trouve plus facilement du début de l'hiver jusqu'au début de l'été. Elle est riche en vitamine C et en fibres non solubles.

PAR PORTION :

Calories : 160
Glucides : 22 g
Protéines : 2 g

Gras : 7 g (1 g saturés)
Fibres : 3 g
Sodium : 120 mg

Valeur de choix d'aliments pour le diabète =
1 choix de glucides, 1/2 choix de fruits,
1 choix de gras
Points WW = 3 points

Flan pâtissier aux pêches

8 portions

Ce flan goûte l'été. Des pêches fraîches trônent dans une abaisse simple, recouvertes d'un flan onctueux. Il y a juste assez de flan pour masquer les pêches, laissant toute la place à leur saveur naturelle.

Ingrédients :

1 blanc d'œuf battu avec 10 mL (2 c. à thé) d'eau

1 gros œuf

15 mL (1 c. à soupe) de margarine ou de beurre fondu

15 mL (1 c. à soupe) de farine tout usage

15 mL (1 c. à soupe) de fécule de maïs

1,2 mL (1/4 c. à thé) d'essence d'amande

60 mL (1/4 tasse) de crème simple sans gras

125 mL + 30 mL (1/2 tasse + 2 c. à soupe) de Splenda® granulé

900 g (2 lb) de pêches pelées et coupées en tranches (environ 8 pêches moyennes)

15 mL (1 c. à soupe) de farine tout usage

5 mL (1 c. à thé) de sucre (facultatif)

Préparation :

1. Préchauffer le four à 220 °C (425 °F).

2. Préparer une abaisse partiellement cuite selon la marche à suivre de la recette. Retirer du four et badigeonner immédiatement le fond et les côtés de l'abaisse avec le mélange de blanc d'œuf et d'eau. Réserver.

3. Dans un petit bol, fouetter le gros œuf et les 6 ingrédients qui suivent afin de préparer le flan. Réserver.

4. Déposer les tranches de pêches dans un grand bol et remuer avec 30 mL (2 c. à soupe) de Splenda® et 15 mL (1 c. à soupe) de farine. Transférer les pêches dans l'abaisse. Les placer en cercle depuis l'extérieur jusqu'au centre ou les disposer au hasard.

5. Verser le mélange de flan sur les pêches.

6. Faire cuire à 220 °C (425 °F) pendant 10 minutes. Réduire la chaleur du four à 175 °C (350 °F) et continuer de cuire 40 minutes ou jusqu'à ce que le flan semble bien pris lorsqu'on le remue.

7. Saupoudrer 5 mL (1 c. à thé) de sucre pour donner un lustre si désiré. Laisser refroidir sur une grille.

Notes :

En comparaison, une recette classique de flan aux pêches contient 398 calories, 21 g de gras (dont 13 g de gras saturés) et 26 g de sucre.

Par portion :

Calories : 190	Gras : 9 g (2,5 g saturés)
Glucides : 25 g	Fibres : 2 g
Protéines : 3 g	Sodium : 135 mg

Valeur de choix d'aliments pour le diabète =
1 choix de glucides, 1/2 choix de fruits,
2 choix de gras
Points WW = 4 points

Flan pâtissier à l'ancienne

8 portions

Ce flan mérite d'être appelé « à l'ancienne ». Fanny Farmer a publié une recette de flan pâtissier en 1918 qui ressemble beaucoup aux recettes d'aujourd'hui. À l'époque, les œufs et le lait abondaient dans les fermes. Le flan figurait alors souvent au menu. De nos jours, nous avons un vaste choix de desserts et nous oublions souvent les flans, mais le flan pâtissier est un classique qui est là pour rester.

INGRÉDIENTS :

1 abaisse simple (page 325) ou une abaisse préparée*

4 gros œufs

180 mL (3/4 tasse) de Splenda® granulé

0,5 mL (1/8 c. à thé) de sel

500 mL (2 tasses) de lait allégé

125 mL (1/2 tasse) de crème simple sans gras

7,5 mL (1 1/2 c. à thé) d'essence de vanille

2,5 mL (1/2 c. à thé) de muscade

* Si vous achetez une abaisse préparée, choisissez une abaisse dite « profonde ».

PRÉPARATION :

1. Préchauffer le four à 220 °C (425 °F). Tapisser l'abaisse d'une feuille de papier d'aluminium et remplir de poids ou de haricots secs. Faire cuire 10 minutes.

2. Retirer les haricots ou les poids et piquer l'abaisse avec une fourchette. Faire cuire 10 autres minutes ou jusqu'à ce que la pâte soit dorée. Retirer du four. Réduire la chaleur à 160 °C (325 °F).

3. Entre-temps, dans un grand bol, battre les œufs en mousse légère. Incorporer le Splenda®, le sel, l'essence de vanille et la muscade. Réserver.

4. Dans une petite casserole, faire frémir le lait et la crème. Verser en fouettant un peu du mélange chaud dans le mélange d'œufs, puis le reste du liquide.

5. Verser le mélange de flan chaud dans l'abaisse et déposer le moule à tarte sur une plaque de cuisson. Mettre au four et cuire 30 minutes ou jusqu'à ce que la lame d'un couteau insérée au centre en ressorte propre. Laisser refroidir sur une grille, puis réfrigérer.

PAR PORTION :

Calories : 190	Gras : 7 g (2,5 g saturés)
Glucides : 27 g	Fibres : 2 g
Protéines : 7 g	Sodium : 200 mg

Valeur de choix d'aliments pour le diabète =
1 1/2 choix de glucides, 1 choix de légumes,
1 choix de gras
Points WW = 4 points

NOTES :

De nouvelles études révèlent que les œufs, rejetés en raison du cholestérol contenu dans leurs jaunes, sont en fait bons pour la santé. En plus d'être nutritifs, ils semblent atténuer les risques de dégénération maculaire associée au vieillissement et de maladies du cœur. En fait, l'*American Heart Asssociation* confirme que la consommation d'un œuf par jour convient à la plupart des gens.

Tarte à la lime

8 portions

La lime odorante est l'ingrédient qui confère à cette tarte de la Floride sa saveur exquise. On trouve des limes dans de nombreux marchés durant les mois d'été. Du jus de lime en bouteille peut remplacer le jus d'agrumes frais si vous n'en trouvez pas.

INGRÉDIENTS :

1 fond de tarte aux biscuits Graham (page 327)

GARNITURE

1 sachet de gélatine neutre

160 mL (2/3 tasse) de jus de lime, divisés

250 mL (1 tasse) de lait allégé

1 gros œuf + 2 jaunes d'œufs légèrement battus

15 mL (1 c. à soupe) de zeste de lime

180 mL (3/4 tasse) de Splenda® granulé

113 g (4 oz) de fromage à la crème sans gras

113 g (4 oz) de fromage à la crème allégé

PRÉPARATION :

1. Dans une petite casserole, faire dissoudre la gélatine dans 80 mL (1/3 tasse) de jus de lime pendant 3 minutes. Ajouter le lait, l'œuf, les jaunes d'œufs, le reste du jus de lime, le zeste de lime et le Splenda®. Faire cuire 10 minutes jusqu'à épaississement du mélange. Retirer du feu et refroidir légèrement.

2. Mettre les fromages à la crème dans un grand contenant et battre en crème à vitesse moyenne à l'aide d'un batteur électrique. Incorporer le mélange de lime. Faire refroidir complètement au réfrigérateur en remuant aux 10 minutes.

3. Verser le mélange dans le fond de tarte refroidi et réfrigérer au moins 2 heures ou toute la nuit. Servir froid.

Mousse à la lime en portions individuelles : battre 1 gros blanc d'œuf et le plier dans le flan cuit refroidi. Répartir dans 6 ramequins (130 calories, 6 g de gras, 9 g chacun de glucides et 9 g de protéines).

NOTES :

La tarte à la lime est le dessert officiel de l'État de la Floride, et on la trouve dans à peu près tous les restaurants des Keys. Il y a plusieurs versions, mais celle qui comporte un fond de tarte aux biscuits Graham est la plus populaire. Je suggère de garnir la tarte d'une garniture fouettée allégée.

PAR PORTION :

Calories : 160	Gras : 6 g (2,5 g saturés)
Glucides : 16 g	Fibres : 0,5 g
Protéines : 8 g	Sodium : 260 mg

Valeur de choix d'aliments pour le diabète =
1 choix de glucides, 1 choix de gras
Points WW = 3 points

Tarte au beurre de cacahuètes (arachides)

10 portions

Un enfant pourrait confectionner cette tarte sans cuisson facile, mais elle plaît aux gens de tous âges. Un fond de tarte à la chapelure double chocolat contient une riche et pourtant subtile garniture au beurre de cacahuètes (arachides) recouverte d'un filet de chocolat. L'apparence et la saveur de cette tarte sont tout aussi décadentes que vous l'imaginez.

INGRÉDIENTS :

1 fond de tarte à la chapelure double chocolat (page 328)

125 mL (1/2 tasse) de beurre de cacahuètes (arachides) allégé

113 g (4 oz) de fromage à la crème allégé

113 g (4 oz) de fromage à la crème sans gras

125 mL (1/2 tasse) de Splenda® granulé

60 mL (1/4 tasse) de lait allégé

2,5 mL (1/2 c. à thé) d'essence de vanille

435 mL (1 3/4 tasse) de garniture fouettée allégée, décongelée

15 mL (1 c. à soupe) de sauce au chocolat fondant (page 430) ou de sirop de chocolat allégé Hershey's® (É.-U.)

PRÉPARATION :

1. Battre en crème à l'aide d'un batteur électrique le beurre de cacahuètes (arachides) et les fromages à la crème. Ajouter le Splenda®, le lait et l'essence de vanille. Battre jusqu'à texture lisse. Y plier la garniture fouettée et déposer par cuillerées dans le fond de tarte.

2. Réchauffer la sauce au chocolat fondant et arroser le dessus de la tarte avec un mouvement de va-et-vient pour décorer. Il n'est pas nécessaire de réchauffer le sirop de chocolat.

3. Réfrigérer au moins 1 heure avant de servir.

NOTES :

Des études montrent que le gras mono-insaturé du beurre de cacahuètes (arachides) est bon pour la santé. Si vous voulez un goût plus marqué, ajoutez 30 mL (2 c. à soupe) de beurre de cacahuètes (arachides). Comptez 20 calories et 1 g de gras, de glucides et de protéines en sus.

PAR PORTION :

Calories : 210   Gras : 11 g (4 g saturés)
Glucides : 20 g   Fibres : 1 g
Protéines : 7 g

Valeur de choix d'aliments pour le diabète =
1 choix de glucides, 1 choix de viandes
mi-grasses,1 choix de gras
Points WW = 5 points

Tarte à la crème triple vanille

8 portions

Cette tarte vous offre non pas une ni deux, mais trois doses de vanille. En plus d'être facile à préparer, ce délice onctueux satisfera tous les amateurs de vanille. Après avoir imaginé la combinaison d'un pudding à la vanille avec un fond de tarte à la chapelure à la vanille, il m'a fallu la réaliser. Ajoutez une garniture parfumée à la vanille et vous obtenez une tarte sensationnelle.

INGRÉDIENTS :

1 fond de tarte à la chapelure à la vanille (page 329)

1 recette de pudding à la vanille, variante de garniture pour tarte (page 245)

375 mL (1 1/2 tasse) de garniture fouettée allégée, décongelée

2,5 mL (1/2 c. à thé) d'essence de vanille

PRÉPARATION :

1. Préparer le fond de tarte selon la recette et réserver.

2. Préparer le pudding selon la marche à suivre de la variante de garniture pour tarte.

3. Verser le pudding chaud dans l'abaisse et couvrir d'une pellicule plastique. Laisser refroidir sur une grille, puis réfrigérer.

4. Dans un contenant moyen, combiner la garniture fouettée et l'essence de vanille. Étaler sur le dessus de la tarte. Réfrigérer.

PAR PORTION :

Calories : 180   Gras : 8 g (3 g saturés)
Glucides : 22 g   Fibres : 0 g
Protéines : 4 g   Sodium : 90 mg

Valeur de choix d'aliments pour le diabète =
1 1/2 choix de glucides, 1 choix de gras,
1/2 choix de viandes maigres
Points WW = 4 points

Tarte à la crème à la banane

8 portions

Un jour où je regardais la chaîne Food Network, un chef très populaire aux États-Unis (M. « Bam ») réalisait sa recette de tarte à la crème et à la banane. Avec de la crème, du beurre, du sucre, plus de sucre et des bananes, en plus d'une sauce au chocolat et d'une autre au caramel, elle était tout à fait décadente ! Je me suis demandé ce qu'apportait une pointe de cette tarte sur le plan nutritionnel. Tenez-vous bien : 990 calories et 110 g de glucides (dont 93 provenant du sucre) par portion, soit l'apport quotidien recommandé en gras et deux fois l'apport quotidien recommandé en gras saturés. Et bam ! (En plus, une portion correspondait à une pointe d'une tarte de 23 cm (9 po) taillée en 10.)

INGRÉDIENTS :

1 fond de tarte à la chapelure à la vanille (page 329)

GARNITURE

7,5 mL (1 1/2 c. à thé) de gélatine neutre

430 mL (1 3/4 tasse) de lait allégé

180 mL (3/4 tasse) de crème simple sans gras

180 mL (3/4 tasse) de Splenda® granulé

30 mL (2 c. à soupe) de fécule de maïs

1 œuf + 1 blanc d'œuf légèrement battus

10 mL (2 c. à thé) d'essence de vanille

5 mL (1 c. à thé) d'essence de brandy ou xérès (facultatif, mais savoureux)

1 grosse banane tranchée finement

250 mL (1 tasse) de garniture fouettée allégée

PRÉPARATION :

1. Préparer le fond de tarte selon la recette et réserver.

2. Dans une petite casserole, saupoudrer la gélatine sur 60 mL (1/4 tasse) de lait. Laisser reposer 3 minutes pour ramollir. Réserver.

3. Dans une casserole moyenne, fouetter ensemble 375 mL (1 1/2 tasse) de lait, la crème simple, le Splenda®, la fécule de maïs, l'œuf et le blanc d'œuf jusqu'à consistance lisse. Faire cuire à feu moyen en remuant constamment et en raclant les rebords de la casserole jusqu'à faible ébullition. Faire cuire une minute de plus. Retirer du feu et incorporer la gélatine ramollie, l'essence de vanille et l'essence de brandy ou xérès. Réserver.

4. Étaler 1/3 de la garniture dans le fond de tarte refroidi. Couvrir de tranches de bananes, puis recouvrir du reste de la garniture. Laisser refroidir à la température de la pièce, puis réfrigérer jusqu'à ferme (environ 2 heures).

5. Servir chaque pointe avec 30 mL (2 c. à soupe) de garniture fouettée ou décorez le tour de la tarte d'un ruban de garniture fouettée posé à l'aide d'une poche à douille en forme d'étoile.

PAR PORTION :

Calories : 180	Gras : 7 g (2,5 g saturés)
Glucides : 24 g	Fibres : 1 g
Protéines : 5 g	Sodium : 135 mg

Valeur de choix d'aliments pour le diabète =
1/2 choix de lait allégé, 1 choix de glucides,
1 choix de gras
Points WW = 4 points

NOTES :

Pour aller plus loin, versez un filet de riche sauce au chocolat noir (page 429) ou parsemez de quelques copeaux de chocolat, comme on le fait dans certains restaurants, ce qui n'ajoute que quelques calories.

Tarte à la crème à la noix de coco

8 portions

Je raffole de ce dessert. Je prends rarement plus d'une ou deux bouchées de tartes à la crème, car elles sont très riches. Une pointe de tarte à la crème à la noix de coco classique peut facilement totaliser 500 calories. J'ai dû faire plusieurs essais afin de préserver l'onctuosité de la version classique tout en diminuant le sucre et le gras. Quel défi ! J'ai su que j'avais atteint mon objectif lorsque ma voisine, qui a travaillé au développement de recettes, a eu peine à croire que ma tarte contenait non seulement peu de gras, mais également aussi peu que 30 mL (2 c. à soupe) de sucre.

INGRÉDIENTS :

1 fond de tarte à la chapelure à la vanille (page 329)

GARNITURE

180 mL (3/4 tasse) de Splenda® granulé

60 mL (1/4 tasse) de fécule de maïs

375 mL (1 1/2 tasse) de lait allégé

250 mL (1 tasse) de crème simple sans gras

1 gros œuf + 1 jaune d'œuf légèrement battus

10 mL (2 c. à thé) d'essence de noix de coco

2,5 mL (1/2 c. à thé) d'essence de vanille

30 mL (2 c. à soupe) de noix de coco

MERINGUE

15 mL (1 c. à soupe) de fécule de maïs

30 mL (2 c. à soupe) de sucre

80 mL (1/3 tasse) d'eau

4 gros blancs d'œufs (ou 6 blancs d'œufs pasteurisés)

1,2 mL (1/4 c. à thé) de crème de tartre

125 mL (1/2 tasse) de Splenda® granulé

45 mL (3 c. à soupe) de noix de coco

PRÉPARATION :

1. Crème : dans une casserole moyenne, combiner le Splenda® et la fécule de maïs. Ajouter en brassant le lait et la crème simple et fouetter jusqu'à ce que la fécule soit délayée. Ajouter les œufs battus et fouetter. Faire cuire jusqu'à faible ébullition. Retirer du feu dès que le mélange commence à épaissir. Continuer de brasser vigoureusement afin d'éviter la formation de grumeaux. Remettre sur la cuisinière et laisser mijoter en brassant de 1 à 2 minutes. La crème doit être épaisse et lisse.

2. Incorporer les essences et la noix de coco. Retirer du feu. Verser dans le fond de tarte préparé et couvrir d'une pellicule plastique pendant la préparation de la meringue.

3. Préchauffer le four à 200 °C (400 °F).

4. Meringue : dans une petite casserole, mettre la fécule de maïs et le sucre; ajouter l'eau et brasser pour obtenir une pâte liquide et lisse. Faire cuire à feu moyen jusqu'à ébullition. Brasser et laisser bouillir 15 secondes. Couvrir la casserole lorsque le mélange est épais et translucide.

5. Dans un bol moyen bien propre et sans gras, battre les blancs d'œuf en mousse légère. Ajouter en battant la crème de tartre, puis le Splenda®, graduellement. Battre jusqu'à la formation de pics fermes, mais non secs. Réduire la vitesse du batteur et incorporer le mélange de fécule de maïs, 15 mL (1 c. à soupe) à la fois. Augmenter la vitesse et battre 30 secondes.

6. Retirer la pellicule plastique de la tarte et recouvrir la tarte entière de meringue. Parsemer des 45 mL (3 c. à soupe) de noix de coco.

7. Faire cuire au four 10 minutes ou jusqu'à ce que la noix de coco et la meringue soient dorées. Retirer du four et laisser refroidir sur une grille. Réfrigérer. La couche extérieure de la meringue peut durcir légèrement le deuxième jour.

NOTES :

Il faut stabiliser les blancs d'œufs pour faire une meringue. Le mélange de fécule de maïs et de sucre vous permet de le faire avec une fraction du sucre utilisé dans les recettes de meringue classiques.

PAR PORTION :

Calories : 210	Gras : 8 g (4 g saturés)
Glucides : 28 g	Fibres : 0 g
Protéines : 6 g	Sodium : 150 mg

Valeur de choix d'aliments pour le diabète =
2 choix de glucides, 1 choix de viandes maigres,
1 choix de gras
Points WW = 5 points

Tarte à la crème au chocolat et à la menthe

8 portions

Un jour, alors que je me rendais au marché acheter quelques ingrédients qui me manquaient, j'ai vu des jeunes filles du mouvement des Guides qui vendaient des biscuits. Je me suis demandé s'il y avait quelqu'un qui n'aimait pas leurs biscuits minces à la menthe. Cela m'a inspiré cette tarte à la crème au chocolat et à la menthe. Une lectrice, amateur de ces biscuits et suivant le programme WW, m'a dit qu'elle avait fait cette tarte pour une rencontre entre amies. Son seul commentaire : mieux vaut en faire deux !

INGRÉDIENTS :

1 fond de tarte à la chapelure double chocolat (page 328)

GARNITURE

180 mL (3/4 tasse) de Splenda® granulé

45 mL (3 c. à soupe) de fécule de maïs

30 mL (2 c. à soupe) de cacao alcalinisé

125 mL (1/2 tasse) de crème simple sans gras

375 mL (1 1/2 tasse) de lait allégé

1 gros œuf battu

80 mL (1/3 tasse) de pépites de chocolat mi-sucrées

5 mL (1 c. à thé) d'essence de vanille

GARNITURE DÉCORATIVE

375 mL (1 1/2 tasse) de garniture fouettée allégée, décongelée

30 mL (2 c. à soupe) de Splenda® granulé

À peine 1,2 mL (1/4 c. à thé) d'essence de menthe

PRÉPARATION :

1. Garniture : dans une casserole moyenne, combiner le Splenda®, la fécule de maïs et le cacao. Incorporer le lait et la crème simple et fouetter jusqu'à ce que la fécule de maïs soit délayée. Ajouter l'œuf battu en brassant. Faire cuire à faible ébullition à feu doux en remuant constamment.

2. Quand le mélange épaissit, retirer du feu un moment et brasser vigoureusement, en raclant bien les rebords de la casserole, afin d'éviter la formation de grumeaux.

3. Ajouter le chocolat et remettre sur le feu. Faire mijoter 1 ou 2 minutes. La consistance sera alors épaisse et lisse.

4. Incorporer la vanille en remuant et retirer du feu. Verser la garniture chaude dans le fond de tarte. Couvrir d'une pellicule plastique. Laisser refroidir entièrement sur une grille, puis réfrigérer.

5. Garniture décorative : dans un contenant moyen, plier le Splenda® et l'essence de menthe dans la garniture fouettée. Étaler sur la tarte. Réfrigérer.

Variation de tarte au chocolat et à la menthe poivrée : remplacer l'essence de menthe par une essence de menthe poivrée.

PAR PORTION :

Calories : 200   Gras : 8 g (4 g saturés)
Glucides : 27 g   Fibres : 1 g
Protéines : 5 g   Sodium : 150 mg

Valeur de choix d'aliments pour le diabète =
2 choix de glucides, 1 choix de viandes maigres,
1 choix de gras
Points WW = 4 points

Tarte aux fraises de rêve

8 portions

Vous apprécierez cette recette de tarte facile et sans cuisson si vous aimez vos baies avec une garniture fouettée.

INGRÉDIENTS :

1 fond de tarte à la chapelure à la vanille (page 329)

GARNITURE

500 mL (2 tasses) de fraises tranchées

160 mL (2/3 tasse) de Splenda® granulé

15 mL (1 c. à soupe) de jus de citron

1 sachet de gélatine neutre

60 mL (1/4 tasse) de jus de canneberges allégé

375 mL (1 1/2 tasse) de garniture fouettée allégée

PRÉPARATION :

1. Écraser les fraises dans un petit bol. Ajouter le Splenda® et le jus de citron. Réserver 15 minutes jusqu'à ce que le Splenda® soit dissout et que le mélange soit très juteux.

2. Verser le jus de canneberge sur la gélatine. Laisser prendre 3 minutes. Chauffer pour faire dissoudre la gélatine, puis refroidir légèrement. Incorporer la gélatine dans le mélange de fraises. Laisser refroidir complètement. Y plier la garniture fouettée allégée et verser le tout dans le fond de tarte. Réfrigérer jusqu'à ferme, au moins 1 heure.

3. Garnir d'autre garniture fouettée et d'un anneau de fraises entières.

NOTES :

Quelques modifications simples ont suffi à couper presque tout le sucre et 2/3 du gras dans ce délice somptueux aux fraises facile à faire.

PAR PORTION :

Calories : 170	Gras : 9 g (2 g saturés)
Glucides : 21 g	Fibres : 2 g
Protéines : 2 g	Sodium : 90 mg

Valeur de choix d'aliments pour le diabète =
1 choix de fruits, 1/2 choix de glucides,
2 choix de gras
Points WW = 4 points

Tarte au citron meringuée

8 portions

Mes parents ont un citronnier, donc ma mère confectionne souvent des tartes au citron meringuées. Elle remplace le sucre par du Sugar Blend for Baking de Splenda® et est bien satisfaite. Elle a cependant omis le fait qu'elle devrait utiliser deux fois moins de Sugar Blend for Baking que de sucre (page 13). J'ai travaillé dur pour réussir à réduire le sucre de cette recette sans sacrifier la saveur. J'emploie du Sugar Blend for Baking (parce qu'il contient du vrai sucre) ainsi que du Splenda® granulé (pour son pouvoir sucrant et sa faible teneur en calories et en glucides). Le résultat : une tarte au citron qui ne contient que 25 % du sucre de la version originale, mais qui est tout aussi savoureuse que celle de maman.

INGRÉDIENTS :

1 abaisse simple (page 325) ou une abaisse préparée

GARNITURE

180 mL (3/4 tasse) de *Sugar Blend for Baking* de Splenda®

180 mL (3/4 tasse) de Splenda® granulé

125 mL (1/2 tasse) de jus de citron

80 mL (1/3 tasse) de fécule de maïs

375 mL (1 1/2 tasse) d'eau

15 mL (1 c. à soupe) de zeste de citron

Pincée de sel

3 gros jaunes d'œufs (ou plus si désiré)

15 mL (1 c. à soupe) de beurre

MERINGUE

180 mL (1/3 tasse) d'eau

15 mL (1 c. à soupe) de fécule de maïs

30 mL (2 c. à soupe) de *Sugar Blend for Baking* de Splenda®

4 gros blancs d'œufs

1,2 mL (1/4 c. à thé) de crème de tartre

60 mL (1/4 tasse) de Splenda® granulé

PAR PORTION :

Calories : 220	Gras : 10 g (4 g saturés)
Glucides : 29 g	Fibres : 0 g
Protéines : 4 g	Sodium : 145 mg

Valeur de choix d'aliments pour le diabète = 2 choix de glucides, 2 choix de gras
Points WW = 5 points

PRÉPARATION :

1. Garniture : dans une casserole moyenne, fouetter le *Sugar Blend for Baking*, le Splenda® granulé, le jus de citron et la fécule de maïs jusqu'à consistance lisse. Ajouter en fouettant l'eau, le zeste, le sel et les jaunes d'œufs jusqu'à ce qu'il n'y ait plus de traces des œufs. Faire cuire à feu moyen en brassant jusqu'à pleine ébullition. Laisser mijoter 1 minute en remuant. Retirer du feu et incorporer le beurre en fouettant. Verser dans l'abaisse et couvrir d'une pellicule plastique.

2. Préchauffer le four à 200 °C (400 °F).

3. Meringue : dans une petite casserole, fouetter l'eau, la fécule de maïs et le *Sugar Blend for Baking*. Faire cuire à feu moyen en fouettant jusqu'à ébullition. Laisser bouillir 15 secondes jusqu'à consistance épaisse, lisse et translucide. Couvrir.

4. Dans un bol propre, battre les blancs d'œufs en mousse légère. Incorporer la crème de tartre en fouettant, puis le Splenda® granulé jusqu'à la formation de pics mous. Ajouter le mélange de fécule de maïs, 15 mL (1 c. à soupe) à la fois.

5. Retirer la pellicule plastique et recouvrir la tarte de meringue jusqu'au bord. Faire cuire 10 minutes au four préchauffé ou jusqu'à ce que la meringue soit légèrement dorée. Refroidir sur une grille, puis réfrigérer.

Tarte mousseline au citron

8 portions

Succulente et pourtant si légère, cette tarte sans cuisson vous changera de la tarte au citron meringuée classique. On fait une meringue, mais cette dernière est pliée dans la garniture et non déposée sur le dessus. Je la fais avec un fond de tarte aux biscuits Graham, mais vous pouvez utiliser une abaisse précuite si vous le préférez.

INGRÉDIENTS :

1 fond de tarte aux biscuits Graham (page 327)

GARNITURE

80 mL (1/3 tasse) d'eau

1 sachet de gélatine neutre

1 gros œuf + 2 gros jaunes d'œufs, battus (réservez les blancs)

180 mL + 45 mL (3/4 tasse + 3 c. à soupe) de Splenda® granulé

125 mL (1/2 tasse) de jus de citron

10 mL (2 c. à thé) de zeste de citron

2 gros blancs d'œufs (ou 3 blancs d'œufs pasteurisés)

1,2 mL (1/4 c. à thé) de crème de tartre

250 mL (1 tasse) de garniture fouettée, décongelée

PRÉPARATION :

1. Verser l'eau dans une petite casserole épaisse et saupoudrer la gélatine dessus. Laisser ramollir 3 minutes.

2. Ajouter en fouettant les œufs battus, 180 mL (3/4 tasse) de Splenda®, le jus de citron et le zeste.

3. Faire cuire à feu moyen en remuant constamment avec une cuillère en bois ou une spatule résistante à la chaleur jusqu'à ce que le mélange épaississe et enrobe le dos d'une cuillère. Verser le mélange dans un grand contenant et réfrigérer de 45 à 60 minutes ou jusqu'à ce qu'il se tienne quand on le prend avec une cuillère, sans être pris.

4. Dans un grand bol, battre les blancs d'œufs et la crème de tartre en mousse légère. Continuer de battre en ajoutant graduellement le Splenda® jusqu'à la formation de pics fermes, mais pas secs.

5. Plier délicatement les blancs d'œufs dans le mélange de citron refroidi avec une grosse spatule de caoutchouc ou une cuillère. Y plier également la garniture fouettée. Déposer par cuillerée dans le fond de tarte et réfrigérer au moins 3 heures.

PAR PORTION :

Calories : 140   Gras : 6 g (2 g saturés)
Glucides : 18 g   Fibres : 0 g
Protéines : 6 g   Sodium : 145 mg

Valeur de choix d'aliments pour le diabète =
1 choix de glucides, 1 choix de viandes
mi-maigres
Points WW = 3 points

NOTES :

Une tarte mousseline au citron traditionnelle contient le double du gras de celle-ci. Quant au sucre… êtes-vous prêts ? Elle contient 59 g de glucides dont 53 g proviennent du sucre.

Tarte mousseline à la citrouille

8 portions

Je voulais vraiment créer une tarte à la citrouille sans cuisson, à la fois épaisse, savoureuse et légère. Mon équipe et moi avons plongé dans les citrouilles jusqu'aux coudes et avons produit diverses versions de tartes à la citrouille, dont celle-ci. À la fin, nous avons constaté que nous préférions toujours la première version testée. Cette tarte finit tout repas des fêtes en beauté.

INGRÉDIENTS :

1 fond de tarte aux biscuits Graham de 23 cm (9 po) (page 327) ou 1 fond de tarte aux biscuits Graham préparé*

GARNITURE

60 mL (1/4 tasse) d'eau froide

1 sachet de gélatine neutre

1 boîte de 444 mL (15 oz) de citrouille

2 œufs, séparés

1 boîte de 355 mL (12 oz) de lait évaporé allégé

180 mL (3/4 tasse) de Splenda® granulé

15 mL (1 c. à soupe) de mélasse

7,5 mL (1 1/2 c. à thé) de cannelle

2,5 mL (1/2 c. à thé) de gingembre moulu

1,2 mL (1/4 c. à thé) de clou de girofle moulu

30 mL (2 c. à soupe) de sucre

PRÉPARATION :

1. Préparer le fond de tarte et laisser refroidir.

2. Dans un petit contenant, saupoudrer la gélatine sur l'eau froide.

3. Dans une casserole moyenne, combiner la citrouille, les jaunes d'œufs, le lait, le Splenda®, la mélasse, la cannelle, le gingembre et le clou de girofle. Bien mélanger. Ajouter la gélatine. Amener à faible ébullition à feu moyen.

4. Retirer du feu et transférer dans un grand contenant. Laisser refroidir à la température de la pièce. Réfrigérer 30 minutes.

5. Dans un bol moyen, battre les blancs d'œufs en mousse légère. Ajouter le sucre et continuer de battre jusqu'à la formation de pics fermes, mais pas secs.

6. Plier les blancs d'œufs dans le mélange de citrouille refroidi et déposer dans le fond de tarte en faisant un monticule au centre.

7. Couvrir et réfrigérer pendant 4 heures au moins.

* Si vous achetez un fond de tarte préparé, choisissez-en un pour tarte « profonde ».

PAR PORTION :

Calories : 190
Glucides : 27 g
Protéines : 7 g

Gras : 7 g (2,5 g saturés)
Fibres : 2 g
Sodium : 200 mg

Valeur de choix d'aliments pour le diabète =
1 1/2 choix de glucides, 1 choix de légumes,
1 choix de gras
Points WW = 4 points

NOTES :

La citrouille est plus populaire à l'automne. Ce livre propose plusieurs recettes à la citrouille : muffins épicés à la citrouille, scones à la citrouille, pain à la citrouille et aux pacanes, barres givrées à la citrouille, mousse à la citrouille et croquants au gingembre, gâteau au fromage et flans à la citrouille ainsi qu'un roulé à la citrouille farci de fromage à la crème… sans oublier la tarte à la citrouille classique.

Tarte mousseline au chocolat

8 portions

Une riche garniture au chocolat noir dans un fond de tarte double chocolat. Que dire de plus !

INGRÉDIENTS :

1 fond de tarte à la chapelure double chocolat (page 328)

GARNITURE

1 sachet de gélatine neutre

180 mL (3/4 tasse) d'eau froide

90 mL (6 c. à soupe) de cacao

5 mL (1 c. à thé) de fécule de maïs

125 mL (1/2 tasse) de Splenda® granulé

3 jaunes d'œufs, légèrement battus

5 mL (1 c. à thé) d'essence de vanille

3 blancs d'œufs

30 mL (2 c. à soupe) de sucre granulé

180 mL (3/4 tasse) de garniture fouettée allégée

PRÉPARATION :

1. Faire ramollir la gélatine dans 60 mL (1/4 tasse) d'eau froide. Réserver.

2. Verser 125 mL (1/2 tasse) d'eau dans une petite casserole. Amalgamer en fouettant le cacao, la fécule de maïs, le Splenda® et les jaunes d'œufs. Faire cuire à feu moyen en remuant jusqu'à consistance épaisse et lisse. Retirer du feu.

3. Verser dans un grand contenant et laisser refroidir en remuant à l'occasion jusqu'à ce que le mélange forme une boule quand il tombe d'une cuillère.

4. Dans un contenant moyen, battre les blancs d'œufs en mousse légère. Ajouter le sucre et continuer de battre jusqu'à la formation de pics fermes, mais pas secs. Plier dans le mélange de chocolat. Plier ensuite la garniture fouettée délicatement. Déposer par cuillerées dans le fond de tarte.

Variante au café : remplacer 125 mL (1/2 tasse) d'eau par 125 mL (1/2 tasse) de café fort.

NOTES :

Il ne faut râper que la partie colorée de la plutôt amère.

PAR PORTION :

Calories : 160	Gras : 6 g (2 g saturés)
Glucides : 21 g	Fibres : 2 g
Protéines : 6 g	Sodium : 125 mg

Valeur de choix d'aliments pour le diabète =
1 choix de glucides, 1 choix de gras
Points WW = 3 points

Croustades, pavés américains, strudels et tartelettes

Des croustades, pavés américains, strudels et tartelettes remplis de fruits savoureux sont garnis, enroulés ou déposés dans une pâte pâtissière tendre ou une chapelure sucrée. Si vous vous demandez quelle est la difference entre le pavé et la croustade, elle se trouve au niveau de la garniture : celle de la croustade est faite de miettes ou de garniture strudel ; alors que celle du pavé consiste en une pâte à biscuit ou à tarte. Les strudels sont aussi confectionnés de pâte très mince et repliée sur elle-même, ce qui la rend croustillante autour des fruits sucrés à l'intérieur. Quant aux tartelettes, elles se comparent aux tartes classiques, mais sont cuites dans des plats cannelés. Des fruits remplissent une abaisse de pâte à tarte sucrée ou de pâte riche.

Les deux autres ingrédients habituels dans la confection de ces desserts classiques sont le beurre et le sucre, et ce, en grande quantité.

Ce que mes versions de desserts favorisent sont la saveur des fruits, sans toutefois déborder de sucre et de gras. Le strudel aux pommes est par exemple facile à préparer et sain lorsque vous remplacez la riche pâte pâtissière par une pâte phyllo. Pour sa part, la croustade de pêches et de myrtilles (bleuets) regorge de garniture croustillante faite à base d'ingrédients sains comme les flocons d'avoine et les amandes. De plus, le Bisquick® léger agrémenté d'une confiture à la framboise faible en sucre et de framboises fraîches vous permettra de créer le strudel rapide au fromage à la crème et à la framboise, dont le goût est comparable à sa version classique. La tartelette aux fruits frais est un dessert gagnant lorsqu'elle est confectionnée d'une crème pâtissière faible en sucre et d'une grande quantité de baies fraîches. En bref, il y a plein de desserts aux fruits succulents et bons pour votre santé... c'est une combinaison rêvée.

Croustade aux pommes

6 portions

À la cueillette des pommes à l'automne et lorsque le mercure commence à chuter, je pense aux croustades de pommes chaudes et tendres nappées d'une garniture aux flocons d'avoine croustillantes. Elles figurent parmi les ingrédients les plus réconfortants qui soient. Bon nombre de recettes de croustades sont faibles en gras, mais elles regorgent de sucre. Ma version contient surtout des pommes.

INGRÉDIENTS :

GARNITURE

900 g (2 lbs) de pommes de cuisson fermes (environ 5 pommes moyennes) pelées, épépinées et coupées en fines tranches de 0,5 cm (1/4 po)

30 mL (2 c. à soupe) de jus d'orange

60 mL (1/4 tasse) de Splenda® granulé

15 mL (1 c. à soupe) de farine tout usage

2,5 mL (1/2 c. à thé) de cannelle

CROUSTADE

125 mL (1/2 tasse) de farine tout usage

90 mL (6 c. à soupe) de flocons d'avoine à l'ancienne

125 mL (1/2 tasse) de Splenda® granulé

5 mL (1 c. à thé) de cannelle

60 mL (4 c. à soupe) de beurre allégé

PRÉPARATION :

1. Préchauffer le four à 175 °C (350 °F). Vaporiser légèrement un plat en verre allant au four de 20 cm (8 po) d'un enduit pour cuisson antiadhésif.

2. Garniture : mélanger les pommes et le jus d'orange dans un grand bol.

3. Mélanger ensemble le Splenda®, la farine et la cannelle dans un petit bol. Saupoudrer sur les pommes et mélanger.

4. Déposer les pommes dans le moule préparé.

5. Croustade : mélanger ensemble dans un bol moyen la farine, les flocons d'avoine, le Splenda® et la cannelle. Y couper le beurre avec un coupe-pâte, une fourchette ou les doigts jusqu'à ce que le mélange ait une texture finement grumeleuse. Étaler la croustade sur les pommes.

6. Cuire au four de 40 à 45 minutes ou jusqu'à ce que les pommes soient tendres, mais toujours croquantes, à ébullition. La croustade est davantage savoureuse servie chaude.

PAR PORTION :

Calories : 175	Gras : 4,5 g (2 g saturés)
Glucides : 33 g	Fibres : 4 g
Protéines : 2 g	Sodium : 20 mg

Valeur de choix d'aliments pour le diabète =
1 choix de glucides, 1 choix de fruits, 1 choix de gras
Points WW = 3 points

NOTES :

Comment pouvez-vous alléger le beurre ? En le fouettant dans de l'eau. Le beurre allégé contient la moitié des calories et du gras du beurre régulier vu sa teneur en eau à 50 %, mais il n'est pas idéal dans la confection de biscuits. Il est en revanche un bon choix dans cette recette en vous donnant deux fois la quantité de beurre à couper dans le mélange sans doubler le nombre de calories ou la quantité de gras.

Croustade aux baies variées de Kim

8 portions

Kim est membre à vie des Weight Watchers. Elle m'a non seulement fait parvenir des remerciements pour la rédaction de mon livre de recettes sur les desserts, elle m'a aussi envoyé sa recette préférée dont je raffole. J'aimerais la partager avec vous. Merci Kim !

INGRÉDIENTS :

2 sacs de baies surgelées variées de 500 g (16 oz), légèrement décongelées

60 mL (1/4 tasse) de Splenda® granulé

40 mL (1 1/2 c. à soupe) de fécule de maïs

CROUSTADE

180 mL (3/4 tasse) de flocons d'avoine à l'ancienne

60 mL (1/4 tasse) de Splenda® granulé

3,6 mL (3/4 c. à thé) de cannelle

15 mL (1 c. à soupe) de margarine

1 blanc d'œuf

PRÉPARATION :

1. Préchauffer le four à 175 °C (350 °F). Vaporiser légèrement un plat de 20 x 30 cm (9 x 13 po) d'un enduit pour cuisson antiadhésif.

2. Mélanger les baies et le Splenda® dans un grand bol. Verser dans le plat préparé.

3. Dans un petit bol, couper la margarine dans le mélange de flocons d'avoine, de Splenda® et de cannelle. Incoporer lentement le blanc d'œuf et étaler sur les baies.

4. Faire cuire au four 30 minutes ou jusqu'à ce que les fruits soient à ébullition.

NOTES :

Aucun aliment n'excède la quantité de fibres qui se trouvent dans les baies. Les framboises, les mûres et les mûres de Boysen contiennent chacune 8 g de fibres par tasse. Les fraises et les myrtilles (bleuets) n'en contiennent que 4, mais c'est beaucoup. Outre les fibres, les baies comptent peu de calories. Les fraises ont 50 calories par tasse ; et les myrtilles (bleuets), 80. Elles sont sans contredit un atout pour ceux et celles qui surveillent leur poids.

PAR PORTION :

Calories : 135   Gras : 2,5 g (0 g saturés)
Glucides : 28 g   Fibres : 6 g
Protéines : 2 g   Sodium : 15 mg

Valeur de choix d'aliments pour le diabète =
1 choix de fruits, 1/2 choix de glucides,
1/2 choix de gras
Points WW = 2 points

Croustade de pêches et de myrtilles (bleuets) garnie d'amandes

8 portions

Rien n'annonce l'été autant que les pêches fraîches et les myrtilles (bleuets) juteuses. Cette version de croustade combine ces deux fruits d'été savoureux et les nappe d'une croustade croquante parfumée aux amandes. Dégustez-la avec une cuillerée de crème fouettée ou une portion de votre glace à la vanille préférée.

INGRÉDIENTS :

875 mL (3 1/2 tasses) de pêches, pelées et tranchées

500 mL (2 tasses) de myrtilles (bleuets) surgelées

15 mL (1 c. à soupe) de farine tout usage

10 mL (2 c. à thé) de jus de citron

60 mL (1/4 tasse) de Splenda® granulé

CROUSTADE

180 mL (3/4 tasse) de flocons d'avoine à l'ancienne

60 mL (1/4 tasse) de farine tout usage

60 mL (1/4 tasse) d'amandes tranchées

125 mL (1/2 tasse) de Splenda® granulé

60 mL (4 c. à soupe) de beurre allégé

PRÉPARATION :

1. Préchauffer le four à 190 °C (375 °F).

2. Vaporiser un plat de 15 x 24 cm (7 x 11 po) d'un enduit pour cuisson antiadhésif. Mélanger les pêches, les myrtilles (bleuets), la farine, le jus de citron et le Splenda® dans le plat de cuisson et réserver.

3. Dans un petit bol, combiner les flocons d'avoine, la farine les amandes, le Splenda® et la cannelle. Y couper le beurre et étaler les miettes sur la croustade.

4. Faire cuire au four de 30 à 40 minutes.

PAR PORTION DE 125 mL (1/2 TASSE) :

Calories : 130	Gras : 5 g (2 g saturés)
Glucides : 22 g	Fibres : 3 g
Protéines : 2 g	Sodium : 20 mg

Valeur de choix d'aliments pour le diabète =
1 choix de fruits, 1/2 choix de glucides,
1/2 choix de gras
Points WW = 2 points

Croustade fraises et rhubarbe à la cassonade

8 portions

En général, la croustade contient une garniture aux flocons d'avoine. Son goût croquant provient de l'avoine et d'un peu de cassonade. Si vous avez accès au Splenda Brown Sugar Blend®, vous pouvez le substituer à la cassonade et éliminer le 60 mL (1/4 tasse) de Splenda® granulé utilisé dans la croustade de la recette.

INGRÉDIENTS :

1 L (4 tasses) de morceaux de 2,5 cm (1 po) de rhubarbe fraîche (environ 680 g (1 1/2 livre) de tiges de rhubarbe

500 mL (2 tasses) de fraises équeutées et coupées en deux

250 mL (1 tasse) de Splenda® granulé

60 mL (1/4 tasse) d'eau

15 mL (1 c. à soupe) de fécule de maïs

2,5 mL (1/2 c. à thé) de zeste d'orange

80 mL (1/3 tasse) de farine tout usage

80 mL (1/3 tasse) de flocons d'avoine à l'ancienne

80 mL (1/3 tasse) de cassonade

3,6 mL (3/4 c. à thé) de gingembre moulu

Pincée de muscade (facultative)

30 mL (2 c. à soupe) de beurre, froid

PRÉPARATION :

1. Préchauffer le four à 190 °C (375 °F). Mettre de côté un plat de cuisson peu profond.

2. Dans un grand bol, mélanger la rhubarbe et les fraises avec 160 mL (2/3 tasse) de Splenda®, l'eau, la fécule de maïs et le zeste d'orange. Verser dans le plat de cuisson.

3. Dans un petit bol, combiner le reste des ingrédients sauf le beurre.

4. Couper le beurre dans la farine et le mélange de flocons d'avoine, puis étaler sur les fruits.

5. Faire cuire au four 40 minutes ou jusqu'à ébullition.

NOTES :

La rhubarbe est reconnue pour son goût unique et sa riche couleur cramoisie. Assurez-vous d'acheter des tiges fermes et fraîches. Les petites tiges plus minces sont moins filandreuses, bien que les plus grosses soient tout aussi délicieuses. Les manipuler comme le céleri si elles sont très filandreuses. Ne pelez pas. La rhubarbe peut être rafraîchie en coupant l'embout de sa tige et en la plongeant dans de l'eau froide pendant 1 heure.

PAR PORTION :

Calories : 145   Gras : 2,5 g (1 g saturés)
Glucides : 29 g   Fibres : 3,5 g
Protéines : 2 g   Sodium : 25 mg

Valeur de choix d'aliments pour le diabète =
1 choix de glucides, 1/2 choix de fruits,
1/2 choix de gras
Points WW = 2 points

Pavé américain aux mûres

5 portions

Il existe un grand nombre de types de pavés. Dans le passé, on les confectionnait fréquemment avec une pâte à tarte. De nos jours, la pâte à biscuits plus sucrée et plus tendre semble être davantage populaire. Dans certaines recettes, la pâte ne recouvre qu'une partie des fruits, et certaines autres nappent le plat entier, comme je le fais dans ma recette. Quel que soit votre choix, le pavé est une façon agréable de manger des fruits.

INGRÉDIENTS :

750 mL (3 tasses) de mûres (légèrement décongelées si surgelées)

60 mL (1/4 tasse) de Splenda® granulé

15 mL (1 c. à soupe) de fécule de maïs

5 mL (1 c. à thé) de jus de citron

GARNITURE

60 mL (1/4 tasse) de lait allégé

30 mL (2 c. à soupe) de jus de citron

22,5 mL (1 1/2 c. à soupe) de beurre ou de margarine (fondu)

250 mL (1 tasse) + 30 mL (2 c. à soupe) de farine tout usage

30 mL (2 c. à soupe) de Splenda® granulé

3,6 mL (3/4 c. à thé) de levure chimique

1,2 mL (1/4 c. à thé) de bicarbonate de sodium

1 blanc d'œuf battu avec 30 mL (2 c. à soupe) d'eau

30 mL (2 c. à soupe) de sucre (facultatif)

PRÉPARATION :

1. Préchauffer le four à 190 °C (375 °F). Vaporiser légèrement un plat de 18 x 18 cm (8 x 8 po) ou une assiette à tarte de 20 cm (9 po) d'un enduit pour cuisson antiadhésif.

2. Mélanger délicatement les baies avec le Splenda®, la fécule de maïs et 15 mL (1 c. à soupe) de jus de citron. Déposer dans le plat à cuisson.

3. Garniture : dans un petit bol, combiner le lait, 30 mL (2 c. à soupe) de jus de citron et le beurre. Réserver.

4. Dans un autre bol, combiner ensemble la farine, 30 mL (2 c. à soupe) de Splenda®, la levure chimique et le bicarbonate de sodium. Incorporer le mélange de lait et mélanger à la cuillère pour humecter. Pétrir la pâte délicatement 3 ou 4 fois jusqu'à souple et lisse. Saupoudrer le dessus et le dessous de la pâte d'un peu de farine et déposer sur une surface dure. Étendre la pâte délicatement avec un rouleau ou vos doigts selon la taille du plat. Déposer la pâte sur les fruits. Badigeonner du mélange de blanc d'œuf et saupoudrer de sucre si vous le désirez. Faire 3 entailles avec un couteau dans la pâte avant de la cuire, ce qui permettra à la vapeur de s'échapper.

5. Faire cuire au four de 40 à 50 minutes ou jusqu'à ébullition et que la pâte soit dorée. Laisser refroidir 15 minutes avant de servir.

PAR PORTION :

Calories : 170	Gras : 4,5 g (1 g saturés)
Glucides : 29 g	Fibres : 5 g
Protéines : 3 g	Sodium : 190 mg

Valeur de choix d'aliments pour le diabète =
1 choix de glucides, 1/2 choix de fruits, 1 choix de gras
Points WW = 3 points

NOTES :

Remplacer les mûres par vos fruits préférés et bien mélanger les fruits. Diverses baies, des pêches, des myrtilles (bleuets) ou des cerises et pommes sont des combinaisons appréciées.

Strudel aux pommes

8 portions

J'ai apporté ce dessert à l'émission télévisée de Rosie O'Donnell lorsque l'un de ses réalisateurs s'est intéressé à l'un de mes livres de recettes. Je savais que ce strudel serait fort apprécié. Après l'émission, les réalisateurs sont partis en apportant mon livre de recette avc eux. Ils l'ont utilisé comme premier choix de sélection de livre à leur nouvelle série télévisée au Food Channel. Mon strudel devait être une réussite.

INGRÉDIENTS :

1 L (4 tasses) de pommes pelées et finement tranchées (de 680 g à 800 g ou 1 1/2 à 1 3/4 lb de pommes fraîches)

80 mL (1/3 tasse) de Splenda® granulé

60 mL (1/4 tasse) de raisins secs finement haché

60 mL (1/4 tasse) de pacanes finement hachées

7,5 mL (1 1/2 c. à thé) de cannelle

15 mL (1 c. à soupe) de chapelure régulière

6 feuilles de pâte phyllo de 26 x 35 (12 x 16 po)

Enduit antiadhésif en vaporisateur

7,5 mL (1/2 c. à soupe) de beurre, fondu

15 mL (1 c. à soupe) de sucre glace

NOTES :

La pâte phyllo est un substitut très faible en gras, idéal dans la pâtisserie. Vous pouvez vous la procurer dans la section des produits surgelés des supermarchés. Assurez-vous de bien décongeler la pâte avant de l'utiliser et gardez bien humides les feuilles que vous n'utilisez pas en les couvrant d'une étamine mouillée ou d'une pellicule plastique afin d'éviter qu'elles s'assèchent.

PRÉPARATION :

1. Préchauffer le four à 175 °C (350 °F). Vaporiser une plaque à cuisson d'un enduit antiadhésif.

2. Combiner dans un grand bol les pommes et les 5 ingrédients qui suivent (du Splenda® à la chapelure). Réserver.

3. Étaler une grande feuille de pellicule plastique ou de papier paraffiné sur une grande surface. Y déposer délicatement 1 feuille de phyllo, le côté le plus long vers vous. Vaporiser légèrement la feuille de phyllo de l'enduit; couvrir d'une 2e feuille, puis répéter jusqu'à ce que les 6 feuilles soient préparées. Déposer le mélange de pommes à la cuillère au centre de la pâte en laissant environ 7 cm (3 po) de chaque côté. Commencer par le côté le plus rapproché de vous. Replier la pâte sur les pommes, puis les embouts pour sceller et continuer de plier. La pellicule plastique ou le papier paraffiné vous aidera à former le strudel, puis à le tourner et à le déposer sur la plaque de cuisson, replis sur la plaque.

4. Badigeonner de beurre fondu.

5. Faire cuire au four de 40 à 45 minutes ou jusqu'à ce que la pâte soit dorée.

6. Laisser refroidir un peu et saupoudrer tout le strudel de sucre glace. Servir de préférence chaud.

PAR PORTION :

Calories : 160   Gras : 6 g (1 g saturés)
Glucides : 26 g   Fibres : 3 g
Protéines : 2 g   Sodium : 75 mg

Valeur de choix d'aliments pour le diabète =
1 choix de fruits, 1/2 choix de glucides, 1 choix de gras
Points WW = 3 points

Strudel au fromage sucré

6 portions

Les strudels au fromage sucré sont une tradition fort populaire en Europe. Ce dessert est savoureux seul ou garni de sirop de mûres de Boysen (page 431) ou de garniture sucrée aux cerises (page 428).

INGRÉDIENTS :

GARNITURE AU FROMAGE

125 mL (1/2 tasse) de fromage à la crème allégé

80 mL (1/3 tasse) de Splenda® granulé

30 mL + 5 mL (2 c. à soupe + 1 c. à thé) de fécule de maïs

1 jaune d'œuf

7,5 mL (1 1/2 c. à thé) d'essence de vanille

2,5 mL (1/2 c. à thé) de zeste de citron ou d'orange

250 mL (1 tasse) de ricotta partiellement allégée, de préférence sans gommes ni stabilisants

STRUDEL

6 feuilles de pâte phyllo de 30 x 45 cm (12 x 18 po), décongelées si surgelées

Enduit pour cuisson antiadhésif en vaporisateur

7,5 mL (1/2 c. à soupe) de beurre, fondu

Sucre glace au goût

PRÉPARATION :

1. Préchauffer le four à 175 °C (350 °F). Vaporiser légèrement une plaque à cuisson d'un enduit pour cuisson antiadhésif.

2. Dans un petit bol, combiner le fromage à la crème, le Splenda®, la fécule de maïs, le jaune d'œuf, l'essence de vanille et le zeste. Bien mélanger. Y plier délicatement la ricotta avec une spatule pour combiner.

3. Placer une longue bande de pellicule plastique ou de papier paraffiné sur une grande surface. Y étendre délicatement 1 feuille de pâte phyllo, le côté le plus long vers vous. Vaporiser légèrement la feuille de phyllo d'enduit pour cuisson et couvrir d'une deuxième feuille de pâte. Procéder ainsi pour les 6 feuilles de pâte. Déposer le mélange de fromage au centre de la pâte en un long boudin de 30 cm de longueur et 5 cm de diamètre. Laisser environ 5 cm (2 po) entre le mélange et les côtés de la pâte. En commençant par le côté le plus près de vous, replier la pâte libre sur le boudin, sans serrer (la préparation gonflera durant la cuisson). Placer le strudel, couture en dessous, sur la plaque de cuisson et replier les extrémités sous le strudel.

4. Badigeonner de beurre fondu. Faire 4 entailles de 2,5 cm (1 po) avec un couteau sur le dessus, ce qui permettra à la vapeur de s'échapper.

5. Faire cuire au four de 35 à 40 minutes ou jusqu'à ce que la pâte soit dorée.

6. Laisser refroidir complètement sur une grille et saupoudrer de sucre glace.

PAR PORTION :

Calories : 130	Gras : 6 g (2 g saturés)
Glucides : 12 g	Fibres : 0 g
Protéines : 6 g	Sodium : 190 mg

Valeur de choix d'aliments pour le diabète =
1 choix de glucides, 1 choix de viandes maigres,
1/2 choix de gras
Points WW = 2 points

NOTES :

La taille des feuilles de phyllo peut varier. Les vôtres pourront être plus grandes ou plus petites.

Strudel rapide au fromage à la crème et à la framboise

8 portions

Un ami chef pâtissier a créé cette recette facile et pourtant des plus savoureuses… un strudel alléchant rempli de framboises. Avec quelques ingrédients et un peu plus de 30 minutes, vous pourrez servir ce délice impressionnant lors de votre prochain brunch ou d'un petit déjeuner en famille.

INGRÉDIENTS :

84 g (3 oz) de fromage à la crème allégé

45 mL (3 c. à soupe) de margarine

500 mL (2 tasses) de mélange pour pâte tout usage Bisquick® allégé en gras

60 mL (4 c. à soupe) de Splenda® granulé

80 mL (1/3 tasse) de lait allégé

125 mL (1/2 tasse) de confiture à la framboise allégée de Smucker's® (É.-U.)

500 mL (2 tasses) de framboises fraîches

1 blanc d'œuf (dorure)

5 mL (1 c. à thé) de sucre

PRÉPARATION :

1. Préchauffer le four à 220 °C (425 °F).

2. Dans un grand bol, couper le fromage à la crème et la margarine dans le Bisquick® jusqu'à consistance grumeleuse avec un coupe-pâte ou une fourchette. Incorporer 30 mL (2 c. à soupe) de Splenda® et le lait. Faire une boule avec la pâte et déposer sur une surface légèrement enfarinée. Pétrir environ 10 fois jusqu'à ce que la pâte soit molle et lisse. Abaisser en un rectangle d'environ 40 sur 20 cm (16 sur 8 po).

3. Déposer délicatement la pâte sur la plaque à biscuits. Étaler la confiture au centre de la pâte sur 10 cm (4 po) de largeur. Mettre des framboises fraîches sur la confiture et saupoudrer des 30 mL (2 c. à soupe) restants de Splenda®. Pour former un motif tressé, couper des bandes de pâte de 3 cm (1 1/2 po) de largeur à 45 degrés de part et d'autre de la pâte. Plier les bandes de pâte sur la garniture en alternant.

4. Badigeonner le dessus de blanc d'œuf et saupoudrer de sucre.

5. Faire cuire au four 15 minutes ou jusqu'à ce que la pâte soit dorée.

PAR PORTION :

Calories : 185	Gras : 6 g (2 g saturés)
Glucides : 28 g	Fibres : 4 g
Protéines : 4 g	Sodium : 115 mg

Valeur de choix d'aliments pour le diabète =
1 1/2 choix de glucides, 1/2 choix de fruits,
1 choix de gras
Points WW = 4 points

NOTES :

Ce type de pâtisserie peut agréablement compléter un petit déjeuner où on sert des œufs brouillés (ou un succédané d'œufs), des viandes maigres comme du bacon de dos canadien ou une saucisse allégée en gras et des baies. Sans oublier un bon café, du thé ou du lait.

Tarte aux fruits frais

8 portions

Rappelant les jolies tartes qui décorent les vitrines des pâtisseries, cette merveille est aussi savoureuse que belle. Je remplis une abaisse simple de crème pâtissière et je répands diverses baies sur le dessus. Libre à vous d'utiliser les fruits frais de votre choix. Les pêches, par exemple, sont exquises en saison et les kiwis ajoutent de la couleur. Vous pouvez aussi remplacer la classique crème pâtissière par une crème de citron (page 433). Enfin, si le temps presse, vous pouvez employer une abaisse du commerce.

INGRÉDIENTS :

1 recette d'abaisse simple (page 325)

15 mL (1 c. à soupe) de Splenda® granulé

1 recette de crème pâtissière (page 264)

375 mL (1 1/2 tasse) de fraises en grosses tranches

250 mL (1 tasse) de myrtilles (bleuets)

125 mL (1/2 tasse) de framboises fraîches

60 mL (1/4 tasse) de confiture à la framboise ou à la fraise faible en sucre

PRÉPARATION :

1. Préchauffer le four à 220 °C (425 °F). Réserver une assiette à tarte de 23 cm (9 po).

2. Préparer la recette d'abaisse simple, mais ajouter 15 mL (6 c. à soupe) de Splenda® au mélange de farine.

3. Abaisser la pâte en un cercle de 25 cm (10 po). Soulever délicatement la pâte et la déposer dans l'assiette réservée. Appuyer dans le fond et sur les côtés afin qu'elle épouse bien le plat. Couper la pâte en excès.

4. Faire cuire complètement l'abaisse comme l'indique la recette (utiliser des haricots séchés ou des poids afin d'éviter que des bulles se forment). Réserver l'abaisse qui peut être préparée la veille.

5. Préparer la crème pâtissière selon la recette. Verser dans l'abaisse. Étaler uniformément. Laisser refroidir à la température de la pièce.

6. Déposer les fruits sur la garniture en jolies rangées de l'extérieur vers le centre. Faire chauffer 30 secondes la confiture dans un petit contenant pouvant aller au micro-ondes ou jusqu'à ce qu'elle ait fondu.

7. Badigeonner délicatement les fruits de confiture fondue avec un petit pinceau pour leur donner un lustre.

8. Réfrigérer et servir la journée même.

PAR PORTION :

Calories : 160	Gras : 7 g (2 g saturés)
Glucides : 22 g	Fibres : 2 g
Protéines : 4 g	Sodium : 95 mg

Valeur de choix d'aliments pour le diabète =
1 choix de glucides, 1/2 choix de fruits,
1 choix de gras
Points WW = 3 points

NOTES :

Pour garnir, on peut omettre la confiture et saupoudrer les fruits de 30 mL (2 c. à soupe) de sucre glace au moment de servir. Vous épargnez ainsi 10 calories et 2 g de glucides.

Pochettes aux pommes en pâte phyllo

6 portions

Servez ces jolies pâtisseries aux pommes lors de votre prochain dîner. Laura Johanson, chef pâtissière et l'une de mes étudiantes au Culinary Institute of America, a élaboré cette recette. Vous pouvez préparer les pochettes à l'avance et les faire cuire pendant que vous mangez. Ce dessert chaud est impressionnant. Il ne vous restera qu'à le saupoudrer légèrement de sucre glace pour faire une belle présentation.

INGRÉDIENTS :

GARNITURE AUX POMMES

30 mL (2 c. à soupe) de beurre

2 pommes à cuire (environ 340 g ou 3/4 lb), en dés

125 mL (1/2 tasse) de Splenda® granulé

10 mL (2 c. à thé) de cannelle

60 mL (4 c. à soupe) de jus de citron

1,2 mL (1/4 c. à thé) de sel

90 mL (6 c. à soupe) de compote de pommes sans sucre

6 feuilles de pâte phyllo de 30 x 45 cm (12 x 16 po)

PRÉPARATION :

1. Préchauffer le four à 220 °C (425 °F). Vaporiser légèrement une plaque à cuisson d'un enduit pour cuisson antiadhésif.

2. Faire fondre le beurre à feu moyen dans une poêle moyenne et incorporer les pommes.

3. Dans un petit contenant, combiner le Splenda®, la cannelle, le jus de citron et le sel. Verser sur les pommes. Ne pas trop faire cuire les pommes.

4. Placer une grande feuille de papier paraffiné sur une surface de travail. Y étendre délicatement 1 feuille de pâte phyllo, côté court vers vous. Vaporiser légèrement d'enduit pour cuisson antiadhésif et plier en deux sur la longueur. Vaporiser de nouveau et plier la pâte en l'éloignant de vous. Couper l'excès de pâte afin d'obtenir un carré de 15 sur 15 cm (6 sur 6 po).

5. Déposer 15 mL (1 c. à soupe) de compote de pommes au centre du carré puis 30 mL (2 c. à soupe) de pommes cuites. Ramener les coins du carré ensemble par-dessus les pommes. Vaporiser légèrement pour bien sceller. Faire 5 autres pochettes.

6. Déposer délicatement les pochettes sur la plaque à cuisson.

7. Faire cuire de 25 à 30 minutes jusqu'à doré.

PAR PORTION DE 1 POCHETTE :

Calories : 150	Gras : 7 g (2,5 g saturés)
Glucides : 20 g	Fibres : 2 g
Protéines : 1 g	Sodium : 115 mg

Valeur de choix d'aliments pour le diabète =
1 choix de fruits, 1/2 choix de glucides,
1 choix de gras
Points WW = 3 points

Pomme à la cannelle au micro-ondes

1 portion

Si simple et si savoureuse. C'est bien connu que les pommes sont bonnes pour la santé ; pourtant, on les considère rarement comme un dessert. Cette recette facile et rapide fait de la pomme un dessert exceptionnel que même votre médecin approuverait.

INGRÉDIENTS :

1 pomme à cuire moyenne

30 mL (2 c. à soupe) de Splenda® granulé (ou 1 sachet de Splenda®)

1,2 mL (1/4 c. à thé) de cannelle

30 mL (2 c. à soupe) de yaourt léger à la vanille (ou de glace allégée)

PRÉPARATION :

1. Laver et sécher la pomme. Retirer le cœur et peler le tiers supérieur à l'économe. (Procéder en cercle à partir du haut.)

2. Déposer la pomme dans un petit contenant allant au micro-ondes.

3. Saupoudrer le dessus et le centre de la pomme de Splenda® et de cannelle.

4. Bien couvrir d'une pellicule plastique et faire cuire au micro-ondes environ 7 minutes à puissance élevée ou jusqu'à ce que la pomme soit tendre.

5. Retirer du micro-ondes et enlever la pellicule plastique. Arroser la pomme du sirop qui s'est formé dans le contenant.

6. Remplir à la cuillère le centre de la pomme de yaourt froid.

NOTES :

Contrairement à la croyance populaire, le gras ne rassasie pas. En revanche, les aliments à forte teneur en eau et en fibres le font. Les pommes sont à la fois riches en eau et en fibres, mais faibles en calories. Elles constituent un aliment de choix pour les gens qui surveillent leur poids.

PAR PORTION :

Calories : 100	Gras : 0,5 g (0 g saturés)
Glucides : 24 g	Fibres : 3 g
Protéines : 1 g	Sodium : 20 mg

Valeur de choix d'aliments pour le diabète = 1 1/2 choix de fruits
Points WW = 1 point

Gâteaux pour toutes occasions

Nous célébrons la plupart du temps les anniversaires avec un gâteau. Ainsi, les gâteaux font des jours ordinaires des jours de fête. Qu'il s'agisse d'un simple gâteau pour le repas du dimanche ou de petits gâteaux à donner aux enfants comme goûter après l'école, les gâteaux plaisent à tous.

Voilà pourquoi j'adore confectionner des gâteaux. J'aime cependant moins la quantité de sucre qu'on y met. Je me souviens du premier gâteau aux carottes que j'ai fait. La pâte demandait 500 mL (2 tasses) de sucre et la garniture, plus de 1 L (4 tasses) de sucre glace. Ma cuisine a bien changé depuis. L'une des premières recettes que j'ai adaptées au Splenda® était ce fameux gâteau aux carottes avec glace au fromage à la crème. Mon gâteau est tout aussi savoureux. En fait, il est si bon qu'une vedette de la télévision a déclaré au petit écran qu'il était meilleur que celui de sa mère, un compliment qui m'a fait sourire.

Vous trouverez cette recette à la page 371. Je vous propose plusieurs gâteaux outre le gâteau aux carottes.

Certains se font en un seul contenant, comme le gâteau à la banane fraîche et le gâteau au chocolat incroyable. D'autres conviennent aux réceptions, comme le gâteau mousseline aux agrumes et les petits gâteaux-soufflés onctueux au chocolat. Il y en a pour toutes les occasions.

Et quand vient le temps des pique-niques, emportez le gâteau au chocolat aux carottes ou des petits gâteaux jonquille à l'orange. Les enfants adoreront le gâteau du goûter à la compote de pommes et les petits gâteaux deux bouchées (avec un bon verre de lait, bien sûr!).

Durant la période des fêtes, essayez le gâteau pain d'épice de grand-mère ou l'alléchant roulé à la citrouille et au fromage à la crème. Vive les gâteaux!

Gâteau au chocolat incroyable

9 portions

Ce gâteau au chocolat ne requiert qu'un contenant, un fouet et 10 minutes de préparation. Incroyable, mais vrai ! Il ne contient que 60 mL (1/4 tasse) de sucre. En outre, trois lectrices qui ont doublé la recette m'ont fait parvenir leurs idées:

1) faire cuire le gâteau dans un moule de 23 x 33 cm (9 x 13 po) pendant 28 à 30 minutes pour un gâteau mince ;

2) faire cuire dans deux moules ronds de 23 cm (9 po) pour un gâteau étagé ;

3) couper les gâteaux ronds en deux tranches et garnir de glace fouettée au fromage à la crème (page 437). J'aime bien ce gâteau saupoudré de sucre glace et agrémenté de fraises.

INGRÉDIENTS :

60 mL (1/4 tasse) d'huile de canola

1 gros œuf

5 mL (1 c. à thé) d'essence de vanille

180 mL (3/4 tasse) de cassonade bien tassée (utiliser de la cassonade fraîche sans grumeaux durs)

250 mL (1 tasse) de Splenda® granulé

250 mL (1 tasse) de babeurre allégé

310 mL (1 1/4 tasse) de farine à pâtisserie

5 mL (1 c. à thé) de levure chimique

5 mL (1 c. à thé) de bicarbonate de sodium

60 mL (1/4 tasse) de cacao alcalinisé (Hershey's European)

60 mL (1/4 tasse) d'eau chaude

10 mL (2 c. à thé) de sucre glace

Recette de glace onctueuse au chocolat facile (page 438) (facultatif)

PAR PORTION :

Calories : 160	Gras : 7 g (1 g saturés)
Glucides : 22 g	Fibres : 1 g
Protéines : 3 g	Sodium : 200 mg

Valeur de choix d'aliments pour le diabète =
1 1/2 choix de glucides, 1 choix de gras
Points WW = 4 points

PRÉPARATION :

1. Préchauffer le four à 175 °C (350 °F). Vaporiser un plat à cuisson de 20 x 20 cm (8 x 8 po)* d'un enduit pour cuisson antiadhésif.

2. Dans un grand bol, fouetter l'huile et l'œuf pendant 1 minute jusqu'à consistance mousseuse et épaisse. Ajouter l'essence de vanille, la cassonade et le Splenda® et fouetter 2 minutes de plus afin de bien incorporer les sucres. Ajouter le babeurre et mélanger.

3. Tamiser la farine, la levure chimique, le bicarbonate de sodium et le cacao dans le liquide. Fouetter vigoureusement de 1 à 2 minutes jusqu'à consistance très onctueuse et lisse. Verser l'eau chaude dans le mélange et fouetter de nouveau jusqu'à homogène. L'appareil sera liquide.

4. Verser l'appareil dans le moule préparé et frapper le moule contre le comptoir afin d'égaliser la surface du gâteau et d'éviter la formation de bulles.

5. Faire cuire au four de 18 à 20 minutes ou jusqu'à ce que le centre reprenne sa forme après une légère pression du doigt ou qu'un cure-dents ou une sonde à gâteau en ressorte propre. Ne pas trop cuire. Retirer du four et laisser refroidir sur une grille.

6. Saupoudrer le gâteau de sucre glace avant de servir.

* Attention de ne pas utiliser un moule carré de 23 cm (9 po). Si vous devez substituer le plat de cuisson, optez pour un moule rond de 23 cm (9 po) de diamètre.

Gâteau blanc léger tout usage

12 portions

Le gâteau blanc classique est toujours apprécié. Vous pouvez le fourrer, le garnir ou le glacer au goût, ou simplement le servir avec des fruits frais et du sucre glace. Ma version légère tout usage, à la fois santé et savoureuse, est une adaptation de la recette de Sarah Phillips, une chef pâtissière réputée. Ce gâteau saura combler toutes les attentes.

INGRÉDIENTS :

500 mL (2 tasses) de farine à gâteaux

60 mL (1/4 tasse) de lait en poudre sans gras

10 mL (2 c. à thé) de levure chimique

2,5 mL (1/2 c. à thé) de bicarbonate de sodium

80 mL (1/3 tasse) de margarine ou de beurre

125 mL (1/2 tasse) de *Sugar Blend for Baking* de Splenda®

1 gros œuf

5 mL (1 c. à thé) d'essence de vanille

1,2 mL (1/4 c. à thé) d'essence d'amande

250 mL + 30 mL (1 tasse + 2 c. à soupe) de lait allégé

PRÉPARATION :

1. Préchauffer le four à 175 °C (350 °F). Vaporiser un moule rond de 20 cm (8 po) de diamètre d'un enduit pour cuisson antiadhésif. Réserver.

2. Dans un bol moyen, combiner la farine, le lait en poudre sans gras, la levure chimique et le bicarbonate de sodium. Réserver.

3. Dans un autre bol moyen, battre en crème la margarine et le *Sugar Blend for Baking* à l'aide d'un batteur électrique pendant 3 à 4 minutes ou jusqu'à consistance lisse. Ajouter l'œuf et les essences, et continuer de battre jusqu'à consistance légère et aérée.

4. Avec le batteur électrique à très faible vitesse, incorporer 1/3 du mélange de farine, puis la moitié du lait. Répéter. Terminer par la farine.

5. Déposer délicatement la pâte dans le moule préparé. Faire cuire au four de 25 à 30 minutes ou jusqu'à ce que le centre reprenne sa forme après une légère pression du doigt. Laisser refroidir sur une grille pendant 10 minutes. Démouler et laisser refroidir.

PAR PORTION :

Calories : 150 Gras : 5 g (2,5 g saturés)
Glucides : 23 g Fibres : 0 g
Protéines : 4 g Sodium : 200 mg

Valeur de choix d'aliments pour le diabète =
1 1/2 choix de glucides, 1 choix de gras
Points WW = 3 points

NOTES :

Quand on met en crème un corps gras et du sucre, les bords acérés des cristaux de sucre coupent le gras et y emprisonnent de l'air, ce qui donne légèreté et volume. En utilisant du *Sugar Blend for Baking* dans cette recette, je profite de cette propriété afin d'obtenir un beau gâteau bien haut.

Gâteau doré simple

8 portions

Alors que je développais ma recette de gâteau renversé à l'ananas (page 379), je me suis rendu compte que même le gâteau seul était succulent. Un peu de sucre glace et le tour est joué ! Exploitez sa texture légère et sa couleur dorée pour mettre en valeur vos garnitures, textures et saveurs préférées.

INGRÉDIENTS :

60 mL (1/4 tasse) de beurre ramolli

160 mL (2/3 tasse) de Splenda® granulé

1 gros œuf

5 mL (1 c. à thé) d'essence de vanille

310 mL (1 1/4 tasse) de farine tout usage

7,5 mL (1 1/2 c. à thé) de levure chimique

2,5 mL (1/2 c. à thé) de bicarbonate de sodium

80 mL (1/3 tasse) de lait allégé

80 mL (1/3 tasse) de jus d'ananas

PRÉPARATION :

1. Préchauffer le four à 175 °C (350 °F). Vaporiser un moule rond de 20 cm (8 po) de diamètre d'un enduit pour cuisson antiadhésif.

2. Battre en crème au batteur électrique le beurre et le Splenda®. Y incorporer l'œuf et l'essence de vanille.

3. Dans un petit bol, tamiser les ingrédients secs.

4. Ajouter en alternant les ingrédients liquides et secs au mélange de beurre, en trois étapes.

5. Déposer la pâte dans le moule préparé. Faire cuire au four de 25 à 30 minutes ou jusqu'à ce que le gâteau reprenne sa forme après une légère pression du doigt. Laisser refroidir le gâteau sur une grille.

NOTES :

Le jus d'ananas parfume peu la pâte, mais lui confère ce qu'il faut de sucre naturel pour lui donner de la couleur et du pouvoir levant. Vous pouvez le remplacer par du jus de pomme ou d'orange.

PAR PORTION :

Calories : 140
Glucides : 18 g
Protéines : 3 g

Gras : 6 g (1,5 g saturés)
Fibres : 1 g
Sodium : 230 mg

Valeur de choix d'aliments pour le diabète =
1 choix de glucides, 1 choix de gras
Points WW = 3 points

Gâteau blanc au yaourt

8 portions

Lorsque j'ai commencé à enseigner les principes de la cuisine santé, peu de chefs pensaient que des aliments faibles en gras pouvaient avoir bon goût. Dix années plus tard, de nombreux chefs admettent que les techniques de cuisine santé donnent de savoureux résultats, entre autres le réputé Jacques Pépin qui a rédigé son propre livre de recettes santé. Ses recettes saines et simples m'ont inspiré la version de ce gâteau au yaourt. C'est un gâteau blanc de base moelleux.

INGRÉDIENTS :

250 mL + 30 mL (1 tasse + 2 c. à soupe) de farine à gâteaux

7,5 mL (1 1/2 c. à thé) de levure chimique

1,2 mL (1/4 c. à thé) de bicarbonate de sodium

3 gros blancs d'œufs

45 mL (3 c. à soupe) de sucre granulé

45 mL (3 c. à soupe) d'huile de canola

160 mL (2/3 tasse) de Splenda® granulé

5 mL (1 c. à thé) d'essence de vanille

1,2 mL (1/4 c. à thé) d'essence d'amande

1 gros œuf

125 mL (1/2 tasse) de yaourt nature sans gras

80 mL (1/3 tasse) de compote de pommes sans sucre

PRÉPARATION :

1. Préchauffer le four à 175 °C (350 °F). Vaporiser un moule rond de 20 cm (8 po) de diamètre d'un enduit pour cuisson antiadhésif.

2. Tamiser la farine, la levure chimique et le bicarbonate de sodium. Réserver.

3. Dans un contenant moyen, battre les blancs d'œufs en mousse légère. Ajouter graduellement 45 mL (3 c. à soupe) de sucre ; continuer de battre jusqu'à la formation de pics mous (des pics se forment lorsqu'on lève le batteur). Réserver.

4. Dans un grand contenant, battre l'huile et le Splenda®. Ajouter les cinq ingrédients suivants (de la vanille à la compote de pommes) et battre de 1 à 2 minutes. (La texture peut être plutôt grumeleuse.)

5. Ajouter le mélange de farine et battre jusqu'à texture lisse. Plier délicatement les blancs d'œufs dans l'appareil.

6. Déposer la pâte par cuillerées dans le moule préparé. Faire cuire au four 20 minutes ou jusqu'à ce que le gâteau reprenne sa forme après une légère pression du doigt. Laisser refroidir sur une grille.

PAR PORTION :

Calories : 150
Glucides : 16 g
Protéines : 4 g

Gras : 6 g (0,5 g saturés)
Fibres : 0 g
Sodium : 190 mg

Valeur de choix d'aliments pour le diabète = 1 choix de glucides, 1 choix de gras

NOTES :

Le yaourt est un excellent ingrédient pour la cuisson des gâteaux et des tartes jusqu'aux muffins et aux biscuits. Son épaisseur confère de la structure à la pâte, et son acidité favorise la levée et la tendreté de la pâte. Si vous substituez du yaourt dans une recette, utilisez un peu de bicarbonate de sodium, soit 2,5 mL (1/2 c. à thé) par 250 mL (1 tasse).

Gâteau à la banane fraîche

8 portions

Je pense à faire ce gâteau dès que j'ai des bananes trop mûres. La recette est facile à réussir et quasiment à toute épreuve. Je l'ai préparée à maintes reprises ; mes amies et leurs amies aussi. Je l'ai même faite avec et sans sucre et j'ai le plaisir de vous dire que le gâteau sans sucre est tout aussi bon que l'autre. Enfin, le gâteau est tellement moelleux que vous aurez de la difficulté à croire qu'il contient si peu de gras.

INGRÉDIENTS :

3 petites bananes écrasées (environ 250 mL ou 1 tasse de purée)

30 mL (2 c. à soupe) d'huile de canola

160 mL (2/3 tasse) de Splenda® granulé

15 mL (1 c. à soupe) de mélasse ou de miel

1 gros œuf

1 gros blanc d'œuf

125 mL (1/2 tasse) de yaourt nature sans gras

10 mL (2 c. à thé) d'essence de vanille

375 mL (1 1/2 tasse) de farine à gâteaux

5 mL (1 c. à thé) de levure chimique

3,7 mL (3/4 c. à thé) de bicarbonate de sodium

10 mL (2 c. à thé) de sucre glace (facultatif)

PRÉPARATION :

1. Préchauffer le four à 175 °C (350 °F). Vaporiser un moule de 23 x 23 cm (9 x 9 po) d'un enduit pour cuisson antiadhésif.

2. Déposer la purée de bananes dans un grand bol à mélanger. Incorporer en fouettant les 7 ingrédients qui suivent, de l'huile à l'essence de vanille.

3. Tamiser la farine à gâteau, la levure chimique et le bicarbonate de sodium sur le mélange liquide. Remuer pour mélanger.

4. Déposer la pâte par cuillerées dans le moule préparé. Faire cuire au four 30 minutes ou jusqu'à ce qu'un cure-dent inséré au centre en ressorte propre. Laisser refroidir sur une grille.

5. Saupoudrer le gâteau de sucre glace avant de servir si désiré.

NOTES :

Ce gâteau est un magnifique dessert traditionnel. Pour le servir à vos invités, réchauffez-le et garnissez chaque morceau d'une cuillerée de garniture fouettée allégée et de quelques tranches de banane.

PAR PORTION :

Calories : 130	Gras : 3,5 g (0 g saturés)
Glucides : 21 g	Fibres : 1 g
Protéines : 3 g	Sodium : 300 mg

Valeur de choix d'aliments pour le diabète =
1 1/2 choix de glucides, 1/2 choix de gras
Points WW = 3 points

Gâteau au chocolat aux carottes

16 portions

Voilà qui réunit agréablement deux recettes aimées de tous. Le gâteau au chocolat aux carottes plaira autant aux amateurs de chocolat qu'aux gens préoccupés par leur santé. Il combine la texture moelleuse du gâteau aux carottes classique et le goût délicieux du gâteau au chocolat. Il est facile à préparer et il se transporte aisément. Apportez-le en pique-nique ou chez des amis. Au goût, garnissez-le de glace fouettée au fromage à la crème (page 437).

INGRÉDIENTS :

410 mL (1 2/3 tasse) de farine tout usage

80 mL (1/3 tasse) de cacao

12,5 mL (2 1/2 c. à thé) de bicarbonate de sodium

5 mL (1 c. à thé) de levure chimique

5 mL (1 c. à thé) de cannelle

375 mL (1 1/2 tasse) de Splenda® granulé

60 mL (1/4 tasse) de pruneaux en purée ou 1 petit pot de pruneaux pour bébé

60 mL (1/4 tasse) d'huile de canola

1 gros œuf

3 gros blancs d'œufs

7,5 mL (1 1/2 c. à thé) d'essence de vanille

160 mL (2/3 tasse) de jus d'orange régulier ou allégé

500 mL (2 tasses) de carottes râpées (environ 3 moyennes)

60 mL (1/4 tasse) de noix de coco râpée

60 mL (1/4 tasse) de morceaux de pacanes

10 mL (2 c. à thé) de sucre glace (facultatif)

PRÉPARATION :

1. Préchauffer le four à 175 °C (350 °F). Vaporiser un moule de 23 x 33 cm (9 x 13 po) d'un enduit pour cuisson antiadhésif.

2. Tamiser la farine, le cacao, la levure chimique, le bicarbonate de sodium et la cannelle. Ajouter le Splenda® et réserver.

3. Dans un grand bol, fouetter les pruneaux, l'huile de canola, l'œuf, les blancs d'œufs, l'essence de vanille et le jus d'orange.

4. Plier le mélange de farine dans le mélange de pruneaux, 125 mL (1/2 tasse) à la fois. Une fois la farine incorporée, y plier les carottes, puis verser la pâte dans le moule préparé.

5. Parsemer de noix de coco et de pacanes puis faire cuire au four de 25 à 30 minutes. Laisser refroidir dans le moule sur une grille. Saupoudrer de sucre glace avant de servir si désiré.

NOTES :

Peut-être vous demandez-vous pourquoi je laisse le choix entre le jus d'orange régulier ou allégé. Le jus d'orange allégé réduit les glucides de moins de 1 g par portion, vous pouvez utiliser une version ou l'autre.

PAR PORTION :

Calories : 140	Gras : 6 g (1 g saturés)
Glucides : 18 g	Fibres : 2 g
Protéines : 3 g	Sodium : 230 mg

Valeur de choix d'aliments pour le diabète = 1 choix de glucides, 1 choix de gras
Points WW = 3 points

Gâteau aux carottes de la Californie avec glace au fromage à la crème

15 portions

Je me souviens de ma mère qui préparait ce gâteau lorsque j'étais enfant. Elle croyait sûrement que ce délice était bon pour notre santé. Ce qu'elle ne savait pas est que son célèbre gâteau aux carottes bourré de sucre et d'huile regorgeait de calories et de gras. Je suis très heureuse d'avoir réussi à créer un gâteau aux carottes qui a la moiteur et la saveur sucrée de sa version, mais avec beaucoup moins de sucre. Et avec sa glace au fromage onctueuse, ce gâteau est un succès assuré.

INGRÉDIENTS :

250 mL (1 tasse) de farine tout usage

250 mL (1 tasse) de farine de blé complet

10 mL (2 c. à thé) de bicarbonate de sodium

5 mL (1 c. à thé) de levure chimique

10 mL (2 c. à thé) de cannelle

2,5 mL (1/2 c. à thé) de muscade

1,2 mL (1/4 c. à thé) de clou de girofle

80 mL (1/3 tasse) de noix hachées

60 mL (1/4 tasse) de pruneaux en purée ou de pruneaux pour bébé

60 mL (1/4 tasse) d'huile de canola

1 gros œuf

3 gros blancs d'œufs

5 mL (1 c. à thé) d'essence de vanille

180 mL (3/4 tasse) de babeurre allégé

375 mL (1 1/2 tasse) de Splenda® granulé

237 mL (8 oz) d'ananas broyé dans un jus sans sucre

375 mL (1 1/2 tasse) de carottes, pelées et râpées

1 recette de glace fouettée au fromage à la crème (page 437)

PRÉPARATION :

1. Préchauffer le four à 175 °C (350 °F). Vaporiser un moule de 23 x 33 cm (9 x 13 po) d'un enduit pour cuisson antiadhésif.

2. Combiner les farines, la levure chimique, le bicarbonate de sodium, les épices et les noix hachées. Bien mélanger.

3. Dans un grand bol, déposer les pruneaux, l'huile, l'essence de vanille et les œufs. Fouetter puis incorporer le babeurre et le Splenda®. Fouetter encore. Ajouter les ananas (avec leur jus) et les carottes, puis le mélange de farines. Remuer.

4. Déposer le mélange dans le moule préparé.

5. Faire cuire au four de 25 à 30 minutes ou jusqu'à ce qu'un cure-dents inséré au centre en ressorte propre. Laisser refroidir le gâteau dans son moule sur une grille.

6. Préparer la glace selon la recette. Glacer le gâteau, puis servir ou réfrigérer.

PAR PORTION :

Calories : 200	Gras : 9 g (3 g saturés)
Glucides : 24 g	Fibres : 2 g
Protéines : 7 g	Sodium : 300 mg

Valeur de choix d'aliments pour le diabète =
1 choix de glucides, 1/2 choix de fruits,
2 choix de gras
Points WW = 4 points

NOTES :

La plupart des gâteaux aux carottes, allégés en gras ou non, regorgent de sucres. Bien des gens s'en privent puisqu'un seul morceau peut contenir autant que 75 g de glucides (plus que l'apport recommandé pour un diabétique par repas). Ma version, et même une grosse part, vous permet de déguster votre repas et le dessert. Bon appétit!

Gâteau du goûter à la compote de pommes

9 portions

Non seulement ce gâteau est-il facile et rapide à préparer, mais mes vrais critiques – mes enfants – en raffolent. Je l'ai surnommé gâteau du goûter, car il est parfait en après-midi. La garniture de cannelle et de sucre élimine le besoin d'ajouter quoi que ce soit, sauf peut-être une cuillerée de garniture fouettée, qui est toujours appréciée.

INGRÉDIENTS :

60 mL (1/4 tasse) d'huile de canola

180 mL + 15 mL (3/4 tasse + 1 c. à soupe) de Splenda® granulé

30 mL (2 c. à soupe) de mélasse

1 gros œuf

180 mL (3/4 tasse) de compote de pommes sans sucre

5 mL (1 c. à thé) d'essence de vanille

375 mL (1 1/2 tasse) de farine tout usage

5 mL (1 c. à thé) de levure chimique

3,7 mL (3/4 c. à thé) de bicarbonate de sodium

10 mL (2 c. à thé) de cannelle

2,5 mL (1/2 c. à thé) de quatre-épices

10 mL (2 c. à thé) de sucre

2,5 mL (1/2 c. à thé) de cannelle

PRÉPARATION :

1. Préchauffer le four à 175 °C (350 °F). Vaporiser un moule à gâteau carré de 20 x 20 cm (8 x 8 po) d'un enduit pour cuisson antiadhésif.

2. Dans un grand bol, mélanger l'huile, 180 mL (3/4 tasse) de Splenda®, la mélasse, l'œuf, la compote de pommes et l'essence de vanille. Tamiser la farine, la levure chimique, le bicarbonate de sodium et les épices dans les ingrédients liquides puis brasser jusqu'à consistance lisse. Déposer la pâte par cuillerées dans le moule préparé.

3. Dans un petit bol, combiner le sucre, 15 mL (1 c. soupe) de Splenda® et 2,5 mL (1/2 c. à thé) de cannelle. Saupoudrer cette garniture uniformément sur le gâteau à l'aide d'une cuillère.

4. Faire cuire au four 20 minutes ou jusqu'à ce que le gâteau reprenne sa forme après une légère pression du doigt.

PAR PORTION :

Calories : 170	Gras : 7 g (0,5 g saturés)
Glucides : 24 g	Fibres : 2 g (7 g du sucre)
Protéines : 3 g	Sodium : 170 mg

Valeur de choix d'aliments pour le diabète =
1 1/2 choix de glucides, 1 choix de gras
Points WW = 4 points

Gâteau pain d'épice de grand-mère

9 portions

Un soupçon de gingembre et de cannelle combiné au goût de la mélasse confère à ce gâteau la saveur classique du pain d'épice. Si vous aimez marier le goût de citron aux épices, la sauce chaude au citron (page 424) devrait vous satisfaire.

INGRÉDIENTS :

250 mL (1 tasse) de farine tout usage

125 mL (1/2 tasse) de farine de blé complet

5 mL (1 c. à thé) de gingembre

5 mL (1 c. à thé) de cannelle

1,2 mL (1/4 c. à thé) de clou de girofle

5 mL (1 c. à thé) de bicarbonate de sodium

60 mL (1/4 tasse) de mélasse

45 mL (3 c. à soupe) d'huile de canola

60 mL (1/4 tasse) de pruneaux en purée ou 1 petit pot de pruneaux pour bébé

1 gros œuf

125 mL (1/2 tasse) d'eau

125 mL (1/2 tasse) de Splenda® granulé

PRÉPARATION :

1. Préchauffer le four à 175 °C (350 °F). Vaporiser un moule à gâteau de 20 x 20 cm (8 x 8 po) d'un enduit pour cuisson antiadhésif.

2. Dans un bol moyen, tamiser les farines, les épices et le bicarbonate de sodium. Réserver.

3. Dans un grand bol, fouetter le reste des ingrédients.

4. Plier les ingrédients secs dans le mélange de mélasse, puis verser dans le moule préparé.

5. Faire cuire au four de 18 à 20 minutes ou jusqu'à ce que le centre du gâteau reprenne sa forme après une légère pression du doigt.

6. Laisser refroidir et servir avec une cuillerée de garniture fouettée allégée si désiré.

NOTES :

La mélasse a une saveur distinctive qui rehausse le goût des épices et elle approfondit la couleur des mets. Achetez de la mélasse non soufrée pour sa meilleure qualité et son goût plus sucré.

PAR PORTION :

Calories : 160	Gras : 5 g (0,5 g saturés)
Glucides : 26 g	Fibres : 2 g
Protéines : 3 g	Sodium : 150 mg

Valeur de choix d'aliments pour le diabète = 1 1/2 choix de glucides, 1 choix de gras
Points WW = 3 points

Gâteau du goûter à la salade de fruits

9 portions

Ce gâteau tendre, moelleux et fruité est délicieux au goûter. L'ingrédient principal se trouve dans votre garde-manger, ce qui vous permet de préparer ce gâteau en tout temps afin d'épater votre famille et vos amis. Une cuillerée de garniture fouettée en fait un léger dessert d'été.

INGRÉDIENTS :

1 gros œuf

250 mL (1 tasse) de Splenda® granulé

1 boîte de 444 mL (15 oz) de salade de fruits dans un sirop léger (moins 30 mL ou 2 c. à soupe de jus)

5 mL (1 c. à thé) de levure chimique

5 mL (1 c. à thé) de bicarbonate de sodium

2,5 mL (1/2 c. à thé) de sel

310 mL (1 1/4 tasse) de farine tout usage

5 mL (1 c. à thé) d'essence de vanille

PRÉPARATION :

1. Préchauffer le four à 160 °C (325 °F). Vaporiser un moule à gâteau carré de 20 x 20 cm (8 x 8 po) d'un enduit pour cuisson antiadhésif.

2. Dans un grand bol, fouetter l'œuf, le Splenda® et la salade de fruits avec un batteur à main jusqu'à consistance lisse.

3. Tamiser les ingrédients secs dans un bol moyen.

4. Plier les ingrédients secs dans le mélange de fruits à l'aide d'un fouet, puis ajouter l'essence de vanille.

5. Verser dans le moule préparé. Faire cuire au four de 30 à 35 minutes ou jusqu'à ce que le gâteau reprenne sa forme après une légère pression du doigt. Laisser refroidir et servir.

PAR PORTION :

Calories : 110   Gras : 1 g (0 g saturés)
Glucides : 23 g   Fibres : 1 g
Protéines : 3 g   Sodium : 200 mg

Valeur de choix d'aliments pour le diabète =
1 choix de glucides, 1/2 choix de fruits
Points WW = 2 points

Petits gâteaux deux bouchées

30 portions

Pendant que j'attendais pour payer au marché, j'ai remarqué dans une rangée de produits « santé » des petits gâteaux invitants appelés « petits gâteaux deux bouchées ». Ils faisaient tout juste deux petites bouchées… ou une grosse. J'aimais bien l'idée de satisfaire une envie de sucre en deux bouchées. Hélas ! en lisant l'étiquette, j'ai vu que ces petits gâteaux comptaient 330 calories et 40 g de sucre. J'ai donc combiné deux de mes recettes préférées afin de créer des merveilles sucrées alléchantes qui n'auront pas d'effet dévastateur sur votre silhouette.

INGRÉDIENTS :

1 recette de gâteau blanc léger tout usage (page 366)

1 1/2 recette de glace fouettée au fromage à la crème (page 437)

PRÉPARATION :

1. Préchauffer le four à 175 °C (350 °F). Vaporiser 30 petites alvéoles d'un moule à mini-muffins d'un enduit pour cuisson antiadhésif. (Les petits gâteaux peuvent cuire en deux fournées.)

2. Préparer la pâte du gâteau. Déposer des cuillerées de 22,5 mL (1 1/2 c. à soupe) de pâte dans chaque alvéole, les remplissant aux 2/3.

3. Faire cuire au four de 8 à 10 minutes ou jusqu'à ce que le centre d'un petit gâteau reprenne sa forme après une légère pression du doigt.

4. Retirer du four et laisser refroidir sur une grille pendant 10 minutes. Démouler et laisser refroidir complètement.

5. Pendant que les petits gâteaux refroidissent, préparer la glace fouettée selon la recette, mais avec 1 1/2 fois chaque ingrédient.

6. Napper chaque petit gâteau de 30 mL (2 c. à soupe) de glace.

NOTES :

Déposez les petits gâteaux sur un joli plat de service comme pour des biscuits et vous verrez des sourires autour de la table. Sachez toutefois que personne ne peut se contenter d'un seul petit gâteau.

PAR PORTION :

Calories : 100	Gras : 4 g (2,5 g saturés)
Glucides : 11 g	Fibres : 0 g
Protéines : 4 g	Sodium : 160 mg

Valeur de choix d'aliments pour le diabète =
1 choix de glucides, 1 choix de gras
Points WW = 2 points

Petits gâteaux jonquille à l'orange

8 portions

Le défi dans cette recette consistait à créer une glace saine et faible en sucre. J'ai lu un grand nombre de recettes de glaces allégées en gras, mais je n'en ai vu aucune également faible en sucre. Puis je me suis rappelé une glace que je confectionnais, adolescente. On mouille de la farine, puis on l'incorpore en battant à une préparation de sucre et de shortening. Dans ma nouvelle version, j'ai diminué le gras en utilisant du fromage à la crème allégé et j'ai rehaussé la saveur avec de l'essence d'orange. Cela m'a permis d'employer à peine 30 mL (2 c. à soupe) de sucre glace au lieu de 500 mL (2 tasses).

INGRÉDIENTS :

GÂTEAUX

250 mL (1 tasse) de farine à gâteaux

5 mL (1 c. à thé) de levure chimique

2,5 mL (1/2 c. à thé) de bicarbonate de sodium

30 mL (2 c. à soupe) de margarine

30 mL (2 c. à soupe) d'huile de canola

160 mL (2/3 tasse) de Splenda® granulé

1 gros œuf

5 mL (1 c. à thé) d'essence de vanille

60 mL (1/4 tasse) de lait allégé

80 mL (1/3 tasse) de jus d'orange régulier ou allégé

GLACE FOUETTÉE

125 mL (1/2 tasse) de lait allégé

30 mL (2 c. à soupe) de farine tout usage

30 mL (2 c. à soupe) de shortening végétal (matière grasse)

Contenant de 113 g (4 oz) de fromage à la crème allégé

250 mL (1 tasse) de Splenda® granulé

30 mL (2 c. à soupe) de sucre glace

2,5 mL (1/2 c. à thé) d'essence d'orange

PAR PORTION :

Calories : 170	Gras : 9 g (3 g saturés)
Glucides : 17 g	Fibres : 0 g
Protéines : 2 g	Sodium : 210 mg

Valeur de choix d'aliments pour le diabète =
1 choix de glucides, 2 choix de gras
Points WW = 4 points

PRÉPARATION :

1. Préchauffer le four à 160 °C (325 °F). Vaporiser 8 alvéoles d'un moule à muffins d'un enduit pour cuisson antiadhésif.

2. Gâteaux : tamiser la farine, la levure chimique et le bicarbonate de sodium. Réserver.

3. Dans un grand bol, battre en crème au batteur électrique la margarine et l'huile. Ajouter le Splenda®, l'œuf et l'essence de vanille et bien battre. Incorporer à la main la moitié de la farine aux ingrédients liquides. Ajouter le lait et mélanger jusqu'à consistance lisse. Incorporer le reste de la farine et terminer avec le jus d'orange.

4. Déposer par cuillerées dans les alvéoles préparées, les remplissant aux 2/3. Faire cuire 15 minutes ou jusqu'à ce que les gâteaux reprennent leur forme après une légère pression du doigt. Retirer du four et laisser refroidir.

5. Glace : verser le lait dans une petite casserole et y délayer la farine. Faire cuire à feu doux jusqu'à la formation d'une pâte lisse et épaisse. Laisser refroidir un peu. Déposer le shortening et le fromage à la crème dans un petit bol. Battre à haute vitesse avec un batteur électrique jusqu'à consistance onctueuse. Incorporer le Splenda® en battant, puis la pâte de farine et continuer de fouetter jusqu'à bien lisse. Ajouter le sucre glace et l'essence.

6. Napper les petits gâteaux de 22,5 mL (1 1/2 c. à soupe) de glace. Il restera de la glace.

Petits gâteaux au chocolat

12 portions

Ces petits gâteaux super légers et pourtant très chocolatés, confectionnés avec le Sugar Blend for Baking de Splenda®, font partie de mes plus récentes créations de petits gâteaux. Pour les garnir, je vous suggère la glace onctueuse au chocolat facile (page 438) ou du sucre glace. Quel que soit votre choix, personne ne devinera que ces petits gâteaux au chocolat ne contiennent que la moitié du sucre et du gras des recettes classiques.

INGRÉDIENTS :

80 mL (1/3 tasse) de beurre ou de margarine, ramolli

180 mL (3/4 tasse) de *Sugar Blend for Baking de Splenda*®

2 gros œufs

375 mL (1 1/2 tasse) de farine à gâteaux

125 mL (1/2 tasse) de cacao alcalinisé

3,7 mL (3/4 c. à thé) de bicarbonate de sodium

5 mL (1 c. à thé) de levure chimique

250 mL (1 tasse) de babeurre

5 mL (1 c. à thé) d'essence de vanille

PRÉPARATION :

1. Préchauffer le four à 175 °C (350 °F). Mettre des moules à papier dans les alvéoles d'un moule à muffins.

2. Déposer le beurre et le Splenda® dans un bol moyen et mettre en crème avec un batteur électrique jusqu'à consistance légère.

3. Ajouter les œufs, un à la fois, et bien mélanger entre chaque addition.

4. Dans un bol moyen, combiner la farine à gâteaux, le cacao, le bicarbonate de sodium et la levure chimique. Bien mélanger.

5. Incorporer la moitié du mélange de farine au mélange d'œufs. Ajouter ensuite la moitié du babeurre et l'essence de vanille. Mélanger à basse vitesse en terminant par l'ajout de babeurre.

6. Remplir les moules en papier par cuillerées aux 2/3. Faire cuire au four de 18 à 20 minutes ou jusqu'à ce qu'un cure-dent inséré au centre en ressorte propre.

PAR PORTION :

Calories : 160	Gras : 0,5 g (1,5 g saturés)
Glucides : 25 g	Fibres : 1 g
Protéines : 4 g	Sodium : 220 mg

Valeur de choix d'aliments pour le diabète =
1 1/2 choix de glucides, 1 choix de gras
Points WW = 3 points

Petits gâteaux aux épices et à la crème aigre (sure) de Fran

12 portions

Fran, une gentille lectrice et amie internaute, m'a fait parvenir plusieurs recettes. Elle ne s'inspire que des meilleurs livres de recettes traditionnelles, puis elle réduit avec succès le contenu en gras et en sucre. Elle a adapté cette recette du livre A World of Baking par Dolores Casella. Ces gâteaux sont incroyables. Tous ceux qui les ont dégustés en ont été ravis. Merci, Fran !

INGRÉDIENTS :

1/2 bâtonnet de beurre à la température de la pièce.

500 mL (2 tasses) de Splenda® granulé

3 gros œufs

30 mL (2 c. à soupe) de mélasse

1 pot de 100 mL (3,5 oz) de prunes et pommes pour bébé (Gerber, É.-U.)

1,2 mL (1/4 c. à thé) de sel

5 mL (1 c. à thé) de bicarbonate de sodium

10 mL (2 c. à thé) de cannelle

5 mL (1 c. à thé) de gingembre

1,2 mL (1/4 c. à thé) de muscade

1,2 mL (1/4 c. à thé) de clou de girofle

560 mL (2 1/4 tasses) de farine

250 mL (1 tasse) de crème aigre (sure) allégée

PRÉPARATION :

1. Préchauffer le four à 190 °C (375 °F). Vaporiser un moule à muffins d'un enduit pour cuisson antiadhésif.

2. Dans un grand bol, battre en crème le beurre et le Splenda® au batteur électrique pendant 1 minute. Ajouter les œufs, un à la fois, et bien battre après chaque addition.

3. Incorporer la mélasse, la nourriture pour bébé, le sel, le bicarbonate de sodium et les épices.

4. Ajouter la farine en trois étapes en alternant avec la crème aigre (sure). Commencer et terminer par la farine. Bien mélanger après chaque addition.

5. Répartir la pâte en quantités égales dans les 12 alvéoles.

6. Faire cuire 30 minutes ou jusqu'à ce qu'un cure-dent inséré au centre en ressorte propre.

NOTES :

J'aime bien ces petits gâteaux tels quels, à la sortie du four. Mes garçons les préfèrent refroidis, saupoudrés de sucre glace. Si vous souhaitez rehausser leur saveur, nappez-les de glace fouettée au fromage à la crème (page 437).

PAR PORTION :

Calories : 195   Gras : 7 g (4 g saturés)
Glucides : 27 g   Fibres : 1 g
Protéines : 5 g   Sodium : 190 mg

Valeur de choix d'aliments pour le diabète =
2 choix de glucides, 1 choix de gras
Points WW = 4 points

Gâteau renversé à l'ananas

8 portions

Le gâteau renversé à l'ananas est un vrai classique apprécié depuis longtemps. Certaines recettes demandent jusqu'à 180 mL (3/4 tasse) de cassonade et 1 bâtonnet de beurre, et ce, pour la garniture seulement. Ma nouvelle version améliorée conserve l'apparence et le goût de la garniture traditionnelle à l'ananas sur un gâteau moelleux, mais ne contient qu'une fraction du sucre et du gras. Aloha !

INGRÉDIENTS :

GARNITURE

30 mL (2 c. à soupe) de beurre

30 mL (2 c. à soupe) de cassonade

60 mL (1/4 tasse) de Splenda® granulé

2,5 mL (1/2 c. à thé) de cannelle

6 rondelles d'ananas

GÂTEAU

60 mL (1/4 tasse) de beurre, ramolli

160 mL (2/3 tasse) de Splenda® granulé

1 gros œuf

5 mL (1 c. à thé) d'essence de vanille

310 mL (1 1/4 tasse) de farine tout usage

7,5 mL (1 1/2 c. à thé) de levure chimique

2,5 mL (1/2 c. à thé) de bicarbonate de sodium

80 mL (1/3 tasse) de lait allégé

80 mL (1/3 tasse) de jus d'ananas

PRÉPARATION :

1. Préchauffer le four à 175 °C (350 °F). Vaporiser un moule rond de 20 cm (8 po) d'un enduit pour cuisson antiadhésif.

2. Garniture : dans le four, faire fondre le beurre dans le moule préparé. Saupoudrer la cassonade, le Splenda® et la cannelle sur le beurre fondu. Déposer les tranches d'ananas dans le fond du moule. Réserver.

3. Gâteau : dans un bol moyen, mettre le beurre et le Splenda® en crème au batteur électrique. Incorporer l'œuf et la vanille en battant.

4. Tamiser les ingrédients secs dans un petit bol. Combiner le lait et le jus d'ananas dans un autre petit contenant ou une tasse graduée.

5. Incorporer les ingrédients secs et liquides dans le mélange crémeux en alternant.

6. Verser la pâte sur les ananas et faire cuire au four de 25 à 30 minutes. Renverser le gâteau sur une assiette de service. Laisser refroidir.

NOTES :

En 1925, la compagnie Dole aux États-Unis a lancé un concours de recettes et a reçu 2 500 recettes de gâteau renversé à l'ananas.

PAR PORTION :

Calories : 185	Gras : 8 g (2 g saturés)
Glucides : 24 g	Fibres : 1 g
Protéines : 3 g	Sodium : 260 mg

Valeur de choix d'aliments pour le diabète = 2 choix de gras, 1 choix de glucides, 1/2 choix de fruits

Points WW = 4 points

Gâteau étagé au citron et à la noix de coco

8 portions

Voici un merveilleux gâteau d'anniversaire pour ceux qui, comme moi, adorent le citron. Il suffit de fourrer et de garnir un simple gâteau blanc coupé en deux d'une crème onctueuse au citron. Vous pouvez préparer la crème de citron à l'avance, ce qui permet un montage rapide. Elle se conserve pendant plusieurs jours au réfrigérateur.

INGRÉDIENTS :

3 blancs d'œufs

30 mL (2 c. à soupe) de sucre granulé

45 mL (3 c. à soupe) d'huile de canola

5 mL (1 c. à thé) d'essence de vanille

125 mL (1/2 tasse) de babeurre allégé

160 mL (2/3 tasse) de Splenda® granulé

1 gros œuf

250 mL (1 tasse) + 30 mL (2 c. à soupe) de farine à gâteaux

10 mL (2 c. à thé) de levure chimique

1,2 mL (1/4 c. à thé) de bicarbonate de sodium

125 mL (1/2 tasse) de crème de citron (page 433)

310 mL (1 1/4 tasse) de garniture fouettée allégée

80 mL (1/3 tasse) de noix de coco râpée

PRÉPARATION :

1. Préchauffer le four à 175 °C (350 °F). Vaporiser un moule de 20 cm (8 po) d'un enduit pour cuisson antiadhésif ou tapisser le fond du moule de papier paraffiné.

2. Dans un bol moyen, battre les blancs d'œufs en mousse légère. Ajouter le sucre graduellement et continuer de battre jusqu'à la formation de pics mous. Réserver.

3. Dans un grand bol, battre à vitesse moyenne l'huile, la vanille, le babeurre, le Splenda® et l'œuf.

4. Tamiser dans le contenant la farine à gâteaux, la levure chimique et le bicarbonate de sodium et brasser jusqu'à consistance lisse. Plier délicatement les blancs d'œufs battus.

5. Déposer le mélange par cuillerées dans le moule préparé et lisser la surface.

6. Faire cuire au four 20 minutes ou jusqu'à ce que le centre reprenne sa forme après une légère pression du doigt. Laisser refroidir le gâteau dans son moule sur une grille pendant 10 minutes, puis le démouler en renversant le moule brièvement. Laisser refroidir complètement.

7. Déposer le gâteau sur une assiette de service et le couper à l'horizontale pour former deux moitiés.

8. Mélanger la crème de citron et la garniture fouettée dans un contenant. Mettre 125 mL (1/2 tasse) de garniture sur la première moitié de gâteau et recouvrir de l'autre moitié. Étaler le reste de la garniture sur le dessus et les côtés. Saupoudrer de noix de coco.

9. Réfrigérer jusqu'au moment de servir.

PAR PORTION :

Calories : 175	Gras : 8 g (1,5 g saturés)
Glucides : 22 g	Fibres : 0 g
Protéines : 4 g	Sodium : 200 mg

Valeur de choix d'aliments pour le diabète =
1 1/2 choix de glucides, 1 1/2 choix de gras,
Points WW = 4 points

Gâteau mousseline aux agrumes

14 portions

Un gâteau mousseline est un merveilleux dessert fait de pâte à gâteau ordinaire allégée à l'aide de blancs d'œufs. Techniquement, c'est un gâteau mousse. Tout comme son cousin, le gâteau des anges, le gâteau mousseline est léger et moelleux. On le sert souvent avec des fruits frais ou des sauces aux fruits. Il se coupe et se congèle bien, ce qui ajoute à sa polyvalence en plus d'en faire le dessert idéal lors de réceptions.

INGRÉDIENTS :

560 mL (2 1/4 tasses) de farine à gâteaux

15 mL (1 c. à soupe) de levure chimique

2,5 mL (1/2 c. à thé) de sel

250 mL (1 tasse) de Splenda® granulé

3 jaunes d'œufs

80 mL (1/3 tasse) d'huile de canola

180 mL (3/4 tasse) de jus d'orange allégé

Zeste d'une orange

Zeste d'un citron

8 blancs d'œufs

60 mL (1/4 tasse) de sucre granulé

2,5 mL (1/2 c. à thé) de crème de tartre

PRÉPARATION :

1. Préchauffer le four à 160 °C (325 °F). Réserver un moule à cheminée non graissé de 25 cm (10 po) à fond amovible (moule à gâteau des anges).

2. Tamiser la farine à gâteaux, la levure chimique et le sel. Incorporer le Splenda® et réserver.

3. Dans un grand bol, battre au batteur électrique les jaunes d'œufs, l'huile, le jus d'orange et les zestes jusqu'à consistance lisse. Incorporer le mélange de farine en battant à faible vitesse.

4. Dans un autre grand bol propre et sans gras, battre les blancs d'œufs et la crème de tartre jusqu'à la formation de pics mous. Plier d'abord le quart des blancs dans la pâte, puis le reste, délicatement.

5. Déposer la pâte par cuillerées dans le moule préparé et lisser la surface.

6. Faire cuire au four de 40 à 45 minutes ou jusqu'à ce que le gâteau reprenne sa forme après une légère pression du doigt. Laisser refroidir le gâteau dans son moule, tête en bas, pendant au moins 90 minutes.

NOTES :

J'ai d'abord publié cette recette dans *Unbelievable Desserts with Splenda*. Quelqu'un m'a écrit pour me dire combien elle aimait ce gâteau et pensait qu'il ferait un excellent gâteau de noces. Cependant, chaque fois qu'elle le faisait cuire dans un moule plus grand et moins profond, il s'effondrait. J'ai revu ma recette afin de stabiliser le gâteau en ajoutant un peu de sucre dans les blancs d'œufs. En optant pour le jus d'orange allégé, j'ai fait en sorte de n'ajouter que 2 g de glucides à ce gâteau meilleur que jamais.

PAR PORTION :

Calories : 145　　　　Gras : 6 g (5 g saturés)
Glucides : 18 g　　　Fibres : 0 g
Protéines : 4 g　　　　Sodium : 140 mg

Valeur de choix d'aliments pour le diabète =
1 choix de glucides, 1 choix de gras
Points WW = 3 points

Gâteaux-soufflés au citron

4 portions

Ces gâteaux devraient s'appeler « erreurs de parcours ». J'ai essayé un jour de développer un gâteau pudding au citron, mais après la cuisson, j'ai obtenu un simple gâteau. Ce résultat m'a déçue jusqu'à ce que j'y goûte. Oh la la ! Le gâteau était savoureux et sa texture, moelleuse et légère. J'ai refait la recette, mais l'ai fait cuire cette fois dans des ramequins de 177 mL (6 oz) pour obtenir des portions individuelles. Un vrai succès. Vous pouvez préparer les ramequins à l'avance et les mettre au four pendant que vous dînez. Servez-les avec un peu de garniture fouettée allégée et des myrtilles (bleuets)… une façon mémorable de terminer un repas.

INGRÉDIENTS :

4 gros blancs d'œufs

180 mL (3/4 tasse) + 45 mL (3 c. à soupe) de Splenda® granulé

15 mL (1 c. à soupe) de sucre granulé

2 gros jaunes d'œufs

15 mL (1 c. à soupe) de beurre ou de margarine, ramolli

180 mL (3/4 tasse) de babeurre allégé

60 mL (1/4 tasse) de jus de citron

15 mL (1 c. à soupe) de zeste de citron

60 mL (1/4 tasse) de farine tout usage

5 mL (1 c. à thé) de fécule de maïs

1,2 mL (1/4 c. à thé) de levure chimique

10 mL (2 c. à thé) de sucre granulé

PRÉPARATION :

1. Préchauffer le four à 175 °C (350 °F). Vaporiser 4 ramequins de 177 mL (6 oz) ou moules à soufflé d'un enduit pour cuisson antiadhésif. Les placer dans un grand plat à cuisson d'au moins 5 cm (2 po) de hauteur. Réserver.

2. Dans un bol profond, battre les blancs d'œufs en mousse légère au batteur électrique à vitesse élevée. Ajouter en battant 45 mL (3 c. à soupe) de Splenda® et 15 mL (1 c. à soupe) de sucre granulé jusqu'à la formation de pics mous.

3. Dans un autre bol, combiner les jaunes d'œufs, le beurre et le reste du Splenda®, et battre jusqu'à consistance épaisse. Incorporer en battant les 6 ingrédients suivants (du babeurre à la levure chimique). Plier le quart des blancs d'œufs dans le mélange ; remuer pour incorporer. Plier délicatement le reste des blancs.

4. Répartir également dans les ramequins (les remplir aux 3/4).

5. Saupoudrer 2,5 mL (1/2 c. à thé) de sucre sur chaque ramequin.

6. Mettre le plat de cuisson sur la grille au centre du four. Verser de l'eau bouillante dans le plat jusqu'à la moitié des ramequins. Faire cuire de 25 à 30 minutes ou jusqu'à ce que le centre semble ferme au toucher. Les gâteaux sont alors cuits.

PAR PORTION :

Calories : 160
Glucides : 20 g
Protéines : 7 g

Gras : 5 g (2 g saturés)
Fibres : 0 g
Sodium : 130 mg

Valeur de choix d'aliments pour le diabète =
1 1/2 choix de glucides, 1 choix de viandes mi-maigres
Points WW = 4 points

Gâteaux-soufflés onctueux au chocolat

6 portions

Comme les gâteaux-soufflés au citron, ce dessert décadent oscille entre le gâteau et le soufflé, mais il s'adresse aux amateurs de chocolat. Il est idéal quand vous recevez des amis. Vous pouvez préparer le mélange de chocolat à l'avance et le faire cuire juste avant de le servir. Vos invités seront ravis d'apprendre que ces gâteaux-soufflés sont faibles en gras et en sucre. (Ne le dites jamais avant qu'on y ait goûté.)

INGRÉDIENTS :

180 mL (3/4 tasse) de Splenda® granulé

180 mL (3/4 tasse) d'eau

90 mL (3 oz) de chocolat haché mi-sucré ou amer, ou 125 mL (1/2 tasse) de pépites de chocolat

125 mL (1/2 tasse) de cacao alcalinisé

2 jaunes d'œufs

15 mL (1 c. à soupe) de fécule de maïs

0,5 mL (1/8 c. à thé) de sel

4 blancs d'œufs

1,2 mL (1/4 c. à thé) de crème de tartre

15 mL (1 c. à soupe) de sucre granulé

PRÉPARATION :

1. Préchauffer le four à 175 °C (350 °F).

2. Vaporiser 6 ramequins de 177 mL (6 oz) d'un enduit pour cuisson antiadhésif. Les placer dans un grand plat à cuisson d'au moins 5 cm (2 po) de hauteur. Réserver.

3. Dans une casserole moyenne, porter à ébullition 125 mL (1/2 tasse) d'eau et 125 mL (1/2 tasse) de Splenda®. Fermer le feu et incorporer le chocolat en fouettant. Ajouter le cacao et les jaunes d'œufs en brassant. Bien mélanger.

4. Fouetter ensemble la fécule de maïs et 60 mL (1/4 tasse) d'eau. Ajouter la fécule au mélange de chocolat. Fouetter jusqu'à consistance lisse. Réserver.

5. Battre en mousse dans un grand bol les blancs d'œufs et la crème de tartre avec un batteur électrique. Incorporer le sucre granulé et 60 mL (1/4 tasse) de Splenda® jusqu'à consistance ferme.

6. Plier délicatement 1/4 des blancs d'œufs à la fois dans le mélange de chocolat.

7. Remplir chacun des ramequins du mélange chocolaté. Les déposer ensuite dans le plat de cuisson et placer ce dernier sur la grille au centre du four. Verser de l'eau bouillante dans le grand plat jusqu'à la moitié des ramequins.

8. Faire cuire 15 minutes ou jusqu'à ce que le centre reprenne sa forme après une légère pression du doigt. Le dessus sera légèrement fendillé. Servir chaud.

NOTES :

Le bain d'eau confère la moiteur aux gâteaux-soufflés. Assurez-vous de les retirer du four dès que le centre est pris pour favoriser leur onctuosité. Sortis trop tôt, ils ne sembleront pas assez cuits; sortis trop tard, ils seront fermes comme un gâteau, mais la saveur sera intacte.

PAR PORTION :

Calories : 160	Gras : 7 g
Glucides : 20 g	Fibres : 3 g
Protéines : 6 g	Sodium : 115 mg

Valeur de choix d'aliments pour le diabète =
1 choix de glucides, 1 choix de viandes
mi-maigres
Points WW = 3 points

Quatre-quarts à la crème aigre (sure)

12 portions

Les premiers quatre-quarts, qui remontent au 18ᵉ siècle, étaient plutôt denses. Ils conte-naient en parts égales 454 g (1 lb) de beurre, de sucre et de farine. Les quatre-quarts mo-dernes ne sont plus aussi lourds, mais ils contiennent encore beaucoup de beurre et de sucre. Voici une adaptation d'une recette de quatre-quarts parue dans le populaire magazine Cooking Light. Une croûte mince et ferme cache une mie moelleuse et tendre.

INGRÉDIENTS :

160 mL (2/3 tasse) de *Sugar Blend for Baking de Splenda*®

90 mL (6 c. à soupe) de margarine ou de beurre, ramollie

2 gros œufs + 2 gros blancs d'œufs

7,5 mL (1 1/2 c. à thé) d'essence de vanille

180 mL (3/4 tasse) de crème aigre (sure)

3,6 mL (3/4 c. à thé) de bicarbonate de sodium

560 mL (2 1/4 tasses) de farine à gâteaux

0,5 mL (1/8 c. à thé) de sel

NOTES :

Comme tous les quatre-quarts de base, ce gâteau se prête à d'autres parfums. Vous pouvez y ajouter 5 mL (1 c. à thé) de zeste de citron ou d'orange, remplacer l'essence de vanille par des essences d'amande, de beurre ou de rhum ou incorporer des noix hachées à la pâte. Lors d'une réception, présentez le gâteau sur un plat de service, coupez-en quelques tranches et disposez autour des plats de baies fraîches, de glace et de garniture fouettée.

PRÉPARATION :

1. Préchauffer le four à 160 °C (325 °F). Vaporiser un moule à pain de 20 x 11 cm (9 x 5 po) d'un enduit pour cuisson antiadhésif.

2. Dans un grand bol, fouetter le Splenda® et la margarine au batteur électrique jusqu'à consistance très aérée et onctueuse (environ 5 minutes). Incorporer les œufs un à la fois, puis les blancs d'œufs. Battre jusqu'à consistance onctueuse entre chaque addition. Ajouter la vanille.

3. Déposer la crème aigre (sure) dans une grosse tasse graduée d'au moins 500 mL (2 tasses) ou un bol. Incorporer le bicarbonate de sodium en brassant. Réserver. Mélanger à la main la moitié du mélange de farine et les ingrédients humi-des. Y ajouter la moitié de la crème aigre (sure), puis répéter en mélangeant chaque addition délicatement afin de bien incorporer la farine et la crème aigre (sure).

4. Verser la pâte dans le moule préparé et faire cuire de 55 à 65 minutes ou jusqu'à ce qu'un cure-dent en ressorte propre. Refroidir dans le moule pendant 10 minutes. Une fois refroidi, bien envelopper et congeler.

Variation de quatre-quarts à la crème aigre (sure) au chocolat : réduire la farine à gâteaux à 375 mL (1 1/2 tasse) et y tamiser 125 mL (1/2 tasse) de cacao (de préférence alcalinisé).

PAR PORTION :

Calories : 185   Gras : 7 g (2 g saturés)
Glucides : 25 g   Fibres : 0 g
Protéines : 5 g   Sodium : 240 mg

Valeur de choix d'aliments pour le diabète =
1 1/2 choix de glucides, 2 choix de gras
Points WW = 4 points

Gâteau sablé (shortcake) aux fraises

8 portions

Le sablé (shortcake, aux États-Unis) aux fraises a toujours des airs de fête. J'apprécie particulièrement celui-ci pour sa rapidité de préparation. J'utilise un mélange à sablé du commerce allégé en gras pour faire les gâteaux tendres et sucrés qui recevront les belles fraises fraîches.

INGRÉDIENTS :

1 L (4 tasses) de tranches de fraises

60 mL (1/4 tasse) de Splenda® granulé

500 mL (2 tasses) de mélange à sablé (*Bisquick* allégé en gras)

80 mL (1/3 tasse) de Splenda granulé

5 mL (1 c. à thé) de levure chimique

2,5 mL (1/2 c. à thé) de bicarbonate de sodium

160 mL (2/3 tasse) de babeurre allégé

7,5 mL (1 1/2 c. à thé) de margarine ou de beurre, ramolli

1 œuf, battu

5 mL (1 c. à thé) de sucre (facultatif)

375 mL (1 1/2 tasse) de garniture fouettée allégée

PRÉPARATION :

1. Préchauffer le four à 220 °C (425 °F). Vaporiser une plaque à cuisson d'un enduit pour cuisson antiadhésif.

2. Dans un bol moyen, mélanger les fraises et le Splenda®. Réserver.

3. Dans un grand bol, combiner le mélange à sablé, 80 mL (1/3 tasse) de Splenda®, la levure chimique et le bicarbonate de sodium.

4. Mélanger le babeurre et le beurre fondu ensemble et verser sur les ingrédients secs. Mélanger à la cuillère.

5. Déposer la pâte sur une surface enfarinée. Pétrir la pâte 10 fois, puis l'aplatir ou la rouler à une épaisseur uniforme de 0,5 cm (1/2 po).

6. Couper des rondelles d'environ 6 cm (2 1/4 po) de diamètre à l'emporte-pièce ou au verre et les déposer sur la plaque à cuisson préparée. Assembler la pâte restante et couper d'autres biscuits. (8 au total).

7. Badigeonner chaque biscuit d'œuf battu, puis saupoudrer un peu de sucre.

8. Faire cuire de 12 à 15 minutes. Déposer sur la grille et laisser refroidir un peu.

9. Pour assembler le gâteau, couper chaque biscuit en deux ; déposer la partie inférieure dans une assiette; couvrir de 125 mL (1/2 tasse) de baies ; compléter en couvrant de l'autre moitié du biscuit. Répéter.

10. Garnir le dessus de 45 mL (3 c. à soupe) de garniture fouettée allégée et servir immédiatement.

NOTES :

Qui a dit que les sablés ne vont qu'avec les fraises? Goûtez-les avec des pêches fraîches ou d'autres baies pour renouveler ce classique.

PAR PORTION :

Calories : 195	Gras : 6 g (3 g saturés)
Glucides : 31 g	Fibres : 2 g
Protéines : 3,5 g	Sodium : 420 mg

Valeur de choix d'aliments pour le diabète =
1 1/2 choix de glucides, 1/2 choix de fruits
Points WW = 4 points

Torte aux amandes et au chocolat

8 portions

En Autriche et en Allemagne, le mot torte signifie « gâteau rond ». En Amérique, il s'agit souvent de gâteaux étagés ou de gâteaux dans lesquels des noix broyées ou de la chapelure remplacent la farine, en partie ou en totalité. J'utilise des amandes broyées et très peu de farine pour préparer ce gâteau au chocolat très dense et moelleux. Je le sers saupoudré de sucre glace ou avec ma sauce rapide à la framboise (page 423), ce qui lui confère une note d'élégance. J'aime bien réchauffer le gâteau avant de placer les morceaux sur des assiettes décorées de sauce et recouvrir chacun d'une cuillerée de garniture fouettée.

INGRÉDIENTS :

125 mL (1/2 tasse) d'amandes grillées

60 mL (1/4 tasse) de farine tout usage

125 mL (1/2 tasse) de Splenda® granulé

30 mL (2 c. à soupe) de cacao

1,2 mL (1/4 c. à thé) de levure chimique

180 mL (3/4 tasse) de pépites de chocolat mi-sucré

45 mL (3 c. à soupe) d'eau chaude

80 mL (1/3 tasse) de purée de pruneau

2,5 mL (1/2 c. à thé) d'essence d'amandes

5 blancs d'œufs

80 mL (1/3 tasse) de Splenda® granulé

2,5 mL (1/2 c. à thé) de crème de tartre

10 mL (2 c. à thé) de sucre glace (facultatif)

PAR PORTION :

Calories : 190	Gras : 9 g (2,5 g saturés)
Glucides : 24 g	Fibres : 3 g
Protéines : 4 g	Sodium : 50 mg

Valeur de choix d'aliments pour le diabète =
1 1/2 choix de glucides, 2 choix de gras
Points WW = 4 points

PRÉPARATION :

1. Préchauffer le four à 190 °C (375 °F). Vaporiser le fond d'un moule à ressort ou d'un moule à gâteau ordinaire d'un enduit pour cuisson anti-adhésif.

2. Griller les amandes. Les déposer dans une assiette à tarte et le cuire au four 5 minutes. Les broyer au robot culinaire en une poudre fine comme de la farine. Incorporer avec quelques pulsions la farine, 125 mL (1/2 tasse) de Splenda® granulé, le cacao et la levure chimique. Réserver.

3. Faire fondre le chocolat dans un petit bain-marie ou mettre un petit contenant au micro-ondes pendant 1 1/2 minute. Remuer jusqu'à ce que toutes les pépites soient fondues. Incorporer alors l'eau chaude, la purée de pruneaux et l'essence d'amandes. Ajouter le chocolat au mélange de farine. (Vous obtiendrez une pâte épaisse.)

4. Dans un autre contenant, fouetter les blancs d'œufs et la crème de tartre jusqu'à consistance mousseuse. Ajouter graduellement 80 mL (1/3 tasse) de Splenda® et continuer de fouetter jusqu'à des pics fermes. Plier le tiers des blancs dans le mélange au chocolat froid en vue d'alléger la texture. Plier délicatement le reste des blancs.

5. Déposer la pâte dans le moule préparé et lisser la surface.

6. Faire cuire de 20 à 22 minutes ou jusqu'à ce que le centre soit cuit. Ne pas trop cuire. Laisser refroidir dans le moule au moins 30 minutes.

Roulé à la citrouille et au fromage à la crème

8 portions

Ajoutez ce gâteau à votre liste de desserts des fêtes. Il est beau, délicieux et il rehausse tout repas de l'Action de grâce ou de Noël. Succulent avec sa garniture au fromage à la crème épicée à la perfection, il comblera tous vos invités.

INGRÉDIENTS :

3 gros œufs

250 mL (1 tasse) de Splenda® granulé

160 mL (2/3 tasse) de purée de citrouille

5 mL (1 c. à thé) de mélasse

7,5 mL (1 1/2 c. à thé) de cannelle

2,5 mL (1/2 c. à thé) de gingembre

2,5 mL (1/2 c. à thé) de muscade

180 mL (3/4 tasse) + 15 mL (1 c. à soupe) de farine tout usage

5 mL (1 c. à thé) de levure chimique

1,2 mL (1/4 c. à thé) de bicarbonate de sodium

GARNITURE

250 g 8 oz de fromage à la crème allégé

45 mL (3 c. à soupe) de Splenda® granulé

125 mL (1/2 tasse) de garniture fouettée

10 mL (2 c. à thé) de sucre glace

PRÉPARATION :

1. Préchauffer le four à 175 °C (350 °F). Vaporiser un moule rectangulaire de 23 x 26 (10 x 12 po) d'un enduit pour cuisson antiadhésif. Tapisser le fond du moule de papier paraffiné. Vaporiser légèrement d'un enduit pour cuisson. Réserver.

2. Gâteau : battre les œufs au batteur électrique à vitesse élevée dans un bol moyen pendant 5 minutes, puis ajouter le Splenda®. Incorporer en fouettant la citrouille, la mélasse et les épices.

3. Tamiser la farine, la levure chimique et le bicarbonate de sodium dans le mélange de citrouille.

4. Déposer la pâte dans le moule préparé et lisser la surface à l'aide d'une spatule. Faire cuire 8 minutes jusqu'à ce que le gâteau reprenne sa forme au toucher et que les rebords paraissent secs. (Ne pas trop cuire, car le gâteau serait difficile à rouler). Couvrir la surface de travail d'une mince étamine et saupoudrer cette dernière de sucre glace. Renverser le gâteau sur l'étamine peu après l'avoir sorti du four, puis roulez de manière lâche dans le sens de la longueur. Refroidir.

5. Garniture : fouetter ensemble au batteur électrique le fromage à la crème allégé et le Splenda® jusqu'à consistance lisse. Incorporer ensuite la garniture fouettée toujours en fouettant.

6. Dérouler le gâteau et étaler la garniture sur la surface en laissant 2,5 cm (1 po) à la fin du roulé. Commencer avec le côté le plus rapproché de vous et rouler de nouveau. Couvrir de pellicule plastique et réfrigérer jusqu'à son service. Saupoudrer de sucre glace au goût avant de servir.

* Vous pouvez utiliser une plaque rectangulaire de 20 x 29 cm (9 x 13 po) si vous le préférez.

PAR PORTION :

Calories : 170	Gras : 7 g (4 g saturés)
Glucides : 18 g	Fibres : 1 g
Protéines : 7 g	Sodium : 310 mg

Valeur de choix d'aliments pour le diabète =
1 choix de glucides, 1 choix de gras, 1 choix de viandes maigres
Points WW = 4 points

Roulé au chocolat avec crème chocolatée

8 portions

Traditionnellement, la « bûche » est un roulé fourré à la crème au beurre et décoré d'une riche glace au chocolat. On la sert le plus souvent durant les fêtes. La version classique semble dénudée, mais gare à son contenu. Ma version, en revanche, est un gâteau éponge au chocolat fourré d'une mousse chocolatée riche... en saveur seulement.

INGRÉDIENTS :

GÂTEAU

80 mL (1/3 tasse) de cacao alcalinisé

80 mL (1/3 tasse) d'eau

3 œufs séparés

125 mL 1/2 tasse) de Slenda® granulé

60 mL (1/4 tasse) de purée de pruneaux ou un petit contenant de purée de pruneaux pour bébés

2,5 mL (1/2 c. à thé) d'essence de vanille

125 mL (1/2 tasse) de farine à gâteau

2 blancs d'œufs

2,5 mL (1/2 c. à thé) de crème de tartre

30 mL (2 c. à soupe) de sucre granulé

30 mL (2 c. à soupe) de cacao pour rouler

GARNITURE

125 mL (1/2 tasse) de fromage à la crème allégé en contenant

500 mL (2 tasses) de garniture fouettée allégée

60 mL (1/4 tasse) de cacao alcalinisé

125 mL (1/2 tasse) de Splenda® granulé

2,5 mL (1/2 c. à thé) d'essence de vanille

5 mL (1 c. à thé) de sucre glace (facultatif)

PRÉPARATION :

1. Préchauffer le four à 177 °C (350 °F). Vaporiser un moule rectangulaire de 23 x 26 (10 x 12 po) d'un enduit pour cuisson antiadhésif. Tapisser le fond du moule de papier paraffiné. Vaporiser légèrement d'un enduit pour cuisson. Réserver.

2. Gâteau : délayer le cacao et l'eau dans un petit bol. Fouetter les œufs et le Splenda® jusqu'à consistance épaisse et aérée (environ 5 minutes). Ajouter le cacao délayé, la purée de pruneaux et l'essence de vanille au mélange d'œufs battus. Tamiser dessus la moitié de la farine et la plier délicatement à l'aide d'un fouet ou d'une spatule en caoutchouc. Répéter avec le reste de la farine.

PAR PORTION :

Calories : 200   Gras : 7 g (4,5 g saturés)
Glucides : 24 g   Fibres : 2 g
Protéines : 7 g   Sodium : 120 mg

Valeur de choix d'aliments pour le diabète =
1 1/2 choix de glucides, 1 choix de viandes
maigres, 1 choix de gras
Points WW = 4 points

3. Fouetter les blancs d'œufs jusqu'à consistance mousseuse. Ajouter la crème de tartre et fouetter jusqu'à la formation de pics mous. Incorporer le sucre en fouettant jusqu'à la formation de pics fermes. Plier les blancs en neige dans la pâte, puis la verser dans le moule préparé. Lisser uniformément à l'aide d'une spatule.

4. Faire cuire de 18 à 21 minutes jusqu'à ce que le gâteau reprenne sa forme au toucher. (Ne pas trop cuire, car le gâteau serait difficile à rouler.) Couvrir la surface de travail d'une mince étamine et saupoudrer cette dernière de cacao. Laisser le gâteau refroidir dans son moule de 2 à 4 minutes, le renverser sur l'étamine, puis le rouler de manière lâche dans le sens de la longueur. Refroidir.

5. Garniture : fouetter ensemble au batteur électrique le fromage à la crème allégé jusqu'à consistance lisse. Incorporer ensuite la garniture fouettée, le cacao, le Splenda® et l'essence de vanille toujours en fouettant jusqu'à consistance lisse et aérée.

6. Dérouler le gâteau et étaler la garniture sur la surface en laissant 2,2 cm (1 po) à la fin du roulé. Commencer avec le côté le plus rapproché de vous et rouler de nouveau. Couvrir de pellicule plastique et réfrigérer jusqu'à son service. Saupoudrer de sucre glace au goût avant de servir.

7. Saupoudrer de sucre glace au goût avant de servir.

NOTES :

Afin d'éviter que le roulé fendille, utilisez le bon format de moule, étalez la pâte uniformément et retirez le gâteau du four dès qu'il est cuit. Roulez-le pendant qu'il est toujours chaud.

Gâteaux au fromage et plus encore

Rien ne surpasse la richesse ou l'onctuosité d'un gâteau au fromage. Quel plaisir! Il n'est donc pas surprenant de trouver un grand nombre de livres de recettes – et de restaurants – qui s'y consacrent.

Le gâteau au fromage n'est cependant pas un gâteau.

En principe, les gâteaux au fromage sont des flans très riches. Comme pour le flan cuit au four, ce sont les œufs qui donnent sa fermeté au gâteau au fromage. Par ailleurs, l'ingrédient principal (souvent le fromage à la crème) est ce qui permet au mélange de se tailler en morceaux, d'où son nom. Le fromage à la crème présente toutefois un inconvénient : il est riche en calories et en gras. En fait, un simple morceau de gâteau au fromage peut facilement contenir 50 g de gras et 600 calories… ouf! Mais voici de bonnes nouvelles. Il y a de nombreuses façons de confectionner un gâteau au fromage à la fois onctueux et sucré avec peu de gras et une fraction du sucre, ou même sans sucre.

Ce chapitre propose un grand nombre de gâteaux au fromage… des recettes de tous les jours et des délices pour les occasions spéciales; des gâteaux au fromage à servir aux fêtes et dans vos réceptions; des gâteaux au fromage garnis de fruits et d'autres de chocolat ; des gâteaux cuits dans des ramequins et d'autres dans des coupes ; des gâteaux cuits au four et d'autres sans cuisson ; vous y trouverez même un gâteau au fromage à servir au petit déjeuner. Et tous ces gâteaux sont faciles à préparer. En réalité, les gâteaux au fromage sont faciles à confectionner. Voici quelques astuces qui vous faciliteront la tâche.

- Vous pouvez faire cuire vos gâteaux au fromage dans un moule standard plutôt qu'un moule à ressort si vous ne le présentez pas entier. Ainsi, vous n'aurez pas à couvrir le moule d'une feuille de papier d'aluminium quand vous faites un bain d'eau.

- Amenez le fromage à la température de la pièce avant de l'utiliser. Fouettez-le jusqu'à consistance lisse avant d'ajouter les ingrédients liquides, et ce, afin d'éviter la formation de grumeaux.

• Mettez le fromage cottage en purée (lorsque spécifié) jusqu'à consistance parfaitement lisse. Il doit être onctueux et sans grumeaux.

• Ajoutez les œufs à la toute fin et battre juste assez pour les incorporer. Cela évitera que le gâteau au fromage fendille sur le dessus.

• La meilleure façon d'envelopper un moule avant de le déposer dans un bain d'eau est de n'utiliser qu'une seule feuille de papier d'aluminium épais. Ainsi, il n'y aura pas de plis où l'eau pourrait s'infiltrer. Mettez le moule sur la feuille et repliez les côtés en les fixant solidement aux rebords du moule.

• Quand vous utilisez un bain d'eau, déposez d'abord le plat de cuisson contenant le gâteau au fromage dans le four avant d'y verser l'eau chaude.

• Les gâteaux au fromage sont prêts dès que leur centre commence à prendre. Retirez-les alors du four. Rappelez-vous que le centre doit bouger un peu, car les gâteaux au fromage continuent de prendre pendant des heures après leur cuisson au four.

• On devrait laisser refroidir un gâteau au fromage dans le four les 30 premières minutes, porte ouverte, afin d'éviter les écarts de température qui pourraient porter le gâteau à fendiller sur le dessus.

• On ne peut pas toujours éviter les fissures, surtout dans le cas de gâteaux faibles en gras ou en sucre. Toutefois, on peut les camoufler à l'aide de crème aigre (sure) sucrée, de garniture aux fruits ou de garniture fouettée allégée.

Fond de gâteau au fromage à la chapelure

12 portions

Cette recette ressemble beaucoup à ma recette de fond de tarte. Les gâteaux au fromage n'ayant pas de croûte sur les côtés, vous utilisez moins de chapelure. Les garnitures de gâteau au fromage ont tendance à s'infiltrer dans le fond de gâteau, ce qui favorise une certaine adhérence. Cela permet d'employer moins de gras et de blancs d'œufs que dans les fonds de tarte aux biscuits Graham. Afin d'éviter que la garniture détrempe trop la chapelure, j'aime faire cuire le fond de gâteau séparément avant de le remplir.

INGRÉDIENTS :

180 mL (3/4 tasse) de chapelure (miettes) de biscuits Graham

30 mL (2 c. à soupe) de Splenda® granulé

15 mL (1 c. à soupe) de margarine ou de beurre, ramolli

PRÉPARATION :

1. Préchauffer le four à 175 °C (350 °F). Vaporiser un moule à ressort de 18 cm (8 po) ou de 20 cm (9 po) d'un enduit pour cuisson antiadhésif.

2. Si vous préparer le fond du gâteau à partir des biscuits, les déposer dans un mélangeur ou un robot culinaire et les mettre en miettes en faisant quelques pulsions.

3. Déposer les miettes dans un bol avec le Splenda® et la margarine ou le beurre ramolli. Mélanger. Déposer le mélange dans le fond du moule préparé. Écraser avec les doigts, avec l'endos d'une cuillère ou une pellicule plastique afin de bien couvrir le fond.

4. Faire cuire 5 minutes. Refroidir, surtout complètement pour les gâteaux sans cuisson.

Variation de fond de gâteau à la chapelure au chocolat : remplacer les biscuits Graham régulier par leur version au chocolat. Ajouter aux miettes 30 mL (2 c. à soupe) de cacao et 15 mL (1 c. à soupe) additionnels de Splenda® et de beurre ou margarine.

NOTES :

Ces deux fonds de gâteau sont à la base de bien des gâteaux au fromage, mais il demeure possible d'utiliser d'autres biscuits allégés, comme des gaufrettes au gingembre (gâteau au fromage Streusel à la citrouille) ou à la vanille (gâteau au fromage à la ricotta et à la cerise). Amusez-vous à interchanger les garnitures et les fonds selon vos goûts.

PAR PORTION :

Calories : 40	Gras : 1,5 g (0,5 g saturés)
Glucides : 6 g	Fibres : 0 g
Protéines : 0 g	Sodium : 55 mg

Valeur de choix d'aliments pour le diabète = 1/2 choix de glucides
Points WW = 1 points

Gâteau au fromage divin

12 portions

On servait ce gâteau au fromage dans ma famille lors d'occasions spéciales. Je voulais donc vraiment réussir à créer une version allégée et j'y suis parvenue ! J'avais cependant besoin d'une seconde opinion. Quand une bonne amie et son époux sont venus manger chez moi, je leur ai servi ce gâteau au dessert. « C'est ma recette ! » a lancé mon amie. De fait, nos recettes se ressemblaient au départ. Quelle fut sa surprise d'apprendre que ma version allégée ne contenait que le tiers des calories, moins de la moitié des glucides et 20 % du gras de nos recettes classiques. Quel plaisir divin !

INGRÉDIENTS :

1 fond de gâteau au fromage à la chapelure, cuit (page 393)

250 mL (1 tasse) de fromage blanc (cottage) allégé

250 g (8 oz) de fromage à la crème allégé

250 g (8 oz) de fromage à la crème sans gras, à la température de la pièce

310 mL (1 1/4 tasse) de Splenda® granulé

30 mL (2 c. à soupe) de farine tout usage

30 mL (2 c. à soupe) de fécule de maïs

5 mL (1 c. à thé) d'essence de vanille

2,5 mL (1/2 c. à thé) d'essence d'amandes

1 gros œuf

3 gros blancs d'œufs

310 mL (1 1/4 tasse) de crème aigre (sure) allégée

PRÉPARATION :

1. Préchauffer le four à 175 °C (350 °F). Envelopper un moule à ressort de 18 cm (8 po) ou de 20 cm (9 po) d'une feuille d'aluminium épaisse afin qu'il soit bien étanche.

2. Déposer le fromage blanc (cottage) dans un robot culinaire ou un mélangeur. Mettre en purée jusqu'à consistance lisse. Transférer à la cuillère dans un autre bol et ajouter les fromages à la crème allégés. Battre à vitesse moyenne au batteur électrique jusqu'à consistance onctueuse. Incorporer le Splenda®, la farine, la fécule de maïs et les essences et continuer de battre jusqu'à consistance lisse. Ajouter le gros œuf et les blancs en fouettant après chaque addition pour bien mélanger. Y incorporer la crème aigre (sure) avec une grosse cuillère. Verser dans le moule préparé et lisser la surface.

3. Déposer le moule préparé dans un grand plat de cuisson profond et y verser de l'eau bouillante jusqu'à la moitié du moule à gâteau.

4. Faire cuire 60 minutes ou jusqu'à ce que les rebords du gâteau semblent fermes et son centre, mou. (Faire cuire de 50 à 55 minutes dans le cas d'un moule de 20 cm (9 po). Éteindre, ouvrir la porte du four et laisser le gâteau refroidir 30 minutes. Retirer du bain d'eau et laisser refroidir complètement.

5. Réfrigérer au moins 6 heures avant de servir.

PAR PORTION :

Calories : 180	Gras : 8 g (5 g saturés)
Glucides : 15 g	Fibres : 0 g
Protéines : 11 g	Sodium : 350 mg

Valeur de choix d'aliments pour le diabète =
1 choix de glucides, 1 1/2 choix de viandes maigres
Points WW = 4 points

NOTES :

Si vous préférez un gâteau un peu plus dense, garni de crème aigre (sure), vous aimerez le gâteau au fromage à la new-yorkaise garni de fraises (page 410).

Gâteau au fromage de tous les jours

12 portions

Bon nombre de gens se permettent de manger du gâteau au fromage lors d'occasions spéciales seulement. Cette version est cependant si saine et facile à préparer que vous pouvez la déguster tous les jours. J'ai simplifié la préparation et je fais cuire le gâteau dans un moule à gâteau régulier de 20 cm (8 po) plutôt que dans un moule à gâteau au fromage classique.

INGRÉDIENTS :

FOND

15 mL (1 c. à soupe) de beurre fondu

125 mL (1/2 tasse) de chapelure Graham

30 mL (2 c. à soupe) de Splenda® granulé

GARNITURE

250 mL (8 oz) de fromage blanc (cottage) allégé

250 g (8 oz) de fromage à la crème sans gras, à la température de la pièce

250 g (8 oz) de fromage à la crème allégé, à la température de la pièce

250 mL (1 tasse) de Splenda® granulé

30 mL (2 c. à soupe) de fécule de maïs

30 mL (2 c. à soupe) de farine tout usage

Zeste de 1 citron

5 mL (1 c. à thé) d'essence de vanille

2 gros œufs

2 gros blancs d'œufs

250 mL (1 tasse) de crème aigre (sure)

PRÉPARATION :

1. Préchauffer le four à 175 °C (350 °F). Vaporiser un moule à gâteau rond de 18 cm (8 po) d'un enduit pour cuisson antiadhésif.

2. Fond : faire fondre le beurre dans le moule. Mélanger la chapelure Graham et le Splenda® à la main, puis tasser dans le fond du moule. Faire cuire 10 minutes et refroidir complètement.

3. Déposer le moule dans un plat de 20 sur 29 cm (9 sur 13 po) ou un plat de cuisson profond de 5 ou 7,5 cm (2 ou 3 po) environ.

4. Garniture : déposer le fromage blanc (cottage) dans un robot culinaire ou un mélangeur. Mettre en purée jusqu'à consistance lisse. Transférer à la cuillère dans un autre bol et ajouter les fromages à la crème allégés. Battre à vitesse moyenne au batteur électrique jusqu'à consistance onctueuse. Incorporer le Splenda®, la farine, la fécule de maïs et la vanille, et continuer de battre jusqu'à consistance lisse. Ajouter les œufs, puis les blancs en fouettant légèrement après chaque addition pour bien mélanger. Y incorporer la crème aigre (sure) avec une grosse cuillère.

5. Verser dans le moule, puis le déposer dans le grand plat de cuisson. Ajouter de l'eau chaude jusqu'à la moitié du moule à gâteau. Faire cuire dans le bain d'eau de 50 à 55 minutes ou jusqu'à ce que les rebords semblent fermes et que le centre soit plutôt mou. Retirer du bain d'eau et laisser refroidir. Réfrigérer au moins 6 heures avant de servir.

PAR PORTION :

Calories : 160	Gras : 7 g (4,5 g saturés)
Glucides : 13 g	Fibres : 0 g
Protéines : 10 g	Sodium : 330 mg

Valeur de choix d'aliments pour le diabète = 1 1/2 choix de viandes maigres, 1 choix de glucides

Points WW = 4 points

NOTES :

Pour une touche spéciale, choisissez votre sauce ou votre garniture préférée dans le chapitre « Délices sucrés ».

Gâteau au fromage au chocolat

12 portions

Gâteau au fromage et chocolat... quelle combinaison savoureuse ! Préparez d'abord un fond de gâteau avec une chapelure au chocolat que vous remplirez d'une garniture chocolatée riche. Décorez ensuite de copeaux de chocolat au goût. Qui a dit qu'il n'était pas agréable de manger santé ?

INGRÉDIENTS :

1 fond de gâteau au fromage à la chapelure, au chocolat (page 393)

500 mL (2 tasses) de fromage blanc (cottage) allégé

250 g (8 oz) de fromage à la crème allégé, à la température de la pièce

250 g (8 oz) de fromage à la crème sans gras, à la température de la pièce

125 mL (1/2 tasse) de pépites de chocolat, fondues et refroidies

375 mL (1 1/2 tasse) de Splenda® granulé

60 mL (4 c. à soupe) de cassonade

60 mL (1/4 tasse) de cacao alcalinisé (Hershey's European)

30 mL (2 c. à soupe) de farine tout usage

15 mL (1 c. à soupe) de fécule de maïs

5 mL (1 c. à thé) d'essence de vanille

5 mL (1 c. à thé) d'essence d'amandes

1 gros œuf

3 gros blancs d'œufs

125 mL (1/2 tasse) de crème aigre (sure)

PRÉPARATION :

1. Préchauffer le four à 175 °C (350 °F). Envelopper un moule à ressort de 20 cm (9 po) garni d'un fond de gâteau à la chapelure d'une feuille d'aluminium épaisse afin qu'il soit bien étanche.

2. Déposer le fromage blanc (cottage) dans un robot culinaire ou un mélangeur. Mettre en purée jusqu'à consistance lisse. Tranférer à la cuillère dans un autre bol et ajouter les fromages à la crème allégés et sans gras. Battre à vitesse moyenne au batteur électrique jusqu'à consistance onctueuse. Y ajouter le chocolat fondu refroidi, le Splenda®, la cassonade, le cacao, la farine, la fécule de maïs et les essences, et continuer de battre à basse vitesse jusqu'à consistance lisse. Ajouter l'œuf complet, puis les blancs en fouettant légèrement après chaque addition pour bien mélanger. Y incorporer la crème aigre (sure) avec une grosse cuillère.

3. Verser dans le moule et lisser la surface.

4. Déposer le moule préparé dans le grand plat de cuisson et verser de l'eau bouillante jusqu'à la moitié du moule à gâteau.

5. Faire cuire dans le bain d'eau de 55 à 60 minutes ou jusqu'à ce que les rebords semblent fermes et que le centre soit plutôt mou. Éteindre, ouvrir la porte du four et laisser le gâteau refroidir 30 minutes. Retirer du bain d'eau et refroidir complètement.

6. Réfrigérer au moins 6 heures avant de servir.

PAR PORTION :

Calories : 220   Gras : 8 g (5 g saturés)
Glucides : 24 g   Fibres : 1 g
Protéines : 13 g   Sodium : 380 mg

Valeur de choix d'aliments pour le diabète =
1 1/2 choix de glucides, 2 choix de viandes très maigres
Points WW = 5 points

Gâteau au fromage moka aux pépites de chocolat

6 portions

Le café et le chocolat font toujours bon ménage. La garniture au fromage onctueuse de ce gâteau est parfumée au café et agrémentée de pépites de chocolat miniatures. C'est le dessert idéal pour toutes vos réceptions.

INGRÉDIENTS :

1 fond de gâteau au fromage à la chapelure, au chocolat (page 393)

500 mL (2 tasses) de fromage blanc (cottage) allégé

250 g (8 oz) de fromage à la crème allégé

250 g (8 oz) de fromage à la crème sans gras, à la température de la pièce

375 mL (1 1/2 tasse) de Splenda® granulé

30 mL (2 c. à soupe) de farine tout usage

15 mL (1 c. à soupe) de fécule de maïs

25 mL (1/2 c. à thé) d'essence de vanille

15 mL (1 c. à soupe) + 5 mL (1 c. à thé) de café soluble

30 mL (2 c. à soupe) d'eau chaude

2 gros œufs

2 gros blancs d'œufs

10 mL (2 c. à thé) de farine tout usage

160 mL (2/3 tasse) de pépites de chocolat

PRÉPARATION :

1. Préchauffer le four à 175 °C (350 °F). Envelopper un moule à ressort de 20 cm (9 po) garni d'un fond de gâteau à la chapelure d'une feuille d'aluminium épaisse afin qu'il soit bien étanche.

2. Déposer le fromage blanc (cottage) dans un robot culinaire ou un mélangeur. Mettre en purée jusqu'à consistance lisse. Transférer à la cuillère dans un autre bol et ajouter les fromages à la crème allégé et sans gras. Battre à vitesse moyenne au batteur électrique jusqu'à consistance onctueuse. Y ajouter le Splenda®, la farine, la fécule de maïs et la vanille. Continuer de battre à basse vitesse jusqu'à consistance lisse.

3. Délayer le café dans l'eau chaude et ajouter à la pâte.

4. Ajouter les œufs complets, puis les blancs en fouettant légèrement après chaque addition pour bien mélanger.

5. Enduire les pépites de 30 mL (2 c. soupe) de farine. Mélanger la pâte.

6. Verser dans le moule et lisser la surface. Déposer le moule préparé dans le grand plat de cuisson et verser de l'eau bouillante jusqu'à la moitié du moule à gâteau.

7. Faire cuire 60 minutes ou jusqu'à ce que les rebords semblent fermes et que le centre soit plutôt mou. Éteindre, ouvrir la porte du four et laisser le gâteau refroidir 30 minutes. Retirer du bain d'eau et refroidir complètement.

8. Réfrigérer au moins 6 heures avant de servir.

PAR PORTION :

Calories : 220	Gras : 10 g (6 g saturés)
Glucides : 21 g	Fibres : 1 g
Protéines : 11 g	Sodium : 350 mg

Valeur de choix d'aliments pour le diabète =
1 1/2 choix de glucides, 1 1/2 choix de viandes mi-maigres
Points WW = 5 points

Gâteau au fromage à la ricotta et à la cerise

12 portions

Voici une recette que je connais par cœur tellement je l'ai faite souvent. Je voulais cependant qu'elle sorte de l'ordinaire. Résultat de mes efforts : un fond de tarte aux gaufrettes à la vanille, une garniture onctueuse au fromage ricotta recouvrant des cerises noires parfumées aux amandes et elle-même décorée d'amandes et de gaufrettes à la vanille. Unique et beau, ce gâteau sera une réussite lors des fêtes comme Noël ou la Saint-Valentin.

INGRÉDIENTS :

FOND

375 mL (1 1/2 tasse) de gaufrettes la vanille

30 mL (2 c. à soupe) de beurre ou de margarine, fondue

30 mL (2 c. à soupe) d'amandes effilées

GARNITURE

250 mL (1 tasse) de cerises noires sucrées décongelées sans sucre

250 mL (1 tasse) + 15 mL (1 c. à soupe) de Splenda® granulé

2,5 mL (1/2 c. à thé) d'essence d'amande

1 contenant de 423 g (15 oz) de fromage ricotta allégé

250 g (8 oz) de fromage à la crème allégé

60 mL (1/4 tasse) de farine tout usage

5 mL (1 c. à thé) d'essence de vanille

3,6 mL (3/4 c. à thé) d'essence d'amandes

2 gros œufs

3 gros blancs d'œufs

125 mL (1/2 tasse) de crème aigre (sure)

PAR PORTION :

Calories : 205

Glucides : 16 g

Protéines : 9 g

Gras : 11 g (5 g saturés)

Fibres : 1 g

Sodium : 210 mg

Valeur de choix d'aliments pour le diabète =
1 choix de glucides, 1 1/2 choix de viandes
maigres, 1 1/2 choix de gras
Points WW = 5 points

PRÉPARATION :

1. Préchauffer le four à 160 °C (325 °F). Vaporiser un moule à ressort de 20 cm (9 po) d'un enduit pour cuisson antiadhésif.

2. Fond : combiner les gaufrettes et la margarine dans un petit bol. Tasser 250 mL (1 tasse) du mélange dans le fond du moule et réserver 60 mL (1/4 tasse) en vue de garnir le dessus. Faire cuire le fond 5 minutes. Déposer les amandes effilées au mélange dans un petit bol et réserver.

3. Garniture : enrober les cerises de 2,5 mL (1/2 c. à thé) d'essence d'amande et 15 mL (1 c. à soupe) de Splenda®. Réserver.

4. Battre le fromage ricotta dans un grand plat à l'aide d'un batteur électrique pendant 2 minutes. Ajouter le fromage à la crème et le Splenda® restant et battre encore 2 minutes. Incorporer la farine et les essences en fouettant jusqu'à consistance lisse. Ajouter ensuite les œufs, un à la fois, puis les blancs d'œufs, en fouettant juste assez pour mélanger après chaque ajout. Plier la crème aigre (sure) à l'aide d'une grosse cuillère.

5. Disposer les cerises uniformément sur le fond de gaufrettes à la vanille. Déposer soigneusement la pâte à la cuillère dans le moule (replacer les cerises ou les enfoncer dans le fond au besoin). Faire cuire 50 minutes ou jusqu'à ce que le gâteau au fromage soit presque ferme. (Quelques fissures pourraient se former.)

6. Ouvrir le four et saupoudrer la garniture d'amandes sur le gâteau en couvrant les fissures. Faire cuire un autre 10 minutes, puis retirer du four. Refroidir. Réfrigérer au moins 6 heures avant de servir.

NOTES :

La ricotta ainsi que les noix et les fruits sont courants dans les gâteaux au fromage de type italien. Outre sa saveur et sa texture uniques, la ricotta ajoute protéines et calcium à ce dessert très nutritif.

Gâteau au fromage à la margarita

12 portions

Quand vous boirez votre prochaine margarita, imaginez retrouver cette saveur rafraîchissante dans un gâteau au fromage onctueux. C'est le commentaire très positif que m'ont fait mes voisins. Transportez-vous au Mexique avec un bon morceau de ce gâteau. Il ravit tout le monde lors des réceptions.

INGRÉDIENTS :

FOND

180 mL (3/4 tasse) de chapelure Graham

30 mL (2 c. à soupe) de beurre, fondu

30 mL (2 c. à soupe) de Splenda® granulé

GARNITURE DE GÂTEAU

250 g (8 oz) de fromage blanc (cottage) allégé

250 g (8 oz) de fromage à la crème allégé, à la température de la pièce

250 g (8 oz) de fromage à la crème sans gras, à la température de la pièce

250 mL (1 tasse) de crème aigre (sure)

250 mL (1 tasse) de Splenda® granulé

2 gros œufs

3 gros blancs d'œufs

30 mL (2 c. à soupe) de téquila

30 mL (2 c. à soupe) de triple sec

30 mL (2 c. à soupe) de jus frais de lime (limette)

GARNITURE DE DESSUS

30 mL (2 c. à soupe) de chapelure Graham

15 mL (1 c. à soupe) de Splenda® granulé

PRÉPARATION :

1. Préchauffer le four à 175 °C (350 °F). Vaporiser un moule à ressort de 20 cm (9 po) d'un enduit antiadhésif pour cuisson. Bien envelopper le moule d'une feuille d'aluminium épaisse afin qu'il soit bien étanche.

2. Fond : mélanger la chapelure Graham, le beurre fondu et le Splenda® dans un petit bol. Tasser au fond d'un moule rond de 20 cm (9 po) préparé.

3. Faire cuire le fond au four 10 minutes. Refroidir complètement. Placer dans un plat de 20 sur 29 (9 sur 13 po) profond de 5 à 7,5 cm (2 à 3 po).

4. Garniture : Déposer le fromage blanc (cottage) dans un robot culinaire ou un mélangeur. Mettre en purée jusqu'à consistance lisse. Transférer à la cuillère dans un bol et ajouter les fromages à la crème allégé et sans gras. Battre à vitesse moyenne au batteur électrique jusqu'à consistance onctueuse. Y ajouter la crème aigre (sure) et le Splenda®. Continuer de battre à basse vitesse jusqu'à consistance lisse. Ajouter les œufs complets, puis les blancs en fouettant légèrement après chaque addition pour bien mélanger. Incorporer en brassant la téquila, le triple sec et le jus de lime (limette). Verser la pâte sur le fond préparé.

5. Verser de l'eau chaude dans le grand plat jusqu'à la moitié du moule à gâteau. Faire cuire dans le bain d'eau de 50 à 55 minutes jusqu'à ce que le centre soit pris.

6. Combiner la chapelure Graham et le Splenda®. Saupoudrer le dessus du gâteau. Le retirer du bain d'eau. Réfrigérer au moins 6 heures avant de servir.

PAR PORTION :

Calories : 170   Gras : 6 g (3,5 g saturés)
Glucides : 14 g   Fibres : 0 g
Protéines : 9 g   Sodium : 340 mg

Valeur de choix d'aliments pour le diabète =
1 1/2 choix de viandes maigres, 1 choix de glucides
Points WW = 4 points

Somptueux gâteau au fromage au citron

12 portions

Le nom de ce gâteau dit tout. Ce dessert est véritablement somptueux. Mon mari en a apporté un au travail, et le gâteau a disparu en un rien de temps. Personne ne s'est douté qu'il ne s'agissait pas d'un gâteau au fromage classique. Mission accomplie !

INGRÉDIENTS :

1 fond de gâteau au fromage à la chapelure, cuit (page 393)

250 g (8 oz) de fromage blanc (cottage) allégé

250 g (8 oz) de fromage à la crème allégé

250 g (8 oz) de fromage à la crème sans gras, à la température de la pièce

250 mL (1 tasse) de Splenda® granulé

30 mL (2 c. à soupe) de farine tout usage

10 mL (2 c. à thé) de fécule de maïs

10 mL (2 c. à thé) de jus de citron

30 mL (2 c. à soupe) de zeste de citron

1 contenant de 250 g (8 oz) de yaourt (régulier) sans gras

2 gros œufs

2 gros blancs d'œufs

PRÉPARATION :

1. Préchauffer le four à 175 °C (350 °F). Bien envelopper le moule d'une feuille d'aluminium épaisse afin qu'il soit bien étanche.

2. Déposer le fromage blanc (cottage) dans un robot culinaire ou un mélangeur. Mettre en purée jusqu'à consistance lisse. Transférer à la cuillère dans un grand bol et ajouter les fromages à la crème allégés et sans gras. Battre à vitesse moyenne au batteur électrique jusqu'à consistance onctueuse. Y ajouter le Splenda®, la farine et la fécule de maïs. Continuer de battre à basse vitesse jusqu'à consistance lisse. Incorporer le jus de citron, le zeste et le yaourt en fouettant.

3. Ajouter les œufs complets, puis les blancs en fouettant après chaque addition pour bien mélanger. Verser dans le moule préparé et lisser la surface.

4. Déposer le moule enveloppé d'aluminium dans un grand plat profond et y verser de l'eau bouillante jusqu'à la moitié du moule du gâteau.

5. Faire cuire de 60 à 65 minutes ou jusqu'à ce que les rebords semblent fermes et que le centre soit presque pris. Éteindre, ouvrir la porte du four et laisser le gâteau refroidir 30 minutes. Le retirer de son bain d'eau et le laisser refroidir entièrement sur une grille.

6. Réfrigérer au moins 6 heures avant de servir.

NOTES :

Garnissez le gâteau de fraises tranchées ou de framboises, puis badigeonnez les fruits de 30 mL (2 c. à soupe) de confiture faible en sucre pour leur donner du lustre. Ou bien saupoudrez 10 mL (2 c. à thé) de sucre glace sur les fruits juste avant de servir. Quelle jolie présentation !

PAR PORTION :

Calories : 160	Gras : 6 g (3,5 g saturés)
Glucides : 15 g	Fibres : 0 g
Protéines : 10 g	Sodium : 340 mg

Valeur de choix d'aliments pour le diabète =
1 choix de glucides, 1 choix de viandes maigres
Points WW = 4 points

Gâteau au fromage mousseline au citron

12 portions

Ce gâteau est léger et succulent. Je me suis inspirée d'un gâteau au fromage dégusté dans un restaurant spécialisé en gâteaux au fromage dont la texture mousseline ultra légère m'a impressionnée. Après de nombreux essais, j'ai créé un gâteau au fromage qui me plaisait. C'est un des desserts que je préfère servir après un repas savoureux et élégant.

INGRÉDIENTS :

FOND

180 mL (3/4 tasse) de chapelure Graham

30 mL (2 c. à soupe) de Splenda® granulé

30 mL (2 c. à soupe) de beurre, fondu

GARNITURE

250 g (8 oz) de fromage blanc (cottage) allégé

250 g (8 oz) de fromage à la crème allégé

250 g (8 oz) de fromage à la crème sans gras, à la température de la pièce

310 mL (1 1/4 tasse) de Splenda® granulé

15 mL (1 c. à soupe) de fécule de maïs

15 mL (1 c. à soupe) de farine tout usage

2 gros jaunes d'œufs

60 mL (1/4 tasse) de jus de citron

15 mL (1 c. à soupe) de zeste de citron

4 gros blancs d'œufs

PRÉPARATION :

1. Préchauffer le four à 175 °C (350 °F). Vaporiser un moule à ressort de 20 cm (9 po) d'un enduit pour cuisson. Bien envelopper le moule d'une feuille d'aluminium épaisse afin qu'il soit bien étanche.

2. Fond : mélanger ensemble la chapelure Graham, le Splenda® et le beurre fondu. Tasser dans le fond du moule rond de 20 cm (9 po) préparé.

3. Faire cuire le fond au four 10 minutes. Refroidir complètement. Déposer le moule enveloppé d'aluminium dans un grand plat profond de 20 x 20 cm (9 x 13 po) ou plus.

4. Garniture : déposer le fromage blanc (cottage) dans un robot culinaire ou un mélangeur. Mettre en purée jusqu'à consistance lisse. Transférer à la cuillère dans un grand bol et ajouter les fromages à la crème. Battre à vitesse moyenne au batteur électrique jusqu'à consistance onctueuse. Y ajouter le Splenda®, la fécule de maïs, la farine, les jaunes d'œufs, le jus de citron et le zeste. Monter les blancs en neige dans un grand contenant, puis les plier dans le mélange de fromage. Verser la pâte dans le moule à gâteau.

5. Verser de l'eau bouillante jusqu'à la moitié du moule à gâteau. Faire cuire de 50 à 55 minutes dans le bain d'eau ou jusqu'à ce que les rebords semblent fermes et que le centre soit presque pris. Le retirer de son bain d'eau et refroidir.

6. Réfrigérer au moins 6 heures avant de servir.

PAR PORTION :

Calories : 140	Gras : 6 g (3,5 g saturés)
Glucides : 11 g	Fibres : 0 g
Protéines : 10 g	Sodium : 340 mg

Valeur de choix d'aliments pour le diabète =
1 1/2 choix de viandes maigres, 1 choix de glucides
Points WW = 3 points

Gâteau au fromage marbré aux fraises

12 portions

Quel beau gâteau ! Il est nappé d'une garniture marbrée aux fraises qui cuit avec le gâteau. Faites-le toute l'année puisque les fraises surgelées conviennent tout aussi bien que les fraîches.

INGRÉDIENTS :

1 fond de gâteau au fromage à la chapelure, cuit (page 393)

310 mL (1 1/4 tasse) de fraises non sucrées fraîches ou surgelées

30 mL (2 c. à soupe) de confiture aux fraises faibles en sucre

30 mL (2 c. à soupe) de Splenda® granulé

10 mL (2 c. à thé) de jus de citron

250 mL (1 tasse) de fromage blanc (cottage) allégé

250 g (8 oz) de fromage à la crème allégé

250 g (8 oz) de fromage à la crème sans gras, à la température de la pièce

310 mL (1 1/4 tasse) de Splenda® granulé

30 mL (2 c. à soupe) de farine tout usage

30 mL (2 c. à soupe) de fécule de maïs

5 mL (1 c. à thé) d'essence de vanille

2,5 mL (1/2 c. à thé) d'essence d'amandes

1 gros œuf

3 gros blancs d'œufs

310 mL (1 1/4 tasse) de crème aigre (sure) allégée

PRÉPARATION :

1. Préchauffer le four à 175 °C (350 °F). Bien envelopper un moule à ressort de 20 cm (9 po) rempli de chapelure d'une feuille d'aluminium épaisse afin qu'il soit bien étanche.

2. Combiner les fraises, la confiture, le Splenda® et le jus de citron dans une casserole moyenne. Brasser et faire cuire jusqu'à ce que les fraises soient ramollies. Écraser à la fourchette en vue de mettre en purée. (Vous pouvez aussi utiliser un robot culinaire ou un mélangeur.) Réserver le mélange et refroidir.

3. Déposer le fromage blanc (cottage) dans un robot culinaire ou un mélangeur. Mettre en purée jusqu'à consistance lisse. Transférer à la cuillère dans un grand bol et ajouter les deux fromages à la crème. Battre à vitesse moyenne au batteur électrique jusqu'à consistance onctueuse. Y ajouter le Splenda®, la farine, la fécule de maïs et les essences. Continuer de battre à faible vitesse jusqu'à consistance lisse. Ajouter l'œuf complet, puis les blancs, en brassant légèrement après chaque addition. Incorporer la crème aigre (sure) avec une grosse cuillère. Verser dans le moule préparé et lisser la surface.

4. Déposer délicatement des cuillerées de purée de fraises sur la pâte et marbrer à l'aide de la pointe d'un couteau en mouvement de va et vient.

5. Déposer le moule enveloppé d'une feuille d'aluminium dans un grand plat de cuisson profond et placer sur la grille du four. Verser de l'eau bouillante jusqu'à la moitié du moule à gâteau.

6. Faire cuire de 70 à 75 minutes dans le bain d'eau ou jusqu'à ce que les rebords semblent fermes et que le centre soit presque pris. Éteindre, ouvrir la porte du four et laisser le gâteau refroidir 30 minutes. Retirer le moule de son bain d'eau et continuer de refroidir. Réfrigérer au moins 6 heures avant de servir.

Variante : Vous pouvez remplacer les fraises par des framboises et une confiture à la framboise faible en sucre. Les mûres de Boysen font un très bel effet. Vous devrez toutefois passer les fruits à travers le tamis afin d'en retirer les graines avant de marbrer.

PAR PORTION :

Calories : 190	Gras : 8 g (5 g saturés)
Glucides : 17 g	Fibres : 1 g
Protéines : 11 g	Sodium : 350 mg

Valeur de choix d'aliments pour le diabète = 1 choix de glucides, 1 1/2 choix de viandes maigres

Points WW = 4 points

Gâteau au fromage Streusel à la citrouille

12 portions

Voici l'un de mes desserts favoris des fêtes. Il a une allure festive en plus d'être délicieux. Je l'ai souvent préparé avec du sucre, mais je suis heureuse de dire aujourd'hui que ma version sans sucre est tout aussi savoureuse que la version classique.

INGRÉDIENTS :

18 gaufrettes au gingembre mises en chapelure (elles peuvent être remplacées par une chapelure de biscuits Graham)

60 mL (1/4 tasse) de Splenda® granulé

15 mL (1 c. à soupe) de margarine allégée ou de beurre, fondue

GARNITURE

250 mL (1 tasse) de fromage blanc (cottage) allégé

250 g (8 oz) de fromage à la crème allégé

250 g (8 oz) de fromage à la crème sans gras, à la température de la pièce

310 mL (1 1/4 tasse) de Splenda® granulé

1 boîte de 423 g (15 oz) de purée de citrouille bien tassée

30 mL (2 c. à soupe) de fécule de maïs

15 mL (1 c. à soupe) de farine tout usage

5 mL (1 c. à thé) de cannelle

2,5 mL (1/2 c. à thé) de gingembre moulu

2,5 mL (1/2 c. à thé) de quatre-épices

5 mL (1 c. à thé) d'essence de vanille

2 gros œufs

4 gros blancs d'œufs

125 mL (1/2 tasse) de crème aigre (sure) allégée

STREUSEL

60 mL (1/4 tasse) de farine tout usage

15 mL (1 c. à soupe) de cassonade

15 mL (1 c. à soupe) de beurre allégé, froid

PAR PORTION :

Calories : 200 Gras : 7 g (4 g saturés)
Glucides : 21 g Fibres : 2 g
Protéines : 11 g Sodium : 370 mg

Valeur de choix d'aliments pour le diabète =
1 1/2 choix de glucides, 1 1/2 choix de viandes
maigres moyennes
Points WW = 4 points

PRÉPARATION :

1. Préchauffer le four à 175 °C (350 °F). Vaporiser un moule à ressort de 20 cm (9 po) rempli d'un enduit pour cuisson antiadhésif.

2. Fond : combiner la chapelure et le Splenda® dans un petit contenant. Ajouter le beurre et mélanger. Réserver le tiers de la chapelure et tasser le reste dans le fond du moule préparé.

3. Faire cuire 5 minutes et réserver.

4. Garniture : déposer le fromage blanc (cottage) dans un robot culinaire ou un mélangeur. Mettre en purée jusqu'à consistance lisse. Transférer à la cuillère dans un grand bol et ajouter les fromages à la crème allégé et sans gras. Battre à vitesse moyenne au batteur électrique jusqu'à consistance onctueuse.

5. Y ajouter le Splenda®, la citrouille, la farine, la fécule de maïs. Continuer de battre à faible vitesse jusqu'à consistance lisse. Ajouter les épices et la vanille, les œufs complets, puis les blancs, en fouettant légèrement après chaque addition. Incorporer la crème aigre (sure) avec une grosse cuillère.

6. Verser dans le moule préparé et lisser la surface.

7. Faire cuire 75 minutes ou jusqu'à ce que les rebords semblent fermes et que le centre soit presque pris.

8. Streusel : ajouter la farine et la cassonade à la chapelure réservée. Y couper le beurre jusqu'à une consistance grumeleuse. Après la cuisson, ouvrir le four et étaler le mélange sur le gâteau (couvrant les fissures). Remettre au four 15 minutes de plus. Éteindre, ouvrir la porte du four et laisser le gâteau refroidir 30 minutes. Retirer du four et refroidir sur une grille.

9. Réfrigérer au moins 6 heures avant de servir. Le gâteau est à son meilleur préparé quelques jours à l'avance.

Carrés au fromage

24 portions

Virginie, de Toronto, m'a fait parvenir sa propre recette de gâteau au fromage. J'ai enlevé le sucre et pourtant, rien n'y paraît. Ces carrés sucrés et onctueux nappés de crème aigre (sure) et décorés de tranches de fraises fraîches font fureur dans une réception. Virginie m'assure que tout le monde les aime !

INGRÉDIENTS :

FOND

310 mL (1 1/4 tasse) de chapelure Graham

30 mL (2 c. à soupe) de margarine ou de beurre, fondue

2,5 mL (1/2 c. à thé) de cannelle

30 mL (2 c. à soupe) de Splenda® granulé

GARNITURE DE GÂTEAU

250 g (8 oz) de fromage à la crème allégé, à la température de la pièce

250 g (8 oz) de fromage à la crème sans gras, à la température de la pièce

3 gros œufs

30 mL (2 c. à soupe) de jus de citron

30 mL (2 c. à soupe) de zeste de citron

10 mL (2 c. à thé) d'essence de vanille

250 mL (1 tasse) de Splenda® granulé

GARNITURE DE DESSUS

500 mL (2 tasses) de crème aigre (sure) allégée

125 mL (1/2 tasse) de Splenda® granulé

10 mL (2 c. à thé) d'essence de vanille

PAR PORTION :

Calories : 120   Gras : 7 g (4 g saturés)
Glucides : 7 g   Fibres : 0 g
Protéines : 5 g   Sodium : 160 mg

Valeur de choix d'aliments pour le diabète =
1 choix de viandes maigres, 1 choix de gras,
1/2 choix de glucides,
Points WW = 3 points

Préparation :

1. Préchauffer le four à 160 °C (325 °F).

2. Fond : combiner et mélanger la chapelure Graham, la margarine, la cannelle et le Splenda® dans un petit bol

3. Déposer la chapelure préparée dans un moule de 20 x 29 cm (9 x 13 po). La tasser dans le fond et sur les côtés du plat avec les doigts, l'endos d'une cuillère ou une pellicule plastique. Réfrigérer au moins 30 minutes.

4. Garniture : battre en crème au batteur électrique les fromages, les œufs, le jus de citron, le zeste de citron, l'essence de vanille et le Splenda®. Verser sur le fond dans le moule.

5. Faire cuire de 20 à 25 minutes. Retirer du four. Refroidir 10 minutes. Augmenter la température du four à 200 °C (400 °F)

6. Garniture du dessus : combiner le crème aigre (sure), le Splenda® et l'essence de vanille. Étaler légèrement sur le gâteau refroidi. Faire cuire un autre 5 à 8 minutes. Refroidir et réfrigérer au moins 4 heures avant de servir.

7. Couper en 24 morceaux.

Variation de fruits : vous pouvez servir ces petits gâteaux au fromage dans de jolies coupes en papier et les garnir de kiwis frais, de moitié de fraises ou de cerises confites coupées en quatre.

Notes :

J'aime bien littéralement « arroser » ces carrés de sauce à la framboise. Mélangez 45 mL (3 c. à soupe) de confiture à la framboise faible en sucre, 45 mL (3 c. à soupe) d'eau et 60 mL (1/4 tasse) de Splenda® granulé dans un contenant allant au micro-ondes. Chauffez de 15 à 30 secondes à puissance élevée. Brassez jusqu'à consistance lisse. Pour faire des filets décoratifs, trempez une fourchette dans la sauce chaude et arrosez tout le plat ou les carrés individuels.

Petits gâteaux au fromage du petit déjeuner

7 portions

J'ai donné un cours sur la bonne cuisine faible en glucides. J'ai offert à mes étudiants un gâteau au fromage du petit déjeuner. Vous souriez ! Ces petits gâteaux parfumés à l'orange contiennent autant de protéines que 2 œufs, mais avec moins de gras et de calories. Quelle douce façon de commencer la journée !

INGRÉDIENTS :

500 g (2 tasses) de fromage blanc (cottage) allégé

250 g (8 oz) de fromage à la crème allégé, à la température de la pièce

160 mL (2/3 tasse) de Splenda® granulé

2,5 mL (1/2 c. à thé) d'essence d'amandes

2,5 mL (1/2 c. à thé) de zeste d'orange

2 gros œufs

2 gros blancs d'œufs

PRÉPARATION :

1. Préchauffer le four à 175 °C (350 °F). Déposer 7 ramequins de 170 g (6 oz) dans un grand plat de cuisson profond (d'au moins 5 cm ou 2 po de profondeur).

2. Mettre en purée dans un robot culinaire le fromage blanc (cottage) jusqu'à entièrement lisse. Incorporer le fromage à la crème, le Splenda®, l'essence d'amandes et le zeste d'orange. Mélanger jusqu'à consistance lisse.

3. Ajouter les œufs et les blancs d'œufs un à la fois et bien mélanger.

4. Verser la pâte dans les ramequins. Verser de l'eau chaude dans le grand plat de cuisson jusqu'à la moitié des ramequins.

5. Faire cuire de 25 à 30 minutes ou jusqu'à pris au centre.

6. Réfrigérer au moins 4 heures avant de servir.

NOTES :

Un bon équilibre entre les glucides, les gras et les protéines vous laissera en état de satiété plus longtemps ; et votre taux de glucose sanguin sera stable. Accompagnez le tout d'une tasse de baies fraîches et vous obtiendrez plus de nutriments et de fibres.

PAR PORTION DE 125 mL (1/2 TASSE) :

Calories : 130   Gras : 8 g (4 g saturés)
Glucides : 6 g   Fibres : 0 g
Protéines : 14 g   Sodium : 380 mg

Valeur de choix d'aliments pour le diabète = 2 choix de viandes maigres, 1/2 choix de glucides,
Points WW = 3 points

Petits gâteaux au fromage à la banane fraîche

18 portions

Un restaurant de gâteaux au fromage a inspiré la création de ma recette. Ces petits gâteaux au fromage à la banane savoureux couronnent un fond de chapelure à la vanille. Contrairement à la version du restaurant, mes gâteaux sont judicieusement préparés dans des moules individuels. Vous pouvez faire la recette complète pour un grand nombre de personnes ou la diviser en deux pour les amateurs de gâteau au fromage. Décorez d'un peu de crème fouettée et d'un copeau de chocolat au goût. Vos invités seront épatés.

INGRÉDIENTS :

250 mL (1 tasse) de chapelure de gaufrettes à la vanille (environ 30 gaufrettes)

45 mL (3 c. à soupe) de margarine, ramollie

340 g (12 oz) de fromage à la crème allégé

340 g (12 oz) de fromage à la crème sans gras, à la température de la pièce

160 mL (2/3 tasse) de Splenda® granulé

30 mL (2 c. à soupe) de fécule de maïs

10 mL (2 c. à thé) d'essence de vanille

180 mL (3/4 tasse) de bananes écrasées (environ 1 1/2 banane)

2 gros œufs + 2 blancs d'œufs

80 mL (1/3 tasse) de crème simple sans gras

PRÉPARATION :

1. Préchauffer le four à 160 °C (350 °F).

2. Déposer la coupe aluminium dans 18 alvéoles. (Retirer la coupe de papier).

3. Émietter les gaufrettes à la vanille dans le robot culinaire ou le mélangeur. Ajouter la margarine et bien mélanger. Tasser 15 mL (1 c. à soupe) de chapelure dans chaque moule.

4. Réfrigérer les moules.

5. Dans un grand bol, battre les fromages jusqu'à consistance onctueuse. Ajouter le Splenda®, la fécule de maïs et l'essence de vanille et fouetter jusqu'à consistance lisse. Y incorporer les bananes écrasées. Ajouter les œufs, puis les blancs en fouettant brièvement après chaque addition. Mélanger la crème simple à la cuillère.

6. Remplir de pâte au 3/4 à la cuillère les moules préparés. Mettre au four.

7. Faire cuire 20 minutes. De petits fissures apparaîtront sur le dessus. Éteindre, ouvrir la porte du four et laisser refroidir 10 minutes.

8. Refroidir, puis réfrigérer au moins 4 heures.

NOTES :

Les bananes sont le fruit le plus populaire du monde. Elles sont riches en fibres, en vitamines B et en potassium. En outre, elles atténuent les risques d'hypertension artérielle et d'accident vasculaire cérébral, en plus d'être une excellente source d'énergie rapide.

PAR PORTION :

Calories : 130

Gras : 7 g (3 g saturés)

Glucides : 10 g

Fibres : 0 g

Protéines : 6 g

Sodium : 250 mg

Valeur de choix d'aliments pour le diabète =
1 choix de gras , 1/2 choix de viandes maigres,
1/2 choix de viandes glucides, 1/2 choix de fruits
Points WW = 3 points

Gâteau au fromage à la new-yorkaise garni de fraises

16 portions

Cette recette a pris naissance à New York, où les citadins préfèrent un gâteau au fromage onctueux et dense. J'ai ajouté dans ma version un soupçon de la Californie en garnissant le dessus du gâteau d'une crème aigre (sure) sucrée et de fraises fraîches. Il en a résulté un gros gâteau de plus de 11 kg (5 livres). Si vous êtes un vrai New-Yorkais et préférez votre gâteau au fromage sans garniture, oubliez la mienne.

INGRÉDIENTS :

FOND

250 mL (1 tasse) de chapelure Graham

30 mL (2 c. à soupe) de beurre, fondu

30 mL (2 c. à soupe) de Splenda® granulé

GARNITURE DE GÂTEAU

500 g (16 oz) de fromage à la crème régulier (2 boîtes de 250 g ou 8 oz)

500 g (16 oz) de fromage à la crème sans gras (2 boîtes de 250 g ou 8 oz)

310 mL (1 1/4 tasse) de Splenda® granulé

15 mL (1 c. à soupe) de jus de citron

5 mL (1 c. à thé) d'essence de vanille

2,5 mL (1/2 c. à thé) de zeste de citron

4 œufs

80 mL (1/3 tasse) de crème aigre (sure) allégée

GARNITURE DU DESSUS

375 mL (1 1/2 tasse) de crème aigre (sure) allégée

80 mL (1/3 tasse) de Splenda® granulé

1,5 L (6 tasses) de fraises équeutées et coupées en quatre

30 mL (2 c. à soupe) de confiture de fraise sans sucre

PRÉPARATION :

1. Préchauffer le four à 160 °C (350 °F). Envelopper un moule à ressort de 20 cm (9 po) d'une feuille d'aluminium épaisse afin qu'il soit bien étanche.

2. Fond : combiner dans un grand bol la chapelure Graham, la margarine et le Splenda®. Tasser le mélange dans le moule à ressort. Faire cuire 5 minutes. Refroidir.

3. Garniture : déposer les fromages à la crème dans un grand bol et battre à vitesse moyenne au batteur électrique jusqu'à consistance très onctueuse.

4. Incorporer en fouettant le Splenda®, le jus de citron, l'essence de vanille et le zeste de citron. Ajouter les œufs un à la fois en battant brièvement après chaque addition. Incorporer la crème aigre (sure). Verser le mélange dans le moule préparé et lisser la surface.

PAR PORTION :

Calories : 250	Gras : 16 g (8 g saturés)
Glucides : 15 g	Fibres : 1 g
Protéines : 16 g	Sodium : 330 mg

Valeur de choix d'aliments pour le diabète =
1 1/2 choix de viandes maigres, 1 choix de glucides, 2 choix de ras,
Points WW = 6 points

5. Déposer le gâteau dans un plat de 20 x 29 cm (9 x 13 po) ou plus et verser de l'eau chaude jusqu'à la moitié du moule à ressort. Faire cuire de 40 à 45 minutes ou jusqu'à ce que les rebords semblent fermes et que le centre soit presque pris.

6. Garniture du dessus : mélanger la crème aigre (sure) et le Splenda® dans un petit contenant. Déposer à la cuillère ce mélange sur le gâteau au fromage. Éteindre et ouvrir la porte du four.

7. Laisser le gâteau au fromage dans le four un autre 15 minutes. Retirer du bain d'eau et laisser refroidir entièrement.

8. Une fois bien réfrigéré, ou juste avant de servir, décorer le dessus du gâteau de fraises fraîches. Faire fondre la confiture au micro-ondes et badigeonner les fruits qui deviendront lustrés.

Notes :

Saviez vous que le gâteau au fromage est en fait un flan (pudding), et non pas un gâteau? Tout comme les flans, la structure de base des gâteaux au fromage est liée aux œufs et non pas à la farine.

Parfaits de gâteau au fromage avec myrtilles (bleuets)

6 portions

Voici un dessert bien amusant et original. Votre famille et vos amis en raffoleront. Outre sa présentation alléchante, sa texture est riche et onctueuse. Vous l'adorerez aussi, vu sa facilité d'exécution. Sa saveur est exquise et il est appétissant à l'œil. Le parfait est un dessert idéal et convenable à servir lors de vos réceptions, car il est déjà préparé en portions individuelles. Mieux encore, il peut être confectionné à l'avance.

INGRÉDIENTS :

125 mL (1/2 tasse) de chapelure Graham

30 mL (2 c. à soupe) de Splenda® granulé

22,5 mL (1 1/2 c. à soupe) de beurre allégé

125 g (4 oz) de fromage à la crème allégé

125 g (4 oz) de fromage à la crème sans gras, à la température de la pièce

125 mL (1/2 tasse) de crème aigre (sure) allégée

60 mL (1/4 tasse) de Splenda® granulé

250 mL (1 tasse) de garniture fouettée allégée, décongelée

310 mL (1 1/4 tasse) de myrtilles (bleuets) fraîches

PRÉPARATION :

1. Préparer 6 verres à pied (de préférence des gobelets de 237 mL ou 8 oz ou des coupes à champagne).

2. Combiner dans un petit bol la chapelure Graham, 30 mL (2 c. à soupe) de Splenda® et le beurre. Réserver.

3. Battre les fromages au batteur électrique dans un bol moyen jusqu'à consistance onctueuse. Ajouter la crème aigre (sure) et 60 mL (1/4 tasse) de Splenda®. Brasser jusqu'à consistance lisse. Plier dans le mélange la garniture fouettée allégée à l'aide d'une cuillère ou d'une spatule.

4. Déposer 15 mL (1 c. à soupe) du mélange de chapelure dans le fond du verre. Tasser avec l'endos d'une cuillère. Déposer environ 45 mL (3 c. à soupe) de mélange au fromage sur la chapelure (vous n'utiliserez que la moitié de la préparation dans 6 verres). Séparer les baies en parties égales entre les verres et les placer sur la garniture au fromage. Napper les fruits du mélange et terminer le parfait en étalant un peu de chapelure à la surface.

5. Déguster immédiatement ou réfrigérer jusqu'à leur service.

PAR PORTION :

Calories : 185 Gras : 8 g (6 g saturés)
Glucides : 20 g Fibres : 1 g
Protéines : 7 g Sodium : 280 mg

Valeur de choix d'aliments pour le diabète =
1 choix de glucides, 1 choix de viandes maigres
1 choix de ras
Points WW = 4 points

NOTES :

La recette originale fait appel à du fromage à la crème complet, et du sucre. Chaque portion renferme 490 calories.

Parfaits de gâteau au fromage de type forêt noire

6 portions

Du chocolat et des cerises… quel délice ! Ces merveilles sont une variation succulente toute aussi savoureuse que les parfaits de gâteau au fromage avec myrtilles (bleuets). D'allure unique, leur présentation est également impressionnante. Ce dessert déjà préparé en portions individuelles ravira tous vos convives.

INGRÉDIENTS :

310 mL (1 1/4 tasse) de cerises noires surgelées, décongelées

60 mL (1/4 tasse) + 60 mL (4 c. à soupe) de Splenda® granulé

2,5 mL (1/2 c. à thé) d'essence d'amandes

125 mL (1/2 tasse) de chapelure Graham au chocolat

22,5 mL (1 1/2 c. à soupe) de cacao

7,5 mL (1/2 c. à soupe) de beurre, fondu

125 g (4 oz) de fromage à la crème allégé, à la température de la pièce

125 g (4 oz) de fromage à la crème sans gras, à la température de la pièce

125 g (1/2 tasse) de crème aigre (sure) allégée

375 mL (1 1/2 tasse) de garniture fouettée allégée

PRÉPARATION :

1. Préparer 6 verres à pied (de préférence des gobelets de 237 mL ou 8 oz, ou des coupes à champagne).

2. Combiner dans un petit bol les cerises, 30 mL (2 c. à soupe) de Splenda® et l'essence d'amande. Réserver.

3. Combiner dans un autre petit bol la chapelure Graham, 30 mL (2 c. à soupe) de Splenda®, le cacao et le beurre. Réserver.

4. Battre les fromages au batteur électrique dans un bol moyen jusqu'à consistance onctueuse. Ajouter la crème aigre (sure) et 60 mL et le reste du Splenda®. Brasser jusqu'à consistance lisse. Plier dans le mélange la garniture fouettée allégée à l'aide d'une cuillère ou d'une spatule.

5. Déposer 15 mL (1 c. à soupe) du mélange de chapelure dans le fond de chaque verre. Tasser avec l'endos d'une cuillère. Déposer environ 45 mL (3 c. à soupe) de mélange au fromage sur la chapelure (vous n'utiliserez que la moitié de la préparation dans 6 verres). Séparer les cerises en parties égales entre les verres et les placer sur la garniture au fromage. Napper les fruits du mélange et terminer le parfait en parsemant 15 mL (1 c. à soupe) de chapelure sur la surface.

6. Déguster immédiatement ou réfrigérer jusqu'à leur service.

PAR PORTION :

Calories : 200	Gras : 8 g (2 g saturés)
Glucides : 24 g	Fibres : 1 g
Protéines : 7 g	Sodium : 290 mg

Valeur de choix d'aliments pour le diabète = 1 1/2 choix de glucides, 1 choix de viandes maigres, 1 choix de gras
Points WW = 4 points

Gâteau au fromage à la lime

12 portions

Si vous aimez la tarte à la lime, vous apprécierez aussi ce gâteau au fromage qui confère le goût aigre délectable du fruit. Le jus de lime (limette) en bouteille se trouve à proximité des flacons de jus de citron dans la plupart des marchés.

INGRÉDIENTS :

1 fond de gâteau au fromage à la chapelure (page 393)

1 sachet de gélatine sans saveur (12,5 mL ou 2 1/2 c. à thé)

180 mL (3/4 tasse) de jus de lime (limette)

2 gros œufs légèrement battus

250 mL (1 tasse) de Splenda® granulé

250 g (8 oz) de fromage à la crème allégé

250 g (8 oz) de fromage à la crème sans gras, à la température de la pièce

4 gros blancs d'œufs pasteurisés (ou 2 blancs réguliers*)

180 mL (3/4 tasse) de Splenda® granulé

375 mL (1 1/2 tasse) de garniture fouettée allégée

Note : Vous reporter à la page 27 de l'ouvrage pour plus de renseignements sur la sécurité des œufs.

PRÉPARATION :

1. Dissoudre le gélatine dans le jus de lime pendant 3 minutes dans une casserole moyenne. Ajouter 250 mL (1 tasse) de Splenda® et 2 œufs battus.

2. Cuire à feu moyen sur la cuisinière en brassant pendant 10 minutes jusqu'à ce que le mélange épaississe. Retirer du feu et refroidir légèrement.

3. Déposer les fromages à la crème dans un grand bol et fouetter au batteur électrique jusqu'à consistance onctueuse. Ajouter lentement le mélange de lime et continuer de battre à faible vitesse jusqu'à consistance lisse. Réfrigérer jusqu'à bien refroidi en remuant aux 10 minutes.

4. Fouetter les blancs d'œufs jusqu'à consistance mousseuse dans un autre bol ou jusqu'à ce que des pics mous commencent à se former. Le processus peut prendre 5 minutes ou plus dans le cas de blancs d'œufs pasteurisés. Incorporer lentement 180 mL (3/4 tasse) de Splenda®.

5. Plier les blancs dans le mélange de lime et de fromage. Verser sur le fond préparé.

6. Réfrigérer environ 2 heures.

7. Étaler la garniture sur le dessus du gâteau.

PAR PORTION :

Calories : 160	Gras : 7,5 g (4 g saturés)
Glucides : 16 g	Fibres : 0 g
Protéines : 7 g	Sodium : 270 mg

Valeur de choix d'aliments pour le diabète =
1 choix de glucides, 1 choix de viandes maigres,
1 choix de gras

NOTES :

La version originale de ce merveilleux dessert sucré et aigre comprenait 40 g de sucre par portion.

Gâteau au fromage ricotta à l'orange et à l'amande

8 portions

Ce gâteau au fromage sans cuisson est splendide. Il est parfumé à l'orange et couronne une pâte à biscuit aux amandes. C'est un dessert d'été idéal. Contrairement aux gâteaux au fromage ricotta, ma version est lisse et onctueuse plutôt que sèche et dense.

INGRÉDIENTS :

FOND

80 mL (1/3 tasse) de farine tout usage

45 mL (3 c. à soupe) d'amandes finement broyées (environ 60 mL ou 1/4 tasse d'amandes entières)

30 mL (2 c. à soupe) de Splenda® granulé

37,5 mL (2 1/2 c. à soupe) de margarine ou de beurre

GARNITURE DE GÂTEAU

1 sachet de gélatine sans saveur (12,5 mL ou 2 1/2 c. à thé)

60 mL (1/4 tasse) d'eau froide

500 mL (2 tasses) de fromage ricotta partiellement allégé

160 mL (2/3 tasse) de Splenda® granulé

15 mL (1 c. à soupe) d'essence de vanille

30 mL (2 c. à soupe) d'essence d'orange

15 mL (1 c. à soupe) de zeste d'orange

1 boîte de 237 mL (8 oz) de lait allégé ou lait concentré (évaporé) faible en gras

GARNITURE DE DESSUS

30 mL (2 c. à soupe) d'amandes effilées

5 mL (1 c. à thé) de sucre granulé (facultatif)

PRÉPARATION :

1. Vaporiser un moule rond de 18 cm (8 po) d'un enduit antiadhésif pour cuisson.

2. Fond : combiner dans un petit bol la farine, les amandes et le Splenda®. Défaire la margarine à l'aide d'une fourchette ou vos doigts jusqu'à ce que le mélange ait une texture grumeleuse. Tasser la chapelure dans le moule préparé.

3. Garniture : saupoudrer la gélatine sur l'eau dans un autre petit bol. Réserver.

4. Mettre la ricotta en purée dans un robot culinaire et ajouter le Splenda®, les essences et le zeste.

5. Faire frémir le lait concentré (évaporé) dans une petite casserole jusqu'à ce que des bulles apparaissent autour du liquide. Retirer du feu et incorporer la gélatine en fouettant. Verser dans le robot culinaire et combiner avec le mélange de ricotta.

6. Verser le mélange dans le moule préparé et réfrigérer au moins 4 heures.

7. Garniture de dessus : parsemer des amandes autour du gâteau, et ajouter du sucre sur les amandes (pour leur donner un lustre) si désiré.

PAR PORTION :

Calories : 180	Gras : 10 g (4 g saturés)
Glucides : 12 g	Fibres : 1 g
Protéines : 11 g	Sodium : 160 mg

Valeur de choix d'aliments pour le diabète = 1 1/2 choix de viandes maigres, 1 choix de glucides, 1 choix de gras
Points WW = 4 points

NOTES :

Une lanière d'orange déposée au centre du gâteau le décore parfaitement.

Gâteau au fromage au chocolat et à la menthe poivrée

10 portions (je coupe le gâteau en douze, mais j'en mange plus durant les fêtes)

Le voici... le gâteau au fromage des fêtes de Noël des plus savoureux. Préparer un fond de chapelure au chocolat que vous garnirez d'une crème au chocolat et à la menthe. Enfin, décorez le dessus de petits morceaux de bonbons à la menthe et du chocolat. Ma version est faible en sucre, en calories et en gras. Mieux encore, le gâteau est facile à réaliser. Vous aurez le temps de vaquer à vos autres projets des fêtes.

INGRÉDIENTS :

Fond de gâteau au fromage à la chapelure au chocolat (page 393)

1 sachet de gélatine sans saveur

60 mL (1/4 tasse) d'eau

250 g (8 oz) de fromage à la crème allégé

250 g (8 oz) de fromage à la crème sans gras, à la température de la pièce

125 mL (1/2 tasse) de Splenda® granulé

125 mL (1/2 tasse) de lait allégé

12 bonbons durs à la menthe sans sucre, broyés finement

2,5 mL (1/2 c. à thé) d'essence de menthe

375 mL (1 1/2 tasse) de garniture fouettée allégée décongelée

6 bonbons durs à la menthe sans sucre, broyés finement

1 tablette de chocolat au lait ou mi-sucré de 45 g (1,5 oz)

PRÉPARATION :

1. Saupoudrer la gélatine sur l'eau dans une petite casserole et laisser reposer 3 minutes. Faire frémir à feu doux en brassant pour délayer la gélatine. Retirer du feu.

2. Combiner en mélangeant au batteur électrique dans un grand bol les fromages à la crème et le Splenda® jusqu'à consistance onctueuse. Ajouter le mélange de gélatine et le lait. Continuer de battre à faible vitesse jusqu'à consistance lisse.

3. Y mélanger les 12 bonbons à la menthe broyés, ainsi que les essences. Réfrigérer jusqu'à ce que le mélange prenne forme lorsque déposé à la cuillère.

4. Plier la ganiture fouettée dans le mélange. Verser dans le moule préparé et lisser la surface.

5. Réfrigérer au moins 3 heures.

6. Saupoudrer le dessus de chaque gâteau de bonbons à la menthe broyés. Et pour décorer davantage, couper des copeaux de chocolat avec un économe. Il ne vous reste qu'à recevoir des éloges !

NOTES :

J'ai trouvé mes délices à la menthe sans sucre au marché dans la section des bonbons.

PAR PORTION :

Calories : 190	Gras : 8 g (5 g saturés)
Glucides : 22 g	Fibres : 0 g
Protéines : 8 g	Sodium : 320 mg

Valeur de choix d'aliments pour le diabète =
1 1/2 choix de glucides, 1 choix de viandes maigres, 1 choix de gras
Points WW = 4 points

Tartelette au fromage et aux fraises
sans cuisson en 10 minutes

8 portions

Voici un délice facile à exécuter et alléchant à servir. Vous pouvez le préparer la veille. Il faudra couvrir la tartelette au fromage et la réfrigérer. Garnissez de baies fraîches 1 ou 2 heures avant de la servir.

INGRÉDIENTS :

Fond de gâteau au fromage à la chapelure Graham acheté dans le commerce

125 mL (1/2 tasse) de fromage blanc (cottage) allégé

125 g (4 oz) de fromage à la crème allégé

60 mL (1/4 tasse) de Splenda® granulé

30 mL (2 c. à soupe) de confiture aux fraises faible en sucre, fondue

125 mL (1/2 tasse) de crème aigre (sure)

375 mL (1 1/2 tasse) de tranches de fraises (250 g ou 8 oz de baies fraîches)

30 mL (2 c. à soupe) de confiture aux fraises faible en sucre

PRÉPARATION :

1. Déposer le fromage blanc (cottage) dans un robot culinaire ou un mélangeur et mettre en purée jusqu'à consistance lisse.

2. Verser dans un bol moyen et battre le fromage à la crème, le Splenda® et la confiture au batteur électrique jusqu'à consistance onctueuse. Y incorporer la crème aigre (sure), puis verser le tout dans le moule préparé.

3. Disposer harmonieusement les morceaux de fraises sur la tartelette.

4. Faire fondre 30 mL (2 c. à soupe) de confiture au micro-ondes pendant 20 à 30 secondes à puissance élevée. Passser au tamis.

5. Badigeonner les fruits de la confiture tamisée.

6. Réfrigérer 1 ou 2 heures avant de servir.

NOTES :

Cette tartelette se transporte bien. Je l'ai apportée chez ma belle-mère lors d'un dîner ; depuis, c'est elle qui l'offre à des amies qui surveillent leur poids. Assurez-vous de la garder au frais durant le trajet.

PAR PORTION :

Calories : 180

Gras : 7 g (3 g saturés)

Glucides : 22 g

Fibres : 2 g

Protéines : 7 g

Sodium : 260 mg

Valeur de choix d'aliments pour le diabète =
1/2 choix de glucides, 1/2 choix de fruits,
1/2 choix de laits allégés, 1 choix de gras
Points WW = 4 points

Délices sucrés

Pour décorer, agrémenter, enjoliver, rehausser ou raffiner

Sauce anglaise veloutée

Sauce au bourbon

Sauce rapide à la framboise

Sauce chaude au citron

Sauce jonquille à l'orange

Sauce et coulis aux myrtilles (bleuets)

Sauce et coulis aux fraises

Garniture sucrée aux cerises

Sauce au chocolat noir

Sauce au chocolat fondant

Sirop de mûres de Boysen

Sirop au beurre de cidre

Crème de citron

Fromage à la crème à l'orange

Fromage à la crème aux fraises

Tartinade et glace au fromage au zeste de citron

Tartinade et glace fouettées au fromage à la crème

Glace fouettée au fromage à la crème

Glace onctueuse au chocolat facile

Pacanes croquantes à la cannelle

Noix cajun sucrées et épicées

Truffes au chocolat et au fromage à la crème

Vous pouvez embellir vos desserts de tous les jours ou extraordinaires grâce à de merveilleuses garnitures, sauces ou tartinades. Grâce à la souplesse que procure Splenda®, je peux vous offrir de multiples délices qui rehausseront tant la saveur des recettes proposées dans ce livre que les vôtres. Il s'agit de compléments qui vous aideront à confectionner de magnifiques desserts. Déposées par cuillerées ou en noisettes, versées généreusement ou en filet, ces garnitures vont agrémenter tous vos desserts.

Pendant le développement (et la dégustation) des recettes créées pour ce livre, il m'est venu des idées sur les façons d'accorder mes recettes et mes « délices ». J'inclus ces idées dans les recettes proposées dans cette section. De plus, voici quelques astuces qui vous aideront à embellir chacun de vos desserts afin d'en faire une expérience gustative mémorable.

- Faites des parfaits spectaculaires rouges, blancs et bleus en alternant sauce aux fraises, glace à la vanille faible en sucre, sauce aux myrtilles (bleuets) et garniture fouettée.

- Accompagnez le thé de l'après-midi d'un morceau de pain aux myrtilles (bleuets) et au citron nappé de quelques cuillerées de sauce chaude au citron.

- Épatez vos invités en arrosant des assiettes de sirop aux mûres de Boysen avant d'y déposer un morceau de quatre-quarts à la crème aigre (sure) garni de quelques mûres et saupoudré de sucre glace.

- Triplez le plaisir du chocolat… déposez une tranche de roulé au chocolat avec crème chocolatée dans une sauce au chocolat noir, ou garnissez des petits gâteaux au chocolat d'une glace onctueuse au chocolat facile décorée de copeaux de chocolat.

- Simple, mais élégant, servez un petit plat de pacanes croquantes à la cannelle ou une assiette de truffes au chocolat et au fromage à la crème avec le café.

Sauce anglaise veloutée

9 portions

Je raffole des fruits frais, des baies, surtout. Mais au dessert, cela ne reste que des fruits. En revanche, si vous arrosez quelques baies d'une sauce anglaise veloutée dans une jolie coupe à dessert, vous obtenez un merveilleux dessert simple à préparer et tout à fait délicieux ! Cette sauce est parfaite pour rehausser un morceau de gâteau non glacé, comme le gâteau mousseline aux agrumes ou votre gâteau des anges préféré.

INGRÉDIENTS :

30 mL (2 c. à soupe) de Splenda® granulé

15 mL (1 c. à soupe) de fécule de maïs

2 jaunes d'œufs

250 mL (1 tasse) de lait allégé

60 mL (1/4 tasse) de crème simple sans gras

7,5 mL (1 1/2 c. à thé) d'essence de vanille

PRÉPARATION :

1. Combiner le Splenda®, la fécule de maïs et les jaunes d'œufs dans une petite casserole. Fouetter jusqu'à ce que les jaunes pâlissent et que le Splenda® et la fécule de maïs soient entièrement dissous. Ajouter le lait et la crème simple en fouettant.

2. Mettre sur la cuisinière et faire cuire à feu moyen en remuant constamment jusqu'à faible ébullition. Réduire le feu et laisser mijoter 1 minute. La sauce doit enrober le dos d'une cuillère sans être épaisse comme un pudding.

3. Ajouter la vanille en fouettant et retirer du feu immédiatement.

4. Verser dans un plat et couvrir d'une pellicule plastique.

5. Refroidir et réfrigérer jusqu'au moment de servir.

NOTES :

Variante : ajoutez du zeste d'orange ou 5 mL (1 c. à thé) de liqueur d'orange à cette sauce polyvalente.

PAR PORTION DE 30 mL (2 c. à soupe) :

Calories : 35	Gras : 1,5 g (0,5 g saturés)
Glucides : 3 g	Fibres : 0 g
Protéines : 2 g	Sodium : 15 mg

Valeur de choix d'aliments pour le diabète =
1/4 choix de lait allégé
Points WW = 1 point

Sauce au bourbon

6 portions

Originalement, cette sauce a été créée pour accompagner le pudding au pain de La Nouvelle-Orléans (page 258), bien qu'elle soit délicieuse seule. Contenant du vrai bourbon, elle donne un accent unique au pain perdu. Vos convives au brunch en seront ravis.

INGRÉDIENTS :

90 mL (6 c. à soupe) de crème simple sans gras

90 mL (6 c. à soupe) de lait allégé

60 mL (1/4 tasse) de Splenda® granulé

10 mL (2 c. à thé) de fécule de maïs

10 mL (2 c. à thé) de bourbon

2,5 mL (1/2 c. à thé) d'essence de vanille

22,5 mL (1 1/2 c. à soupe) de beurre, ramolli

PRÉPARATION :

1. Dans une petite casserole, fouetter la crème simple, le lait, le Splenda® et la fécule de maïs jusqu'à consistance lisse.

2. Mettre sur la cuisinière et amener à faible ébullition en brassant constamment. Laisser épaissir.

3. Ajouter le bourbon, la vanille et le beurre en fouettant et retirer du feu immédiatement.

4. Servir la sauce chaude.

NOTES :

Pour varier, vous pouvez remplacer le bourbon par du whisky ou du rhum brun (ou 2,5 mL/1/2 c. à thé d'essence de rhum). Si vous préférez une sauce sans alcool, remplacez le bourbon par du jus d'orange, qui donnera un léger parfum d'orange à la sauce.

PAR PORTION DE 30 mL (2 c. à soupe) :

Calories : 45   Gras : 2,5 g (1,5 g saturés)
Glucides : 3 g   Fibres : 0 g
Protéines : 1 g   Sodium : 30 mg

Valeur de choix d'aliments pour le diabète =
1/2 choix de gras
Points WW = 1 point

Sauce rapide à la framboise

8 portions

Impossible de faire plus vite. Faite d'ingrédients simples, cette sauce est prête en quelques secondes grâce au micro-ondes. Arrosez vos gâteaux ou vos assiettes à dessert de sauce à la framboise rapide pour faire une présentation spéciale. Vous pouvez aussi en garnir votre glace préférée.

Ingrédients :

90 mL (6 c. à soupe) de confiture à la framboise allégée en sucre

90 mL (6 c. à soupe) d'eau

60 mL (1/4 tasse) de Splenda® granulé

Préparation :

1. Déposer tous les ingrédients dans un petit bol allant au micro-ondes.

2. Faire cuire à puissance élevée de 30 à 45 secondes.

3. Remuer jusqu'à consistance lisse. Servir la sauce chaude ou froide.

Notes :

Toutes les confitures allégées en sucre conviennent. J'aime bien la marque Smucker's (É.-U.) qui ne contient que des fruits et la moitié du sucre et des calories des versions originales. Lisez les étiquettes des confitures « allégées en sucre » ou « fruits seulement » pour repérer celles qui utilisent des concentrés de jus de fruits pour remplacer le sucre. Ces dernières contiennent souvent autant de glucides sinon plus que les confitures régulières.

Par portion de 22,5 mL (1 1/2 c. à soupe) :

Calories : 16	Gras : 0 g
Glucides : 4 g	Fibres : 0 g
Protéines : 0 g	Sodium : 0 mg

Valeur de choix d'aliments pour le diabète = 1 choix d'aliments libres
Points WW = 0 point

Sauce chaude au citron

8 portions

Pendant les essais de cette recette, mes assistantes se demandaient bien avec quoi je voulais servir cette sauce. Mais une fois qu'elles y ont goûté, elles m'ont proposé plusieurs usages. La sauce goûte la garniture d'une tarte au citron meringuée chaude. Faites-la et vous trouverez vos propres idées de service.

INGRÉDIENTS :

1 gros jaune d'œuf

60 mL (1/4 tasse) de jus de citron frais

15 mL (1 c. à soupe) de fécule de maïs

250 mL (1 tasse) d'eau

125 mL (1/2 tasse) de Splenda® granulé

30 mL (2 c. à soupe) de sucre granulé

22,5 mL (1 1/2 c. à soupe) de beurre

PRÉPARATION :

1. Battre légèrement le jaune d'œuf dans un petit bol. Réserver.

2. Dans une petite casserole, fouetter le jus de citron et la fécule de maïs jusqu'à consistance lisse. Y incorporer l'eau, le Splenda® et le sucre.

3. Mettre la casserole sur la cuisinière à feu moyen et porter à faible ébullition en brassant.

4. Retirer du feu et incorporer un peu de la sauce au citron dans le jaune d'œuf en remuant pour éviter qu'il cuise.

5. Ajouter une autre cuillerée de sauce chaude dans le jaune d'œuf, puis verser le jaune réchauffé dans la casserole. Remettre sur la cuisinière et laisser bouillir 1 minute jusqu'à ce que la sauce devienne épaisse et limpide.

6. Retirer du feu, incorporer le beurre et remuer pour le faire fondre. Servir la sauce chaude ou froide et réfrigérer tout reste.

NOTES :

Cette sauce est savoureuse sur ou sous un morceau de quatre-quarts à la crème aigre (sure) (page 384), en filet sur des gâteaux-soufflés au citron (page 382), avec des blinis au fromage (page 91), comme garniture hors pair sur une glace à la vanille et, bien sûr, sur tout gâteau au fromage citronné.

PAR PORTION :

Calories : 45   Gras : 2 g (1 g saturés)
Glucides : 7 g   Fibres : 0 g
Protéines : 0 g   Sodium : 25 mg

Valeur de choix d'aliments pour le diabète =
1/2 choix de glucides
Points WW = 1 point

Sauce jonquille à l'orange

8 portions

Après avoir conçu la sauce à l'orange qui accompagne mon flan parfumé au gingembre, j'ai décidé (en accord avec plusieurs dégustatrices) qu'il était temps de revoir ma recette originale de sauce jonquille à l'orange. Je lui ai donné un goût d'orange ensoleillé avec juste assez de beurre pour la rendre veloutée.

INGRÉDIENTS :

375 mL (1 1/2 tasse) de jus d'orange allégé

30 mL (2 c. à soupe) de Splenda® granulé

5 mL (1 c. à thé) de zeste d'orange

Pincée de sel

15 mL (1 c. à soupe) de fécule de maïs délayée dans 15 mL (1 c. à soupe) d'eau

22,5 mL (1 1/2 c. à soupe) de beurre

PRÉPARATION :

1. Combiner le jus d'orange, le Splenda® et le zeste d'orange et le sel dans une petite casserole. Faire cuire à feu moyen. Laisser mijoter 5 minutes ou jusqu'à réduire le jus à 250 mL (1 tasse).

2. Incorporer en fouettant le mélange de fécule de maïs et faire bouillir doucement ; faire cuire 1 minute ou jusqu'à ce que la sauce devienne épaisse et limpide. Ajouter le beurre. Servir la sauce chaude ou froide.

NOTES :

Voici une autre sauce succulente qui peut accompagner tout gâteau nature ou gâteau au fromage. Une combinaison très appréciée est l'orange et le chocolat : je recommande cette sauce avec un quatre-quarts à la crème aigre (sure) au chocolat.

PAR PORTION DE 30 mL (2 C. À SOUPE) :

Calories : 35	Gras : 2,5 g (1,5 g saturés)
Glucides : 4 g	Fibres : 0 g
Protéines : 0 g	Sodium : 60 mg

Valeur de choix d'aliments pour le diabète = 1/2 choix de gras
Points WW = 1 point

Sauce et coulis aux myrtilles (bleuets)

8 portions

Quelle belle idée de cadeau ! Une fois mise en bouteille, la sauce se conserve au réfrigérateur pendant des semaines. C'est une addition savoureuse aux desserts citronnés et un plaisir simple sur une glace à la vanille.

INGRÉDIENTS :

500 mL (2 tasses) de myrtilles (bleuets) fraîches ou surgelées

60 mL (1/4 tasse) de Splenda® granulé

80 mL (1/3 tasse) d'eau froide

10 mL (2 c. à thé) de fécule de maïs

5 mL (1 c. à thé) de jus de citron

15 mL (1 c. à soupe) de liqueur de cassis (facultatif)

PRÉPARATION :

1. Déposer les baies dans une casserole épaisse (pas en aluminium). Ajouter les autres ingrédients (sauf la liqueur de cassis) et remuer pour délayer la fécule de maïs.

2. Porter à ébullition à feu moyen. Réduire le feu et laisser mijoter 1 minute, en remuant constamment.

3. Retirer du feu et incorporer la liqueur en remuant, si désiré.

Variante de coulis : passer le mélange de myrtilles (bleuets) à travers un fin tamis en écrasant les fruits afin d'en tirer tout le jus. Jeter la pulpe. Une portion de coulis équivaut à 30 mL (2 c. à soupe).

NOTES :

Le coulis est une purée lisse de fruits ou de légumes. Les chefs pâtissiers aiment bien le coulis aux fruits, car il se fait à partir d'à peu près tous les fruits et qu'il décore bien une assiette de dessert.

PAR PORTION DE 45 mL (3 C. À SOUPE) :

Calories : 20	Gras : 0 g
Glucides : 5 g	Fibres : 1 g
Protéines : 0 g	Sodium : 0 mg

Valeur de choix d'aliments pour le diabète = 1 choix d'aliments libres

Points WW = 0 point

Sauce et coulis aux fraises

8 portions

Voici une sauce des plus polyvalentes. Telle quelle, elle est consistante et peut garnir les glaces ou les gâteaux simples. Si vous préférez la passer au tamis, vous obtenez un coulis limpide qui accompagne à merveille des desserts comme le gâteau au fromage divin et le soufflé froid aux fraises.

INGRÉDIENTS :

500 mL (2 tasses) de fraises, fraîches ou surgelées

80 mL (1/3 tasse) de Splenda® granulé

15 mL (1 c. à soupe) de jus de citron

125 mL (1/2 tasse) d'eau

10 mL (2 c. à thé) de fécule de maïs

15 mL (1 c. à soupe) de liqueur d'orange (facultatif)

PRÉPARATION :

1. Déposer les baies dans une casserole épaisse (pas en aluminium). Ajouter les autres ingrédients (sauf la liqueur) et brasser pour délayer la fécule de maïs. Porter à ébullition à feu moyen. Réduire le feu et laisser mijoter 1 minute, en remuant constamment.

2. Retirer du feu et incorporer la liqueur d'orange en remuant, si désiré.

Variante de coulis : passer la sauce aux fraises à travers un fin tamis en écrasant les fruits afin d'en tirer tout le jus. Jeter la pulpe.

NOTES :

Pour une présentation épatante, arrosez une assiette avec le coulis de fraises juste avant d'y déposer le dessert. Une bouteille comprimable (comme les bouteilles de ketchup) est un outil pratique pour faire de beaux montages.

PAR PORTION DE 30 mL (2 c. À SOUPE) :

Calories : 15	Gras : 0 g
Glucides : 3 g	Fibres : 0 g
Protéines : 0 g	Sodium : 0 mg

Valeur de choix d'aliments pour le diabète = 1 choix d'aliments libres

Points WW = 0 point

Garniture sucrée aux cerises

8 portions

Les garnitures pour tarte aux cerises en boîte sont insipides à côté de cette recette, qui regorge de cerises gonflées et de pelure d'orange fraîche. Vous trouverez ma garniture aux cerises aussi bonne que celles des épiceries fines. C'est aussi un joli cadeau à offrir à Noël — surtout aux personnes qui surveillent leur apport en sucre.

INGRÉDIENTS :

454 g (16 oz ou environ 3 tasses) de cerises noires surgelées légèrement décongelées

160 mL (2/3 tasse) de Splenda® granulé

180 mL (3/4 tasse) d'eau

15 mL (1 c. à soupe) de fécule de maïs

30 mL (2 c. à soupe) de liqueur d'orange ou de brandy

2,5 mL (1/2 c. à thé) d'essence de vanille

2,5 mL (1/2 c. à thé) d'essence d'amandes

15 à 30 mL (1 à 2 c. à soupe) de minces languettes de pelure d'orange

PRÉPARATION :

1. Déposer les cerises dans une casserole moyenne. Ajouter en remuant le Splenda®, l'eau et la fécule de maïs.

2. Faire cuire à feu moyen pendant 5 minutes ou jusqu'à ce que les cerises soient chaudes. Passer à feu plus élevé pour porter à faible ébullition en brassant, jusqu'à l'obtention d'une sauce épaisse et limpide.

3. Incorporer la liqueur en remuant et faire cuire 1 minute.

4. Retirer du feu ; ajouter les essences de vanille et d'amande et les lanières d'orange. Refroidir légèrement et déposer par cuillerées dans un contenant.

NOTES :

Au rayon des surgelés, optez pour les cerises noires sucrées sans sucre ajouté et évitez les cerises rouges aigres afin d'obtenir de meilleurs résultats.

PAR PORTION DE 60 mL (1/4 TASSE) :

Calories : 50	Gras : 0 g
Glucides : 9 g	Fibres : 1 g
Protéines : 1 g	Sodium : 0 mg

Valeur de choix d'aliments pour le diabète =
1/2 choix de glucides
Points WW = 1 point

Sauce au chocolat noir

8 portions

Cette sauce au chocolat noir foncée, riche et délicieuse se prête à de nombreux usages (elle se mange même à la cuillère). Les recettes classiques comprennent du chocolat fondu, de la crème simple, du sucre et du sirop de maïs. J'utilise des ingrédients semblables dans ma version, mais je mets juste assez de chocolat et de sirop de maïs pour assurer l'onctuosité de la sauce.

INGRÉDIENTS :

60 mL (1/4 tasse) de cacao alcalinisé

80 mL (1/3 tasse) de Splenda® granulé

60 mL (1/4 tasse) d'eau

80 mL (1/3 tasse) de crème simple sans gras

15 mL (1 c. à soupe) de sirop de maïs allégé

28 g (1 oz) de chocolat mi-sucré haché

5 mL (1 c. thé) de vanille

PRÉPARATION :

1. Combiner le cacao, le Splenda®, l'eau, la crème simple et le sirop de maïs dans une casserole moyenne.

2. Fouetter et faire cuire à feu moyen jusqu'à ce que le mélange soit lisse et chaud, sans bouillir.

3. Retirer du feu et ajouter en fouettant le chocolat et l'essence de vanille jusqu'à ce que le chocolat soit fondu et que la consistance soit de nouveau lisse.

NOTES :

On consomme aux États-Unis en moyenne 5,4 kg de chocolat par année par personne, soit 1,3 milliard de kilogrammes (3 milliards de livres) par année. C'est près de la moitié de la production mondiale de chocolat.

PAR PORTION DE 30 mL (2 c. À SOUPE) :

Calories : 45	Gras : 2 g (1 g saturés)
Glucides : 8 g	Fibres : 1 g
Protéines : 1 g	Sodium : 15 mg

Valeur de choix d'aliments pour le diabète =
1/2 choix de glucides
Points WW = 1 point

Sauce au chocolat fondant

11 portions

Cette recette m'a comblée. De nombreux essais m'avaient laissée insatisfaite auparavant, car il manquait à mes sauces la texture caractéristique que procure le sucre. J'ai alors trouvé une recette qui comprenait du sirop d'érable plutôt que du sucre. Je l'ai testée en utilisant du sirop allégé et sucré au Splenda® et en apportant quelques modifications à la recette originale. Eurêka ! Comme les meilleures sauces au chocolat fondant, ma sauce durcit quand on la met au réfrigérateur. Faites-la chauffer doucement au micro-ondes ou sur la cuisinière avant de la servir.

INGRÉDIENTS :

56 g (2 oz) de chocolat mi-sucré

30 mL (2 c. à soupe) de cacao alcalinisé (Hershey's European)

30 mL (2 c. à soupe) de sirop sans sucre (marque Log Cabin®, É.-U.)

60 mL (1/4 tasse) de Splenda® granulé

80 mL (1/3 tasse) d'eau

2,5 mL (1/2 c. à thé) d'essence de vanille

PRÉPARATION :

1. Hacher le chocolat.

2. Déposer le chocolat dans un petit bol allant au micro-ondes ou une petite casserole pour la cuisinière.

3. Ajouter le reste des ingrédients.

4. Faire chauffer au micro-ondes environ 45 secondes ; le chocolat ne sera pas entièrement fondu.

5. Retirer et brasser jusqu'à consistance lisse. Ajouter l'essence de vanille.

NOTES :

Cette sauce soutient la comparaison avec la sauce au chocolat fondant de Hershey's, qui contient 70 calories par 15 mL (1 c. à soupe) et 10 g de sucre.

PAR PORTION DE 15 mL (1 C. À SOUPE) :

Calories : 30	Gras : 1,5 g (1 g saturés)
Glucides : 4 g	Fibres : 0 g
Protéines : 0 g	Sodium : 0 mg

Valeur de choix d'aliments pour le diabète =
1/2 choix de gras
Points WW = 1 point

Sirop de mûres de Boysen

12 portions

En concevant ma recette de sorbet au babeurre et aux mûres de Boysen, j'ai léché une cuillère trempée dans le sirop de mûres. C'était si bon que j'ai eu envie de créer un sirop de mûres dont on pourrait agrémenter des crêpes, des gâteaux ou des desserts surgelés. En outre, l'effet visuel que produit ce riche sirop foncé sur un morceau de gâteau au fromage épatera vos invités.

INGRÉDIENTS :

125 mL (1/2 tasse) de Splenda® granulé

125 mL (1/2 tasse) d'eau

1 sac de 340 g (12 oz) de mûres de Boysen surgelées, partiellement décongelées

10 mL (2 c. à thé) de fécule de maïs + 30 mL (2 c. à soupe) d'eau froide

PRÉPARATION :

1. Faire chauffer le Splenda® et l'eau à feu moyen dans une casserole moyenne. Faire mijoter et ajouter les mûres. Faire cuire 5 minutes.

2. Retirer du feu et tamiser en écrasant les fruits avec le dos d'une cuillère afin de forcer la pulpe des fruits à travers le tamis.

3. Remettre le sirop dans la casserole et ajouter le mélange de fécule de maïs. Faire chauffer jusqu'à consistance épaisse et limpide. Le sirop épaissira davantage en refroidissant.

PAR PORTION DE 30 mL (2 c. à soupe) :

Calories : 25   Gras : 0 g (0 g saturés)
Glucides : 6 g   Fibres : 1 g
Protéines : 0 g   Sodium : 0 mg

Valeur de choix d'aliments pour le diabète =
1 choix d'aliment libres
Points WW = 0 point

Sirop au beurre de cidre

4 portions

Voici une solution de rechange au sirop, avec seulement une fraction du sucre de la recette classique. Cela prouve qu'un sirop n'est pas forcément un mélange lourdement sucré qui ne fait qu'ajouter des glucides et des calories à des aliments qui en regorgent déjà.

INGRÉDIENTS :

180 mL (3/4 tasse) de cidre

125 mL (1/2 tasse) de Splenda® granulé

5 mL (1 c. à thé) de fécule de maïs + 10 mL (2 c. à thé) d'eau froide

15 mL (1 c. à soupe) de beurre

PRÉPARATION :

1. Dans une petite casserole, faire réduire du tiers le Splenda® et le cidre à feu moyen (il restera environ 125 mL ou 1/2 tasse).

2. Délayer la fécule de maïs dans l'eau et verser dans la casserole. Porter à faible ébullition. Remuer jusqu'à éclaircissement du sirop.

3. Y incorporer le beurre en fouettant.

PAR PORTION DE 30 mL (2 C. À SOUPE) :

Calories : 60	Gras : 3 g (2 g saturés)
Glucides : 9 g	Fibres : 0 g
Protéines : 0 g	Sodium : 25 mg

Valeur de choix d'aliments pour le diabète = 1/2 choix de fruits
Points WW = 1 point

Crème de citron

14 portions

Cette garniture peut facilement servir de sauce. On peut en napper les biscuits à thé ou en garnir des gâteaux ou des tartes. J'en fais une magnifique glace qui couronne le gâteau étagé au citron et à la noix de coco (page 380). Pour une sauce épaisse, il suffit d'éclaircir la crème au citron avec un peu d'eau chaude.

INGRÉDIENTS :

160 mL (2/3 tasse) de jus de citron

30 mL (2 c. à soupe) d'eau

1 gros œuf, battu

1 gros jaune d'œuf

30 mL (2 c. à soupe) de fécule de maïs

160 mL (2/3 tasse) de Splenda® granulé

15 mL (1 c. à soupe) de sucre granulé

30 mL (2 c. à soupe) de beurre allégé

PRÉPARATION :

1. Dans une casserole moyenne (pas en aluminium), fouetter vigoureusement les 6 premiers ingrédients, soit du jus de citron au Splenda®.

2. Placer la casserole sur le feu et faire cuire à feu moyen en remuant constamment jusqu'à ébullition. Laisser bouillir 1 minute en fouettant. Le mélange doit devenir épais et limpide.

3. Retirer du feu et incorporer le beurre en brassant. Laisser refroidir.

NOTES :

Mélangez 30 mL (2 c. à soupe) de crème de citron avec du fromage à la crème ramolli et vous obtenez une tartinade savoureuse à étaler sur vos muffins ou vos biscuits.

PAR PORTION DE 15 mL (1 c. à soupe) :

Calories : 25	Gras : 1,5 g (0,5 g saturés)
Glucides : 4 g	Fibres : 0 g
Protéines : 0 g	Sodium : 0 mg

Valeur de choix d'aliments pour le diabète =
1/4 choix de glucides
Points WW = 1 point

Fromage à la crème à l'orange

8 portions

Je sers ce fromage à la crème à l'orange avec mon pain à la citrouille et aux pacanes (page 118). Tout le monde en raffole. Il agrémente aussi bien les muffins aux fruits et au son, les biscuits à thé et les mini-bagels.

INGRÉDIENTS :

113 g (4 oz) de fromage à la crème allégé

15 mL (1 c. à soupe) de jus d'orange

10 mL (2 c. à thé) de Splenda® granulé

5 mL (1 c. à thé) de zeste d'orange râpé

PRÉPARATION :

1. Déposer tous les ingrédients dans un petit bol.

2. Battre jusqu'à consistance lisse. Le fromage à la crème à l'orange se conserve de 1 à 2 semaines au réfrigérateur.

NOTES :

Plus savoureuse que le beurre, cette tartinade ne contient que le tiers des calories et qu'une fraction des gras saturés.

PAR PORTION DE 15 mL (1 C. À SOUPE) :

Calories : 30	Gras : 2,5 g (1 g saturés)
Glucides : 1,5 g	Fibres : 0 g
Protéines : 1 g	Sodium : 65 mg

Valeur de choix d'aliments pour le diabète =
1/2 choix de gras
Points WW = 1 point

Fromage à la crème aux fraises

10 portions

On peut acheter du fromage à la crème parfumé aux fraises au marché, mais ma recette surpasse les produits du commerce. De véritables fraises lui confèrent une fraîcheur imbattable. Mettez-en sur la table la prochaine fois que vous servirez des bagels ou des pains du petit déjeuner et attendez-vous à recevoir des compliments.

INGRÉDIENTS :

1 boîte de fromage à la crème allégé de 250 g (8 oz)

60 mL (1/4 tasse) de Splenda® granulé

2,5 mL (1/2 c. à thé) de zeste d'orange râpé

125 mL (1/2 tasse) de fraises fraîches hachées (125 mL ou 1/2 tasse de fraises surgelées, décongelées)

PRÉPARATION :

1. Ramollir le fromage à la crème dans un bol moyen avec une cuillère en bois.

2. Ajouter le Splenda®, le zeste et la moitié des fraises. Bien mélanger à la fourchette en écrasant les fraises.

3. Incorporer le reste des fraises.

4. Couvrir et réfrigérer jusqu'au moment de servir.

NOTES :

On trouve maintenant des bagels de saveurs et de tailles variées. Les bagels achetés en magasin contiennent entre 60 et 70 g de glucides et entre 300 et 400 calories. Je vous suggère les muffins anglais de blé complet, qui ne comprennent que 140 calories et 27 g de glucides (ou des bagels de grains complets allégés en glucides).

PAR PORTION DE 30 mL (2 c. à soupe) :

Calories : 55	Gras : 5 g
Glucides : 2 g	Fibres : 0 g
Protéines : 1 g	Sodium : 75 mg

Valeur de choix d'aliments pour le diabète = 1 choix de gras
Points WW = 1 point

Tartinade et glace au fromage au zeste de citron

6 portions

Voici une autre façon agréable de garnir vos biscuits, vos scones et vos pains. Pour aller plus loin, vous pouvez créer une glace fouettée au fromage à la crème au parfum de citron qui agrémentera vos fruits ou vos gâteaux, comme le gâteau blanc léger tout usage (page 366).

INGRÉDIENTS :

125 mL (1/2 tasse) de fromage cottage allégé

60 mL (1/4 tasse) de fromage à la crème allégé

45 mL (3 c. à soupe) de Splenda® granulé

Zeste de 1 citron

1 à 2 gouttes d'essence de citron (facultatif)

250 mL (1 tasse) de garniture fouettée allégée

PRÉPARATION :

1. Dans un robot culinaire, battre le fromage cottage jusqu'à consistance complètement lisse.

2. Ajouter le fromage à la crème, le Splenda®, le zeste de citron et l'essence de citron (au goût). Travailler pour bien mélanger. (Trop mélanger produira une tartinade trop molle.)

3. Transférer le mélange dans un petit contenant et réfrigérer jusqu'au moment de servir.

NOTES :

Plier simplement 250 mL (1 tasse) de garniture fouettée (Cool Whip, É.-U.) dans la garniture pour la transformer en une somptueuse glace pour gâteau ; les 375 mL (1 1/2 tasse) obtenus ne contiennent que 30 calories, 1 g de gras et 2 glucides par portion.

PAR PORTION DE 30 mL (2 C. À SOUPE) :

Calories : 45
Glucides : 2 g
Protéines : 4 g

Gras : 2 g (1,5 g saturés)
Fibres : 1 g
Sodium : 105 mg

Valeur de choix d'aliments pour le diabète =
1/2 choix de gras
Points WW = 1 point

Glace fouettée au fromage à la crème

18 portions

J'ai confectionné cette glace pour le gâteau aux carottes de la Californie (page 371) et j'ai découvert qu'elle était une réussite en elle-même. Parce que je ne raffole pas des lourdes glaces au fromage à la crème, j'ai ajouté de la garniture fouettée à ma recette. Le résultat : une glace légère, lisse et aérée. Je suis sûre que vous lui trouverez d'autres usages. (Une lectrice m'a confié manger la glace seule, directement du contenant.)

Ingrédients :

1 contenant de fromage à la crème allégé de 250 g (8 oz)

113 g (4 oz) de fromage à la crème sans gras

60 mL (1/4 tasse) de Splenda® granulé

250 mL (1 tasse) de garniture fouettée allégée

Préparation :

1. Dans un petit bol, mettre en crème les fromages au batteur électrique jusqu'à consistance lisse.

2. Ajouter le Splenda® et battre 1 minute de plus.

3. Incorporer à faible vitesse la garniture fouettée, jusqu'à consistance lisse.

Par portion de 30 mL (2 c. à soupe) :

Calories : 40	Gras : 2 g (1,5 g saturés)
Glucides : 3 g	Fibres : 1 g
Protéines : 4 g	Sodium : 80 mg

Valeur de choix d'aliments pour le diabète =
1/2 choix de gras
Points WW = 1 point

Glace onctueuse au chocolat facile

9 portions

Voici comment transformer facilement une garniture fouettée en une garniture ou une glace chocolatée. La recette convient à un gâteau rond ou carré de 23 cm (9 po) ou à une douzaine de petits gâteaux.

INGRÉDIENTS :

430 mL (1 3/4 tasse) de garniture fouettée allégée, décongelée

30 mL (2 c. à soupe) de cacao alcalinisé (Hershey's European, par exemple)

60 mL (1/4 tasse) de Splenda® granulé

PRÉPARATION :

1. Déposer la garniture fouettée dans un bol moyen.

2. Y plier délicatement le cacao et le Splenda®. Ne pas trop mélanger, sinon la garniture va se défaire.

3. Réfrigérer jusqu'au moment de servir. En napper des gâteaux ou des muffins.

NOTES :

Puisque les glaces pour gâteau ont besoin de gras (beurre, chocolat fondu) ou de sucre glace pour avoir du volume, il n'est pas simple de réduire le gras et le sucre. Je trouve que la garniture fouettée fait une base intéressante.

PAR PORTION :

Calories : 35   Gras : 1,5 g (1,5 g saturés)
Glucides : 4 g   Fibres : 0 g
Protéines : 0 g   Sodium : 0 mg

Valeur de choix d'aliments pour le diabète = 1/2 choix de glucides

Pacanes croquantes à la cannelle

8 portions

Quel merveilleux cadeau de Noël ! Vos amis et votre famille ne croiront jamais que ces pacanes ne contiennent aucun sucre. Le blanc d'œuf au Splenda® permet à la cannelle de bien adhérer aux noix.

INGRÉDIENTS :

1 gros blanc d'œuf

125 mL (1/2 tasse) de Splenda® granulé

500 mL (2 tasses) de pacanes

15 mL (1 c. à soupe) de cannelle

PRÉPARATION :

1. Préchauffer le four à 175 °C (350 °F). Vaporiser une plaque de cuisson d'un enduit pour cuisson antiadhésif.

2. Battre le blanc d'œuf et le Splenda® dans un bain-marie à feu moyen. Retirer du feu.

3. Incorporer les pacanes et la cannelle. Étaler les pacanes enrobées sur la plaque de cuisson préparée.

4. Faire cuire au four 15 minutes. Remuer les noix à mi-cuisson. Laisser refroidir et servir.

PAR PORTION DE 28 G (1 OZ) :

Calories : 200   Gras : 19 g (2 g saturés)
Glucides : 6 g   Fibres : 2 g
Protéines : 3 g   Sodium : 5 mg

Valeur de choix d'aliments pour le diabète = 1/2 choix de glucides

Noix cajuns sucrées et épicées

8 portions

Ces noix cajuns apparaissent dans mon livre Fantastic Food with Splenda *et sont une variante des pacanes croquantes à la cannelle. J'ai décidé d'en relever la saveur, car je les prépare très souvent. Et tout comme les pacanes croquantes à la cannelle, elles font de jolis cadeaux à offrir. Elles sont aussi délicieuses à grignoter à l'heure du cocktail.*

INGRÉDIENTS :

1 gros blanc d'œuf

125 mL (1/2 tasse) de Splenda® granulé

500 mL (2 tasses) de moitié de pacanes

15 mL (1 c. à soupe) de mélange d'épices cajuns (ou plus si vous désirez des noix plus épicées)

PRÉPARATION :

1. Préchauffer le four à 175 °C (350 °F). Vaporiser une plaque de cuisson d'un enduit pour cuisson antiadhésif.

2. Battre le blanc d'œuf et le Splenda® dans un bain-marie à feu moyen. Retirer du feu.

3. Incorporer les pacanes et les épices.

4. Étaler les pacanes enrobées sur la plaque de cuisson préparée.

5. Faire cuire au four 15 minutes. Remuer les noix à mi-cuisson. Laisser refroidir et servir.

6. Ranger dans un contenant hermétique.

NOTES :

Les noix font partie de toute alimentation saine (et même des régimes minceur) pour autant qu'on les consomme avec modération.

PAR PORTION DE 28 G (1 OZ) :

Calories : 200   Gras : 19 g (2 g saturés)
Glucides : 6 g   Fibres : 2 g
Protéines : 3 g   Sodium : 5 mg

Valeur de choix d'aliments pour le diabète =
4 choix de gras
Points WW = 4 points

Truffes au chocolat et au fromage à la crème

12 portions

Le fromage à la crème allégé rend ces truffes aussi lisses et onctueuses que celles qui contiennent de la crème et du beurre. Tous ceux qui y ont goûté ont aimé l'ajout de zeste d'orange, mais vous pouvez le remplacer par quelques gouttes d'essence parfumée qu'on trouve dans les boutiques spécialisées dans la décoration de gâteaux et de bonbons.

INGRÉDIENTS :

42 g (1 1/2 oz) de chocolat noir haché

113 g (4 oz) de fromage neufchâtel à la température de la pièce

0,5 mL (1/8 c. à thé) d'essence d'orange

160 mL (2/3 tasse) de Splenda® granulé

60 mL (4 c. à soupe) de cacao alcalinisé

45 mL (3 c. à soupe) de sucre glace

PRÉPARATION :

1. Faire fondre le chocolat dans un petit contenant allant au micro-ondes, 1 minute à puissance moyenne, puis remuer. (Ou utiliser un bain-marie.) Réserver.

2. Dans un petit contenant, défaire le fromage en crème avec une cuillère en bois. Ajouter en brassant le chocolat fondu, l'essence d'orange et le Splenda®. Y tamiser 30 mL (2 c. à soupe) du mélange de cacao et de sucre glace et brasser jusqu'à consistance lisse. (Le mélange aura une consistance pâteuse.) Couvrir et réfrigérer au moins 1 heure.

3. Façonner de petites boules de 2,5 cm (1 po), avec environ 15 mL (1 c. à soupe). Rouler les truffes dans le reste du mélange de cacao et de sucre glacet.

4. Déposer dans un contenant hermétique et réfrigérer.

NOTES :

Contrairement à bien des confiseries sans sucre, ces bouchées ne contiennent aucun alcool de sucre comme le malitol, le mannitol et le sorbitol courants dans les chocolats sans sucre ajouté. Ces alcools peuvent causer des troubles gastro-intestinaux, tandis que mes truffes conviennent à tous.

PAR PORTION DE 1 TRUFFE :

Calories : 55	Gras : 3 g (2 g saturés)
Glucides : 6 g	Fibres : 1 g
Protéines : 2 g	Sodium : 40 mg

Valeur de choix d'aliments pour le diabète =
1/2 choix de gras, 1/2 choix de glucides
Points WW = 1 point

Cocktails des jours de fête

Mojito

Piña Colada

Daiquiri

Daiquiri frappé aux fraises

Margarita

Margarita aux fraises

Crème à la noix de coco

Martini aspergé de citron

Glace pilée aux framboises et au citron

Gin Fizz Ramos

Limonade Lynchburg

Limonade du 4 juillet

Moosemilk de Marlene

Cocktail de café frappé

Black Russian et White Russian

Café irlandais

Café mexicain

Rhum au beurre chaud

Sangria

Liqueur d'orange

Liqueur de café

Liqueur de canneberges

Les boissons des fêtes conviennent à merveille aux occasions spéciales. Selon *The Science of Healthy Drinking*, par Gene Ford, des études scientifiques ont révélé que les spiritueux consommés avec modération, notamment la vodka, le gin, le whisky, le bourbon et la téquila, pourraient atténuer les risques de maladies du cœur, d'athérosclérose, de calculs biliaires, de trous de mémoire et même du rhume. Même si vous avez le diabète, vous pouvez en toute sécurité consommer des spiritueux avec modération aux repas, car l'alcool pur est métabolisé comme le gras, et non pas comme les glucides (il n'entraîne donc pas une hausse du glucose sanguin*).

Un instant toutefois! Tout n'est pas bon à boire. Les préparations qui rendent le daïquiri si agréable et la piña colada si onctueuse (et si calorique) diffèrent des spiritueux classiques. Ces préparations pour boissons alcoolisées peuvent être néfastes pour tous, et non seulement pour les diabétiques.

Heureusement, Splenda® peut vous rendre le plaisir de prendre un verre. Des boissons comme la limonade du 4 juillet le jour de l'Indépendance américaine, le rhum au beurre chaud lors des fêtes de fin d'année ou encore le café irlandais servi à vos convives après un succulent repas constituent à elles seules une bonne raison de célébrer.

Profitez-en pour agrémenter vos repas : un mojito accompagne bien les pétoncles grillées avec salsa aux mangues, la margarita, le saumon du Sud-Ouest facile ou la crème à la noix de coco, le poulet des Caraïbes. Vous découvrirez de nombreuses façons d'apprécier mes délicieux cocktails.

Enfin, le fait de pouvoir préparer vos propres liqueurs, et ce, avec très peu de sucre a de quoi vous réjouir. Santé!

* Une consommation excessive d'alcool sans nourriture peut causer de l'hypoglycémie. Consultez votre médecin ou un professionnel de la santé pour obtenir des conseils personnalisés.

Mojito

1 portion

Cette boisson cubaine très populaire contient de la menthe fraîche broyée. Elle est très rafraîchissante durant les chaudes journées d'été (d'accord, en tout temps). Sa fraîcheur vous étonnera les premiers jours de chaleur si vous n'en avez pas encore fait l'expérience.

INGRÉDIENTS :

Menthe fraîche

30 mL (1 oz) de jus de lime frais (environ 1/2 lime)

20 mL (4 c. à thé) de Splenda® granulé (ou 2 sachets de Splenda®)

45 mL (1 1/2 oz) de rhum blanc

Quelques gouttes d'eau gazéifiée

Morceau de lime (facultatif)

PRÉPARATION :

1. Dans un grand verre à Collins, écraser 8 à 10 feuilles de menthe avec le jus de lime et le Splenda® à l'aide du dos d'une cuillère.

2. Remplir le verre de glace pilée.

3. Verser le rhum puis l'eau gazéifiée.

4. Garnir d'un morceau de lime ou de feuilles de menthe fraîche.

NOTES :

« Écraser » consiste à broyer des fruits ou des herbes avec le dos d'une cuillère ou un broyeur en bois, ce qui libère les huiles et la saveur.

PAR PORTION :

Calories : 110	Gras : 0 g
Glucides : 4 g	Fibres : 0 g
Protéines : 0 g	Sodium : 0 mg

Valeur de choix d'aliments pour le diabète = 2 choix de gras
Points WW = 2 points

Piña Colada

1 portion

On surnomme parfois cette boisson tropicale populaire « paradis dans un verre ». Ma version ne contient que la moitié des calories et qu'une fraction du sucre de la boisson classique. Elle a pourtant la même onctuosité ainsi que le même goût d'ananas et de noix de coco de la piña colada traditionnelle que tous adorent. C'est vraiment le paradis !

INGRÉDIENTS :

60 mL (2 oz) de rhum

60 mL (2 oz) de crème simple sans gras

30 mL (1 oz) de jus d'ananas sans sucre

**15 mL (1 c. à soupe) de Splenda® granulé
(ou 1 1/2 sachet de Splenda®)**

2,5 mL (1/2 c. à thé) d'essence de noix de coco

250 mL (1 tasse) de glace pilée

PRÉPARATION :

1. Déposer tous les ingrédients sauf la glace dans un mélangeur. Mélanger jusqu'à texture lisse.

2. Ajouter la glace pilée et mélanger à haute vitesse jusqu'à consistance onctueuse et mousseuse.

3. Verser dans un verre Rocks ou un verre à vin. Décorer d'un petit parasol au goût.

NOTES :

Bien que la recette ne contienne aucun gras, les valeurs de choix d'aliments pour le diabète en mentionnent. C'est que l'organisme métabolise l'alcool en gras. Comme le gras, l'alcool ne demande pas d'insuline et n'a pas d'effet sur le taux de glucose sanguin. Vérifiez auprès de votre professionnel de la santé si vous pouvez boire de l'alcool.

PAR PORTION :

Calories : 180	Gras : 0 g
Glucides : 12 g	Fibres : 0 g.
Protéines : 2 g	Sodium : 60 mg

Valeur de choix d'aliments pour le diabète =
1 choix de glucides, 2 1/2 choix de gras
Points WW = 4 points

Daiquiri

1 portion

Ce daiquiri est servi sans glaçons, comme on le faisait au XIXe siècle. Vous pouvez toutefois passer la boisson au tamis sur des glaçons dans un verre Rocks.

INGRÉDIENTS :

60 mL (2 oz) de rhum blanc

30 mL (1 oz) de jus de lime

10 mL (2 c. à thé) de Splenda® granulé (ou 1 sachet de Splenda®)

Morceau d'écorce de lime

PRÉPARATION :

1. Déposer tous les ingrédients dans un shaker à cocktail rempli de glaçons aux 2/3. Bien agiter.

2. Passer au tamis dans un verre à cocktail refroidi.

3. Garnir d'un morceau de lime au goût.

NOTES :

La technique est importante pour réussir des cocktails aussi simples. Assurez-vous d'utiliser de la glace propre et inodore et un verre bien froid. Pour refroidir le verre, mettez-le au congélateur quelques minutes (sauf les verres en cristal) ou déposez-y au préalable des glaçons et un peu d'eau que vous viderez avant d'y verser le cocktail passé au tamis.

PAR PORTION :

Calories : 140	Gras : 6 g (0 saturés)
Glucides : 4 g	Fibres : 0 g
Protéines : 0 g	Sodium : 0 mg

Valeur de choix d'aliments pour le diabète = 2 1/2 choix de gras
Points WW = 3 points

Daiquiri frappé aux fraises

1 portion

Il est difficile de croire que la teneur en sucre de ce cocktail savoureux est faible alors qu'il a le goût de la version originale contenant 40 g ou plus de sucre. Le parasol décoratif est facultatif.

INGRÉDIENTS :

60 mL (2 oz) de rhum léger

15 mL (1/2 oz) de jus de lime

3 grosses fraises surgelées

30 mL (2 c. à soupe) de Splenda® granulé (ou 3 sachets de Splenda®)

125 mL (1/2 tasse) de glace pilée

PRÉPARATION :

1. Déposer tous les ingrédients sauf les fraises et la glace dans un mélangeur. Ajouter les fraises et mélanger jusqu'à consistance lisse.

2. Ajouter la glace pilée et mélanger jusqu'à consistance lisse et épaisse.

3. Verser dans un verre à cocktail.

NOTES :

Les fraises surgelées confèrent à ce cocktail une texture plus lisse que le font les fruits frais. Assurez-vous de vous procurer des fraises sans sucre.

PAR PORTION :

Calories : 155	Gras : 0 g
Glucides : 7 g	Fibres : 1 g
Protéines : 0 g	Sodium : 0 mg

Valeur de choix d'aliments pour le diabète =
1/2 choix de glucides, 2 1/2 choix de gras
Points WW = 3 points

Margarita

1 portion

Ce cocktail mexicain a gagné le cœur des Américains. Afin de réduire les glucides de façon significative (et d'obtenir une meilleure boisson), évitez les préparations riches en sucre. Suivez la méthode traditionnelle et utilisez de la lime fraîche.

INGRÉDIENTS :

60 mL (2 oz) de téquila

15 mL (1/2 oz) de Grand Marnier

30 mL (1 oz) de jus de lime

10 mL (2 c. à thé) de Splenda® granulé (ou 1 sachet de Splenda®)

Morceau de lime (facultatif)

Sel brut (facultatif)

PRÉPARATION :

1. Déposer la téquila, le Grand Marnier, le jus de lime et le Splenda® dans un shaker rempli de glace pilée aux 2/3. Bien agiter.

2. Mouiller le rebord d'un verre Rocks avec le jus de lime.

3. Si vous le désirez, tremper le rebord du verre mouillé de jus de lime dans du sel. Remplir le verre de glace puis tamiser le cocktail dans le verre.

NOTES :

La margarita préparée avec un mélange en bouteille ou une boîte de mélange aigre-doux peut contenir jusqu'à 30 g de sucre, mais très peu de jus de lime.

PAR PORTION :

Calories : 165	Gras : 0 g
Glucides : 7 g	Fibres : 0 g
Protéines : 0 g	Sodium : 0 mg

Valeur de choix d'aliments pour le diabète = 1/2 choix de glucides, 3 choix de gras
Points WW = 3 points

Margarita aux fraises

1 portion

Rien n'est plus synonyme d'été qu'une grosse margarita aux fraises bien froide près de la piscine. Comme dans le cas du daiquiri frappé aux fraises, les fruits surgelés confèrent une texture idéale à ce cocktail. En revanche, si vous préférez des baies fraîches, je vous conseille de les laver, de les équeuter et de les surgeler avant de les utiliser.

INGRÉDIENTS :

60 mL (2 oz) de téquila dorée

15 mL (1/2 oz) de jus de lime

22,5 mL (1 1/2 c. à soupe) de Splenda® granulé (ou 2 sachets de Splenda®)

0,5 mL (1/8 c. à thé) d'essence d'orange

3 grosses fraises entières surgelées

125 mL (1/2 tasse) de glace pilée

PRÉPARATION :

1. Déposer tous les ingrédients dans un mélangeur, sauf les fraises et la glace.

2. Ajouter les fraises et mélanger jusqu'à consistance lisse.

3. Ajouter la glace pilée et mélanger à haute vitesse jusqu'à froid et mousseux.

4. Verser dans un grand verre à margarita.

NOTES :

Pour une réception, préparez à l'avance un gros pichet de téquila, de jus de lime, de Splenda® et d'essence d'orange. Pour deux verres, mettez dans le mélangeur 160 mL (2/3 tasse) de ce mélange, 6 fraises et 250 mL (1 tasse) de glace pilée, puis mélanger jusqu'à texture lisse.

PAR PORTION :

Calories : 155	Gras : 0 g
Glucides : 7 g	Fibres : 1 g
Protéines : 0 g	Sodium : 0 mg

Valeur de choix d'aliments pour le diabète = 1/2 choix de glucides, 2 1/2 choix de gras
Points WW = 3 points

Crème à la noix de coco

1 portion

Le lait de noix de coco ajoute une saveur tropicale à ce généreux cocktail rafraîchissant de 355 mL (12 oz) qui rappelle la glace à la vanille enrobée de sorbet à l'orange vendue dans le commerce.

INGRÉDIENTS :

30 mL (1 oz) de lait de noix de coco allégé

60 mL (2 oz) de vodka

15 mL (1 c. à soupe) de Splenda® granulé (ou 1 1/2 sachet de Splenda®)

2,5 mL (1/2 c. à thé) d'essence de vanille

1,2 mL (1/4 c. à thé) d'essence d'orange (ou 2,5 mL (1/2 c. à thé) de zeste d'orange

1 gros blanc d'œuf

250 mL (1 tasse) de glace pilée

Écorce d'orange

PRÉPARATION :

1. Déposer tous les ingrédients dans un mélangeur, sauf l'écorce d'orange.

2. Mélanger à haute vitesse jusqu'à consistance lisse et onctueuse.

3. Garnir de l'écorce d'orange.

NOTES :

Le lait de noix de coco allégé élimine 9 g de gras dans ce cocktail. Vous pouvez le remplacer par de la crème simple sans gras et 2,5 mL (1/2 c. à thé) d'essence de noix de coco.

PAR PORTION :

Calories : 215	Gras : 8 g (6 g saturés)
Glucides : 4 g	Fibres : 0 g
Protéines : 4 g	Sodium : 65 mg

Valeur de choix d'aliments pour le diabète = 1/2 choix de glucides, 1/2 choix de viandes très maigres, 3 1/2 choix de gras
Points WW = 5 points

Martini aspergé de citron

1 portion

Les cocktails en vogue passent et s'en vont, mais celui-ci deviendra rapidement un classique. Son goût de bonbon au citron vous fera sourire.

INGRÉDIENTS :

Écorce de citron

2,5 mL (1/2 c. à thé) de sucre

45 mL (1 1/2 oz) de vodka au citron

15 mL (1/2 oz) de jus de citron

10 mL (2 c. à thé) de Splenda® granulé (ou 1 sachet de Splenda®)

PRÉPARATION :

1. Arroser l'écorce de citron de quelques gouttes de jus de citron. Frotter le rebord d'un verre à cocktail refroidi.

2. Tenir le verre à l'horizontale au-dessus d'une assiette et saupoudrer le rebord de sucre.

3. Mettre la vodka, le jus de citron et le Splenda® dans un shaker rempli de glaçons aux 2/3 et agiter.

4. Verser dans le verre préparé à travers un tamis et garnir de l'écorce de citron.

NOTES :

La jolie bordure sucrée donne à ce cocktail la saveur d'un bonbon au citron, et ce, avec juste un peu de sucre et 2 g de glucides. C'est beaucoup moins que ce que contient le cocktail original, même sans sucre.

PAR PORTION :

Calories : 110   Gras : 0 g
Glucides : 4 g   Fibres : 0 g
Protéines : 0 g   Sodium : 0 mg

Valeur de choix d'aliments pour le diabète =
2 choix de gras
Points WW = 2 points

Glace pilée aux framboises et au citron

1 portion

Cette glace pilée ne convient pas aux enfants, mais elle vous permet d'obtenir votre vitamine C de manière agréable.

INGRÉDIENTS :

45 mL (1 1/2 oz) de vodka au citron

30 mL (1 oz) de jus de citron

60 mL (1/4 tasse) de framboises fraîches

30 mL (2 c. à soupe) de Splenda® granulé (ou 3 sachets de Splenda®)

2,5 mL (1/2 c. à thé) de zeste de citron

250 mL (1 tasse) de glace pilée

Écorce de citron

PRÉPARATION :

1. Déposer tous les ingrédients dans le mélangeur sauf les framboises et la glace.

2. Ajouter les framboises et mélanger jusqu'à consistance lisse.

3. Ajouter la glace pilée et mélanger jusqu'à consistance lisse et mousseuse.

4. Verser dans un verre Rocks, garnir de l'écorce de citron et y ajouter une paille.

PAR PORTION :

Calories : 130   Gras : 0 g
Glucides : 8 g   Fibres : 2 g
Protéines : 0 g   Sodium : 0 mg

Valeur de choix d'aliments pour le diabète =
1/2 choix de glucides, 2 choix de gras
Points WW = 2 points

Gin Fizz Ramos

1 portion

Ce cocktail classique des brunchs du dimanche vous permet de vous exercer, car il faut l'agiter pendant 3 minutes. C'est peut-être pour dépenser les calories consommées durant le brunch.

INGRÉDIENTS :

60 mL (2 oz) de gin

10 mL (2 c. à thé) de jus de citron

5 mL (1 c. à thé) de jus de lime

15 mL (1 c. à soupe) de Splenda® granulé

15 mL (1 c. à soupe) de crème simple sans gras

1 gros blanc d'œuf*

1 jet (0,5 mL ou 1/8 c. à thé) d'essence d'orange

75 mL (2 1/2 oz) d'eau gazéifiée

PRÉPARATION :

1. Combiner tous les ingrédients, sauf l'eau gazéifiée, dans un shaker rempli aux 3/4 de glaçons.

2. Agiter pendant 3 minutes.

3. Tamiser dans un verre à vin refroidi.

4. Ajouter l'eau gazéifiée et remuer brièvement.

* Les intoxications alimentaires dues aux œufs crus sont de plus en plus rares. Il faut cependant faire preuve de prudence et utiliser des œufs frais sans fissure. Pour plus de sûreté, préparez un autre type de cocktail pour les personnes âgées ou malades.

PAR PORTION :

Calories : 165   Gras : 0 g
Glucides : 5 g   Fibres : 0 g
Protéines : 4 g   Sodium : 75 mg

Valeur de choix d'aliments pour le diabète =
1/2 choix de glucides, 1/2 choix de viandes
très maigres, 2 1/2 choix de gras
Points WW = 3 points

Limonade Lynchburg

1 portion

La chaîne américaine de restaurants T.G.I.F. sert ce cocktail invitant et sucré du sud des États-Unis dans un gros gobelet avec, bien sûr, une très grosse paille… et 10 fois plus de sucre que ma version.

INGRÉDIENTS :

45 mL (1 1/2 oz) de bourbon Jack Daniel's (É.-U.)

15 mL (1/2 oz) de vodka

30 mL (1 oz) de jus de citron

10 mL (2 c. à thé) de Splenda® granulé (ou 1 sachet de Splenda®)

0,5 mL (1/8 c. à thé) d'essence d'orange

90 mL (3 oz) de boisson gazeuse diététique au citron ou à la lime (Seven-Up ou Sprite aux É.-U.)

Tranche de citron

PRÉPARATION :

1. Remplir un grand verre à Collins de glaçons.

2. Y verser tous les ingrédients sauf la boisson gazeuse. Remuer.

3. Ajouter la boisson gazeuse et remuer légèrement.

4. Garnir de la tranche de citron.

NOTES :

Prenez garde, car ce cocktail s'avale facilement, même si vous n'êtes pas un amateur de whisky. Buvez un verre d'eau pour chaque cocktail et comptez vos calories.

PAR PORTION :

Calories : 140   Gras : 0 g
Glucides : 3 g   Fibres : 0 g
Protéines : 0 g   Sodium : 0 mg

Valeur de choix d'aliments pour le diabète =
2 1/2 choix de gras
Points WW = 3 points

Limonade du 4 juillet

5 portions

Le 4 juillet, jour de l'Indépendance aux États-Unis (ou en toute autre occasion), il faut servir une limonade… une vraie, faite de citrons fraîchement pressés. Pourquoi cette version convient-elle si bien à la fête nationale ? C'est qu'elle permet de célébrer pleinement.

INGRÉDIENTS :

250 mL (1 tasse) de jus de citron fraîchement pressé

250 mL (1 tasse) de vodka

500 mL (2 tasses) d'eau

80 mL (1/3 tasse) de Splenda® granulé

15 mL (1 c. à soupe) de zeste de citron

PRÉPARATION :

1. Verser le jus de citron dans un grand pichet.

2. Ajouter la vodka, l'eau, le Splenda® et le zeste de citron. Remuer.

3. Verser dans des verres à Collins sur des glaçons.

PAR PORTION :

Calories : 120	Gras : 0 g
Glucides : 6 g	Fibres : 0 g
Protéines : 0 g	Sodium : 0 mg

Valeur de choix d'aliments pour le diabète =
1/2 choix de glucides, 2 choix de gras
Points WW = 2 points

Moosemilk de Marlene

4 portions

Bien que personne ne sache d'où vient ce nom étrange, je sers cette boisson onctueuse au léger goût acidulé dans les brunchs familiaux depuis des années déjà. La recette tradition-nelle requiert de la limonade concentrée surgelée et de la crème simple, mais je la fais plutôt avec du jus de citron frais et de la crème simple sans gras. J'obtiens une boisson succulente sans le sucre et les calories de la version classique, approuvée par ma famille.

INGRÉDIENTS :

125 mL (1/2 tasse) de jus de citron

10 mL (2 c. à thé) d'essence de citron

125 mL (1/2 tasse) de Splenda® granulé

125 mL (1/2 tasse) de crème simple sans gras

125 mL (1/2 tasse) de vodka

750 mL (3 tasses) de glace pilée

PRÉPARATION :

1. Mettre tous les ingrédients dans un mélangeur, sauf la glace. Mélanger jusqu'à consistance lisse.

2. Ajouter la glace et mélanger à haute vitesse jusqu'à consistance lisse et mousseuse.

3. Verser dans un pichet ou dans des verres à vin.

NOTES :

Deux substitutions simples m'ont permis de réduire les glucides et les calories de moitié : 125 mL (1/2 tasse) de sucre contiennent près de 400 calories et 100 g de glucides mais le Splenda® granulé ne comprend que 96 calo-ries et 24 g de glucides. De même, 125 mL (1/2 tasse) de crème simple comptent 160 calories et 14 g de gras et la crème sans gras, 70 calories et aucun gras.

PAR PORTION :

Calories : 100	Gras : 0 g
Glucides : 9 g	Fibres : 0 g
Protéines : 0 g	Sodium : 30 mg

Valeur de choix d'aliments pour le diabète = 1/2 choix de glucides, 2 1/2 choix de gras
Points WW = 2 points

Cocktail de café frappé

1 portion

Les cafés frappés sont très en vogue. Il m'a semblé approprié de créer une recette à la fois savoureuse et onctueuse de ce que j'appelle mes « cocktails desserts ». Ici, j'utilise ma propre liqueur de café sans sucre. Attendez-vous à un regain d'énergie !

INGRÉDIENTS :

60 mL (2 oz) de liqueur de café (page 465)

30 mL (1 oz) de crème simple sans gras

**15 mL (1 c. à soupe) de Splenda®
(ou 1 1/2 sachet de Splenda®)**

15 mL (1 c. à soupe) d'eau chaude

5 mL (1 c. à thé) de café soluble

250 mL (1 tasse) de glace pilée

PRÉPARATION :

1. Verser tous les ingrédients dans un mélangeur et mélanger jusqu'à consistance lisse.

2. Verser dans un grand verre à Collins.

NOTES :

Vous voudrez peut-être utiliser une liqueur de café régulière dans ce cocktail. Attention ! Vous ajoutez ainsi 20 g de glucides et 80 calories.

PAR PORTION :

Calories : 120	Gras : 0 g
Glucides : 9 g	Fibres : 0 g
Protéines : 0 g	Sodium : 30 mg

Valeur de choix d'aliments pour le diabète =
1/2 choix de glucides, 2 1/2 choix de gras
Points WW = 2 points

Black Russian et White Russian

1 portion

On décrit souvent ce cocktail comme un « espresso fortifié ». La liqueur de café maison est ce qui permet de réduire sa teneur en sucre. Pour faire un White Russian, ajoutez 30 mL (1 oz) de crème simple sans gras à un Black Russian, ce qui apporte seulement 20 calories de plus.

INGRÉDIENTS :

30 mL (1 oz) de vodka

30 mL (1 oz) de liqueur de café (page 465)

PRÉPARATION :

1. Remplir un verre Rocks de glaçons.

2. Y verser la vodka et la liqueur de café. Remuer.

NOTES :

Aimez-vous le chocolat et le café ? Essayez un Russian moka en ajoutant 30 mL (1 oz) de sirop de chocolat sans sucre (comme DaVinci® ou Toroni®) avant de remuer.

PAR PORTION :

Calories : 110	Gras : 0 g
Glucides : 2 g	Fibres : 0 g
Protéines : 0 g	Sodium : 0 mg

Valeur de choix d'aliments pour le diabète =
2 1/2 choix de gras
Points WW = 4 points

Café irlandais

1 portion

En 1952, le propriétaire du bistro Buena Vista de San Francisco, aux États-Unis, a décidé de reproduire une boisson au café de son Irlande natale. Il lui a fallu près d'un an, mais il y est parvenu et cela en a vraiment valu la peine. Un vrai whisky irlandais et un café fumant fraîchement infusé sont essentiels pour réussir cette boisson réconfortante qui a fait connaître le Buena Vista à travers le monde.

INGRÉDIENTS :

45 mL (1 1/2 oz) de whisky irlandais

30 mL (2 c. soupe) de Splenda® granulé (ou 1 sachet de Splenda®)

150 mL (5 oz) de café fraîchement infusé

Un jet de crème fouettée allégée, soit 45 mL (3 c. à soupe)

PRÉPARATION :

1. Mélanger le whisky irlandais et le Splenda® dans un verre à café irlandais (ou une tasse en verre ou un verre à vin).

2. Ajouter le café et remuer.

3. Garnir de crème fouettée.

NOTES :

Le bistro Buena Vista de San Francisco a beaucoup changé depuis 1952. Il paraît qu'on y sert aujourd'hui environ 2 000 cafés irlandais par jour.

PAR PORTION :

Calories : 125	Gras : 2 g
Glucides : 3 g	Fibres : 0 g
Protéines : 0 g	Sodium : 0 mg

Valeur de choix d'aliments pour le diabète =
2 choix de gras
Points WW = 3 points

Café mexicain

1 portion

Voici une magnifique façon de couronner votre prochain dîner de réception. La combinaison hors pair de café, de chocolat et de crème fouettée remplace bien le dessert. Olé !

INGRÉDIENTS :

45 mL (1 1/2 oz) de liqueur de café (page 465)

150 mL (5 oz) de café noir chaud

1 jet de crème fouettée allégée, soit 45 mL (3 c. à soupe)

15 mL (1 c. à soupe) de chocolat mi-sucré râpé

PRÉPARATION :

1. Verser la liqueur de café dans une grosse tasse à café.

2. Ajouter le café.

3. Garnir de 30 mL (2 c. à soupe) de crème fouettée et saupoudrer de chocolat râpé.

NOTES :

Pour servir le café au dessert, mettez sur la table des plats de crème fouettée et de copeaux de chocolat râpé ainsi que du café fraîchement infusé et une liqueur d'orange (page 464) dans une jolie carafe.

PAR PORTION :

Calories : 115	Gras : 3 g
Glucides : 7 g	Fibres : 0 g
Protéines : 0 g	Sodium : 0 mg

Valeur de choix d'aliments pour le diabète = 1/2 choix de glucides, 2 1/2 choix de gras
Points WW = 2 points

Rhum au beurre chaud

9 portions

Les cocktails sont souvent de mise quand vous recevez des amis durant les fêtes et rien ne fait plus de bien lors des soirées très froides qu'un rhum au beurre chaud. La boisson parfumée d'épices excitantes se conserve plusieurs mois au réfrigérateur.

INGRÉDIENTS :

250 mL (1 tasse) de Splenda® granulé

5 mL (1 c. à thé) de mélasse

7,5 mL (1 1/2 c. à thé) de cannelle

3,7 mL (3/4 c. à thé) de muscade

2,5 mL (1/2 c. à thé) de clou de girofle

45 mL (3 c. à soupe) de beurre en morceaux

Rhum brun

PRÉPARATION :

1. Déposer le Splenda®, la mélasse et les épices dans un robot culinaire et mélanger. Ajouter le beurre et travailler pour combiner.

2. Transférer le mélange dans un petit contenant et le ranger au réfrigérateur jusqu'à son utilisation.

3. Pour une portion, déposer dans un gobelet 15 mL (1 c. à soupe) du mélange sec. Ajouter 150 mL (5 oz) d'eau bouillante et 45 mL (1 1/2 oz) de rhum brun. Remuer vigoureusement.

NOTES :

Lors d'une réception, servez des gâteries de saison avec ce rhum, comme les scones à la citrouille (page 111), le pain du goûter aux canneberges et à l'orange (page 122), les biscotins à l'orange, au gingembre et aux pacanes (page 321) ou le gâteau au fromage au chocolat et à la menthe poivrée (page 416).

PAR PORTION :

Calories : 140   Gras : 4 g (2 g saturés)
Glucides : 3 g   Fibres : 0 g
Protéines : 0 g   Sodium : 40 mg

Valeur de choix d'aliments pour le diabète =
3 choix de gras
Points WW = 4 points

Sangria

8 portions

Les États-Unis ont découvert la sangria lorsqu'on en a servi à l'exposition universelle de New York, en 1964. Selon la recette espagnole, des fruits macèrent dans du vin rouge pour donner une boisson non seulement très belle, mais aussi rafraîchissante et facile à préparer. Mettez plusieurs pichets de sangria sur la table lors d'une réception et observez la rapidité avec laquelle ils se vident !

INGRÉDIENTS :

1 bouteille de 750 mL de vin rouge (cabernet ou vin rouge espagnol)

120 mL (4 oz) de brandy

125 mL (1/2 tasse) de jus d'orange faible en calories (Tropicana Light'n Healthy)

30 mL (2 c. à soupe) de jus de citron

30 mL (2 c. à soupe) de Splenda® granulé (ou 3 sachets de Splenda®)

2,5 mL (1/2 c. à thé) d'essence d'orange

1 orange tranchée finement

1 citron tranché finement

500 mL (2 tasses) de boisson gazeuse aromatisée au gingembre sans sucre

PRÉPARATION :

1. Verser le vin et le brandy dans un gros pichet.

2. Ajouter les jus de fruits, le Splenda® et l'essence d'orange. Remuer. Incorporer les fruits. (Réserver après cette étape si vous ne servez pas la sangria tout de suite. Le tout se conservera quelques heures.)

3. Ajouter la boisson gazeuse juste avant de servir. Remuer légèrement.

4. Verser dans des verres à Collins de 180 mL (6 oz). Et dans le cas de repas libre-service, ajouter des glaçons avant de servir.

NOTES :

On admet dorénavant les bienfaits du vin rouge pour la santé. Le vin contribue à réduire les risques de maladies du cœur, les accidents vasculaires cérébraux et certains types de cancers. Il faut toutefois en boire avec modération, soit un verre par jour pour la femme, et pas plus de deux pour l'homme.

PAR PORTION :

Calories : 100	Gras : 0 g
Glucides : 4 g	Fibres : 0 g
Protéines : 0 g	Sodium : 15 mg

Valeur de choix d'aliments pour le diabète = 2 1/2 choix de gras
Points WW = 2 points

Liqueur d'orange

16 portions

La liqueur d'orange Grand Marnier produite en France comprend à la base un riche cognac agrémenté d'oranges, ce qui lui confère sa saveur complexe. Il en résulte une boisson délicieuse, quoique dispendieuse, et riche en sucre. Voici comment préparer la vôtre pour une fraction du prix... et avec une fraction du sucre.

INGRÉDIENTS :

500 ml (2 tasses) de cognac à prix abordable (un bon VS)

1 orange moyenne

125 mL (1/2 tasse) de Splenda® granulé

30 mL (2 c. à soupe) de sucre

PRÉPARATION :

1. Verser le cognac dans un pot d'une capacité de 500 mL (2 tasses) avec couvercle.

2. À l'aide d'un zesteur ou d'un économe, couper de longues languettes d'écorce d'orange et les déposer dans le pot.

3. Peler l'orange et la couper en quartiers. Couper les quartiers sur la longueur et les mettre dans le pot.

4. Ajouter le Splenda® et le sucre. Remuer ou couvrir et agiter.

5. Laisser reposer à la température de la pièce au moins 2 semaines.

6. Tamiser la liqueur d'orange dans une bouteille ou un pot en retirant le fruit et l'écorce. Couvrir. Se conserve indéfiniment.

NOTES :

Comme le Grand Marnier, cette liqueur est délicieuse badigeonnée sur un gâteau, versée sur de la glace, ajoutée au café ou sirotée lentement dans un joli verre à liqueur.

PAR PORTION DE 30 mL (1 oz) :

Calories : 75	Gras : 0 g
Glucides : 3 g	Fibres : 0 g
Protéines : 0 g	Sodium : 0 mg

Valeur de choix d'aliments pour le diabète = 1
1/2 choix de gras
Points WW = 1 point

Liqueur de café

46 portions

Cette recette est épatante. Elle a le bon goût du Kahlua, mais elle coûte moins cher et ne contient qu'une fraction du sucre et des calories. Elle est en outre très polyvalente : elle peut servir à la confection de Black Russians ou de café mexicain, elle peut garnir une glace, notamment une glace au café allégée en sucre ou elle s'offre bien en cadeau à une personne qui surveille son apport en sucre ou ses glucides.

INGRÉDIENTS :

500 mL (2 tasses) d'eau chaude

750 mL (3 tasses) de Splenda® granulé

125 mL (1/2 tasse) de café soluble

15 mL (1 c. à soupe) d'essence de vanille de bonne qualité (ou une gousse de vanille*)

1 bouteille de 750 mL de vodka

PRÉPARATION :

1. Verser l'eau chaude dans un pichet moyen. Ajouter le Splenda® et le café soluble. Remuer pour faire dissoudre.

2. Ajouter la vanille et la vodka et remuer.

3. Verser dans un contenant à couvercle ou dans de jolies bouteilles à l'aide d'un entonnoir. (Donne environ 1,5 L ou 6 tasses.)

4. Laisser reposer au moins 2 semaines, surtout si vous utilisez une gousse de vanille. Se conserve indéfiniment.

* Coupez la gousse de vanille en deux sur la longueur et déposez les deux parties dans le contenant ou la bouteille avant d'y verser le mélange de café.

NOTES :

La liqueur de café peut contenir jusqu'à 14 g de glucides par 30 mL (1 oz), soit l'équivalent de 15 mL (1 c. à soupe) de sucre dans 30 mL (2 c. à soupe) de liqueur. Ma version ne comprend aucun sucre ajouté.

PAR PORTION DE 30 mL (1 OZ) :

Calories : 45	Gras : 0 g
Glucides : 2 g	Fibres : 0 g
Protéines : 0 g	Sodium : 0 mg

Valeur de choix d'aliments pour le diabète =
1 1/2 choix de gras
Points WW = 1 point

Liqueur de canneberges

32 portions

Le Splenda® est l'ingrédient idéal pour réduire la quantité de sucre des liqueurs. La présente recette est à la fois unique et convient parfaitement à la période des fêtes. Pour en faire un cocktail, agitez la liqueur avec des glaçons pour obtenir un martini aux canneberges ou servez-la sur des glaçons avec une eau gazéifiée pour avoir une boisson légère et rafraîchissante. Elle fait bon effet quand on en arrose des gâteaux et des glaces à la vanille.

INGRÉDIENTS :

60 mL (1/4 tasse) de sucre granulé

250 mL (1 tasse) d'eau

10 mL (2 c. à thé) de fécule de maïs délayée dans 15 mL (2 c. à soupe) d'eau

1 sac de 340 g (12 oz) de canneberges fraîches

3 morceaux d'écorce d'orange

430 mL (1 3/4 tasse) de Splenda® granulé

1 bouteille de 750 mL de vodka

PRÉPARATION :

1. Combiner le sucre, l'eau et la fécule de maïs dans une casserole moyenne. Porter à faible ébullition et faire cuire 1 minute. Réserver

2. Déposer les canneberges dans un robot culinaire et travailler pour hacher finement (de 1 à 2 minutes).

3. Mettre les canneberges et le mélange d'eau dans un grand pichet. Ajouter la vodka et remuer.

4. Verser le mélange dans un grand pot et garder dans un endroit frais. Agiter chaque jour pendant 2 ou 3 semaines.

5. Tamiser le mélange à travers un fin tamis ou une étamine. Jeter les canneberges et l'écorce d'orange. Verser dans une ou plusieurs bouteilles à l'aide d'un entonnoir. Se conserve indéfiniment.

NOTES :

Boisson effervescente aux canneberges : remplissez à moitié un grand verre de glaçons. Ajoutez 30 mL (1 oz) de liqueur de canneberges, puis complétez avec une boisson gazeuse diététique à la lime et au citron (Seven-Up, É.-U.). Remuez et garnissez de menthe fraîche.

PAR PORTION DE 30 mL (1 OZ) :

Calories : 30	Gras : 0 g
Glucides : 3 g	Fibres : 0 g
Protéines : 0 g	Sodium : 0 mg

Valeur de choix d'aliments pour le diabète =
1 choix de gras
Points WW = 1 point

Notes

À propos de l'auteure

Marlene Koch est diététicienne certifiée, enseignante de cuisine et éducatrice chevronnée en matière de nutrition. Elle a comme passion de créer des recettes à la fois savoureuses et saines. Marlene a travaillé de concert avec des organisations professionnelles comme l'*American Culinary Association* (association des chefs cuisiniers professionnels des États-Unis) ainsi que l'*American Diabetic Association* (diabète). On a pu l'entendre et la voir à plusieurs émissions de radio et de télévision. La chaîne télévisée *Food Channel* a accordé une mention à son premier livre, *Unbelievable Desserts with Splenda*, et des recettes de ce livre ont été confectionnées à l'émission *The Today Show*. Certaines ont paru dans les magazines *Cooking Light, Diabetic Cooking, Women's Fit* et *Fitness and Low-Carb Energy*. Marlene vit en Californie avec son époux aimant et ses deux fils pleins de vie. Vous pouvez aussi la joindre à partir de son site Web à www.marlenekoch.com.

L'utilisation de 11230.65 lb de Rolland Enviro100 Édition plutôt que du papier vierge réduit votre empreinte écologique de:

Arbres: 95
Déchets solides: 2 751 kg
Eau: 260 280L
Matières en suspension dans l'eau: 17,4 kg
Émissions atmosphériques: 6 042 kg
Gaz naturel: 393 m³

Transcontinental
IMPRESSION
IMPRIMERIE GAGNÉ

Imprimé sur Rolland Enviro100, contenant 100% de fibres recyclées postconsommation, certifié Éco-Logo, Procédé sans chlore, FSC Recyclé et fabriqué à partir d'énergie biogaz.